이상문학상 수상작품집

문학사상사

1998년도 제22회

이상문학상 수상작품집

아내의 상자 외

문학사상사

1998 이상문학상 수상작품집
제22회 대상 수상작
은희경
아내의 상자 외 8편

ⓒ 문학사상사, 1998

제22회 이상문학상 대상 수상작 선정 이유서

일상의 삶 속에서 소멸되어 가는 인간의 존재 의식을
세련된 감각과 간결한 언어로 깊이 있게 추구한 수작(秀作)

1998년도 제22회 이상문학상의 대상 수상작으로 은희경 씨의 소설 〈아내의 상자〉를 선정한다. 은희경 씨는 특히 소재와 주제의 신선함과 절묘한 표현 기법, 완벽한 작품 구성력을 과시하며, 단시일 내에 문단에서 가장 주목받는 작가로서의 위치를 굳힌 작가이다.

이번에 이상문학상 대상 수상작으로 선정된 〈아내의 상자〉는 일상의 삶 속에서 소멸되어 가는 인간의 존재 의식을 세련된 감각과 간결한 언어로 깊이 있게 추구하고 있으며, 단편소설의 완결성과 그 미학의 새로운 가능성을 제시하고 있다. 특히 이 작품은 새로운 세기를 눈앞에 두고 있는 한국 소설 문단에서 여성 소설이 이룩한 문학적 성취를 대변하고 있다고 할 수 있다.

이 작품은 또한 작가의 풍부한 상상력과 능숙한 구성력 그리고 인간을 꿰뚫어보는 신선한 시선에 의해서 시적 은유(隱喩)와는 또 다른 소설의 아름다움을 만끽할 수가 있다.

이 작품이 한국 소설의 지평을 한 차원 높이고 있다는 점을 주목하여 이상문학상의 영예를 드린다. 작가에게 축하를 보내며, 〈아내의 상자〉에서 볼 수 있는 소설적 성과가 오래 기억될 수 있기를 바란다.

1998년 1월

이상문학상선고위원회

이어령 · 이재선 · 최인호 · 오정희 · 권영민

제22회 이상문학상 대상 심사 경위

권영민(문학평론가 · 〈문학사상사〉 주간)

1998년도 제22회 이상문학상의 본심에 오른 작품 15편 가운데에는 여성 작가들의 작품이 압도적으로 많았다. 심사위원들이 각각 3~4편의 후보작을 천거하기로 하였을 때, 공통적으로 지목된 작품은 〈아내의 상자〉(은희경), 〈말무리반도〉(박상우), 〈존재는 눈물을 흘린다〉(공지영), 〈거울에 관한 이야기〉(김인숙) 등이다. 이 작품들은 〈말무리반도〉를 제외하고는 모두 단편소설이다. 이전의 이상문학상 수상작들 가운데 중편소설이 많았던 점을 생각한다면, 이번의 후보작들이 보여 주는 소설적 감각이 유별난 느낌을 주고 있다.

심사위원들이 각각의 작품에 대해 언급한 것을 요약하면 다음과 같다. 〈말무리반도〉는 언어와 문체의 성취, 대상에 대한 묘사와 감각의 신선함 등을 높이 평가했으며, 〈거울에 관한 이야기〉는 일상의 소재를 문제성 있게 다루는 진지한 작가 정신을 인정했다. 〈아내의 상자〉가 보여 주는 인간의 존재에 대한 인식 방법이 세련된 언어 감각에 의해 더욱 값진 성과를 거두고 있다는 점에 주목하였고, 〈존재는 눈물을 흘린다〉의 경우 현실과 환상의 병치를 통해 인간의 내면 의식을 깊이 있게 파헤치고 있는 점에 높은 점수를 주었다.

대상 후보작의 범위를 다시 축소하는 데에 상당한 시간이 걸렸다. 각각의 작품들이 모두 특이한 문제성을 지니고 있는데다가 그 작품 성향도 서로 다른 점이 많았다. 그렇기 때문에, 어떤 요소를 더 중시해야 하느냐를 놓고 여러 가지 논의를 거쳐야만 했다. 이 과정에서 〈거울에 관한 이야기〉가 먼저 후보작의 범위에서 벗어났다. 문제 의식의 평범성이 지적되었기 때문이다. 그리고 〈존재는 눈물을 흘린다〉의 경우도 부재의 공간으로 설정하고 있는 페루라는 이방의 지역에 대한 이미지가 다른 작품과 그 분위기가 유사하다는 점 때문에 논의에서 제외되었다.

〈말무리반도〉와 〈아내의 상자〉를 놓고 최종 선택을 하게 되었을 때, 모든 심사위원들이 〈아내의 상자〉에 표를 던졌다. 〈말무리반도〉가 지니고 있는 작품의 무게보다 〈아내의 상자〉가 지니고 있는 문제 의식에 더 큰 점수를 준 셈이다. 그런데 이 과정에서 조그마한 문제가 생겼다. 모든 심사위원들이 이 작품의 원제목인 〈불임 파리〉에 대해 이의를 제기했기 때문이다. 작품의 결말 부분에 등장하는 한 장면에서 따온 이 제목으로 인하여 소설의 주제가 축소되고 있으며, 작품 전체의 인상을 미리 규정해 버리고 있다는 것이었다.

작가 은희경 씨는 수상 소식을 전해 듣고, 제목을 바꾸도록 해야 한다는 심사위원들의 제안을 흔쾌히 받아들였으며, 〈아내의 상자〉라는 새로운 제목을 내놓았다. 이 작품은 이상문학상의 수상작이 되면서 〈아내의 상자〉로 다시 태어난 셈이다.

은희경 씨가 문단에 등단한 지 3년에 불과한 신진 작가라는 점도 지적해 두고 싶다. 이상문학상 22년의 역사 가운데 등단 3년에 이 같은 대상을 차지한 작가는 처음이기 때문이다. 그러나 이상문학상은 작품상의 형식을 취하고 있으므로, 작가의 짧은 경력을 문제삼지는 않는다. 작품의 성과만이 이상문학상의 영예를 말할 수 있다.

본심에 올랐던 〈내 사랑 십자 드라이버〉(김영하), 〈통속〉(성석제), 〈플라스틱 섹스〉(이남희), 〈옛날이야기—동아줄, 동아줄을!〉(윤영수), 〈노래하는 여자 노래하지 않는 여자〉(이혜경), 〈어두운 물소리〉(김예나) 등이 소설적 문법의 변화를 보여 주고 있음도 주목된다.

이번 심사에는 비평가 이어령 교수, 이재선 교수가 참여하였고 소설가 최인호 씨, 오정희 씨가 이상문학상 수상 작가로서 심사를 함께 했다.

은희경 씨에게 축하를 보낸다. 경제의 어려움으로 시름에 빠진 독자들에게 좋은 작품을 소개할 수 있게 된 점이 기쁘다.

대상 및 추천 우수작으로 최종 확정되어 이상문학상 작품집에 수록된 작품과 그 게재지는 다음과 같다.

▶ 대상작

은희경 〈아내의 상자〉(현대문학, 1997년 4월호)

▶ 추천 우수작

공지영 〈존재는 눈물을 흘린다〉(창작과 비평, 1997년 봄호)
김인숙 〈거울에 관한 이야기〉(실천문학, 1997년 가을호)
박상우 〈말무리반도〉(문학사상, 1997년 7월호)
엄창석 〈색칠하는 여자〉(문학사상, 1997년 7월호)
이혜경 〈노래하는 여자 노래하지 않는 여자〉(라쁠륨, 1997년 가을호)
전경린 〈환과 멸〉(작가세계, 1997년 겨울호)

▶ 기수상작가 우수작

최수철 〈매미〉(문학사상, 1997년 10월호)

소설의 아름다움 유감없이 발휘한 수작

—작가의 풍부한 상상력과 능숙한 구성 그리고 신선한 시선에 의한 시적 은유

〈아내의 상자〉는 한 불임녀를 통해 현대적 삶의 불모성을 그려 낸 작품으로, 작가의 풍부한 상상력과 능숙한 구성력, 인간을 꿰뚫는 신선한 시선에 의해 시적 은유와는 또 다른 소설의 아름다움을 느끼게 한다.

이어령(문학평론가 · 이화여대 석학교수)

처음부터 그랬었다. 이상문학상은 그 해에 발표된 작품 가운데 가장 뛰어난 작품에 수여하는 상이다. 작가의 연조나 문단의 성가에 관계없이 오직 작품의 질만을 가지고 심사를 한다. 그러기 때문에 선정된 작품만이 아니라 심사 대상이 된 다른 작품들도 함께 수록하여 독자들 앞에 공개한다. 결과적으로 보면 상을 받는 사람만이 아니라 상을 수여하는 심사위원들의 안목과 문학적 양식까지도 심사를 받아 온 셈이다.

금년도 심사에서도 이와 같은 원칙과 전통은 유감없이 발휘되었으며 그 결과로 문단에 등단한 지 얼마 되지 않은 은희경 씨의 〈아내의 상자〉가 수상작으로 결정되었다.

겉으로 보면 아이를 낳을 수 없는 한 여인의 이상 성격을 다룬 이야기처럼 보인다. 그런데도 그것이 한 불임녀의 특이한 상황이 아니라 나와 우리 그리고 모든 인간의 삶과 문명 전체의 처절한 불모성으로 다가온다.

그 불임녀의 이야기가 제삼자나 혹은 당사자(나)의 시점에서 그려져 있었다면 그러한 소구력을 가지지 못했을 것이다. 객관적인 싸늘한 관찰자도 아니요 반대로 주관적인 뜨거운 몰입도 아닌 바로 남편의 시점—그 절묘한 '시점의 거리'에 의해서 모든 이야기와 묘사가 전개된다. 그래서 나날이 소모해 가는 노란 연필, 상자, 공벌레같이 동그랗게 수축된 몸을 파묻는 의자 그리고 그 전체의 방의 분위기가 아내를 나타내는 환유(換喩)의 힘을 갖게 되고 다시 그것은 닭장이나 불임 파리와 같은 그 불모의 신도시 전체의 바깥 세계를 나타내는 환유로 바뀌어 간다.

작가의 풍부한 상상력과 능숙한 구성력 그리고 인간을 꿰뚫어보는 신선한 시선에 의해서 시적 은유(隱喩)와는 또 다른 소설의 아름다움을 만끽할 수가 있다. 다른 작품과 비교 우위라는 이야기가 아니라 오직 하나의 작품으로 나는 이 작품에 표를 던졌다.

심사평

삶의 아픔과 손상에 대한 신선한 형상화

—우수작상도 시대적 글쓰기의 충분한 가치를 지녔다

〈아내의 상자〉는 정신해부학적인 이상 징후의 환기를 통해서 삶의 관계들에 깊이 내재하는 아픔과 그로 인한 장애 현상을 투시한 작품으로서, 아픔과 손상에 대한 시선이 매우 유니크한 비유와 상징의 표현성에 의해서 신선하게 형상화되고 있다.

이재선(문학평론가 · 서강대 교수)

내가 각별히 주목한 후보작은 〈존재는 눈물을 흘린다〉(공지영), 〈거울에 관한 이야기〉(김인숙), 〈말무리반도〉(박상우), 〈아내의 상자〉(은희경) 등의 네 편이다. 이 네 편의 작품은 모두 이 시대의 글쓰기에 있어서 하이라이트로서의 가치를 충분히 지닌 작품들이다.

〈존재는 눈물을 흘린다〉는 해고된 이혼녀 디자이너의 하루의 삶을 그린 것으로, 현실의 환각화랄까 환각의 현실화랄까 여하간 현실 속에 환각 효과를 끌어들이고 반복적인 우연성으로 솜씨 있게 결구를 짜고 있다. 이혼하여 공간적으로 멀리 떨어진 '나(자아)'와 타자의 관계를 통해서 존재의 단절과 부재 그리고 소멸의 문제를 정감력 있게 제시하고 있다. 작위성이 다소 아쉽게 여겨지는 부분이다.

〈거울에 관한 이야기〉는 치매 문제를 다룬 것으로, 깊은 애착 관계인 모녀 사이에 내재하는 사랑의 밀착적 연계와 거역할 수 없는 멀어짐의 관계를 상처의 이미지, 건널목, 거울의 앞과 뒤의 대립적 공간 이미지로 형상화해 내고 있다. 그러나 너무 '성자'화된 남편의 허상화 및 종교 문제의 긴 개입이 자연스럽게 수용되지 않는다.

〈말무리반도〉는 대상 후보로 논의된 작품이다. 자기 찾기를 위한 길 가기의 이념과 타자에게 자신의 꿈을 의탁하려는 남녀가 제시된 이 작품은 빛과 색으로 표상되는 명암과 농담의 회화적 이미지와 말갈기 같은 파도의 역동성 그리고 지지적 공간 등의 활용, 현실과 환상을 적절히 교합시킨 분위기의 설정 등 그 역량이 돋보이는 작품이다. 구조적인 절제와 압축이 있었으면 좋지 않았을까 생각된다.

〈아내의 상자〉는 정신해부학적인 이상 징후의 환기를 통해서 삶의 관계들에 깊이 내재하는 아픔과 그로 인한 장애 현상을 투시한 작품으로서, 아픔과 손상에 대한 시선이 매우 유니크한 비유와 상징의 표현성에 의해서 신선하게 형상화되고 있다. '인간의 몸은 영혼의 가장 좋은 그림이다'는 L. 비트겐슈타인의 말이 연상될 만큼, 아픔을 통해서 영혼과 신체의 관계를 음미케 하는 작품이다. '장갑'과 '닭장' 그리고 폐쇄적 닫힘의 표상인 '상자'의 상징 시학이 특히 신선하다.

근원적으로 수돗물 소리의 환청 현상에 뿌리를 둔 주인공의 상처입은 개성은 부부로 표상된 개인적인 상호 관계를 끝내 건강화 내지 정상화—공벌레처럼 웅크리고 잠자는 태아 이미지의 체위, 임신에의 열망—시키지 못한 채 균열 상태, 갑옷 같은 경질화 상태로 가두게 된다. 여기서 작가의 인간의 아픔에 대한 철저한 시선과 함께 진단적인 투시가 지닌 비관주의가 함께 엿보이기도 한다. 회생의 비전이 그만큼 아쉬운 것이다.

이 작품은 두 가지의 읽기가 겸비되어 있다. 문예성의 읽기와 통속(대중)성의 읽기가 그것이다. 이것은 작가가 충분히 읽힐 수 있는 작품을 생산하는 능력과 잠재력을 두루 갖추고 있음을 뜻하기도 하지만, 자기 관리의 엄격성이 요구된다는 반증이기도 함을 유념할 일이다.

심사평

현대인의 존재론적인 비극성 드러낸 수작

—공지영, 김인숙, 박상우 등의 작품도 매우 뛰어난 수작

〈아내의 상자〉는 현대인의 존재론적 비극성을 드러낸 작품으로, 심각한 소재를 전혀 심각하지 않게 시치미를 떼고 끌고 간 솜씨가 놀랍다.

최인호(소설가)

이상문학상의 심사위원을 맡게 된 것은 내게 있어 큰 기쁨이었다. 왜냐하면 이번 심사를 통해 요즘 활발한 활동을 펼치고 있는 신인 작가들의 작품을 집중적으로 볼 수 있게 되었기 때문이었다.

예선에서 뽑혀 올라온 열다섯 편 중에 내 마음에 들었던 것은 공지영의 〈존재는 눈물을 흘린다〉와 김인숙의 〈거울에 관한 이야기〉, 박상우의 〈말무리반도〉와 은희경의 〈아내의 상자〉 이렇게 네 편이었다. 평소에 나는 문단에 어느 정도 거리를 두고 있었으므로 사전에 이들 작가들에 대한 정보를 전혀 갖고 있지 않았다. 이 점은 오히려 작품을 뽑는 데 냉정한 판단을 내릴 수 있게 하였다고 자부한다.

공지영의 〈존재는 눈물을 흘린다〉는 잘 쓴 작품이었고 작가의 참신한 역량을 엿보게 한 수작이었지만 전체적으로 관념적이며 애매모호하였다. 또한 김인숙의 〈거울에 관한 이야기〉 역시 어머니와 딸 사이에 벌어지는 섬세한 심리 묘사는 탁월했지만 너무 일상적인 수필식의 소품이라는 느낌이 들었다.

나는 나머지 박상우의 〈말무리반도〉와 은희경의 〈아내의 상자〉 두 작품에 대해 깊은 관심을 갖고 있었다. 박상우의 〈말무리반도〉는 우선 그 문장력에서 탁월하다. 요즘 작품 중에서 드물게 소설이 가진 형식에 대해서도 정통적인 작품이었다. 그러나 그 탄탄한 문체가 사건과 인물의 전개 부분에서 갑자기 빛을 잃어버리는 것은 작가가 형상화에 있어 너무 일차원적인 단순한 전개를 하고 있는 것 때문이 아닌가 하는 강한 불만이 있었다. 이 부분에 관해서는 모든 심사위원이 의견의 일치를 보이고 있었다.

남은 작품 하나는 은희경의 〈아내의 상자〉였는데 이 작품은 한마디로 요즘 보기 드문 수작이라고 극찬해도 무방하리라 단언한다. 아내와 남편 두 사람의 단순한 플롯이지만 여기에서는 현대인들의 존재론적인 비극성이 여지없이 드러나 보이고 있다. 심각한 소재를 전혀 심각하지 않게 시치미를 떼면서 끌고 간 솜씨도 놀랍다. 다만 그 익숙성이 이 작가의 작업에 상투적인 녹이 되지 않기를 간절히 바란다.

〈문학사상사〉측에서는 은희경 씨가 이제 겨우 데뷔한 지 삼 년밖에 되지 않는다고 걱정하였지만 오히려 그 점이 본래 갖고 있던 '이상문학상'의 취지에 합당한 선택이라고 나는 생각한다. 지금껏 별로 문학상의 심사 작업에 참여치 않았던 것은 그저 그런 작품을 세상에 내놓는 데 거들어 주는 조산원(助産員)이 되지 않을까 하는 노파심 때문이었다. 그러나 은희경 씨의 〈아내의 상자〉를 이상문학상의 당선작으로 내놓는 데 한몫을 하게 되었다는 것은 내게 있어 떳떳한 기쁨이었다.

작가라면 누구나 본능적으로 작품을 통해 그 작가가 가진 잠재력을 꿰뚫어보는 영감이 있다고 스스로를 믿고 있다. 나 역시 예외는 아니다. 나의 그 영감이 헛되지 않다는 것을 나는, 은희경의 빛나는 작품 〈아내의 상자〉를 시작으로 앞으로 있을 그녀의 창작 작업을 끝까지 지켜보는 것으로 확인하려 한다.

심사평

길들여진 상상력과 사고의 '허'를 찌르는 작품

—끈덕진 문체의 힘과 치밀한 묘사력이 돋보이는
〈말무리반도〉와 〈거울에 관한 이야기〉

〈아내의 상자〉는 물이 흐르듯 유려하고 능숙한 소설이다. 나무랄 데 없이 반듯하고 평온한 껍질 속의 황폐함, 파괴력의 끔찍한 비극을 날카롭게 짚어 내며 경쾌하고 천연한 문체로 발전시켜 가는 솜씨가 탁월하다.

오정희(소설가)

흔히 접하게 되는, 시작과 과정과 결말이 대강 보이는 이른바 여로형의 소설인가 하면서도 〈말무리반도〉(박상우)에 빨려 들어간 것은 끈덕진 문체의 힘과 치밀한 묘사력 때문일 것이다. 주인공의 시선을 따라 펼쳐지고 지나치는 풍경들이 내면으로 넘나들며 삼투 작용을 일으켜 보여 주는 역동성에 비하면, 그가 어떻게 살았고 실패했고 절망했다는 이야기나 안개 속에서 자신에게 기대 오는 여자를 버리고 떠난다는 예정된 결말은 상투적인 것일 수도 있겠다.

〈거울에 관한 이야기〉(김인숙)는 진지하다. 때로 군더더기와 장황함이 과도한 것은 작가가 소설과의 거리 두기에서 머뭇거림이 심했던 탓이 아닌가 싶다. 어머니의 치매가 거울 깨기에서부터 시작되었다거나 딸이 어머니에게 거울을 사드리는 것 등 이 소설의 처음부터 끝까지 숨어 있거나 드러나는 거울의 존재는 엄마로서의, 딸로서의, 여성으로서의 원죄 의식을 은밀하게 비춰 주고 있다. 그에 비해 주인공과 남편, 불임 등의 이야기들은 서로 어설프게 겉돌고 있는 듯하다. 주인공의 절망감과 고독에 결코 작지 않은 몫을 할 남편의 모습이 피상적이고, 아이를 원하지 않는 이유도 설득력이 약하다.

〈아내의 상자〉(은희경)는 물이 흐르듯 유려하고 능숙한 소설이다. 나무랄 데 없이 반듯하고 평온한 껍질 속의 황폐함, 파괴력의 끔찍한 비극을, 불길하고 미세한 기미들을 날카롭게 짚어 내며 경쾌하고 천연한 문체로 발전시켜 가는 솜씨가 탁월하다. 영혼과 분리된 육체의 행태 묘사, 아내가 그토록 가보고 싶어했던 아름다운 숲길 저편에 나타나는, 전혀 예상하지 못했던 공동묘지 풍경 등, 길들여진 상상력과 사고의 '허'를 찌르고 전율을 느끼게 한다.

이 작가의 큰 장점 중의 하나인 능숙함과 재치가 때로는 덫이 될 수도 있으리라는 우려도 들었지만, 대상과 시기에 따라 큰 칼, 작은 칼을 적절히 쓰고 미련스러움도 부리면서 싸워야 한다는 것을 이 작가는 이미 알고 있을 것이라는 믿음도 있다.

심사평

존재의 심연을 열어 보이는 새로운 언어 감각

—누구나 지닌 운명의 '상자' 열면 덮쳐 오는 삶의 굴레

대상작 〈아내의 상자〉는 일상성과 존재의 소멸 과정을 새로운 언어 감각으로 그린 작품으로, 오랜만에 만나 보는 완결된 단편소설이다. 은희경 씨에게 박수를 보낸다.

권영민(문학평론가 · 서울대 교수)

1998년도 이상문학상의 영예를 안게 된 〈아내의 상자〉는 오랜만에 만나 보는 완결된 단편소설이다. 단편소설에서 요구하는 하나의 상황이라든지 성격의 통일과 긴장이라든지 하는 것을 모두 규범적으로 지키면서 이처럼 응축된 작품을 만들 수 있다는 것은 작가의 소설적 재능에 해당한다.

이 작품에서 주목되는 것은 일상성과 존재의 소멸 과정이다. 사람들은 누구나 반복적인 일상으로부터 벗어나고자 하지만, 결국은 다시 일상의 범주를 넘어서지 못한다. 현대적인 의미에서 일상성은 개인의 사회적 존재 문제와도 직결된다. 신도시 아파트의 황량한 풍경, 그 속에 자기 존재의 심연을 헤매는 주인공이 있다. 닫혀진 아파트의 내부 공간은 그녀의 존재를 규정하는 일상성의 조건이다. 이 조건 속에서 그녀는 스스로 그 자신의 존재를 열어 보이고자 한다. 그러나 존재는 아득하게도 손에 잡히는 아무것도 남기지 않고, 그 실체를 드러내 보일 수 있는 가능성마저 잃고 있다. 더구나, 주인공의 내면에 자리하고 있는 자의식의 공간은 점차 좁혀져 더 이상 아무런 공유점을 발견할 수 없다. 이 극단의 상황에서 빚어 낸 것이 바로 자기 존재를 스스로 가두는 하나의 상자가 아닐까?

사람들은 누구나 자기 운명의 상자를 하나씩 지니게 마련이다. 그 상자를 열면 삶의 굴레가 운명이라는 이름으로 덮쳐 온다. 그러므로 누구도 감히 그 상자를 열지 못한다. 그러나 스스로를 그 상자 속에 가두어 버릴 수 있다. 이것은 자기 존재의 심연을 열고 들어서는 유일한 방법이다. 하지만 존재의 소멸에 이르는 이 길을 누가 감히 택할 수 있는가? 한 세기를 마감하는 자리에서야 비로소 〈아내의 상자〉와 같은 소설을 만나게 되는 것은 결코 우연이 아니다.

은희경 씨에게 박수를 보낸다.

차 례

■ 제22회 이상문학상 대상 수상작 선정 이유서 3
■ 제22회 이상문학상 대상 심사 경위 5

심사평

이어령 소설의 아름다움 유감없이 발휘한 수작 8
이재선 삶의 아픔과 손상에 대한 신선한 형상화 10
최인호 현대인의 존재론적인 비극성 드러낸 수작 12
오정희 길들여진 상상력과 사고의 '허'를 찌르는 작품 14
권영민 존재의 심연을 열어 보이는 새로운 언어 감각 16

대상 수상작

은희경 아내의 상자 21

대상작가 자선 대표작

은희경 그녀의 세 번째 남자 61

추천 우수작 〈가나다 순〉

공지영 존재는 눈물을 흘린다 127
김인숙 거울에 관한 이야기 161
박상우 말무리반도 197
엄창석 색칠하는 여자 267
이혜경 노래하는 여자 노래하지 않는 여자 299
전경린 환(幻)과 멸(滅) 321

기수상작가 우수작

최수철 매미 353

은희경의 수상 소감과 문학적 자서전

은희경 **수상 소감**
진짜 작가로서의 길 393

은희경 **나의 문학적 자서전**
쓸 수 있는 인생이라 행복하다 396

〈아내의 상자〉의 작품 세계와 작가 은희경

강상희 **은희경의 〈아내의 상자〉와 그 작품 세계**
현대적 삶의 숙명—희망과 절망의 정지된 변증법 407

김미현 **작가 은희경을 말한다**
짐작과는 다른 말들 418

■ 이상문학상의 취지와 선정 방법 431

아내의 상자

은희경

1959년 전북 고창 출생.
숙명여대 국문과를 졸업하고,
1995년 《동아일보》 신춘문예에
중편소설 〈이중주〉가 당선되어 등단했다.
소설집으로 《타인에게 말 걸기》,
장편소설로 《새의 선물》이 있다.
문학동네소설상 · 동서문학상을 수상했으며,
제20회 이상문학상 추천우수작에 선정된 바 있다.

아내의 상자

마지막으로 아내의 방에 들어가 본다.

푸른 빛이 감도는 벽지, 벽을 향해 놓여진 독일식 책상과 창가의 안락의자. 그 사이로 알 수 없는 희미한 향기가 떠다닌다. 그리고 상자들.

아내는 상자를 많이 갖고 있다. 어떤 상자에는 그녀가 한 계절 내내 손가락을 찔려 가며 십자수를 놓은 탁자보가 들어 있고 어떤 상자에는 편지 뭉치가 들어 있다. 편지는 모두 종이색이 누렇게 바래고 잉크가 번진 오래된 것들이다. 최근에 그녀에게 편지가 오는 것은 한 번도 본 일이 없다. 아내가 임신했다는 소식을 듣자마자 호들갑스러운 친구가 사주었다는 하얀 배냇저고리가 든 상자도 있다. 그 아이가 삼 개월 만에 자연 유산된 후 아내는 또 다른 아이를 가지지 못했다. 그런데도 아내는 그런 물건을 간직했다. 아내의 상자에는 지난 시간 동안 그녀를 스쳐 지나간 상처들이 담겨 있었다. 사람들은 상처가 회복된 다음에도 몸에 남아 있는 흉터로써 그 상처를 기억한다. 그녀는 흉터를 지니듯이 방 귀퉁이에 상자를 쌓아 갔다.

맨 위의 상자 하나를 열어 본다. 조잡한 조개껍데기 목걸이가 비스듬히 누워 있다. 생각난다. 신혼 여행지였던 해변의 기념품 상점에서 이 목걸이를 샀었다. 생각난다. 그때 아내의 눈 속에 어리던 바다, 그 바다를 향해서 바구니에 주워담고 싶을 만큼 맑게 방울방울 굴러 떨어지던 그녀의 웃음소리.

하지만 아내는 이제 여기 없다. 아내의 독일식 책상의 뚜껑이 완강하게 닫혀 버린 것처럼, 그리고 언제나 그 책상 위에 놓여 있던 고무지우개가 달린 아내의 노란색 연필, 그것이 어둠 속에 영원히 매몰되었듯이, 아내라는 존재는 폐기되었다.

내일이면 포장 이사 회사의 일꾼들이 와서 이 방을 통째로 커다란 상자에 담아 내갈 것이다. 그러면 아내의 방은 없어진다.

아직 전세 기간이 몇 달이나 남았는데 왜 이사를 가세요? 요즘같이 전셋값이 치솟는 때에 복비까지 물어 가면서 이사를 가시려는 거 보니 뭐 좋은 일이라도 있나 보죠? 주인이 물었을 때 내 머릿속에는 아무 대답도 떠오르지 않았다. 지금에서야 이유를 깨닫게 된다. 나는 아내가 이 방으로 돌아오기를 기다리는 일이 얼마나 고통스러울지 알았으므로 떠나려는 것이었다.

아내의 방이 없어진다면 그녀를 기다리지 않을 수 있기라도 한단 말인가. 그것은 아니다. 하지만 아무것도 하지 않는 채로 그녀를 기다릴 수는 없다.

무엇인가를 해야 한다면……가장 먼저 할 일은 그녀를 저주하는 일일 것이다. 최소한 용서만이라도 하지 않도록 분노를 숫돌에 갈아 벼려야 한다. 아내를 위해 쓰여지리라고는 결코 생각지 못했던 녹슨 칼. 거기에서 음험한 검은 물이 천천히 배어 나와 회색 숫돌을 적시고 이윽고 땅으로 스며들어 흙을 물들이는 것을, 깨끗한 물을 끼얹은 숫돌 위에서 은색 칼날이 서서히 섬광을 드러내는 것을, 똑바로 지켜보아야 한다. 어떻게 그녀를 용서할 수 있단 말인가.

나는 천천히 창 쪽으로 다가간다. 걸음을 옮기자 방 안을 떠돌던 이상한 향기가 코 가까이로 따라와 스친다. 오래 전 닫힌 채로 망가져 버린 서랍 속의 방충제, 혹은 조화 위에 뿌려진 이국의 향수 냄새 같은. 아내의 냄새는 분명 아니다.

창가에는 아내의 안락의자가 놓여 있다. 책상을 뺀다면 이 방에 있는 유일한 가구이다. 아내는 이 의자에 웅크리고 낮잠을 자곤 했다. 의자 속이 깊숙해서 무덤처럼 편안하다고 했다. 다리를 가슴께로 끌어당긴 채 웅크리고 앉은 아내는 나뭇잎 뒷면에 몸을 둥글게 말고 숨어 있는 공벌레 같았다.

단단히 웅크린 그녀의 입구를 찾지 못해 진땀을 흘리던 밤들이 떠오른다. 우리는 부부야. 이건 자연스럽고 즐거운 일이라구, 하고 내가 말하면 그녀는 내 뺨에 입술을 갖다 대며 정말이야, 당신한테 잘 해주고 싶어, 라고 속삭이면서도 몸은 여전히 차가웠다. 그녀의 마른 몸에 물기가 돌게 하기 위해서는 언제나 그녀의 몸 한가운데 박혀 있는 입술산처럼 조그만 버튼을 참을성을 가지고 조심스럽게 만져 줘야 했다. 그런 다음 가까스로 열린 그녀의 몸 속으로 들어가면 아내는 내 어깨를 꼭 당겨 안으며 당신을 사랑해, 라고 기운없이 중얼거렸다. 그때마다 눈시울이 젖어 있었다. 그런 아내가 내게 무슨 짓을 했던가!

나는 좁은 방 안을 서성이기 시작한다. 온 방바닥을 내 발자국으로 덮어 버리려는 듯이 리놀륨 바닥을 꾹꾹 눌러 밟는다. 지난주에 나는 아내를 그곳에 버리고 왔다. 차마 죽여 버릴 수는 없다고 마음먹었으면서 그렇다고 죽이지 않은 것도 아니다.

나는 아내의 방을 나온다. 문고리로 손을 뻗다가 비로소 기분나쁜 향기의 정체를 알게 된다. 방문 안쪽에 걸려 있는 검붉은 화환

장식, 그 속에 들어 있는 포푸리에서 나는 냄새였다. 영혼이 휘발돼 버린 뒤까지 살아 있을 때의 모습을 붙들고 있는 시간의 검은 그림자. 꽃의 박제.

방부제 향이 희미하게 떠다니는 무덤, 나는 아내의 방을 나온다. 아내는 없다. 아내의 박제조차 이제는 여기 없다.

우리가 신도시로 이사를 온 것은 작년 삼월이다. 그 전에 우리는 유명한 불임 클리닉이 있는 강남의 아파트에 살았다. 신도시는 전셋값이 훨씬 쌌기 때문에 같은 돈으로 방 세 개짜리 아파트를 얻을 수 있었다. 자기의 방이 생겼다는 사실에 아내는 기뻐했다. 집도 깨끗하고 공기도 맑고, 무엇보다 기차가 지나다니는 걸 볼 수 있으니 좋다고 했다. 사실은 더 이상 불임 클리닉에 다니지 않게 된 것을 가장 기뻐하는 눈치였다. 어쨌든 신도시에는 우리에게 필요한 것, 즉 '변화'와 '삭막하지 않은 생활'이 있을 것 같았다.

처음에 아내는 새로운 생활에 대한 여러 가지 계획을 가졌다. 새로운 커튼, 새로운 관엽 식물, 새로운 선반 등.

"커튼을 달아야 할 텐데 무슨 색이 좋을까요?"

아내가 물어 보았을 때 나는 텔레비전 리모컨을 눌러 채널을 바꾸는 중이었다. 화면에 한 무리의 댄스 그룹이 사라지고 나처럼 소파에 앉아 텔레비전을 보고 있는 남자가 나타났다. 남자의 등뒤로는 그가 앉은 패브릭 소파와 똑같은 장미꽃 무늬의 커튼이 드리워져 있었다.

나는 화면에 그대로 눈을 둔 채 턱만 아내 쪽으로 돌리고 말했다.

"글쎄. 장미꽃 무늬 어떨까?"

다시 리모컨을 누르니 어떤 사무실이었다. 나는 별 생각 없이 의견을 바꿨다.

"블라인드로 하면 어때? 깨끗해 보이는데."

"싫어요."

말꼬리에 힘이 들어가 있었으므로 나는 아내 쪽을 힐끗 쳐다보았다. 고개를 숙이고 사과를 깎고 있는 아내의 가느다란 뒷목이 눈에 들어올 뿐이었다. 나는 무심한 눈길을 다시 텔레비전으로 돌렸다. 한참 후에야 불현듯 깨달았다. 아내는 병원을 연상시키는 것은 뭐든지 싫어했다. 그러나 사과를 포크에 찍어 내게 건네 주는 그녀의 표정은 평온했다. 우리는 다른 날처럼 과일을 먹으며 마감 뉴스로 눈을 주었다.

앵커의 입가가 금방이라도 너털웃음이 새어나올 듯이 올라갔다 싶었다. 거의 동시에 오른쪽 상단에 '반가운 단비'라는 글자가 올라왔다. 앵커는 계속 그 표정을 유지하며 그날 밤 열리는 국제 축구 대회에서 소나기골을 기대한다고 '비'를 물고 늘어졌다. 그러나 방송 원고를 읽기 위해 얼굴을 한 번 숙였다가 드는 짧은 순간 순발력 있는 앵커답게 심각한 낯빛으로 바뀌어 있었다. 오른쪽에 올라온 글씨는 '미, 3김 제거 작전'이었다. '정부는 최근, 80년 미국의 지시로 신현확 씨가 주도한……'으로 시작되는 유창한 음성. 억양으로 보아서는 '작전' 내용보다는 '본사 독점으로 말씀드렸음'을 더 강조하는 것 같았다. 그리고 바로 일 초 뒤에는 그 3김 중 하나인 대통령이 화면에 나왔다. 그는 중요한 용건이라도 있는 듯이 등장했지만 환경 대통령이 되겠다는 포부만을 국민 앞에 '엄숙히 선언'하고 그냥 들어갔다.

아내가 말했다. 내가 아는 대통령들은 셋 다 저런 억양으로 말했어요. 저 억양을 들으면 어쩐지 다 훌륭한 사람 같아. 나는 대꾸 대신 접시에 남은 마지막 사과살에 포크를 찍어 눌렀다.

다음 뉴스는 너구리와 소쩍새의 소식이었다. 그것들은 겨우내 사람의 보살핌을 받다가 봄이 되어 비무장 지대로 돌려 보내지고 있었다. '야생 동물 보호'라는 글씨가 너구리의 주둥이 쪽 화면을 덮었다.

아내가 또 혼자말처럼 말했다. 기억이 확실한지는 모르겠는데, 야생 동물은 겨울에 산으로 돌려 보내야 한다는 걸 어디서 읽은 적이 있어요. 먹이가 없는 겨울에 버려져야만 자기가 야생 동물이란 사실에 빨리 적응한대요. 쥐를 죽였다가 기소될 뻔한 미국 남자 얘기는 어디서 봤더라? 며칠 전 해외 토픽에 났던가? 뒤뜰에서 토마토를 먹은 쥐를 죽였는데 동물보호협회에서 들고일어났다나 봐요. 해를 끼친 동물은 보호 대상 동물에서 제외시킨다는 법안이 통과되어서 겨우 풀려났다던데.

쥐 죽인 일이야 쥐죽은듯하면 될 걸 갖고 그 호들갑을 떨다니, 참 하릴없이 배부른 나라야. 나는 속으로 그런 생각을 했지만 입 밖으로 내진 않았다. 증권 시황에 대한 뉴스가 시작되었으므로 거기에 시선을 고정시켰을 뿐이었다.

텔레비전을 끈 뒤 나는 시사 주간지를 들고 침대로 들어갔다. 아내는 과일 접시를 씻느라 조금 늦게 침대로 왔다. 아내의 손이 차가웠다. 나는 그녀의 두 손을 끌어다 내 잠옷 사타구니에 넣었다. 그녀가 조금 웃었다. 나는 아내를 사랑했다. 그녀에 대해서라면 모든 것을 알고 있다고 생각했다.

전문대 비서학과를 나왔지만 아내는 대학에서 뭘 배웠는지 거의 기억에 없다고 했다. 그녀는 원래 미술 대학을 지망했었다. 고3 겨울 그녀가 다니던 조그만 화실은 낡은 목조 건물 삼층에 있었는데 몹시 추웠다. 하지만 연탄 난로의 냄새 때문에 늘 창문을 조금 열어 두어야 했다. 그녀의 자리는 바로 그 창문 옆이었다. 오른쪽 뺨으로는 난로 위에서 끓어대는 커다란 주전자의 뜨거운 김을 쐬고, 왼쪽 뺨으로는 귓불을 얼리는 매서운 찬바람을 맞아 가며 그녀는 열심히 데생을 했다. 점점 연탄 가스의 냄새에도 익숙해져 갔다. 이따금 난로 위의 주전자에서 뜨거운 물을 따라 바람이 들이치는 창턱에 올려놓았다. 물은 몇 분 지나지 않아 알맞게 식었다. 그녀는 그 물로 두통약을 삼키곤 했다.

그해에도 대학 입시 날은 몹시 추웠다. 그녀의 어머니는 추위를 잘 타는 그녀를 위해 목이 올라오는 털스웨터를 떠서 입혔다. 뜨개질 솜씨가 신통치 않았던 어머니는 목 부분의 고무뜨기를 너무 촘촘하게 했다. 그날 처음 그 스웨터를 입으며 그녀는 목을 집어넣느라 얼마나 애를 먹었는지 모른다. 가까스로 스웨터를 입긴 했지만 누군가의 손이 억세게 목을 조이고 있는 것만 같았다. 마치 한 방향만 쳐다보도록 고안된 스웨터처럼 목을 움직일 수조차 없었으며 피가 얼굴로 몰렸다. 그녀는 숨이 막혔어도 어머니는 흐뭇해했다.

수채화를 그릴 때쯤부터 그녀의 두통이 참을 수 없게 심해졌다. 귀에서는 끊임없이 흐르는 물 소리가 들려 왔다. 시험장 문 밖을 나서면 바로 복도 끝에 수돗가가 있었다. 수험생들은 그곳에서 양동이에 물을 받아와 옆에 놓고 붓을 씻어 가며 경직된 표정으로 그림을 그리고 있었다. 물 소리는 복도에서 나는 것이 틀림없었다. 그녀는 누군가가 수도꼭지를 잠그지 않은 거라고 생각했다. 시험 감독관에게 그녀는 말했다. 제가 가서 잠그고 오면 안 될까요. 감독관은 이상한 아이라는 표정을 구태여 감추지도 않으며 고개를 끄덕였다. 그녀는 문을 열고 복도로 나가서 수돗가를 향해 뛰었다. 수도꼭지는 단단히 잠겨져 있었다. 그녀는 돌아와 붓을 집어들었다. 그러나 물 소리는 계속해서 들려 왔다. 다시 허락을 받고 잠그러 가봤으나 또 누군가가 그녀보다 한 발 앞서 와서 수도꼭지를 잠근 뒤였다. 세 번째부터는 감독관의 허락도 받지 않고 복도로 나갔다. 허둥지둥 돌아와서 붓을 잡았지만 여전히 물 소리가 그녀의 뒤꼭지를 잡아당겼다. 목이 꽉 죈 스웨터 안에서 그녀는 안절부절못했다. 감독관은 그녀에게서 눈을 떼지 않고 쳐다보고 있었다. 그녀는 이번에는 문가로 가더니 손잡이를 잡고 온 힘을 다해 잡아당겼다. 문은 꼼짝도 하지 않았다. 감독관의 표정에는 이제 약간의 연민이 떠올라 있었다. 왜 그러지, 학생? 문이 열려 있어요. 문이 열렸다고? 감독관은 단단히 단속된 문을 쳐다보며 몇 번 눈을 껌벅이더니 다음 순간 깊은 이해심이 깃들인 표정을 짓고는 그녀의 어깨를 부드럽게 두드렸다. 자, 자, 긴장을 풀어요. 그녀는 감독관이 끄는 대로 순순히 자기의 이젤 앞으로 돌아가 붓을 쥐는가 싶었다. 그러나 갑자기 그것을 내던졌다. 그녀는 두 손으로 스웨터의 목을 쥐어뜯으며 소리쳤다. 물이 새잖아요! 제발 누가 저 수도꼭지 좀 잠가 주세요! 저 문 좀, 문 좀 닫아 주세요, 문! 문!

그녀는 그녀가 응시했던 대학의 부속 병원에서 깨어났다. 입시 강박증이라는 상식적이고 트집잡을 데 없는 진단이 내려졌으며 며칠 동안은 병원에서 절대 안정을 취해야 했다. 그곳에서 그녀는 언제나 잠을 잤다. 신기하게도 약 먹을 시간이 되면 잠이 깼다. 깨어 있는 시간에 하는 일이라고는 약을 먹는 일뿐이었다. 그러면 얼마 안 가 또 잠이 왔다.

그녀는 지은이의 이름은 잊었다며 《벨 자(Bell Jar)》라는 소설에 대해 말한 적이 있다. 파블로프의 개처럼 인간이 벨 소리에 의해 규칙적으로 약을 삼키기 위한 침을 분비하며 사육되는 폐쇄된 바구니.

아내는 그 일로 인해 자기 삶이 일그러진 점은 없다고 말했다. 그녀는 시시하다고 할 만큼 평범한 사람이었다. 전문대학을 졸업하고 조그만 오퍼상에 취직해서 전화 받는 일을 했고 그에 걸맞은 적은 월급을 받아 적금을 붓다가 나를 만나 결혼했다. 나는 모든 면에서 무난한 남편이었지만 음식에 관한 한 약간은 까탈스러웠다. 다양하고 새로운 반찬을 만들지는 못했어도 다행히 아내의 음식 솜씨는 얌전한 편이었다. 된장찌개는 불을 잘 조절했기 때문에 멸치의 비린 맛이나 된장 떫은 맛이 안 났다. 갈치를 구워도 그릴에 달라붙지 않고 바삭바삭하게 속까지 익혔으며 아내가 부친 달걀말이는 약한 불에 익혀서 부드럽고 단단하게 잘 말려 있었다. 아내는 정돈도 잘했다. 손톱깎이나 여분의 건전지, 옷솔과 드릴 따위를 늘 같은 자리에서 찾아 쓸 수 있었고 욕실에는 늘 고슬고슬한 수건이, 냉장고의 냉동실에는 반찬 냄새가 배지 않은 깨끗한 얼음이 있었다.

아내는 외출을 그다지 좋아하지 않았다. 누군가가 집에 오는 것도 썩 반기지 않는 기색이었다. 나의 부모님은 내가 결혼하던 해에 형이 있는 캐나다로 이민을 갔다. 아내로서는 살림살이를 참견할 시댁 식구가 없는 것이 다행인 셈이었다. 배냇저고리를 사주었던 주책스러운 친구와 보험 외판을 한다는 또 한 명의 고향 친구가 이따금 들르는 것을 빼면 아내에게는 찾아오는 친구도 없었다. 지나치게 선량하고 적극적이어서 어떤 관계에서든 과장된 우정을 표현하는 사람, 혹은 뚜렷한 목적을 가진 사람만이 아내를 방문했던 것이다. 새 집에 이사를 온 뒤에는 그 친구들에게도 바뀐 전화번호를 알리지 않은 모양이었다.

혼자 있는 시간에 아내는 집안일을 하거나 신문과 잡지 따위를 뒤적였다. 자기 방의 독일식 책상에서 책을 읽는 일도 좋아했다. 아내는 꽤 많은 종류의 잡다한 책을 읽었다. 그러나 남들처럼 책을 통해 교양을 쌓고 정서를 함양하는 것 같지는 않았다. 자기가 읽은 책의 내용을 극히 단편적으로만 기억했으며 자기 식대로 엉뚱하게 왜곡시켜 알고 있는 것이 대부분이었다. 아내는 그것을 스스로도 잘 알고 있었다. 《벨 자》에 대해 얘기했을 때도 늘 그렇듯이 "내 기억이 맞는지 모르겠지만……"이라며 자신없어했다. 그녀는 다 읽은 책을 상자에 담아 두었다. 그녀는 기억들을 머릿속에 쌓아 두는 대신 상자에 담아서 뚜껑을 덮어 버리곤 했다. 그러고는 나머지 모든 시간에 잠을 잤다.

회사에서 낮에 집으로 전화를 해도 받지 않는 때가 많았다. 웬 잠이 그렇게 깊어?라고 물으면, 베란다에서 아파트 단지들을 내려다보고 있으면 잠이 와요, 라고 대답하는 것이었다.

언제 봐도 단정한 아파트 단지의 창문들, 언제 봐도 그린 듯이 정확히 배치된 놀이터와 벤치와 나무와 주차 라인과 보도 블록. 상가 앞에 오가는 사람들도 언제 봐도 그렇게 정한 듯이 몇 명. 비슷한 비닐봉지, 비슷한 옷차림. 하늘도 언제 봐도 대충 그런 색의 지루한 안정의 빛이고 공기의 냄새마저도 도식적이라고 아내는 말했다. 신도시에는 길이 없어요. 덩치가 큰 건물에 다 가로막혀 있어요. 신발을 신고 산책이나 하려고 나갔다가도 길이 다 끊어져 있어서 그냥 돌아와 버려요. 찻길밖에 없어요. 그러면서 그녀는 고층 건물 사이의 찻길을 몇 번 건너갔다 오면 지치기 때문에 잠이 오는 거라는 주장도 했다.

아내의 잠은 이상할 만큼 깊었다. 그녀는 몸이 아플 때나 걱정거리가 있을 때, 심지어 화가 났을 때조차 잠을 잤다. 새 집에 이사오기 전 어느 일요일 나는 아내에게 좀 화를 낸 적이 있었다. 늦잠을 자고 일어나서 신문을 펼치는데 경제면이 잘려 나가고 없었다. 아내가 뒷면에 있는 기사를 보기 위해서 오렸다는 거였다. 내가 보지도 않은 신문을 오려 냈단 말야?라고 말하자 아내는 변명하려 했다. 사소한 일이라고 생각했는지 그다지 미안한 기색도 아니었다. 나는 그즈음 새로운 프로젝트의 팀장을 맡았기 때문에 신경이 날카로워져 있었다. 그때의 나에게는 아내의 언제나처럼 엉뚱하고 앞뒤 안 맞는 말을 들어주기 위해 참을성을 사용할 너그러움이 전혀 없었다. 듣기 싫어!라고 소리치자 아내는 놀라 입을 다물었다. 조금 후 일어나더니 말없이 청소기를 돌리기 시작했다. 나는 점퍼를 들고 밖으로 나와 버렸다.

집 앞 상가에 새로 생긴 미장원 간판이 눈에 띄었다. 마침 이발할 때가 되었으므로 거기 들어가 머리를 잘랐다. 기분이 풀린 나는 미장원 옆의 빵집에서 아내가 좋아하는 슈크림을 산 뒤 현관 벨을 눌렀다. 그러나 아내는 문을 열어 주지 않았다. 주머니를 뒤져 봤지만 열쇠는 양복 주머니에 들어 있지 않았다. 할 수 없이 상가로 다시 나와 공중전화 부스로 들어갔다. 아내는 전화도 받지 않았다. 나는 한달음에 집으로 돌아왔다. 옆집 벨을 눌렀다. 그 집 베란다를 넘어타고 우리 집으로 들어가 봐야겠다고 양해를 구했다. 그러나 막상 돌아가 보니 두 베란다 사이가 너무 넓어서 몹시 위험했다. 옆집의 전화를 빌려 다시 집으로 전화를 걸어 보았다. 벨이 울리는 소리보다 내 심장 두근대는 소리가 더 컸다. 숨소리를 따라 점퍼가 오르내리는 것이 보일 정도였다. 옆집 주인이 가져다 준 상가 정보지를 넘기며 열쇠집을 찾는 내 손도 부들부들 떨렸다. 열쇠공을 기다리는 동안에도 전화통을 붙들고 집 전화번호를 계속 눌러댔다. 조금 후 오토바이 뒤에 연장통을 싣고 도착한 열쇠공은 난감한 표정을 지었다. 안에서 잠금 고리를 걸었기 때문에 열쇠가 돌아가지 않는다는 것이었다. 나는 옆집 주인이 점퍼 소매를 붙잡는 것도 뿌리치고 아내를 향한 위험하지만 유일한 비상구인 베란다로 달려나갔다. 그때 열쇠공이 현관문의 경첩을 부숴도 괜찮겠냐고 물어주지 않았다면 나는 아내를 구하려는 격정을 이기지 못해 발을 헛디뎠을 것이고 그대로 팔층 베란다에서 아래로 떨어져 죽었을지도 모른다. 그런 난리를 치른 뒤 폭파하듯이 문을 부수고 들어가 보니 아내는 소파에 웅크린 채 자고 있었다. 우리가 부순 문에서 불과 몇 발짝 떨어지지 않은 자리였다.

아내가 그녀의 안락의자에 파묻혀 잠든 것을 보면 이따금 그때 생각이 났다. 뚜껑이 닫힌 상자들 곁에서 잠들어 있는 그녀의 모습. 그것은 자신을 상처 입힌 세상을 향해 빗장을 지르고 잠들어 버린 그때의 모습과 비슷했다.

어느 날 아침 아내는 비명을 질렀다.

"우리 집에서는 모든 게 말라 버려요!"

그녀의 손에 든 그릇 속에는 모래처럼 뻣뻣하게 마른 밥이 들어 있었다. 간장 접시 좀 보세요. 과연 간장은 죄다 증발해 버리고 검게 물든 소금 알갱이뿐이었다. 사과도 하룻밤만 지나면 쪼글쪼글해져요. 시멘트 벽이 수분을 다 빨아들이나 봐요. 이러다가 나도 말라비틀어질 거예요. 자고 나면 내 몸에서 수분이 빠져 나가 몸이 삐그덕거리는 것 같다구요.

나는 실내 환기를 안 해서 습도가 낮아진 거라고 가볍게 아내를 나무라며 안심시켰다. 얼핏 생각이 떠오른 대로 수족관에 열대어를 키워 보면 어떻겠냐고 말해 보았다. 아내는 깜짝 놀랐다. 맞아요. 아파트 안이 건조해서 수족관의 물이 한 뼘씩 줄어든다는 뉴스를 텔레비전에서 봤어요. 시멘트 벽이 집 안의 온갖 물을 다 빨아들여요. 나중에는 수도관 속에 있는 물까지 빨아들일 거예요. 이건 벽이 아니라 흡반이에요. 토요일에 나는 가습기를 사서 들고 들어갔다. 아내는 포장조차 풀지 않았다. 병원에서만 쓰는 물건인 줄 아는 모양이군, 나는 못마땅했지만 그런 것을 일일이 맞춰 가며 살려고 하다 보면 가정이란 피곤해지게 마련이라는 생각을 갖고 있었으므로 그냥 내버려두었다. 아내는 늘 나로서는 아무 관심도 없는 소식을 진지한 말투로 전해 주기도 했다. 슈퍼 옆에 있는 유치원 말예요. 거기 자연 학습장에서 키우는 닭은 새벽에 울지 않고 매일 한낮에 울어요. 슈퍼에서 나오는데 갑자기 꼬끼오, 소리가 나서 처음에는 깜짝 놀랐어요. 거기에다 제 나름의 논평까지 붙이곤 했다. 이제는 생태 환경이 달라져서 닭이 새벽에 울 필요가 없는 거죠. 요즘은 개하고 고양이도 사이좋게 지낸다잖아요. 그때마다 나는 시사 주간지나 마감 뉴스에 시선을 둔 채 고개를 두어 번 끄덕여 주었다.

우리의 삶은 그럭저럭 평온했다. 아내의 일상은 이사 오기 전과 똑같아졌다. 봄이 다 가도록 커튼 없이 지내고 있었지만 나는 아내에게 별다른 불만은 없었다. 그 무렵 비어 있던 옆집으로 그 여자가 이사를 왔다.

그날 퇴근해 들어오던 나는 난데없는 개 짖는 소리에 의아한 표정을 지었다.

"옆집이 이사 들어왔어요."

아내가 설명해 주었다.

"남편은 외국 지사에 나가 있대요. 초등학교 다니는 아들 둘하고 세 식구래요."

개 짖는 소리는 그때까지도 그치지 않고 있었다.

"앞으로 꽤나 시끄럽겠는데."

아내는 내 양복을 받아 옷장 속에 걸었다. 그리고 서랍장 속에서 다림질된 면바지와 폴로 셔츠를 꺼내 주었다.

"당신 들어올 때부터 저래요. 엘리베이터 소리가 날 때마다 짖는 것 같아요."

아내는 개 짖는 소리가 그다지 거슬리지 않는 모양이었다. 이웃에 누가 이사 왔든, 그러니까 그것이 개이든 사람이든 시큰둥했다. 그러나 옆집에 한 번 다녀온 뒤부터 그 집에 관심을 보이기 시작했다.

"아래층에서 반상회를 했거든요. 끝나고 나오는데 옆집 여자가 자기 집에 가서 차 한잔 하고 가라고 하더라구요. 그 집, 정신이 하나도 없어요."

"그래?"

"현관에서부터 그래요. 우산꽂이에다 편지꽂이, 열쇠 거는 고리……거실에도 소파는 소파대로 스툴과 흔들의자까지 있고, 코너장, 홈 바, 뭐가 뭔지 모르게 가구로 꽉 차 있어요. 보온밥통에까지 온갖 덮개를 씌워 놓았고 벽에도 빈 곳이 하나도 없더라구요. 등공예품, 빵꽃, 지점토 인형, 온갖 취미 강좌에 다 다녔나 봐요."

"집 꾸미기를 좋아하나 보지?"

나는 리모컨을 찾아 텔레비전을 켰다.

"성격이래요. 빈 곳이 있으면 허전해서 못 참는다나요."

"그래?"

"벌써 수영이랑 마사지를 하러 다녀요. 자기가 집에 잘 안 있기 때문에 애들을 위해서 개를 키우는 거래요."

거기에서 아내는 말을 멈췄다. 무슨 생각을 하는지 한참 동안 손톱으로 소파 모서리를 꾹꾹 누르고만 있었다. 그런 다음 두 팔을 엇갈려 마치 방어하듯 자기의 가슴을 싸안더니 말했다.

"두 마리 다 아직 조그만 새끼예요."

"두 마리?"

"네."

자기 팔을 꽉 움켜잡았으므로 아내의 손마디가 불끈 튀어올랐다.

"난 지 사흘 만에 얻어 왔대요. 그것들을 긴 쇠줄에 묶어서 거실 문고리에 달아매 놨어요. 우유를 엎질렀다고 아이들이 벌을 주는 거래요. 그런데 둘이 꽁꽁 묶여서 한 발짝도 움직이지 못하고 있더라구요."

강아지들은 문고리에 함께 묶인 채로 어찌나 엉키며 장난을 쳤는지 서로의 줄이 새끼줄처럼 꼬여서 바로 목 위까지 당겨져 있더라고 했다. 쇠줄이 꼬여 제 목을 죄어 올 때까지 천진하게 장난을 쳤을 강아지들의 우스꽝스러운 모습이 떠올랐다. 그러나 아내의 눈가는 글썽해졌다.

"너무 좋아하다 보니 서로의 목을 죄게 된 거예요."

아내의 말에 따르면 두 마리가 아주 다르다고 했다. 한 마리는 털에 윤기가 나고 토실토실한데 한 마리는 비쩍 마른 게 털도 듬성듬성 빠져 있고 볼품이 없었다. 아내가 다가가자 토실토실한 강아지는 꼬리를 살살 흔들었지만 비쩍 마른 강아지는 비칠 한 걸음 물러나며 크앙, 하고 조그만 이빨을 드러내더라는 것이다. 그때 초등학교 오학년이라는 그 집 아들이 과자를 손에 들고 나왔다. 토실한 강아지가 꼬리를 흔들며 아들 쪽으로 한 걸음 옮겼다. 토실한 강아지와 목이 같이 묶인 비쩍 마른 강아지도 억지로 조금 딸려 갔다. 비쩍 마른 강아지는 아들이 싫은 듯했다. 크왕, 하면서 다리를 버티고 가지 않으려고 해보았지만 쇠줄이 목을 파고들 뿐이었다.

과자는 토실한 강아지의 발치에만 떨어졌다. 토실한 강아지에 끌려 억지로 앞으로 들렸던 마른 강아지의 두 발이 앞으로 쏠리며 비틀거렸다. 마르고 더러운 강아지는 깨갱 소리를 내며 겨우 앞발을 버텼다. 그걸 본 옆집 아들은 아무것도 준 것 없이 마른 강아지를 발로 찼다. 그러고는 야, 먹고 살려면 성격부터 고쳐라, 앙? 하더니 제 방으로 들어가 버렸다. 그 얘기를 다 한 다음 아내는 윗몸을 푹 꺾더니 두 손으로 얼굴을 가렸다. 이따금 아내는 그렇게 나를 당황하게 그리고 짜증나게 했다.

나는 아내를 달랬다.

"사내 녀석들은 다 그렇게 짓궂다구. 뭐 그런 일로 애들처럼 울어?"

"그게 아녜요."

"그럼 왜 그래? 강아지가 불쌍해서?"

아내는 도리질만 했다. 조금 후에는 마음이 진정된 듯 저녁상을 차리러 일어났다.

그날 밤 침대에서 아내는 내 잠옷 속으로 손을 집어 넣었다. 아내의 손은 배를 스쳐 올라오더니 젖꼭지를 만지작거리기 시작했다. 내 몸이 뜨거워졌다. 젖꼭지가 꼿꼿해지는 동시에 다리 사이가 묵직하게 일어났다. 나는 보고 있던 시사 주간지를 가볍게 침대 아래로 던졌다.

늘 그렇듯이 아내의 몸은 차가웠다. 내 목을 감고 있는 팔에는 힘이 들어가 있었지만 아랫도리는 마치 자기의 것이 아닌 듯 부자연스러웠다. 내 손이 아랫도리에 닿자마자 그녀는 다급하게 속삭였다. 사랑해요, 여보. 그녀는 눈을 감고 있었다. 그녀의 젖은 속눈썹은 몇 올씩 엉긴 채로 움찔거렸다. 그녀는 계속 눈을 감고는 들어와요, 어서, 라고 말했다. 아내의 피부는 부드러웠지만 갑옷을 입은 것처럼 열기가 힘들었다. 그날은 입술산 같은 작은 버튼조차도 그녀의 깊은 샘물을 길어 올리지 못했다. 그녀는 고통을 참으며 나를 받아들여야 했다. 그렇지만 막상 들어가 보면 그녀의 몸은 아주 따뜻했다. 내가 만족하는 것을 보고 그녀는 행복하다고 말했다.

그런데 내가 욕실에서 돌아오자 그녀는 갑자기 물었다.

"당신, 사실은 아이 포기 안 했죠?"

우리는 아이에 관한 화제를 의도적으로 피해 왔다. 더구나 아내가 제 입으로 꺼낸 것은 이번이 처음이었다. 그녀는 불임 클리닉에 시간을 잘 맞춰 다녔고 거기에서 시키는 대로 했다. 나는 아내가 아이를 원하는지 원치 않는지 한 번도 생각해 본 적이 없었다. 솔직히 말하면 그 질문을 나 자신에게조차 심각하게 해보지도 않았다. 나는 단지 인생은 필요한 것을 갖춰 나가며 사는 것이라고 생각하는 평범한 사람이었다.

"왜 애가 안 생기는지 생각해 봤어요."

아내는 천장을 노려보며 혼자말처럼 중얼거렸다.

"나는 알아요."

전문 클리닉에서도 알아내지 못한 것을 그녀가 알았다는 말인가. 나는 말없이 침대로 돌아가 그녀 곁에 누웠다. 그녀는 십 년도 넘은 옛날에 보았다는 미국 영화 이야기를 꺼냈다. 으레 그렇듯이 '내 기억이 확실한지는 모르지만'이라는 말로 시작되는 그녀의 이야기는 이런 내용이었다.

한 가족이 있다. 아버지는 떠돌이였다. 그러므로 억척스런 어머니가 세 개구쟁이들을 갖은 욕을 퍼부으며 혼자 키운다. 어느 날 어머니가 죽는다. 아이들은 복지 시설에 맡겨진다. 소식을 들은 아버지가 아이들을 찾으러 온다. 그러나 알다시피 그는 무직자에다가 짐작하다시피 주정뱅이이다. 건전하고 깨끗한 복지 시설의 직원은 아버지를 예의바르게 멸시한다. 아이들의 복지를 위해서는 그들을 고아로 만들어야 한다고 주장한다. 아버지는 아이들을 사랑했다. 아이들을 위해서라면 그 유쾌한 자유까지도 기꺼이 포기할 수 있었다. 아버지는 싸운다. 그러나 원래 규격에 맞지 않는 사람은 싸움에서 이기지 못하도록 되어 있다. 싸움에 진 뒤 자기를 개조하려는 아버지의 노력이 시작된다. 번번이 쫓겨나지만 그래도 다시 직장을 구하러 나선다. 천신만고 끝에 제법 구김 없는 넥타이를 매고 복지 시설을 찾아온 아버지. 그러나 아이들은 뿔뿔이 흩어져서 소식을 알 수 없다는 통고만이 기다리고 있다. 아버지는 미칠 것만 같다. 온갖 서류를 뒤지고 온갖 사람에게 굽실거리고 온갖 복지 시설과 온갖 입양 가정을 돌아다닌다. 그 모든 천신만고를 헤치고 드디어 아이들을 찾은 아버지. 그러나 아버지는 너무 늦게 도착했다. 아이들 역시 아버지에게로 가기 위해 끊임없이 규격 밖으로 도망치려 했었다. 그 결과 한 아이는 양부모에게 맞아 죽었고 한 아이는 자폐증에 걸렸다.

"그리고 한 아이는 소년원에서……거세당했어요."

"끔찍한 얘기군."

나는 건성으로 한마디 거들어 주었다. 끔찍한 것은 끔찍한 것이고, 그 얘기가 아내의 불임과 무슨 관련이 있다는 것인지. 나는 일어나 담배를 피워 물었다. 눈으로는 조금 전 집어 던졌던 시사 주간지를 찾으면서. 그런 나를 향해 갑자기 아내가 단호한 목소리로 말했다.

"나도 거세당한 거예요."

담배 연기 때문에 아내는 눈을 깜박거렸다.

"소년원에서 거세를 시키는 건 범법자의 대를 끊어 버리려는 거잖아요. 나도 피가 나쁘기 때문에 애를 낳지 못하도록 거세당한 거예요."

"소년원에서 말야?"

내 입에서는 기어코 이죽거리는 말이 튀어나왔다. 아내는 말을 조리 있게 혹은 길게 할 만큼 논리적이지 못했다. 그렇지만 설명하려고 애썼다.

"그게 아니구요. 나 같은 사람은 선택 이론에 의해서 도태되게 되어 있어요. 책에서 본 적이 있어요. 우성만 유전되고 열성은 도태되는 게 진화잖아요."

나는 그녀가 조금 안쓰러워졌다. 손을 뻗어 그녀의 젖가슴을 만졌다. 그러나 그녀는 내 손을 밀쳐 내더니 벌떡 일어나 앉았다. 그러고는 그녀의 입에서 나올 성싶지 않은 과격한 말을 내뱉었다.

"옆집 개 말예요. 그 더러운 개새끼는 곧 굶어죽을 거예요. 죽는 날까지 토실토실한 개한테 가까이 달라붙겠죠. 뻔뻔스럽게도 그 개가 크는 것까지 가로막으면서 말이죠. 빨리 죽어 주면 좀 좋아. 개들은 왜 자살 같은 걸 안 하나 몰라."

한참 숨을 고르는가 싶더니 그녀는 조용히 일어나 욕실로 갔다. 마치 몽유병자가 창턱을 밟는 듯한 정확하고도 허전한 걸음걸이였다. 조금 후에 돌아왔을 때는 눈자위가 빨개져 있었다. 상자 속에 담아 덮어 버리는데도 아직 그녀의 머릿속에는 쓸데없는 생각이 많이 남아 있다는 사실을 나는 처음으로 심각하게 생각해 보았다. 어쩌면 아내의 삶에 무언가 다른 것이 더 필요하리라는 생각도 들었다. 그 경박해 보이는 옆집 여자가 아내를 조금씩 변화시키는 일을 가만히 지켜보기만 한 것도 그 때문이었다.

옆집 여자는 차를 가지고 있었다. 아내의 말처럼 걸을 만한 흙길은 없고 찻길만 있는 신도시에서 그것은, 한 번 더 아내의 잡학 용어를 빌리자면, '우성'임을 뜻했다. 그 여자의 차에 실려 아내는 백화점이나 대형 할인점에 따라다녔다. 기찻길 옆에 있는 칼국수집이

나 쇼핑센터 지하의 쌈밥집에서 점심을 먹기도 하면서. 날씨가 좋아지자 주말농장인지에 다닌다고 부쩍 교외로 돌아다니는 눈치였다. 어떤 토요일인가는 야근을 마치고 돌아온 나보다 더 늦게 집에 도착한 적도 있었다.

나는 일요일을 격주로 쉬었다. 아내는 내가 집에 있는 일요일까지도 새 백화점이 오픈한다며 옆집 여자를 따라 나가더니 그리 필요하지도 않은 물건을 갖고 들어왔다. 나는 그 포푸리 화환을 보고 은근히 놀랐다. 그것은 필요하지 않기도 하려니와 한시적인 유행, 조악한 모조품, 특히 노골적인 향기를 내뿜는다는 점에서 아내의 취향과는 거리가 있었다. 아내는 그 포푸리가 옆집 여자의 선물이라고 말했다.

"그 여자가 왜 당신한테 선물을 준다는 거지?"

내 눈앞에는 먼발치에서 보기에도 유난히 화장이 짙던 옆집 여자의 모습이 스쳐 갔다. 내 차보다 한 등급 위인 그 여자의 중형차도 떠올랐다.

"그냥요."

나의 이죽거리는 물음에 반해 아내의 대답은 순진하고 명료했다. 그러나 내가 생각하기로 아무 기대를 함축하지 않은 선물이란 없었다. 나는 다시 물었다.

"차를 얻어타고 신세를 지는 건 당신이잖아. 선물을 한다면 당신이 해야지 왜 그 여자가 해?"

포푸리를 만지작거리고 있던 아내는 그것을 들고 일어났다.

"나를 좋아해서 그냥 선물한 거라니까요. 그럴 수도 있잖아요."

"좋아한다구?"

"그래요."

"왜?"

아내는 입술을 깨물었다. 아무 대답 없이 포푸리를 손에 든 채 자기의 방을 향해 몇 걸음 옮기더니 갑자기 돌아섰다. 그리고 쏘아붙였다.

"외로우니까요."

너무 필사적으로 말했기 때문에 나는 어이가 없어졌다. 아내는 대답이라도 기다리는 사람처럼 그대로 서서 나를 뚫어져라 쳐다보고 있었다.

"당신도 그래? 외롭다고 생각해?"

"아뇨."

아내의 시큰둥한 대답은 기다렸다는 듯이 바로 튀어나왔다. 그런 다음 자기의 방에 포푸리를 걸고 나와서는 무언가를 시위하는 듯한 의기양양한 표정으로 감자를 꺼내 깎기 시작했다. 나를 긴장하게 만들었다고 생각하는 걸까. 나는 아내의 기분을 다는 몰랐지만 어쨌든 아내에게 아직도 어떤 것이 더 필요한 것만은 느낄 수 있었다.

다음날은 월요일인데다 비가 왔다. 막히는 차 안에서 나는 아내에게 무엇을 더 해줄 수 있는지 생각해 보았다. 그리고 회사에 도착하자마자 불임 클리닉으로 전화를 걸어 진료 예약을 했다. 집으로도 전화를 했다. 아내는 전화를 받았다. 그녀는 조그맣게, 알았어요, 라고만 했을 뿐 화를 내거나 거부하는 기색은 아니었다. 나는 그녀를 위해 보편적이고 바람직한 처방을 찾아낸 데 대해 스스로 만족했다.

클리닉에 가는 날 회사에 월차를 냈다. 평소보다 두 시간쯤 늦게 집을 나섰다. 나들이 기분이 나는 싱그러운 오월 날씨였다. 연초록으로 덮인 작은 산에는 희고 붉은 꽃들이 피어 있었고 햇살이 투명했다. 그 길은 나의 출근길이었지만 출근 시간대에는 느끼지 못했던 유혹이 깃들여 있었다.

갑자기 옆 차선으로 달려온 흰색의 신형 스포츠카가 내 차 앞으로 끼여들었다. 반사적으로 브레이크를 밟는데 그 순간 역시 같은 자리에서 빨간색 스포츠카 한 대가 더 튀어나왔다. 두 차 모두 이십대 초반으로 보이는 발랄한 차림의 젊은이가 운전을 하고 있었다. 각각의 조수석에는 역시 젊고 발랄하기로 내기를 한 듯한 젊은 여자들이 앉았다. 그들은 마치 숨바꼭질을 하듯이 차선을 질러 가며 지그재그로 운전을 했다. 그러다가 갑자기 두 차선을 점령한 채 나란히 속도를 낮추는 것이었다.

먼저 빨간 차의 창문이 열렸다. 그 안에서 연보라색 블라우스 소매가 불쑥 나왔다. 여자의 긴 머리카락 한 줌이 차창 밖으로 빠져나와 바람에 나폴댔다. 여자는 하얀 차를 향해 뭔가를 던지는 것 같았다. 이번에는 하얀 차의 창문이 열렸다. 거기에서 뻗어 나온 것도 반팔 스웨터를 입은 여자의 팔이었다. 팔이 드러났으므로 그 여자가 손에 쥐고 있는 물건이 조금 보였다. 그 여자 역시 그것을 빨간 차에 대고 쏘았다. 물총이었다. 남자들은 앞서거니뒤서거니 하면서 차를 갖고 장난을 쳤고 여자들은 차창 밖으로 한 팔을 내놓았다가 다음 순간 얼굴을 돌리고 움츠렸다가 하면서 물총 장난을 하고 있었다. 네 사람 다 죽을 만큼 깔깔댔다. 차 지붕 위에는 아직도 스키 캐리어가 그대로 붙어 있었지만 보나마나 트렁크 안에는 캔맥주와 과일이 든 아이스박스, 그리고 접는 피크닉 테이블 따위가 들어 있을 것이다.

내가 매일 아침 지옥을 향한 진입로이듯 느리게 통과해 가는 길을 두 대의 스포츠카는 경쾌하게 뚫고 지나갔다. 나는 질질 끌듯이 그들은 칸타빌레로, 노래하듯이.

그 길의 전혀 예상치 못했던 깜찍한 소용에 대해 솔직히 나는 약간 놀랐다. 그들의 차는 다음 신호등에서 좌회전을 받아 갈라져 나갔다. 지리한 회색 포장 도로로 직진하는 나와 달리 그들은 풀이 북슬북슬한 방둑길로 접어들었다. 그러고는 연녹색 산 속의 오솔길 뒤로 사라져 버렸다. 그들이 사라진 하얀 길은 알맞게 구부러졌고

꽃이 만발해 있었다.

옆자리를 보니 아내도 그 스포츠카들이 사라진 오솔길 쪽을 쳐다보고 있었다. 그 길이 눈앞에서 완전히 사라지도록 내내 고개를 뒤로 잔뜩 돌리고 쳐다보았다.

"저 길로 한번 가보고 싶어요."

아내의 목소리는 꽉 잠겨 나왔다. 마치 선택된 사람에게만 열려 있다가 그 계절이 지나면 사라져 버리는 환상의 길 같다는 말도 했다. 나는 아내를 힐끗 쳐다보았다.

"언제 일요일에 한번 나오지."

내 말이 떨어지자마자 아내는 바로 대답했다.

"봄이 가기 전에요."

"알았어."

한참 후에 아내는 가볍게 한숨을 내쉬었다.

"저 길을 볼 때마다 가보고 싶었어요."

"여기로 나와 본 적이 있단 말야?"

"가끔요. 저쪽으로 조금 들어가면 중남미문화원이란 곳도 있어요."

그러나 아내는 문화원 안으로는 들어가 보지 못했다고 서운한 표정을 지었다. 옆집 여자는 그런 곳에는 관심이 없는 모양이었다. 문화원을 지나면 보광사라는 절이 있는데 그 절 앞의 식당에서 산채비빔밥을 먹고 광탄이라는 곳으로 넘어가서 인공 연못을 바라보며 커피를 마시기만 한다는 것이었다. 옆집 여자와 둘이서만 갔냐고 물어 볼까 망설이는 사이에 아내는 불쑥 다른 말을 했다.

"교외 카페에는 나이 든 여자들이 많아요."

내 머릿속에는 계속 같은 질문이 맴돌고 있었다.

"휴대 전화로 집에 전화를 해서 숙제 안 한다고 아이들을 야단치고, 읽은 책 이야기도 하고, 헬스클럽이나 귀고리에 관한 이야기를 해요. 누구는 제사가 많다, 어떤 달은 세 번이라서 모임에도 잘 못 나온다, 누구는 상가 시세가 올라서 돈을 벌었다, 아무개 교수의 교양 강좌가 좋더라, 듣고 울었다, 그런 얘기를 하면서 시간을 보내는 거예요."

나는 아내를 탐탁잖은 눈으로 힐끗 보았다. 뜻밖에도 아내의 표정은 쓸쓸했다.

"얼마 전에 옆집 여자가 백화점 주차장에서 어떤 남자 차를 받은 적이 있어요. 차가 꽤 긁혔는데 자꾸만 괜찮다고 그냥 가라는 거예요. 옆집 여자가 미안하다고 그 남자한테 점심을 사기로 했는데 같이 가자고 하더라구요. 옆집 여자는 그 남자를 몇 번 더 만났어요. 자기 인생 문제를 관심 있게 들어준대요."

아내는 아까보다 훨씬 더 쓸쓸한 얼굴이 되었다.

나는 입을 다물었다. 속된 호기심을 차단하기 위해 꽤 많은 의지가 필요했다. 서울에 다 와서 생각해 보니 그렇게 많은 의지가 필요했던 것은 차단해야 할 것이 호기심이 아니라 의심이었기 때문이었다. 대기실에서 기다리는 동안 아내는 말이 없었다. 이름이 불려지자 초등학교 학생처럼 얌전히 대답을 한 다음 일어나서 진료실 문 쪽으로 다가갔다. 아내는 문 앞에서 발을 멈추고 아주 짧은 순간 나를 돌아보았다. 무력하고도 간절한 눈빛이었다. 그제서야 나는 가벼운 마음으로 담배를 끄고 일어나 자판기에서 커피를 뽑아 마셨다.

아내의 배란기에 나는 되도록 일찍 퇴근했다. 그녀는 힘든 눈치였지만 클리닉의 지시와 내가 주는 정자를 순순히 받아들였다. 어느 날 나는 침대에서 그녀의 눈시울이 더 이상 젖지 않는다는 것을 깨달았다. 언제부터인지 내 목을 꼭 껴안지도 않았다. 대신 샤워를 안 했다든지 감기에 걸렸다든지 하는 핑계를 대며 피하는 일은 없어졌다. 내 허리의 움직임에 아찔한 가속도가 붙는 순간 갑자기 가슴을 밀치며 "잠깐만요" 하면서 입덧을 하는 임부처럼 욕실로 뛰어가는 일도 이제는 물론 없었다. 나는 어떤 방식으로든 아내가 제자리를 찾아가고 있다고 해석했다.

가을 인사 때 부서가 바뀐 뒤로 나는 회사일이 더욱 바빠졌다. 아내의 배란기를 빼고는 일찍 들어와 아내와 시간을 보낼 기회도 적어졌다. 그러다 보니 아내를 안고 싶은 욕망도 그때에 맞춰 규칙적으로 생겨났다. 나는 무엇에든 잘 적응하는 편이었으며 그러니까, 상식적인 사람이었다.

아내도 그럭저럭 적응하고 있었다. 이제는 옆집 여자의 차를 자주 타지도 않는 듯했다. 더욱이 가을로 접어들 무렵 남편이 다시 서울 본사로 발령을 받아 돌아온 뒤로는 옆집 여자도 그 전처럼 외출이 잦지도 않다고 했다. 그 집에서는 개 짖는 소리가 사라진 대신 이따금 한밤중에 고함소리나 뭔가 둔중한 것이 집 안을 흔드는 소리 따위가 새어나왔다. 그러나 다음날 아침 일곱 시 십 분이면 어김없이 옆집 여자가 남편을 지하철역까지 태워다 주는 광경을 먼발치로 볼 수 있었다.

아내는 말수가 적어졌다. 말 자체를 거의 안 했기 때문에 엉뚱한 말을 하는 일도 없어졌다. 집 안은 더욱 깨끗해지고 언제나 조용했다. 아내는 다시 독일식 책상에서 잡다한 책들을 읽고 안락의자에 웅크리고 잠을 자며 시간을 보내는 모양이었다. 책을 담아 두는 상자가 거의 늘어나지 않길래 물었더니 이제는 책을 사지 않고 상가의 대여점에서 빌려 본다고 했다. 그러나 아내 앞으로 배달돼 오던 《지오》나 《리더스 다이제스트》 같은 잡지가 포장도 뜯지 않은 채 쌓여 있는 것을 보면 아마 아내는 잠이 늘어난 것 같았다.

평온한 나날이 계속되었다. 바쁜 만큼 나에 대한 회사의 신임은 날로 두터워졌다. 조직 사회라는 곳에서 힘든 일이 전혀 없지는 않았지만 전체적으로 보면 사소한 일이었다. 그리고 집에 돌아와 보면 모든 것이 제자리에 준비되어 있었다. 아내까지도.

한동안 밤마다 걸려 오는 장난 전화에 시달리다 못해 아내가 전화선을 가위로 싹둑싹둑 잘라 버린 일, 배냇저고리를 사주었던 아내의 친구가 모처럼 찾아오며 사왔다는 장식 양초에서 불이 옮겨붙어 벽에 걸었던 우리의 결혼 사진이 타버린 일, 누군가 내 차와 옆집 차를 포함한 다섯 대의 타이어에 드릴 구멍을 내고 도망친 사건이 일어나 그때 광대뼈가 튀어나온 옆집 남자와 처음 인사를 나눈 일 등 몇 가지 일이 일어났지만 큰 사건은 아니었다. 옆집 남자는 신도시가 별로 마음에 들지 않는 듯했다. 불과 몇 년 만에 커다란 도시가 불쑥 솟아나 있어서 깜짝 놀랐습니다. 유럽 같은 오래된 나라에서는 상상도 못할 일이죠. 인공 호수도 그렇고, 아무튼 대단해요. 남자가, 신도시에 살기 어떠십니까, 하고 물었을 때 나는 조용해서 좋더군요, 라고만 대답했다.

그런 일들말고 그래도 좀 큰일이라면 아내가 화상을 입은 사건일 것이다. 아내는 레인지 위에 있는 뜨거운 주전자를 옮기다가 주전자 주둥이에서 끓는 물이 흘러내리는 바람에 옆구리를 데었다. 위험한 화상은 아니었지만 살갗이 벗겨진 자리에 며칠 동안 진물이 흘렀기 때문에 배란기인데도 나는 아내의 곁에 가지 못했다. 아내의 화상은 곧 아물었다.

아내가 꺼내 준 바바리 코트를 입고 출근하던 날 나는 신호 대기에 걸려 차를 세우고 기다리다가 불현듯 가을이 깊어가고 있음을 깨달았다. 그러니 봄이 지나가 버린 것은 너무나 당연한 일이었다.

지금은 다시 봄이다. 봄이 다 가기 전에 함께 가보자고 약속했던 그 길. 지난주에 나와 아내는 그 길 옆을 지나쳤다. 작년과 똑같이 연녹색 잎과 희고 붉은 꽃들로 덮여 있었다. 나는 시계를 자주 보았고 그때마다 그런 자신에게 당황했다. 나와 달리 아내는 한 시간

뒤면 우리가 헤어진다는 것을 잊기 위해 그다지 애쓰는 것 같지 않았다.

우리에게 지난 겨울은 무척 힘이 들었다. 그날 밤, 무섭게 조용하던 십일월의 밤 이후 아내는 몹시 수척해졌다. 안락의자 속에 공벌레처럼 웅크리고 자고 있는 모습을 보면 공의 지름이 점점 작아지는 듯한 느낌이 들었다. 그렇지만 나는 그녀를 보내지 않을 수 없었다.

십일월 마지막 밤은 바람이 몹시 불고 간간이 비가 뿌리는 음산한 날씨였다. 아홉 시쯤 퇴근한 나는 벨을 여러 번 눌러도 기척이 없자 열쇠로 문을 따고 들어왔다. 들어와서는 아내의 방문부터 열어 보았다. 그러나 그녀의 안락의자는 비어 있었다. 전등이 하나도 켜져 있지 않아 집 안은 깊은 어둠에 잠겨 있었다. 아내는 어두워지기 전에 외출한 모양이었다. 부엌에 가보니 저녁을 지은 흔적도 찾아볼 수 없었다. 흔치 않은 일이긴 했지만 나는 곧 이해했다. 아내에게라고 해서 갑작스러운 일이 생기지 말란 법은 없으니까. 나는 다른 날처럼 옷을 갈아입고 욕실에서 손을 씻은 다음 텔레비전을 켰다. 아내는 금방 돌아올 것이다. 그리고 또 생각보다 좀 늦더라도 충분히 이해할 수 있었다. 그러나 아내는 열한 시가 넘도록 돌아오지 않았다.

열 시가 넘으면서부터 나는 몇 번인가 베란다로 나가 밖을 내다보았다. 열한 시가 되자 아예 베란다에 서서 십 분을 기다렸다. 베란다 철책에 비벼 끈 담배만도 세 대나 되었다. 그제서야 어딘가로 연락을 해서 아내를 찾아봐야 한다는 생각이 들었다. 그러나 어디로? 나는 또 담배에 불을 붙였다. 아내가 어딘가로 가버렸다는 사실 못지않게, 그런데도 아내를 찾을 전화번호 하나 갖고 있지 않다는 사실에 더 큰 당혹감이 느껴졌다. 아내의 방에 들어가 보았다.

모든 것이 제자리에 너무 잘 정리되어 그것들은 아무것도 말해 주지 않았다. 독일식 책상 위에는 메모지 하나 없이 꽁무니에 지우개가 달린 노란 연필뿐이었다. 아내는 책을 펴기 전에 언제나 저 연필을 찾았다. 연필을 손에 쥐어야만 내용이 머릿속에 잘 들어온다고 말했다. 나는 아내가 그 연필로 무엇을 쓰는 것은 본 적이 없었다. 하지만 연필은 키가 아주 작아져 있었다. 아내의 상자들도 단정했다. 큰 것은 큰 것끼리 작은 것은 작은 것끼리 네 귀퉁이를 맞추고 쌓여 있었다. 다른 날과 다른 거라고는 아내답지 않게 상자 위에 먼지가 조금 있다는 점 정도였다. 부엌이나 욕실, 안방, 내 책상이 있는 방, 그 어디에도 눈에 거슬리는 특별한 것은 없었다. 그러니까 이 집 안에 아내라는 여자의 내면을 알 만한 것은 전혀 없는 것이었다. 이 집 안은 그녀가 아닌 어떤 여자가 들어와 당장 살기 시작해도 이상한 점이 조금도 없을 만큼 표준적이었다. 안주인의 냄새가 없었다. 아내와 나는 살을 맞대고 오 년을 함께 살아왔다. 그런데 아내가 사라졌는데도 그녀가 간 방향을 찾아 한 발도 내디딜 수 없다면 우리가 함께한 것은 무엇이란 말인가. 대체 나는 무엇을 근거로 아내에 대해 모르는 것이 없다고 생각해 왔던 걸까.

신발을 신고 집 밖으로 나갔다. 아내의 귀가 경로에 대해 확실히 알 수 있는 것은 아파트 앞 주차장까지뿐이었다. 시간이 늦어 주차장에는 빈자리가 거의 없었다. 나는 화단에 쪼그리고 앉았다. 가는 비가 뿌려서 어깨가 차가웠지만 들어가서 우산을 들고 나올 생각도 들지 않았다. 차 한 대가 들어오고 있었다. 뿌연 헤드라이트 불빛에 비쳐서 빗줄기의 가는 빗금이 드러났다. 차에서 내린 것은 옆집 남자였다. 빗속에 어정쩡하게 서 있는 사람이 나라는 것을 알아보고는 "왜 여기 서 계십니까"라고 인사를 건넸다. 나는 "아, 예"라고 얼버무리고는 한 걸음 비껴 서려 했다. 그러나 마침 운전석에서 내리는 옆집 여자를 보자 내 얼굴은 스트로보가 터지듯 갑자기 밝아졌다. 나의 반가움과 달리 여자는 내가 가까이 가자 경계하며 시선을 피했다. "저, 집사람이 아직 안 들어왔는데 혹시……"라고 말을 붙이는데도 주춤거리며 남편 쪽을 힐끗 쳐다본 다음 등을 돌리고 그냥 가버리는 것이었다. 그러나 나는 그 무례하고 부자연스러운 몸짓 속에서 여자가 틀림없이 뭔가 할 말을 가지고 다시 찾아오리라는 것을 눈치챘다. 나는 그들 뒤로 몇 발짝 떨어져 집으로 돌아와서 여자를 기다렸다.

여자는 오 분쯤 후에 왔다. 여자가 자기 집의 현관문을 조금 열어놓고 받침쇠로 고정시키는 걸 보고 나도 우리 집 문을 똑같이 했다. 여자는 조금 전과 달리 아내를 무척 걱정하고 있었다. 한밤중에 남자 혼자 있는 옆집에 가야만 하는 긴급 상황임을 남편에게 설명하기 위해서라도 그런 표정은 필요했을 것이다. 우리 집 소파에 앉아 여자는 어딘가로 전화를 걸었다. 잘 아는 번호인 듯 숫자판을 누르는 손가락이 빨랐다. 휴대 전화인 것 같았다. 여러 번 같은 번호를 눌렀지만 연결이 되지 않았다. 그렇게 다시 십 분이 지나갔다. 여자는 일어났다. 이제 남은 일은 경찰서와 병원 응급실에 연락을 해보는 일뿐인 듯했다. 공공 기관의 기록철에 들어갈 만큼 공식적인 사건으로 커지지 않고 사소한 개인적인 일로 그칠 기회는 여기에서 끝인가. 친구 집에 갔다가 차가 끊겼다든지 책을 사러 광화문의 대형 서점에 나갔다가 내친김에 영화까지 보고 들어온다든지, 하다못해 집에 오는 버스 속에서 잠이 들어 버려 지금 종점에서 돌아오고 있다든지 그렇게 끝나 주면 얼마나 좋을까.

절망 때문에 나는 여자가 하는 말을 처음에는 잘 알아듣지 못했다. 여자는 현관에서 신발을 꿰다 말고 갑자기 버팀쇠를 발로 올려 반쯤 열려 있던 현관문을 닫아 버린 뒤 내게 이렇게 말했던 것이다. 제 남편 귀에는 안 들어가게 해주세요.

네? 뭐라구요? 내가 되묻자 여자는 말했다. 아파트 정문으로 나가서 좌회전하면 순환로가 나오잖아요. 그 길로 쭉 따라서 서너 블록 가다 보면 다리가 있어요. 다리 너머 우회전해서 계속 가세요. 오른쪽으로 크게 '그린 파크'라는 간판이 보일 거예요. 삼층 끝방이에요. 근처에 카페도 많고 다른 모텔도 많으니까 찾기는 쉬워요. 나는 구조대를 만난 조난자처럼 그녀의 설명을 열심히 들었다. 고맙습니다, 라고 말하자 그녀는 불안한 눈으로 남편에게는 지금 자기가 한 말을 비밀로 해달라고 다시 한 번 당부했다. 마치 거래를 하는 듯한 말투였다. 아내를 찾으러 갈 수 있게 되었다는 사실에 안심이 된 나는 여부가 있냐는 듯이 고개를 끄덕였다. 여자는 현관문의 손잡이를 잡은 채 한 번 더 나를 쳐다보았다. 그리고 떨리는 목소리로 이런 말을 했다. 다 제 잘못이에요. 여자의 눈빛은 몹시 흔들렸다. 깊은 두려움과 번민이 어려 있었는데 남을 위한 것이라기에는 지나치게 비장했다. 순간 나는 '파크'라는 말이 가진 수상한 어감을 깨달았다. 나는 여자의 어깨를 억세게 움켜잡았다. 내 손톱이 옷을 파고들어 빗장뼈에 닿았는데도 여자는 비명을 지르지 않았다.

순환로는 무섭도록 어둡고 조용했다. 이따금 건너편에서 질주해 오는 자동차의 불빛으로 젖은 도로가 언뜻언뜻 드러났다.

여자의 말대로 찾기 쉬운 장소였다. 다리를 넘으니 얼마 안 가 붉은 네온 간판이 나타났다. 검은 허공에 높이 걸린 붉은 온천 마크가 마치 소의 엉덩이를 지지기 위해 벌겋게 달군 인두 도장 같았다. 나는 어금니를 물었다. 그것을 떼어 내서 그대로 아내의 흰 젖가슴에 지져 주홍 글씨를 새겨 버리고 싶었다. 내 손 안에서 사이드 브레이크가 빠지직 소리를 내며 당겨졌다.

여자의 설명으로는 삼층 끝방은 그 모텔의 특실이라고 했다. 자기도 아는 어떤 사람이 특정한 요일에 빌리곤 했던 방이라는 것이다. 여자는 그 방을 자기가 사용했었다는 말은 하지 않았다. 새댁은 차도 없고……워낙 외진 곳인데 이 시간까지 안 들어왔다니 저도 걱정이 돼서 알려 드리는 거예요. 다 제 잘못이에요. 제 얼굴을 봐서 한번 나갔던 건데 하도 전화질을 해대니까……오죽하면 새댁이 전화선까지 잘라 버렸겠어요……그리고 저……혹시 모르니까 지하 레스토랑으로 먼저 가보세요. 아직 거기 있을지도 몰라요. 새댁은 그럴 사람이 아녜요, 라는 따위의 말만 했다. 물론 나는 지하 레스토랑에 들러 보지 않고 곧바로 계단을 올라갔다.

문은 잠겨 있지 않았다. 방 안은 어두웠다. 정규 방송이 끝나 지글거리고 있는 텔레비전 화면이 달빛처럼 부옇게 침대로 비쳐들었다. 그 침대에 아내는 혼자 잠들어 있었다. 나는 아내 곁으로 다가갔다. 베개에 긴 머리를 탐스럽게 흩뜨리고 혼곤히 잠들어 있는 아내의 하얀 옆얼굴.

시트를 젖혀 보니 그녀는 알몸이었다. 유리로 된 천장 너머에서 어둠이 납작 엎드린 채 그녀의 벗은 몸을 내려다보고 있었다.

집으로 돌아오는 차 안에서 무섭게 몸을 떨더니 아내는 그대로 앓아누웠다. 지독한 감기였다. 며칠 동안 운신을 못하고 누워만 있었다. 물 한 방울 넘기지 않는 것 같았지만 나는 내버려두었다. 얼마쯤 나은 뒤부터 그녀는 다시 청소와 빨래를 시작했다. 너무나 여위어서 미라 같았다. 나는 새벽 헬스클럽과 외국어 학원의 야간 강좌에 등록을 했다. 늦은 밤에 열쇠로 문을 따고 들어가면 집 안은 환하게 불이 밝혀진 채 사람의 그림자도 보이지 않았다. 그녀가 갑자기 부엌이나 자기의 방 쪽에서 마치 혼백이 떠돌듯이 소리 없이 나타나면 그때마다 나는 그녀가 아직 살아 있다는 데 분노했다. 뻔뻔스럽게도! 왜 자살 같은 걸 안 하나 몰라, 하고 그녀 자신이 개에게 뱉었던 말을 떠올리기도 했다.

우리는 거의 얘기를 나누지 않았다. 그 동안 내가 저 여자의 무엇을 안다고 생각해 왔을까. 나는 그녀를 증오했다. 그날 밤의 일에 대해서 자세히 알기를 피하고 있는 자신을 발견하는 순간마다 나 자신까지도 증오했다. 아내의 잠은 더 깊어졌다. 이젠 약을 먹고 자는 게 아닐까 싶은 정도였지만 나는 모르는 척했다. 이따금 나는 유배지 같은 아내의 방 문틈에 귀를 대고 어둠 속에서 혼자 깊이 잠든 그녀의 숨소리를 듣곤 했다. 숨소리는 끊어질 듯하다가도 이어졌다. 나는 그곳으로 빛과 공기가 들어가지 못하도록 문틈을 다 종이로 발라 버리고 싶었다. 그 위에 파라핀을 덧칠해서 봉인해 버리고 싶었다.

딱 한 번 그녀의 모습을 오랫동안 쳐다본 일이 있었다. 그날도 나는 밤늦게 들어왔다. 아내의 모습은 보이지 않았다. 안락의자에서 자고 있을 것이었다. 나는 다른 날처럼 옷을 갈아입고 세수를 한 다음 마감 뉴스를 보려고 했다. 그러다가 불현듯 생각을 바꿔 아내의 방으로 들어가 보았다. 아내는 깊이 잠들어 있었다. 나는 충동적으로 거칠게 아내를 흔들었다. 손끝이 허전할 만큼 아내의 몸에는 거의 부피가 느껴지지 않았지만 그럴수록 내 손길은 난폭해졌다.

아내가 눈을 떴다. 거실의 불빛이 새어들어와 그녀는 내 얼굴을 알아보았다. 그녀는 빙긋 웃었다. 몸을 일으키더니 유령처럼 바닥을 가볍게 스쳐 지나 부엌으로 갔다. 그녀는 먼저 수도꼭지를 틀어 손을 문지르고는 쌀통에서 쌀을 꺼내 씻어 밥을 안쳤다. 멸치를 꺼내고 다용도실의 된장통에서 된장을 퍼와 뚝배기에 넣고 물을 부었다. 감자, 양파, 당근을 차례로 껍질을 벗기고 마늘을 깠다. 그것들을 도마 위에 깨끗이 썰어 놓을 때쯤에는 된장국물이 끓고 있었다. 야채를 차례로 넣은 다음 파를 꺼내 씻었고 두부도 귀를 맞춰 네모반듯하게 썰어 대접 위에 준비해 놓았다. 그리고 볼에 달걀 세 개를 깨뜨려 소금을 넣고 나무젓가락으로 잘 휘저은 다음 파를 다져 넣었다. 생선 그릴에 물을 붓고 가스불을 켰다. 냉장고에서 갈치를 꺼내 씻어서 달구어진 생선 그릴에 집어 넣었고 그 옆의 가스 레인지에 프라이팬을 얹어 놓고 불을 붙였다. 적당히 달궈진 프라이팬에 달걀물을 한쪽에서부터 가만히 쏟아 천천히 말아 가기 시작했다. 조금 후에 갈치를 뒤집었다. 그녀의 손놀림은 정확했다. 그녀는 내가 꼼짝 않고 자기를 쳐다보고 있는 것은 물론 식탁의자에 앉아 있다는 것조차 전혀 깨닫지 못했다.

그녀는 식탁을 차렸다. 내 앞에 밥을 퍼서 놓더니 자기 밥을 가지고 와서 자리에 앉았다. 그러고는 먹기 시작했다. 나는 그녀에게서 눈을 뗄 수가 없었다.

그녀의 모든 동작 속에 내 눈에 익숙한 평온이 깃들여 있었기 때문이다. 그녀가 평온하게 보일 수 있는 것은 자기 자신이 아닐 때뿐이었다. 평온하다는 것은 수면을 내려다보는 사람의 생각이다. 그 순간 물 속에서는 가물치가 꼬리를 바둥거리는 물새우를 반쯤 삼키고 있는지도 모를 일이다.

그녀는 열심히 밥을 먹었다. 다 먹은 다음 물을 가지러 냉장고로 갔다. 물쟁반을 들고 식탁으로 돌아온 그녀는 식탁 위를 보더니 갑자기 멈칫했다.

쟁반 위에 있던 물병과 유리컵을 내려놓고 거기에 자기의 빈 밥공기를 옮겨 담으며 그녀는 조용히 말했다.

"내가 언제 밥을 먹었죠?"

그 겨울은 우리 둘 다에게 몹시 힘들었다.

떠나는 날 아침 아내는 머리를 감았다. 어딘가에서 전화가 왔다. 그 시각에 내게 걸려 올 전화는 없었으므로 나는 받지 않았다. 벨이 계속해서 울려대자 아내가 머리에 타월을 감싸고 욕실에서 나와 전화를 받았다. 여보세요. 그녀의 목소리는 건조했다. 그 다음부터는 선 채로 한마디 말없이 듣기만 하고 있었다. 타월이 풀어져 그녀의 목 뒤로 점점 흘러내리더니 어깨 위로 떨어졌다. 검고 긴 머리카락이 쏟아졌다. 아내는 송화기를 잡지 않은 왼손으로 물이 뚝뚝 떨어지는 검은 머리채를 모아 잡고는 전화기 옆의 작은 화분 위에 내려놓았다. 그녀는 흙이 검게 적셔지는 것을 묵묵히 쳐다보다가 가만히 송화기를 내려놓았다. 어디서 왔어? 내가 묻자, 장난 전화예요, 아내의 음성은 조용했다.

아내는 조수석에 탔다. 불임 클리닉에 가던 때처럼 평온한 표정이었으며 내가 안전벨트 매는 것을 도와 주자 빙긋 웃음을 지었다. 차가 신도시를 벗어나 교외 풍경이 나타났을 때부터는 계속 창 밖을 쳐다보았다. 봄빛으로 물든 조그만 둔덕들, 줄지어 늘어선 비닐하우스도 보고 지나가는 차에 타고 있는 아이들의 장난치는 모습도 보았다. 두 대가 앞뒤로 붙어서 나란히 달리고 있는 닭장차는 꽤 오랫동안 쳐다보았다. 가로 세로로 창살이 질러진 닭장 속에서 닭은 몸조차 제대로 움직이지 못하고 있었다. 물건을 쌓아 놓듯이 빽빽이 집어 넣었기 때문이다. 몇 마리만이 겨우 창살 밖으로 목을 내밀고 공기를 마셨다. 봄바람이 불었으므로 그들의 지저분한 깃털이 가볍게 푸들거렸다. 닭장차가 지나가 버린 뒤로는 깃털 몇 개가 허공에 떠다녔다.

그녀는 나들이 가는 어린애처럼 흥미롭게 바깥 풍경을 내다보는 듯했다. 그러나 그녀의 야위고 하얀 두 손. 그것은 누군가 극장 의자 위에 잃어버리고 두고 간 장갑처럼 그녀의 무릎 위에 기운 없이 방치되어 있었다. 내 시선을 느꼈는지 그녀가 내 쪽으로 고개를 돌렸다. 하지만 내가 짐짓 앞만 보고 있자 눈을 스르르 내리깔더니 다시 창 밖으로 시선을 돌리는 것이었다. 그때였다. 그녀의 입에서 끔찍한 비명 소리가 새어나왔다.

나는 황급히 오른손을 운전대에서 떼고 그녀의 어깨를 붙잡았다.

나도 모르게 왜 그래, 여보? 왜 그래? 하는 말이 튀어나왔다. 다음 순간 아내는 돌연 진정되었다. 꿈에서 깨어난 사람처럼 멍한 눈으로 한참이나 앞을 쳐다보더니 나직하게 말했다. 닭이 다 없어졌어요. 그러고 보니 바로 앞에서 달리고 있는 닭장차에는 닭이 한 마리도 없었다. 아내는 텅 빈 닭장을 초점 없는 눈으로 쳐다보며 또 중얼거렸다. 닭이 다 없어졌어요. 그러나 놀랄 일은 아니었다. 닭장차는 두 대였고 앞에 가던 차에는 처음부터 빈 닭장만 실려 있었던 것이다. 아마 아내는 닭이 가득 실려 있는 뒤차만을 본 모양이었다.

내가 사정을 설명해 주었지만 아내는 믿는 것 같지 않았다. 닭장에 대해 더 이상 말을 하지는 않고 계속 두 손으로 자기의 목을 만지며 답답하다는 듯 이마를 찡그렸다. 그러더니 얼마 안 가 잠이 들었다.

그곳에 도착한 뒤에야 그녀는 눈을 떴다. 자기가 잠든 사이에 낯선 곳에 도착해 버렸다는 사실을 깨닫자 그녀는 막 클로로포름에서 깨어나 눈에서 검은 안대를 벗은 납치된 소녀처럼 불안해했다. 그러나 아내는 대체로 침착했다. 수속은 순조로웠다. 숲속에 깊숙이 들어앉은 그곳은 그녀가 갇혀 있는 신도시의 집이나 불임 클리닉처럼 회색 건물이었지만 훨씬 더 평온해 보였다. 희망 따위를 볼모로 잡지 않기 때문이다. 그녀는 이제 헛된 희망을 갖는 일도 없을 것이다.

나는 들어갈 때 내가 냈던 바퀴 자국을 따라 그곳을 나왔다. 붉은 꽃이 사방에 돋아 있었다. 차창을 내렸다. 숲 냄새가 났다. 나는 숨을 깊게 들이마셨다. 그곳에 도착하는 순간부터 아내는 한 번도 나와 눈을 마주치지 않았다. 가까운 데에 이런 곳이 있는 줄 몰랐어요, 라고 말했을 뿐이다.

아내를 데려다 주고 혼자 돌아오면서 나는 또 그 길 옆을 지나왔다. 구부러진 그 길을 보며, 지난 봄으로 되돌아간다면 모든 것을 돌이킬 수 있을까라는 생각을 했지만 아주 잠깐 동안이었다. 나는 앞차가 서면 서고 출발하면 따라서 출발했다.

그날 밤 나는 아직 마감 뉴스를 보지 못해서 침대로 들어가지 못하고 있었다. 채널을 이리저리 돌려 보다가 생각보다 시간이 훨씬 천천히 흐르고 있음을 깨달았다. 리모컨을 탁자 위에 내려놓았다. 텔레비전 화면에 '세계는 지금' 이라는 제목이 나타나더니 얼마 후에 내레이터의 음성이 들려 왔다.

—지난 발렌타인 데이에 미국 캘리포니아의 한 연구실에서는 수컷 초파리와 암컷 초파리 사이에 치열한 싸움이 벌어졌습니다. 짝짓기를 하려고 날갯짓을 하며 암컷에게 달려드는 수컷을 암컷이 계속해서 머리로 들이받았습니다. 나중에는 다리로 수컷의 머리를 걷어차 버리기까지 했습니다. 이 암컷은 수컷이 정액을 뿌려도 알을 낳지 않았다고 합니다.

아내나 좋아했을 얘기였다. 나는 물끄러미 화면을 쳐다보았다.

—그 이유는 돌연변이 유전자 때문으로 밝혀졌습니다. 연구팀은 이 실험으로 돌연변이 유전자가 신경 계통에 영향을 끼친다는 것을 확인했습니다. 그 유전자에는 '불만' 이라는 이름이 붙여졌습니다.

나는 불타 버린 결혼 사진과 아내의 화상을 떠올렸다.

결국 마감 뉴스를 기다리지 못하고 일찍 잠자리에 들었지만 잠을 설쳤다. 다음날 출근하자마자 나는 당장 들어갈 수 있는 빈집을 구해 줄 부동산과 포장 이사 회사에 전화를 했다.

그들은 정확히 아침 아홉 시에 도착했다. 한 사람은 휘파람 소리에 맞춰 장갑을 끼고 한 사람은 내게 이사 갈 집의 약도와 회사 전화번호를 넘겨받는다. 집을 나선 뒤 나는 아내의 방을 한 번 더 둘러보지 않은 것을 후회한다. 차에 시동을 걸고 문득 건너편을 보니 옆집 여자가 차를 닦고 있다.

신도시를 벗어나면서도 나는 아무 감회가 느껴지지 않는다. 푸른 둔덕이 눈앞에 나타났을 때 비로소 그곳을 떠났다는 사실이 조금 실감났을 뿐이다. 그러고 보니 나는 좌회전 차선으로 들어와 직진 신호를 기다리고 있다. 차가 많지 않은 시각이라 그냥 직진을 해도 될 것이다. 하지만 나는 초록색 화살표에 불이 켜지자 차를 왼쪽으로 꺾는다. 언젠가 스포츠카가 달려갔던 것처럼 풀이 북슬북슬한 방둑길로 해서 아내가 가고 싶어하던 숲길로 접어든 것이다.

길은 몹시 구부러져 있다. 어디서나 볼 수 있는 험하고 좁은 숲길이다. 먼지가 날리고 차가 심하게 흔들린다. 그냥 돌아가야겠다는 생각을 하며 비탈길을 돌아서는데 갑자기 산이 눈앞을 가로막는다. 무덤으로 가득 뒤덮인 거대한 산. 그리고는 낮은 하늘과 귀기 어린 정적뿐이다.

나는 멈추지 않고 계속 길을 따라간다. 겨드랑이가 땀으로 젖기 시작한다. 화장터와 마을이 갈라지는 길에서 팻말이 나온다. 급하게 마을 쪽을 향해 운전대를 꺾었지만 숲은 점점 깊어지는 것 같다. 무덤만이 끝날 줄 모르고 이어져 있다. 등뒤에서 와이셔츠가 땀으로 달라붙는다. 얼굴로도 땀이 흘러내린다. 차창을 내리자 기다렸다는 듯이 먼지들이 수북이 몰려와 엉겨붙는다. 차는 비틀거리듯이 산길을 달리고 달린다. 그렇다. 나는 아내를 위해 모든 것을 했다. 그것을 아내는 어떻게 갚아 주었던가. 아마 지금쯤 그녀는 자고 있을 것이다. 약을 먹을 시간이 되면 깨어난다. 그리고 다시 잠들기 전까지 하는 일이라고는 오직 나를 기다리는 것뿐이다. 그녀는 내 동의 없이는 그곳에서 한 발짝도 나갈 수 없다. 그녀는 아주 잘 있다. 내가 찾아와 주기를 기다리는 일로 내 사랑에 보답하고 있다.

오늘 그녀의 방은 없어졌다.

이윽고 시야가 뚫린다. 반갑게도 저 멀리에 늘씬한 포장 도로가 나타나 있다.

대·상·작·가·자·선·대·표·작

그녀의 세 번째 남자

은희경

그녀는 잠깐 남자에 대해서 생각을 했다.
아무 관련 없이 미타심 보살의 말도 떠올랐다.
—달을 보았으면 손가락을 잊어버리고 지붕 위에 올랐으면
사다리를 잊어버리고 개울을 건넜으면 징검다리를
돌아보지 않으며……이게 다 깨달음을 얻었으면 그것을
표현하는 말에 집착하지 말라는 뜻이에요.
그럼 남자는 사다리였을까.
세 번째를 향해 놓인 사다리.
그리하여 이제 그녀가 세 번째 남자라는 지붕에 오르면
사랑하고 안 하고의 분별없이 사랑을 하게 되는 걸까.

그녀의 세 번째 남자

구름 두께 십 킬로미터

그녀는 신문을 읽고 있었다. 오후의 햇살이 비쳐들어 사무실 안은 나른했다. 그녀의 책상이 있는 곳은 창가 바로 아랫자리였다. 열어 놓은 창으로 바람이 들어와 신문지 귀퉁이가 펄럭거렸다. 신문 오른쪽 면을 향해 고개를 돌린 채 그녀는 손바닥으로 왼쪽 귀퉁이를 쓸어 냈다. 바람이 세지 않은데도 신문은 자꾸만 들쳐졌다. 그녀는 귀찮다는 듯이 아예 신문 위에 왼손을 올려놓고 읽었다. 넷째손가락에서 장식 없는 반지가 햇빛을 받아 반짝였다.

책상 오른쪽에는 연필꽂이와 메모지, 슬라이드 필름이 끼워진 원고, 그리고 필름을 확대해서 보는 루페가 놓여 있었다. 왼쪽에는 화면 보호 상태인 컴퓨터 모니터가 지루한 궤도로의 우주 여행을 반복하고 있다. 그녀는 생각난 듯이 안경을 벗어 닦았다. 그 작고 날렵한 수입 뿔테는 그녀의 갸름한 얼굴에 잘 어울렸다. 어제 세탁

소에서 찾아온 크림색 시폰 블라우스와 올리브색 체크 무늬의 랩스커트 안에서 그녀는 왼쪽으로 꼬았던 다리를 오른쪽으로 바꾸었다. 다른 날과 다른 것은 아무것도 없었다.

신문 기사도 마찬가지였다. 세상 어디에선가 또 폭탄 테러가 일어났고 그에 대처한 중요한 회의들이 열리고 있었다. 선거철이 되었으므로 그 회의에서의 발언은 신경증적이 될 수밖에 없었는데 유권자에게는 자신만만하고 웃는 표정만을 보여 줘야 하기 때문에 전속 유머 작가들이 연설문 작성에 동원되었다. 그리고 또 누군가가 뇌물을 받았다. 계좌 추적과 출국 정지. 그녀는 신문을 넘겼다. 몇 년 전에도 왔었던 영국의 팝 가수가 공항에 도착했으며 재작년에 죽은 영문학자의 제자들이 기념비를 세우려고 모금을 시작했다.

그 영문학자는 그녀도 잘 아는 사람이었다. 전 직장이었던 출판사에서 그 학자의 전집을 출간했다. 그의 책을 열 권 만드는 동안 그녀는 육 년의 세월을 흘려 보냈고 아랫사람 셋을 거느린 과장이 되는 한편 노처녀도 되었던 것이다. 그녀는 영문학자의 기사만은 제목만 훑어보지 않고 처음부터 끝까지 내용을 샅샅이 읽었다. 그러나 관심이 없기는 다른 기사와 똑같았다. 그녀는 다시 신문을 넘겼다.

'한밤 같은 서울 대낮'

그 제목을 향해 그녀는 약간 얼굴을 기울였다. 그리고 고딕체로 된 사진 설명을 읽어 내려갔다.

25일 오후 4시 10분부터 약 30여 분 간 서울 일원 하늘에 시커먼 먹구름이 끼여 '한낮 속의 밤' 같은 현상이 일어났다. 이 때문에 차량들이 모두 라이트를 켠 채 운행했고 시민들은 불안해 기상청에 문의 전화를 걸기도 했다. 기상청은 한랭전선이 지나갈 때 대기가 불안정해지면서 구름 두께가 평시보다 두 배 이상 두꺼운 십 킬로미터 정도 되는 경우가 있으며 어제 낮에도 같은 현상이 일어났다고 설명했다.

그녀는 계속해서 신문을 볼 수가 없었다. 그때 바로 전화벨이 울렸으며, 십 분 후에는 회사 앞의 카페에 앉아서 오늘로만 세 잔째인 커피를 마셔야 할지 아니면 떫은 맛을 참아 가며 녹차를 마셔야 할지 결정을 내려야 했기 때문이다.

그녀를 불러낸 친구는 망설임 없이 커피를 시켰다. '아르바이트'라는 글씨를 가슴에 달고 초록빛 에이프런을 입은 여자애는 친구가 "커피!" 하자 "네에"라고 끝을 올리며 상냥하게 대답한 다음, 묻는 눈을 하고 그녀 쪽으로 얼굴을 돌렸다. 그녀는 여자애의 눈 속을 똑바로 쳐다보며 말없이 고개를 끄덕여 보였다. 블렌드 커피 두 잔요? 감사합니다! 여자애는 그 말을 터무니없이 쾌활하고 들뜬 목소리로 말했다. 기계적인 동작으로 인사를 한 뒤 뒤돌아 사라지는 여자애의 에이프런 속을 발목 교정을 하는 구두처럼 투박한 검은 부츠가 걸어가고 있었다. 그녀는 마치 자동 인형 같은 여자애의 뒷모습을 주의 깊게 쳐다보았다. 그러나 그 뒷모습에 태엽 같은 것은 보이지 않았다. '아르바이트'란 표식과 초록 에이프런을 벗으면 저 여자애도 엄마에게 스커트를 다려 놓지 않았다고 짜증을 내고 약속 시간에 늦은 남자 친구에게 신경질을 부릴 것이다. 타인에게는 친절할 수 있기 때문에 서비스업이 생겨났다. 그녀는 여자애에게 벌써 관심이 없어졌다.

친구는 숄더백 안에서 영화 잡지를 꺼내더니 다시 그 잡지 안에서 청첩장을 꺼내 탁자 위에 놓는다. 그녀는 청첩장을 집어 들고 펴보았다. 칠월이면 얼마 안 남았네? 응, 보름 뒤야. 그녀의 고개가 끄덕여졌다. 하기야 동거를 이 년이나 했으니 준비할 것도 없겠지. 그녀는 무심코 청첩장을 접어서 다시 봉투에 넣으려고 했다. 그러다가 갑자기 청첩장 속의 어떤 글자에 시선을 박은 채 한참을 가만히 있었다. 그런 그녀를 뚫어져라 쳐다보며 친구도 가만히 있는다.

먼저 입을 연 것은 친구 쪽이었다. 그 사람 아니야. 다른 남자하고 결혼해. 친구는 무릎 위에 있던 영화 잡지를 다시 백에 집어 넣으려다가 책갈피를 활짝 펼치고는 그 속에 든 청첩장들이 빠지지 않도록 단단히 집어 넣었다. 그 페이지에는 클로즈업된 한 남자의 얼굴이 커다랗게 박혀 있다. 그녀는 그 얼굴을 안다. 친구와 동거하는 영화 평론가이다.

그 사람을 사랑하지 않는 게 아냐. 아마 내 생에서 그 사람말고는 아무도 사랑할 수 없을 거야. 하지만 난 지금의 내 인생이 싫어. 몽땅 바꾸고 싶다구. 근데 대체 뭘 바꿀 수 있겠어? 이름? 나이? 성별? 출신 학교? 지금까지 읽은 책 제목들? 같이 잔 남자들과의 과거? 내가 거쳐 온 몇 가지 직업, 옷 입는 취향, 버섯과 카레를 싫어하는 식성, 다 지긋지긋해. 넌더리가 난단 말야. 이렇게 내가 싫어하는 나로 죽을 때까지 그럭저럭 살아야 한다고 생각해 봐. 얼마나 끔찍하니. 그래서 낯선 사람과 결혼하려는 거야. 결혼할 사람? 글쎄. 막연히 몇 시간쯤 차를 달리다가 국도변의 주유소에 딸린 한적한 식당에서 옆 테이블에 앉아 우거지탕을 먹던 남자쯤으로 알면 돼. 지금까지 내가 살아왔던 그 어떤 삶과도 공통점이 없는 사람이야. 이제 난 낯선 세계로 가서 낯선 사람으로 살아갈 거야. 행복? 그거야 알 수 없지. 어쨌든 다른 인간이 되어 본다는 것으로 만족해. 지금보다 훨씬 나쁘더라도 지금보다는 나은 거야.

친구는 덧붙였다.

"나는 결혼이 모험이란 건 알아. 그렇기 때문에 사랑하는 사람과는 할 수 없는 거야. 사랑하는 사람과는 결혼하지 말아야 한다는 것을 사람들은 알아야만 해."

그녀는 친구가 몹시 변덕스럽고, 게다가 지금처럼 자기의 변덕스러움을 인과 관계 속에서 해석해 내려고 하는 쓸데없는 버릇이 있음을 잘 알았다.

"사랑하는 사람과는 결혼하지 말아야 한다구?"

"그래. 만약 결혼해서 그 사람이 불행해지면 그걸 어떻게 견딜 수 있겠니?"

그녀의 오른쪽 엄지와 중지가 왼손가락의 반지를 잡고 천천히 돌리기 시작했다. 결혼한 사람은 모두 불행을 견디고 있어. 사랑하는 사람과 함께 견디기에 가장 어려운 것은 불행이 아니라 권태야. 하지만 사람을 무력하게 만들기 때문에 현상을 바꿀 의지 없이 그럭저럭 견딜 수 있게 되는 것이 권태의 장점이지.

그녀는 그 말을 입 밖에 내지는 않았다. 반지에서 손을 떼고 찻잔을 들어 식은 커피를 마셨다.

지금보다 훨씬 나쁘더라도 지금보다는 나은 거야……그녀는 이 말에 대해 생각해 보기로 했다. 비슷한 말을 언젠가 들은 적이 있는 것 같았다. 대학교 이학년 때 군대에 자원하며 남자 친구가 했던 말이던가? 아니면 바로 저 친구가 재작년에 약을 먹었을 때 유서에 썼던 말 같기도 하고, 저 친구와 같이 본 어느 영화 속의 대사인지도 모르겠다. 기억이 잘 나지 않았다.

시계를 보더니 친구는 그만 가봐야 한다고 말했다. 영화 아카데미에서 같이 공부한 선배가 다큐멘터리를 찍었는데 그 시사회에 간다는 것이다. 거기 가서 청첩장 돌리면 다들 날 나쁜 년이라고 욕하겠지? 하면서 친구는 입술을 비틀고 웃었다. 그러라지 뭐. 난 욕먹는 게 좋아. 욕을 먹기 시작하면 못할 일이 없거든. 그런 게 자유 아냐? 그러면서도 친구는 가뿐하게 자리에서 일어나지 못한다. 비어 버린 찻잔을 들어서 마시기도 하고 테이블 위에 나 있는 갈색 담뱃자국을 손가락으로 문지르기도 하면서 그대로 앉아 있다. 한참 동안 말없이 창 밖을 쳐다보더니 시선을 그대로 창 밖에 둔 채 무심한 목소리로 그녀에게 물었다.

"어제 날씨, 봤니?"

한밤 같은 대낮. 하늘에 먹구름이 뒤덮이고 대기는 으스스한 공포영화 속의 화면처럼 부옇다. 길 가는 사람들의 눈 밑에는 붉은 그늘이 지고 자동차는 라이트를 켜고 느리게 지나간다. 불안해진 시민들의 전화가 폭주하여 기상청 전화는 불통이 된다…….

"봤어. 이상한 날씨라고 신문에도 났더라."

"기분이 어떻디?"

"글쎄. 지구 종말 같던데."

그녀의 목소리는 건조하지만 친구는 먼 데를 보는 눈빛이 된다.

"붉은 필터를 끼우고 보는 세상. 짐 자무시의 화면 같지 않았어?"

"자무시?"

"그래. 〈천국보다 낯선〉."

친구는 유학을 갔다가 중간에서 공부를 포기하고 돌아오더니 한때 수녀를 지원하여 수녀원에도 들어갔었다. 남자와 헤어지고 난 뒤 위 세척을 하고 병실에서 깨어난 것이 두 번이고, 혼자 낳아 기르겠다고 우는 것을 겨우 달래서 산부인과의 수술대에 올려 보낸 일도 세 번이다. 직업도 방송국 구성작가에서부터 여성 단체 간사, 번역가, 이벤트 회사의 플래너, 출판사의 기획자 등 여러 가지를 거쳤다. 그러고도 낯선 삶을 원하는 일에 결코 지치는 법이 없었다. 아직 삶에 대해 기대가 많다는 것이 그녀가 그 친구를 좋아하는 가장 큰 이유였다.

낯선 것은 불편하지만 매혹적이다. 삶을 익숙한 것과 낯선 것으로 채운다면 황금분할은 어떤 것일까. 그러나 그녀는 그에 대한 생각을 진전시킬 수 없었다. 카페를 나온 뒤 또다시 십 분 후에는 교정지를 읽고 제목 뽑기를 먼저 해야 하나 아니면 '이달의 문화 인물'이라는 제목의 인터뷰 원고를 먼저 써야 하나 결정을 내리기 위해 두 손을 맞잡고 반지를 돌리고 있었다.

다른 날과 다른 것은 아무것도 없었다. 그녀는 책상 위에 몸을 구부리고 무엇인가를 썼고 오른쪽의 펜꽂이에서 붉은 펜을 꺼내 교정을 봤다. 그러다가 사전을 펼쳐 놓은 채 낱말의 뜻이나 맞춤법을 확인하기에는 지나치게 길다 싶을 동안 그것을 뚫어져라 쳐다보았다. 그녀에게 그런 일은 처음이 아니었다. 뭐랄까, 이따금 그녀에게는 알 수 없는 정지 동작이 있었다. 일상의 시간 속에 녹아 있는 자신을 잠깐씩 어디론가 놓아 보내 주는 순간이라고나 할까. 차를 갖고 다닌 지 삼 년이 넘었어도 교통 위반 딱지 하나 떼지 않은 그녀에게 어떤 사람은 아직 운전을 두려워하는 거라고 꼬집었지만, 그녀는 세상을 그다지 기운차게 살아갈 필요는 없다고 생각했고 그 방식에 큰 불편은 없어 보였다. 아무튼 그녀가 반지를 만지작거리면서 멍청하게 생각에 잠겨 있는 모습은 사보를 만드는 일이 주업무인 이 홍보실에서 흔히 볼 수 있는 장면이었다.

다른 날과 다른 것이 있다면 전화를 걸었다는 것뿐이다. 전화를 거는 일이 특별한 일은 아니다. 그러나 그 전화번호로 그녀 쪽에서 전화를 거는 것은 드문 일이었다. 신호가 오래 울린다 싶더니 낯선 목소리가 전화를 받았다. 그녀는 몇 마디 하더니, 아녜요, 제가 다시 전화하죠, 라고 말하고 끊었다. 그녀는 메모를 남기지 않았다. 복도로 나가서 십오 분쯤 거리를 내려다보다가 자리로 돌아와서 다시 한 번 전화기를 들고 번호를 눌렀지만 벨이 울리기 시작하자 그냥 내려놓았다. 그런 일마저 그녀는 부장이 거래처에 간다며 사실은 사우나에 가기 위해서 자리를 비우는 네 시에 맞춰서 했다. 그녀는 여섯 시 정각에 퇴근했다.

오래 전 여관

톨게이트에서 그녀는 잠깐 머뭇거렸다. 그러나 일단 고속도로로 접어들자 세 시간을 내리달렸다. 그녀의 표정은 불안이나 결연함, 그 어느 쪽도 아니었다. 휴게소의 현금지급기가 고장난 것을 알았을 때, 그리고 사람들이 북적거리는 공중화장실의 문을 열고 나올 때 딱 두 번 이마를 찡그렸을 뿐이다.

밤이 깊었다는 것을 그녀는 좀 늦게 깨달았다. 영동이라는 표지판을 보고 벌써 다 왔나 싶은 얼굴로 그제야 차 안의 디지털 시계를 내려다보았던 것이다. 고속도로를 벗어나 읍내로 들어서자 불꺼진 우체국 앞에 차를 세우고 우체통 속으로 사표를 집어 넣을 때에도 그녀의 표정은 평소와 그다지 다르지 않았다. 우체통 옆에 있는 공중전화 부스에 들어가 어딘가로 전화를 걸었지만 그녀는 신호가 떨어지자마자 송화기를 내려놓았다. 그때에도 얼굴이 담담했다.

'영빈장'이라는 간판 앞에 그녀는 차를 세웠다. 그 근처에서 가장 높은 건물인 그 삼층짜리 여관은 낡고 한산했다. 방을 잡고 난 다음 그녀는 샤워를 했다. 눅눅한 발닦이에 발을 닦고 뿌연 거울을 들여다보았다. 그녀는 거울 속에서 '증'이라는 글자의 이응이 반쯤 떨어져 나가고 지읒이 시옷이 되어 '수'처럼 보이는 붉은 글씨를 보았다. 그녀는 분명 전에 이 여관에 온 적이 있었다. 아니라면 지금처럼 그 거울이 뿌옇지 않고 반짝반짝 빛나며 '수'가 아니라 '증'이라고 또렷이 새겨진 궁체의 기억을 갖고 있을 리가 없다. 그러나 그녀는 아무것도 기억나지 않는 사람처럼 침대 밑에서 기어 나오는 바퀴벌레를 보고 짐짓 놀랐다.

다음날 그녀는 정오가 다 되어서야 일어났다. 너무 늦게까지 잤다는 것을 알고는 급히 몸을 일으켰지만 다음 순간 놀랄 이유가 없다는 것을 깨닫고 다시 퀴퀴한 베개에 머리를 내려놓았다. 삼십 분쯤 더 누워 있다가 일어난 그녀는 느릿느릿 세수를 하고 밖으로 나갔다. 그녀는 '내실'이라고 쓰인 작은 창문을 두들겨서 주인 여자에게 해장국집의 위치를 물었다. 오른쪽으로 돌아 나가면 바로 식당이 있어요. 주인 여자는 그녀가 하루 더 묵을 거라고 하자 시골 아줌마들의 표준 헤어 스타일인 파마 머리를 긁적이며, 선불이에요, 하고 말했다. 다 지워지고 입술 테두리에만 남은 붉은 립스틱, 콧등과 이마에 얼룩진 분자국, 졸음이 덮쳐 와서 뭉개진 얼굴 표정. 주인 여자의 얼굴에 선명한 것이라고는 문신으로 새긴 반달형 눈썹뿐이었다.

돈을 지불하며 그녀는 주인 여자에게 물었다.

"영추사로 가려면 어느 길로 가야 하죠?"

"영추사? 그럼 무주로 들어가서 물어 봐야지. 터미널 가서 물어 봐요. 터미널 옆에 새로 난 길이 있는데 그리로 한 한 시간은 올라가야 할걸. 산꼭대기에 있으니까."

"산꼭대기라고요?"

그녀가 되묻자 반쯤 눈을 감은 주인 여자는 되는 대로 고개를 끄덕이며 말했다.

"전에 영추사에 가본 적이 있나 보네?"

"……."

"그 영추사는 없어졌어요. 물 속으로 들어간 지 삼사 년 됐을 텐데. 한전에서 발전소인지 댐인지 만들 때 산꼭대기로 절을 옮겼다고 하대요. 아무튼 무주 가거든 거기서 물어 봐요."

그 말을 끝으로 작은 유리문이 탁, 소리를 내며 닫히고 내실이라는 글자가 그녀의 눈앞을 가로막았다.

그녀는 늘 졸고 있는 그 주인 여자의 영빈장에서 사흘을 더 묵었다. 텔레비전과 바퀴벌레, 그리고 권태로운 자에게도 너무 많다 싶은 시간들과 함께.

사일째 되던 날 그녀는 다른 때보다 일찍 일어났다. 아침을 먹기로 마음먹은 것도 변화라면 변화였다. 그날은 주인 여자에게도 변신의 날이었던지 그녀가 내실 앞을 지나는데 주인 여자가 작은 창문을 열고 인사를 했다. 막 화장을 마친 새빨간 입술, 거기에서 나오는 말투도 다른 날과 달리 또렷했다.

"아침 먹으러 나가요?"

"네."

"그럼 장 구경도 좀 하지 그래요."

"장 구경이요?"

"오늘이 여기 영동에 장날이에요. 서울 사람들은 일부러 구경도 오던데. 살 것은 없어도 구경은 할 만할걸?"

짙게 선팅된 여관문을 나서자마자 밝은 햇살이 쏟아져 들어왔다. 그 햇살 아래에 어지럽게 난전이 펼쳐져 있었다. 좁은 길 양쪽으로 꼬리를 물고 이어진 좌판과 리어카들. 죽은 닭들이 벌거벗은 채 수북이 쌓여 있는 한옆에는 살아 있는 닭들이 목에 줄을 매고 뒤뚱거렸으며, 어린애 키만큼 높이 쌓인 표고버섯 봉지들 뒤로 옷걸이에 걸쳐진 아기옷들이 귀후비개와 손톱깎이 쪽을 손짓하며 짧은 소매를 펄럭이고 있었다. 그녀는 여관문 앞의 계단 위에 서서 난전 속을 이리저리 돌아다니며 북적대는 사람들 무리를 눈을 가늘게 뜨고 내려다보았다. 그러고는 천천히 그 사이를 헤집고 들어갔다.

그녀는 식당에서 아침밥을 먹었다. 그런 다음 난전으로 나가 헐렁한 자주색 폴리에스테르 바지와 난삽한 영문이 새겨진 티셔츠를 골랐다. 한 번 빨면 목이 늘어나고 물이 많이 빠질 질 나쁜 나염 티셔츠였다. 엉성한 대나무발과 나무자루가 달린 비, 빨랫줄 따위도 샀다. 그 밖에 앞이 막힌 보라색 플라스틱 슬리퍼, 드문드문 김이 박힌 센베이, 대만제 향부채, 손가락 쪽이 뭉툭하게 모아져 있는 등 긁는 효자손, 발부리 부분에 흰 고무를 댄 납작한 천 운동화 등이 그녀가 쥐고 있는 검은 비닐봉지 속에 든 물건들이었다.

그녀는 꼭 이곳에 장을 보러 오기 위해 별렀던 사람처럼 당연하게 움직였다. 슬리퍼를 살 때는 주인이 보라색과 파란색을 번갈아 쳐들어 보이는 바람에 색깔을 결정하지 못해서 머뭇거렸는데 그녀가 사지 않을까 봐 불안해진 주인이 삼백 원을 깎아 주자 그녀는 기쁘기까지 했다. 사람들 사이에 이리저리 휩쓸려 다니는 그녀의 모습에서 특별히 눈에 띄는 점은 없었다. 시폰 블라우스와 랩스커트가 때묻고 구겨져서 다소 칠칠찮게 보이긴 해도, 뒤로 묶은 생머리나 화장기 없는 부석부석한 얼굴에 약간 어리둥절한 표정이 산후조리를 마치고 오랜만에 외출한 새댁 같기도 했다. 그러나 그녀가 산 도무지 맥락이 닿지 않는 물건의 종류를 보면 그녀가 아무 생각 없이 시간을 보내고 있다는 사실은 쉽게 짐작할 수 있는 일이었다.

그녀가 마지막으로 산 것은 은색 모조 진주에 금 도금으로 잔뜩 모양을 부린 조잡한 반지였다. 검은색 우단 위에 한 줄로 꽂혀 있는 반지를 구경하고 있었더니 액세서리 리어카의 젊은 주인이 그녀의 손가락을 쳐다보며 말을 붙여 왔던 것이다.

"원, 아가씨가 할머니같이 금반지가 뭐요. 깐깐한 보석 반지가 이렇게 많은데 하나 골라 봐요."

주인은 바로 전에 나이 든 아주머니에게 고리 부분에 벌써 도금이 벗겨지기 시작한 금속 목걸이를 팔고 나서 상당히 고무돼 있었다.

"이거 한번 껴봐요. 이런 세련된 물건은 아가씨 같은 멋쟁이가 껴줘야지 반지 입장에서도 보람이 있지. 한번 껴보라니까. 부담 갖지 말고, 자. 어디 봐요. 야아, 진짜 임자 만났네. 팔천 원은 받아야 하는데 물건 임자가 가져간다니 어떡해. 칠천 원만 받아야지."

그녀는 가운뎃손가락에 진주 반지를 끼었다. 넷째손가락에서 장식 없는 금반지가 진주 반지의 침입을 마치 나란히 누운 시앗처럼 마땅찮게 쳐다보았다. 그 금반지는 꽤 오랜 시간 동안 그녀를 저 혼자서만 구속해 왔던 것이다. 팔 년 전에는 영추사가 물에 잠기지 않았었다. 거기에서 그녀는 그 반지를 손가락에 끼었고 그의 손을 손바닥에 땀이 배도록 꼭 잡고 있었다.

해발 일천 미터, 안개 위의 절

안개 때문에 앞이 잘 보이지 않았다.

주위에는 아무것도 없었다. 안개말고는 두터운 어둠이 있을 뿐이었다. 차바퀴가 길 위를 굴러가는 것이 아니라 허공 위에 떠서 하늘을 향해 올라가는 느낌이었다. 헤드라이트 불빛이 비추는 것도 길이 아니라 짙은 안개였다. 먼지 같은 뿌연 입자들이 검은 허공을 메우고 있다가 불빛 속에 몸이 드러나자 가볍게 몸을 떨며 차창으로 달겨들었다. 그것들을 가르고 지나가면 똑같은 것들이 끝도 없이 눈앞을 가로막았다. 도시에서만 살아온 그녀는 밤이 이렇게까지 어둡다는 사실을 몰랐었다. 도대체 얼마나 온 걸까.

'저 끝에 가면 절이 있기는 있는 건가.'

그녀는 글자가 새겨진 커다란 입석을 발견하고 차를 세웠다. 헤드라이트를 위로 조절하니 겨우 글자를 알아볼 수 있었다. 양수댐. 그럼 저 엄청나게 큰 어둠의 구덩이가 골짜기가 아니라 댐이란 말인가. 저기에, 밤안개 밑바닥에, 영추사가 잠겨 있다고?

그 가을 영추사 자갈길을 올라가며 그는 주머니에서 반지를 꺼냈다. 일주문 앞에 멈춰 서서 그녀의 손가락에 그것을 끼워 주었다. 이 반지에 사랑을 맹세하는 게 아냐. 이 절에 맹세하는 거야. 반지는 잃어버릴 수 있지만 장소는 사라지지 않으니까. 그러고 그녀의 입술에 입을 맞췄다. 그러고는 아홉 달 뒤에 다른 여자와 결혼했다.

—사랑하는 사람과는 결혼하지 말아야 해.

친구의 말대로라면 그녀는 제대로 가고 있는 셈이었다.

그가 결혼한 뒤에도 그다지 달라질 것은 없었다. 여전히 그는 그녀를 찾아와서 연애 감정과 섹스를 인출해 갔다. 마치 돈이 떨어졌을 때 잔고의 일부를 인출하듯이 당연하게. 그의 뻔뻔스러움을 그녀는 이해했다. 이해한 게 아니라 단지 습관을 바꾸지 못한 것인지도 모르지만.

그녀는 영추사의 모습을 떠올리려 해보았다. 그러나 그녀의 기억은 자갈길과 일주문에서 멈춰 있었다. 대웅전, 탑, 산신각, 요사채, 아무것도 기억나지 않았다. 그때 우리가 영추사 안으로 들어가긴 했던가? 일주문을 들어선 다음 천왕문 앞까지 갔다가 무서운 사천왕 신장에 마음이 켕겨서 돌아가 버린 것은 아닌가. 그가 그런 말을 한 기억은 났다. 큰 절이 아니라 그런지 영추사에는 불이문이 없어. 불이문? 응. 분별을 떠난 절대의 경지야. 해탈문이라고도 하고. 그 기억이 맞다면 아마 불전까지 가긴 한 모양이다. 그런데도 그녀의 머릿속에 그가 사랑을 맹세했던 장소에 대한 기억은 한 가지도 남아 있지 않았다. 그녀는 영추사의 수장을 애도할 자격도 없었다. 애도할 마음도……없었다.

그녀는 다시 어둠 속으로 차를 출발시켰다.

끊임없이 안개를 뿜어 올리는 거대한 댐을 지나서 밤길을 더듬어 해발 일천 미터 위의 절을 찾아가는 그녀는 마치 저주받은 성을 찾기 위해 안개 속을 헤매는 중세의 기사 같았다. 그러나 그녀에게 명예로운 모험심 따위는 없었다.

영동에서 늦게 출발한 데 대해 후회하진 않았다. 내일 아침을 다른 곳에서 맞고 싶다는 생각이 너무 늦게 들었기 때문에 하는 수 없는 일이었다. 그것뿐이었다. 내일 아침이 좀 다를 수 있다면.

만남들

〈서역 기행〉이라는 비디오를 보다가 깜빡 잠이 들었던 스님은 일주문을 올라오는 자동차의 엔진 소리를 듣고 눈을 떴다. 차가 멎는 소리가 나더니 조금 있다가 요사채 쪽에서 스님의 거처로 건너오는 발소리가 들려 왔다. 절 살림을 맡아 보는 원주보살이자 사무장 격인 미타심 보살의 발소리였다. 스님, 주무세요? 스님! 목소리에 짜증이 들어 있다. 스님이 문을 열자 미타심 보살은 댓돌 쪽으로 한 발을 내디뎠다. 어떤 젊은 보살이 와서 재워 달라고 하는데요. 젊은 보살이? 이 밤에 무슨 일로 여기까지 올라와? 스님의 마땅찮은 말투에 미타심 보살은 그럴 줄 알았다는 듯이 대답했다. 그러게 말예요. 차를 갖고 왔던데 그냥 내려가라고 할까요? 터미널 앞에 서림장도 있고 잘 데는 많잖아요. 스님은 하품을 하며 시계를 본다. 자정이 가까운 시각이었다. 미타심 보살 방에서 재우고 내일 내려가라고 하지. 새벽 예불 끝나면 좀 나와 보라고 하고. 스님은 다시 〈서역 기행〉 화면으로 눈을 돌리면서 깊은 생각을 하지도 않았다. 길 잃은 중생에 대한 연민도 아니었고 무슨 인연설 따위에 대해 예감을 품은 것도 아니었다. 스님은 끄덕끄덕 졸다가 얼마 안 가 이부자리를 펴고 누웠다.

스님이 방문을 닫아 버리자 미타심 보살은 못마땅하게 입을 다물었다. 미타심 보살은 불심이 두터운 만큼 그렇지 않은 속세의 사람을 자기와 구별해 생각하는 버릇이 있었다. 절을 피신처로 생각하여 속된 사연을 잔뜩 짊어지고 오는 사람들이나 절에 왔으면 부처님께 절부터 올릴 일이지 법당에는 관심없고 쓸데없이 요사채만 기웃거리며 소란을 피우는 호기심 많은 소풍객들이 미타심 보살에게는 다 장군죽비로 따끔하게 다스려야 할 이방인이었다. 미타심 보살은 외부 사람에게 선방을 선선히 빌려 주는 스님이 못마땅할 때도 적지 않았다. 작년에는 자칭 불자라는 낯선 사람을 선방에 재워 주었다가 귀한 탱화를 도둑맞은 적도 있다. 스님도 그 뒤로는 낯선 사람을 절에 재우기를 꺼려 왔다. 낯모르는 젊은 보살을 재워 주다니 스님답지 않은 일이었다. 스님이 있는 수선당을 물러나와 요사채로 향하는 미타심 보살의 발걸음은 내키지 않아 하는 기색이 역력했다.

스님의 방 옆에는 법회 때에 집회 장소로 쓰는 커다란 마루방이 있었다. 그리고 그 건너에는 조그만 선방이 두 개 있었는데 그중 하나에서 막 잠에서 깨어난 남자가 있었다. 새로 불사를 벌이는 절에는 일꾼들이 자주 와서 머물렀다. 남자는 목수였다. 불단도 손질하고 마루도 칠하고 문루도 새로 꾸미고, 할 일이 많아서 며칠 묵는 중이었다. 그는 잠귀가 어두운 편이었는데 왜 깨었는지 몰라 몇 마디 투덜거렸다. 부엌일을 하는 나이 든 공양주 보살이 담가 두었던 잣술을 마시고 잔 탓에 목이 말랐던 남자는 물을 마시러 밖으로 나와 요사채 쪽으로 올라갔다.

남자는 자기가 원하던 물주전자가 마루 끝에 놓여 있는 것을 보았다. 반대편의 마루 끝에는 젊은 여자 하나가 멍청하니 앉아 있었다. 물주전자의 주둥이를 입에서 조금 떨어뜨리고 주전자를 기울여서 물을 콸콸 마시며 남자는 옆눈으로 여자를 힐끔거렸다. 시골에서 흔히 보아온 헐렁한 자주색 나일론 바지에 영문이 새겨진 티셔츠를 입고 어울리지 않게 안경을 쓴 젊은 여자는 남자 쪽에 눈길 한번 주지 않았다. 절 마당에 가득 찬 안개만 홀린 듯 쳐다보고 있었다.

그러나 그녀는 안개를 보는 것이 아니었다. 개를 보고 있었다. 개가 세 마리나 되었다. 두 마리는 털이 누렇고 늠름한 게 수컷 같았고 나머지 한 마리는 귀가 쫑긋하고 몸집이 작은 하얀 개였다. 암컷이 틀림없을 하얀 개는 희미한 불빛 아래에서 보기에도 보통 매력적인 자태가 아니었다. 그녀를 경계하느라 이를 드러내 놓고 낮게 크르렁거리며 서 있는 두 마리의 수컷 뒤에 새침하게 도사리고 앉은 품이 은빛 여우 같았다. 조금 전 미타심 보살이 와서 퉁명스럽게 이 방으로 들어오세요, 했을 때 그녀는 잠깐 마루에서 엉덩이를 들었는데 그것을 보고 두 마리의 수컷이 안심한 듯 마루 밑으로 기어 들어가는 데 반해 하얀 개는 늘씬한 다리를 펴고 서더니 작게 컹, 하고 그녀를 향해 짖는 것이었다. 그녀는 하얀 개가 마음에 들었다.

그녀는 마루에서 몸을 일으켰다. 앞부리에 하얀 고무를 덧댄 납작한 그녀의 운동화가 마루 왼쪽에 있는 수돗가로 향했다. 그녀가 외다리 수도관에 비스듬히 기대 있던 양은대야를 내려놓자 바닥에 흙이 있었던지 찌그럭 소리가 났다. 그 소리는 생각보다 컸다. 깊은 밤에 산꼭대기의 절에서 손을 씻는 그녀의 물소리는 퍽 조심스러워졌다. 너무 조심했던 탓인지 쭈그렸다 일어나던 그녀는 자기 등뒤에 서 있던 하얀 물체를 보고 급하게 숨을 멈췄다. 그러나 그것이 하얀 개임을 알자 그녀는 자기가 안심했다는 것을 보여 주기 위해서 무심코 하얀 개의 머리를 만지려고 손을 뻗었다. 그것은 대단히 부주의한 행동이었다. 갑자기 마루 밑에서 두 마리의 수컷이 여왕의 친위대처럼 커엉, 하고 진군 나팔을 불며 그녀를 향해 달려 나왔던 것이다.

남자가 말려 주지 않았다면 그녀는 개에게 물렸을지도 모른다. 남자는 개를 발로 내지르며, 이놈의 개새끼들이, 가서 콱 못 처박히냐? 하고 위협했다. 개들이 마루 밑으로 들어가자 또 한 번, 개애새끼들, 하고 욕을 덧붙여 준 다음 그녀를 향해 이를 드러내며 흐흐흐 웃음으로써 자기가 한 일에 대해서 거칠게 만족을 표시했다. 그러고는 손에 들고 있던 주전자를 높이 쳐들고 이번에는 입을 직접 주둥이에 대고 빨더니 입 안 가득 물었던 물을 여자의 발밑에 토사물처럼 좌악, 뱉고는 슬리퍼를 질질 끌며 가버렸다.

미타심 보살의 생각

이튿날부터 그녀는 남자의 옆방에 머물게 되었다. 스님이 방을 치워 주라고 하자 미타심 보살은 영문을 모르겠다는 듯이 눈을 동그랗게 뜨더니 알든 모르든 불쾌하기는 마찬가지였으므로 반발의 뜻으로 얼굴을 붉혔다.

"저 보살한테 선방을 내주라고요?"

영추사에서 미타심 보살은 출타가 잦은 주지스님보다 오히려 실세였다. 미타심 보살의 목소리가 꼿꼿했으므로 스님은 달래듯 말했다.

"오래 있진 않을 거예요."

"뭐하던 여잔 줄도 모르고 함부로 들였다가 어쩌시려구요."

"며칠 쉬게 해준다고 해서 남의 속내까지 일일이 물어 볼 것 뭐 있겠어요."

그러나 그쯤에서 넘어가려던 스님은 미타심 보살에게 설명을 하는 편이 낫겠다고 생각을 바꿨다.

"새벽 예불 마치고 얘기를 좀 해봤는데, 아마 영추사가 물에 잠기기 전에 거기에서 결혼식을 올린 모양이에요. 왜 혼자서 다시 오게 됐냐고 물어 보니까 영 입을 못 떼더라고요. 아무래도 남편이 어떻게 됐구나 싶어서 나도 더는 안 물어 봤지."

그때부터 미타심 보살은 그녀를 눈여겨보기 시작했다.

그녀는 부엌일이나 법당 청소를 말없이 도왔다. 장마가 오기 전에 부실한 곳을 고치느라 요즘 들어 부쩍 절 출입이 많아진 일꾼들의 간식을 나르기도 했다. 불목하니 처사 하나 없이 미타심 보살과 공양주 보살뿐이라 그렇지 않아도 일손이 달리는 영추사에서 그녀는 그럭저럭 밥값은 하는 셈이었다. 이삼 일 그녀를 눈여겨본 미타심 보살은 젊은 여자가 차를 갖고 온 것으로 보아 만만찮은 직업이나 배경을 갖고 있으리라던 처음의 선입견을 버렸다. 옷차림과 갖고 온 보퉁이를 보아도 그녀의 말대로 도시 변두리의 가구점 점원이었다는 말이 사실인 듯싶었다. 그녀가 자기 이름조차 말하지 않을 정도로 워낙 입이 무거웠으므로 까탈스러운 미타심 보살로서도 더 이상은 그녀에 대해 알 수가 없었다.

만등불사에 참여하기 위해서 등을 사는 신도들에게 오천 원씩을 받고 장부에 이름을 올리는 일도 점점 미타심 보살 대신 그녀가 맡게 되었다. 공양주 보살이 글자를 쓸 줄 모르기 때문에 만등불사의 접수를 받기 위해서는 잠시도 법당을 뜰 수 없었던 미타심 보살로서는 그녀의 존재를 마땅찮아할 수 없게 되었다. 무엇보다 그녀는 매일 새벽 예불에 참석했다. 잠귀가 너무 밝고 한번 깨어나면 다시 잠들 수 없는 그녀에게 예불이 잡념 많은 아침 시간을 보내는 방편이었음을 알 턱이 없는 미타심 보살로서는 그녀를 더 이상 이방인으로 경계할 이유가 없어졌다. 그녀가 부엌일이든 절에서 일어나는 일이든 모든 데에 서툰 것 또한 미타심 보살의 마음에 들었다. 미타심 보살은 그녀에게 법당에서 큰절하는 법부터 가르쳤다.

"세 번 큰절을 하고 마지막에는 바닥에 댔던 손바닥을 뒤집어서 위로 올려야 해요. 그걸 고두례라고 하는데, 불보살을 받들겠다는 뜻이에요."

그녀가 꽤 고분고분해 보였으므로 미타심 보살은 자꾸만 더 가르쳐 주고 싶은 마음이 들었다. 그녀는 아무것도 몰랐다. 염주와 목탁 정도야 알았지만 목어, 운판, 죽비 같은 것은 설명을 해주어야 했다.

"목탁의 손잡이는 물고기의 꼬리가 붙은 모양이지요. 구멍 두 개는 물고기의 아가미이고. 잘 때도 눈을 뜨는 물고기처럼 수도하는 자들이 평생 부지런해야 한다는 뜻이 담겨 있어요."

"법당에 들어갈 때 가운뎃문으로 들어가면 안 돼요. 거기는 큰스님이 출입하는 곳이고 불자들은 옆문에서 신발을 벗어야 해요."

"대웅전 앞에 있는 탑 말예요. 평지에 있는 절에는 보통 두 개, 산사에는 하나가 있지요. 돌 때는 꼭 오른쪽으로 도는 거예요."

시간이 지날수록 미타심 보살은 그녀가 만만한 여자라는 확신을 굳혀 가는 한편 점점 그녀를 마음속에 들이게 되었다.

"아침 예불 때도 서 있기만 할 것이 아니라 스님이 하시는 예불문 독송을 함께 해야 해요. 다른 것은 몰라도 반야심경 정도는 외워야 하는데……."

그녀가 대답을 하지 않자 미타심 보살은 약간 양보심을 발휘했다.

"그럼 이것만 외워요. 아제 아제 바라아제 바라승아제 모지 사바하."

그것을 종이에 적어 주면서 미타심 보살은 아래에 주석을 달아 주었다.

'가네 가네 건너가네 건너편에 닿으니 깨달음이 있네. 아, 기쁘구나.'

다음날 새벽 예불 때 반야심경의 마지막 구절을 따라 입술을 들썩이는 것을 보고 미타심 보살은 만족한 나머지 불단에 청정수를 올리는 기쁨을 그녀에게 양보하기도 했다. 미타심 보살이 새벽에 일어나 맨 처음 하는 일은 법당에 설치된 방범 장치의 전원을 차단하는 것이었다. 미타심 보살은 그 일도 그녀에게 맡겼다. 영추사는 외지고 작은 절이었다. 자신은 잘 모르고 있었을 테지만 미타심 보살도 외로움에서 완전히 해탈한 것은 아니었다.

남자의 생각

남자는 호기심을 가지고 그녀를 눈여겨보았다. 옆방을 쓰고 있다고는 해도 그녀가 방 밖으로 잘 나오지 않았으므로 말을 걸어 볼 기회는 별로 없었다. 밤에도 요사채에서 선방으로 돌아오자마자 그녀의 방에는 바로 불이 꺼졌다. 댓돌 위에 보라색 플라스틱 슬리퍼를 벗어 놓고 한번 방으로 들어가면 새벽 예불 때까지 기척이 없었다. 남자는 일부러 라디오 볼륨을 높여 보기도 하고 요란하게 문소리를 내며 들락날락해 봤지만 소용없었다. 막일을 하는 나보다도 더 잠이 깊다니, 남자는 그녀가 둔해서 그런 건 아니라고 생각했다. 무슨 병이 있거나 아니면 자기를 의식해서 일부러 시치미를 떼고 가만히 누워 있는 거라고 여겼다.

개에 관한 그녀의 생각

그녀는 개에게 가끔 센베이를 주었다. 그녀가 방에서 나오는 기척이 들리면 어떻게 알았는지 벌써 개들이 달려왔다. 수컷 두 마리는 그녀의 무릎에 머리를 부비기도 하고 손바닥을 핥기도 했지만 하얀 개는 언제나처럼 몇 발짝 뒤에 서 있었다. 그녀는 김이 박힌 센베이 몇 개를 무릎에 올려놓고 부서뜨린 다음 개들에게 던져 주었다. 수컷들은 정신없이 센베이를 핥기 시작했다. 거친 콧김을 내뿜으며 자기 발밑에 있는 부스러기를 주섬주섬 핥으면서도 그 사이 다른 놈의 발밑에 떨어진 부스러기를 그놈이 다 먹어치워 버릴까 봐 옆눈으로 연신 그쪽을 쳐다보았다.

하얀 개도 센베이를 먹고 싶어했다. 입맛을 다시듯이 분홍색 혓바닥을 몇 번 낼름거렸고 마치 자동차 뒷좌석에 놓인 목이 헐거운 강아지 인형처럼 고개를 갸우뚱갸우뚱하면서 수컷들을 쳐다보았다. 그러면서도 가까이 오지는 않고 계속 그대로 버텨 서 있는 것이었다. 그녀는 조금 다가가기만 해도 하얀 개가 멀리 도망쳐 버린다는 것을 알고 있었다. 조심스럽게 겨냥을 하여 센베이를 하얀 개의 앞발에까지 던져 주었다.

센베이를 준 이후부터 개들이 그녀를 따르기 시작했다. 며칠 뒤부터인가 그녀는 마음이 시들해서 개를 보고도 센베이를 주지 않았다. 이상한 일은 그런데도 개들이 여전히 그녀를 좋아한다는 것이었다. 법당이나 요사채 마당, 그녀의 방이 있는 수선당의 선방 마루, 어디에서건 그녀와 마주치기만 하면 달려와 꼬리를 흔들었다. 과자를 주면 좋아하지만 안 준다고 해서 원망을 하지도 않는 모양이었다. 개들은 자기가 과자를 먹게 해줘서 그녀를 좋아하게 되었는지, 아니면 개 따위에게 인정을 베푸는 인품을 흠모해서 좋아하게 되었는지에 대해서 복잡하게 생각하지 않는 듯했다.

그 동안 개를 좋아하지도 않고 키워 본 적도 없었으므로 그녀는 개에 관해 아무런 견해도 갖고 있지 않았다. 그러나 이제 개를 알 듯도 싶었다. 개는 주인이 매일같이 귀여워하다가 갑자기 걷어차더라고 오랫동안 슬퍼하거나 노하지 않는다. 그 일의 심각성에 대해 십 분 이상 고민할 만큼 진지하지도 않다. 다음날이면 또 와서 꼬리를 친다. 왜 부당하게 걷어차여야 하냐고 항변하거나 이렇게 살아서 뭐하냐고 자기 연민에 빠지지도 않으며, 걷어차이지 않을 권리가 있다고 태업을 하거나 단식을 하지도 않는다. 언제든지 주인의 발밑에 엎드려 있다가 불러 주는 순간 감격하며 달려가는 게 개이다. 그녀는 영추사에서 거의 생각 없이 시간을 보내고 있었다. 만약 생각하는 게 있다면 이처럼 개에 관한 것이었다. 자기의 삶도 개를 대하듯이 그렇게 발로 찼다가 도로 불러서 머리를 쓰다듬었다가 할 수는 없을까. 하다못해 사랑에 대해서만이라도. 반지를 돌리기 위해 왼손 위로 올라갔던 그녀의 오른손에는 진주알이 이물스럽게 스쳤다.

두 마리의 수컷과 하얀 개는 아무데서나 흘레를 붙었다. 그녀가 본 것만도 서너 번이나 되었다. 처음 그 장면을 보았을 때 그녀는 하얀 개에게 무척 실망을 했다. 거만함이 사라지고 한낱 암컷으로서의 정체를 드러내고 있는 그 동물의 곁을 그녀는 차갑게 스쳐 지나가려 하였다.

그러나 그녀는 하얀 개의 눈가가 젖어 있는 것을 보았다. 수컷과 엉덩이를 이어붙이고 일직선으로 서 있는 하얀 개는 몹시 고통스러워하고 있었다. 어떤 종류의 쾌감에서 오는 적극적인 고통이 아니었다. 하얀 개는 견디고 있을 뿐이었다. 수컷이 하얀 개의 꽁무니에서 뻘겋고 길쭉한 것을 빼낸 뒤 하얀 개는 몇 걸음 절룩거리다가 기운없이 바닥에 엎드렸다. 수컷이 와서 핥으려고 하자 하얀 개는 머리를 비스듬히 바닥에 붙인 채로 낮게 크르르, 하면서 수컷에 대한 증오를 표시했다.

수컷과 하얀 개는 법당 앞에서 엉덩이를 붙이고 있다가 미타심 보살에게 여지없이 작대기를 얻어맞기도 했다. 저것들이 하필 법당 앞에서! 하면서 미타심 보살은 발을 동동 굴렀다. 주지스님의 출타가 잦았으므로 영추사에서는 비구니 절처럼 절 지키는 개가 필요했다. 그런데도 미타심 보살은 개들을 아랫동네로 보내 버려야겠다고 입버릇처럼 말했다. 미타심 보살은 하얀 개를 특히 싫어했다. 꼭 여우같이 생겨갖고 수컷들 홀리는 것 좀 봐요. 저게 산에서 내려온 산 개예요. 주인이 팔았는데 개장수한테서 도망쳐 산으로 갔대요. 그 다음부터는 저렇게 사람을 안 따라요. 먹을 게 없어서 그랬는지 작년 겨울에 산에서 내려왔는데 내려오자마자 암내를 풍기더니 수놈들 정신을 쏙 빼갔어. 새끼 한 배만 낳으면 쫓아 버려야지. 저것들이 절에서 안 다니는 데 없이 엉켜갖고 뒹굴고 다니면 좋을 게 뭐 있겠어요.

미타심 보살이 그런 말을 하고 밥상머리를 떠나면 남자는 비식 웃으면서 혼자말을 하곤 했다. 참 내, 귀양살이 같은 산꼭대기에서 개들이라도 할 짓 다 해야지. 누가 말려. 그러고는 그녀를 흘끗 쳐다보는 것이었다.

수컷들은 하얀 개를 건드리지 않으면 좀이 쑤시는 모양이었다. 하얀 개가 앞서 걸어가면 어느 새 달려가 엉덩이를 핥았고 하얀 개가 싫다고 으르릉, 하면서 이를 드러내면 어느 틈에 등 위에 올라타서 목을 깨물었다. 그러면 하얀 개는 입을 벌리고 고기를 낚아채

듯이 턱을 이리저리 움직이며 몇 번인가 수컷을 향해 위협을 했지만 두 마리의 수컷은 아랑곳없이 양쪽에서 하얀 개를 공격해 들어가 마침내 세 마리가 엉키면서 서로 몸을 부비게 되곤 했다.

개들이 핥고 엉키는 것을 그녀는 물끄러미 쳐다보고 있었다. 남자가 지나가면서 쉭! 하고 발을 굴러 개들이 놀라 달아나게 만들었다.

"남자도 아니고 여자가 웬 개 구경을 그렇게 좋아해요?"

라고 남자는 약간 음흉하게 웃었다.

"붙는 거 보려고 기다리는 거요?"

목에 건 수건을 풀어서 더러운 바지에 대고 탈탈 털자 그녀의 눈앞에서 먼지가 일었다. 남자가 말했다. 절에만 있기 안 답답해요? 저녁에 내려가서 커피 한잔 할래요? 도망친 개 쪽을 쳐다보던 그녀는 시선을 돌려 먼지 나는 남자를 물끄러미 쳐다보았다.

장마철, 먼 곳으로의 전화

그에게 꼭 한 번 전화를 걸었다. 장마가 시작되어 비가 억수같이 퍼붓는 밤이었다.

날짜 가는 데에 마음을 쓰지 않았으므로 서울을 떠나온 지 며칠만인지는 모른다. 아마 열흘은 넘지 않았을 것이다.

비가 쏟아지던 날 밤 그녀는 혼자 영추사를 지키고 있었다.

저녁 나절만 해도 잔뜩 흐리기만 하고 비는 오지 않았었다. 낯선 스님 한 사람이 요사채 쪽으로 들어서며 미타심 보살을 불렀다. 그녀와 함께 푸성귀를 다듬던 공양주 보살이 나가 보더니 반색을 했다. 아이고, 스님? 그 스님은 공양주 보살과 한 고향 사람이자 미타심 보살의 큰오빠였다. 그녀가 법당에 가서 만등불사 접수 장부를 뒤적이고 있던 미타심 보살을 불러왔다. 한달음에 달려온 미타심 보살은 언제나 머리카락 한 올 흐트러지지 않는 단정한 얼굴에 눈물을 흘렸다. 미타심 보살이 잠긴 목소리로, 어떻게 여기까지 올라왔수?라며 먼 걸음을 했다는 뜻의 인사를 하자 스님은, 아, 어떻게 오긴. 버스가 안 다니니까 이만 원 내고 삼거리에서 택시 타고 왔지, 하고 껄껄 웃었다.

그녀가 다시 쭈그리고 앉아 나물을 다듬고 있는데 미타심 보살이 부엌으로 들어와, 보살님! 하고 그녀를 불렀다. 조금 뒤에 미타심 보살과 낯선 스님, 그리고 공양주 보살은 저녁을 먹으러 마을로 내려갔다. 그들을 태워 가기 위해서 연장과 자재가 잔뜩 실려 있던 남자의 픽업 트럭과 남자도 같이 가야 했다. 그녀에게 맡기고 절을 비우는 데 대해서 공양주 보살은 마음이 놓이지 않는 얼굴인 데 반해 오히려 미타심 보살은 들떠 있었다. 절대로 이런 일이 없을 텐데 다 보살님을 믿으니까 맡기는 거예요. 다른 건 신경 쓸 것 없고 전화만 잘 받으면 돼요. 스님한테 연락 오면 일곱 시까지는 들어올 거라고 해주고. 미타심 보살은 전에 없이 빈틈을 보였다. 만약 그때까지 못 오게 되면 보살님이 얘기 좀 잘 해줘요.

비는 픽업 트럭이 출발한 지 한 시간쯤 뒤부터 쏟아지기 시작했다.

그녀는 요사채 마루에 앉아서 비를 쳐다보았다. 오른쪽으로 보이는 대웅전과 그 앞에 서 있는 탑, 조금 아래로 문루며 돌아앉은 화장실 건물이 다 비를 맞고 있었다. 대웅전 뒤에 지붕만 보이는 극락전도 극락이 있다는 서쪽을 등진 채 묵묵하기만 했다. 선방이 있는 수선당은 멀찌감치 떨어져 있기도 했지만 빗줄기와 어둠에 가려서 잘 보이지 않았다.

무섭도록 캄캄한 밤이었다. 빈 절에는 숨막힐 듯한 정적과 어둠뿐이었다. 그리고 그 위로 쏟아져 내리는 빗줄기와 귀가 아픈 빗소리.

전화는 한 통도 걸려 오지 않았다. 멍하니 비를 보고 있던 그녀는 불현듯 부스럭거리는 기척을 느꼈다. 그녀는 깜빡 잊고 있었다. 절에는 그녀 혼자만이 아니었다. 마루 밑을 내려다보자 소리도 없이 웅크리고 있던 세 마리의 개의 눈이 희미하게 빛나며 그녀 쪽을 향했다. 그녀는 일어나서 개들에게 밥을 주었다. 그리고 그의 집에 전화를 걸었다. 한 번도 걸어 보지 않은 전화의 번호를 정확히 외우고 있다는 데에 그녀는 약간 놀랐다.

"여보세요."

그의 목소리였다.

그녀는 물론 그와 통화를 하기 위해서 전화를 걸었다. 하지만 막상 그의 목소리를 듣자 말문이 막혀 버렸다. 할 말이 아무것도 없었구나 하는 생각뿐이었다.

"여보세요?"

송화기에서 그의 예의바른 목소리가 한 번 더 흘러 나왔다. 아니 예의바르다기보다는 평온한 목소리였다. 잘 있다는 뜻이다. 아무런 변화 없이. 그녀는 한마디도 할 수 없는 기분이었다. 그렇듯 잘 흘러가고 있는 그의 일상에서 그를 빼내 올 자신이 없었다. 그곳에서 그를 돌출시킬 만한 아무 이유도 권한도 없다고 생각되었다. 그는 거기에 잘 있다. 나는 여기에 있다.

그가 '여보세요'를 두 번 발음하는 시간은 아주 짧았다. 그러나 그녀는 그 정도면 대충 다 알 것 같았다. 어떤 많은 말로도 그 단조롭고 부드러운 억양 속의 안부를 그처럼 정확히 전달해 줄 수는 없으리라. 밤 시간 아내와 과일 접시를 앞에 하고 텔레비전 뉴스를 보다가 전화를 받는 가장의 목소리……이 밤에 누굴까. 괜찮아요. 그래도 우리는 방해받지 않으니까. 누가 불러내도 나가지 않을 테고 누가 긴 소식을 전해도 짧게 통화를 끝낼 테니까. 전화를 끊은 다음 아내가, 누구야? 하면 응, 아무개 있잖아. 논문이 통과됐다고 내일 저녁이나 먹자고, 점심으로 때울 일이지 술 마시기 싫어하는 사람을 꼭 저녁 시간에 불러내. 응, 당신 아무개 알지? 아버지 상당했다는데 온라인으로 부조금이나 보내지 뭐. 우리에게 전화를 건 사람이 누구이든 틈입자일 뿐이며, 사실 우리는 그렇게 틈을 내줄 마음이 없으므로 당신은 초라한 틈입자인 거죠. 아, 여보세요?

그녀가 전화기를 내려놓자 전화를 하는 동안 잠시 숨을 죽이고 있었다는 듯이 쏴아……하며 빗소리가 거세게 귀청을 때렸다. 그녀는 다시 마루에 나와 앉았다. 한참 동안 빗줄기를 보고 있으려니 마음속이 조용해졌다. 미타심 보살은 그녀에게 평상심에 대해서도 가르쳤다. 사람이 뭔가를 안다는 것은 잘못 안다는 뜻과 똑같다. 도란 아무것도 분별하지 않는 것이다. 도에 이르면 텅 비어서 확 트일 것이니 옳고 그름도 없다. 평범하고 예사로운 일상의 마음이 도이다. 그러나 그녀는 도에 대해서 그다지 관심이 없었다.

밥을 일찍 먹어치운 하얀 개가 부엌 앞에 멀찌감치 앉아서 그녀를 쳐다보고 있었다. 그녀는 하얀 개를 향해 희미하게 웃어 주었다.

그들이 사랑한 시간

세수를 하고 와서 거울을 들여다보던 그녀는 며칠 사이에 얼굴이 많이 그을렸다는 것을 알았다. 직장 생활을 하면서 시작한 화장이 재작년에 서른을 넘기면서부터 점점 진해진다 싶었던 그녀는 맨얼굴로 사람들 앞에 나서는 일이 거의 없었다. 그를 만나러 갈 때는 주름살을 감추려고 신경을 썼다.

너도 많이 늙었구나. 어느 날 그가 창이 커다란 찻집의 창가 자리에서 말했다. 하긴 처음 만났을 때 우리는 스물다섯 살이었어. 그때는 내 인생이 이런 식으로 옥편이나 뒤적거리다가 끝날 줄은 몰랐지. 그는 국학 연구소에서 고전총서의 편집을 책임지는 일을 그런 식으로 자조적으로 말하곤 했다. 그뿐이 아니었다.

치질 수술을 하고 며칠 후에 만났을 때는, 벌써 서른셋이라니, 예수는 이 나이에 세상을 구원했는데 나는 내 몸뚱이 하나 건사하기도 힘들어, 하고는 앉음새를 고치면서 얼굴을 찡그렸다. 탁본을 뜬다고 한학자 몇 명과 강원도 어디를 다녀온 뒤에는, 밥줄이니까 할 수 없다고는 해도 참 내, 서로 최고봉이니 석학이니 하고 다투고 있는 노인네들 비위 맞추는 짓도 이제 더는 못할 것 같아, 하고는 짐짓 한숨을 내쉬었다. 나중에 들어 보니 그는 초저녁부터 초당두부에 막걸리를 마시고 일찌감치 잠이 들었다고 했다. 그런데도 언제나 그녀 앞에서 자기 인생에 대해 탄식했으며 그것을 거의 즐기는 정도였다.

그럴 때마다 그녀는 이마를 약간 좁히며 다정하게 위로했다. 그렇게 말하지 마, 네가 아니면 누가 그렇게 전문적인 지식을 가지고 원본을 살려 낼 수 있겠어. 그가 심각해할수록 일부러 장난스럽게 말하기도 했다. 치질이 무슨 큰 병이라고 그래. 설마 반대쪽에 있는 다른 기관에는 이상 없겠지? 그러면 됐지 뭐. 밥줄이라 할 수 없다고? 어른들 모시는 거 잘한다고 늘 칭찬받으면서 뭘 그래. 그리고 다음날부터 탁본 뜨는 일은 밑에 직원이 한다고 했잖아, 등등.

그러면서 속으로 생각했다. 넌 꼭 그렇게 누구한테서 잘하고 있다는 말을 들어야만 마음이 놓이나 보구나. 하긴 소심한 사람은 평판에 예민하니까. 그런데 말야. 예수가 세상을 구원한 나이라고 해서 그 나이에 무슨 의미가 있는 거야? 그렇다면 예수가 몇 살에 죽은 줄 모르고 그냥 살아가는 수많은 서른세 살짜리들은 다 너 같은 지식인들의 들러리로 사는 하급 인생인가?

알고 있어. 너는 내게 와서 얼굴을 찡그리고 인생을 마음껏 탄식한 다음, 나를 괴롭힘으로써 훨씬 가뿐해진 마음으로 집에 돌아가서 네 아내의 설거지를 도와 주겠지. 파자마를 입고는 아이의 사진 액자를 걸 못을 박고 커다란 벤자민 화분을 창가로 옮기고, 과일을 먹으며 텔레비전을 보다가 밤이 깊어지면 문단속을 하겠지. 일찍 퇴근한 평일 저녁에는 배드민턴 라켓을 옆에 끼고서 가까운 공원으로 산책을 가고 말야.

올해는 하필 내 생일이 일요일이어서 너는 금요일에 미리 축하를 한 다음, 미안해, 주말을 비우면 마누라가 의심한다구, 라고 했어. 생일날 나는 《내 생일날의 고독》이라는 외국 에세이집을 읽은 다음 하루 종일 바게트빵과 커피를 먹으며 집에 틀어박혀 비디오를 보고 있었는데 며칠 뒤에 너는 강화도 가는 길이 너무 좋더라며 근데 일요일에는 막혀서 말야, 라고 덧붙이더라.

언젠가 그녀가 여관 욕실에서 샤워를 하는데 방 안에서 전화를 하는 그의 목소리가 들려 왔다. 비누질을 하느라고 물을 잠그고 있어서 그녀의 귀에까지 들려 온 것이었다. 응, 한 시간 후에 갈게, 일이 그렇게 됐다니까, 저녁은 집에 들어가서 먹을 거야. 그녀는 다시 물을 틀었기 때문에 다음 말은 들을 수 없었다. 오늘은 왜 이렇게 새침해? 영 젖지를 않네. 좀 움직여 봐. 그런 말을 하며 그는 그녀를 안았고 약속대로 한 시간 후에는 집으로 돌아갔다.

그러나 그런 일들로 상처받기에는 그녀의 성격은 좀 건조했다. 그녀는 삶을 받아들이는 편이었다. 무엇이든 깊이 생각하지 않았으며 특히 가지지 못할 것에 대한 무모한 열정 따위는 일찍 폐기시키는 법을 알고 있었다.

—지금보다 훨씬 나쁘더라도 지금보다는 나은 거야.

생각해 보니 그 말은 친구가 자주 했던 말이었다. 낯선 곳으로 몸을 던질 때마다 친구는 불안하지 않다는 듯이 그 말을 되풀이했다. 하지만 그녀의 머릿속에는 지금보다 나은 어떤 것이라곤 도무지 떠오르지 않았다. 달력을 넘기면서 시간이 흘러가는 것을 지켜볼 뿐이었다.

그를 만나러 갈 때마다 주름살에 신경을 쓰는 것은 그녀보다 어린 그의 아내를 의식해서가 아니었다. 그녀의 주름살을 보고 그가 언짢아하는 것은 그녀의 나이를 엿보기 때문이기도 하지만 그보다는 그 자신의 지나간 시간들을 보기 때문이었다. 함께한 세월의 흔적이란 편안한 것만은 아니다. 그와 더불어 나이를 먹었다는 사실이 그녀에게 때로 지긋지긋하듯이, 그 또한 그녀의 얼굴이 삭아 가는 것을 느긋하게 바라볼 수는 없을 것이다. 그런 점에서 본다면 어쩌면 지금쯤 그는 그녀를 그리워할 것이다. 자신의 위악성이 해소되지 않기 때문에 아내와 한번쯤 싸웠을지도 모른다.

그녀는 다시 거울을 보았다.

피부 손질을 하지 않아 얼굴이 당겼다. 마른 살갗에 주름살과 잡티가 두드러졌고 처지기 시작하는 눈시울 아래로 검은 그늘이 자리를 잡아가고 있었다. 그녀는 언제나 그보다 먼저 샤워를 하고 화장을 마친 다음에야 욕실을 나왔다. 지금의 맨얼굴을 본다면 그는 그동안 그녀가 꽤 노력했음을 알 수 있을 것이다. 하지만 그녀는 지금의 얼굴이 싫지 않았다. 결점을 보완하는 화장법, 젊게 보이는 화장법, 장소에 어울리는 화장법……화장대 앞에 앉아 메이크업 베이스의 뚜껑을 열 때마다 그녀는 지겨워서 한숨을 내쉬었었다. 회사 화장실의 거울 앞에서 번들거리는 콧등에 파우더를 누르면서도 내심 넌더리가 났다. 그녀는 때로 아무것도 감추지 않고 나이 먹은 그대로, 그리고 스스로 내키는 대로 자기 자신을 내보이고 싶었다. 특히 그에게.

"사람의 꾸미지 않은 본래면목(本來面目)이 어떤 모습인 줄 알아요?"

"본래면목이요?"

"그런 가르침이 있어요. 모든 인연을 쉬고 한 생각도 하지 말라, 선도 생각하지 말고 악도 생각하지 말라. 바로 그러한 때에 자신이 갖춘 있는 그대로의 모습이 보이는 거예요."

그녀에게 틈만 나면 불법을 가르치도록 미타심 보살의 마음을 움직인 것은 어쩌면 남편을 잃은 젊은 여자에 대한 자비심이었는지도 모른다.

법당 마당 쪽에서 위잉위잉 하는 전기톱 소리가 요란하게 들리기 시작했다.

그 소리를 듣고 불현듯 거울 속의 그녀 얼굴이 흐려졌다. 어제 저녁 미타심 보살이 그녀에게 나이를 물었다. 글쎄요. 그녀는 애매하게 웃기만 했다. 친구의 말이 생각났다. 이름? 성별? 나이? 출신 학교? 대체 뭘 바꿀 수 있겠어?

미타심 보살의 물음에 대해 그녀의 대답을 기다리기는 옆에서 시래기국을 뜨던 남자가 더했던 모양이었다. 남자는 그녀가 말없이 젓가락으로 밥 위에 나물만 얹고 있자 기다리다 못해 한마디 거들며 재촉했다. 서른 넘었어요? 글쎄요……얼버무리는 그녀의 말이 맺어지기도 전에 남자는 이렇게 말했다. 서른이면 나하고 동갑이게? 아무리 봐도 두어 살 아래 같던데, 안 그래요? 그때 부엌 보살이 고개를 끄덕이며, 그래, 얼굴이 아직 애기 살결 같은데……라고 하자 남자는 마치 자기 아내가 칭찬을 받았을 경우에나 지어야 할 웃음을 만들며 좋아했던 것이다.

이곳에서는 사물을 보는 방식이 서울과는 많이 달랐다. 그러나 그녀는 서로 다른 방식들을 비교해 볼 마음은 없었다. 어떤 쪽에서 보는 것이 진정한 자신과 가까운 모습인지에 대해서도 궁금할 것이 없었다. 이곳에서 그녀는 자기 자신이 누구인지에 대해 거의 아무런 생각 없이 지냈으며 그런대로 잘 지내고 있었다. 그에 대해서도 별로 그리움이 없었다. 스스로 생각하기에도 뜻밖이긴 했지만 그 역시 이유를 따져 보고 싶지는 않았다.

미타심 보살의 말에 따르면, 백팔번뇌의 108은 사람의 여섯 가지 감각이 여섯 가지의 번뇌를 일으킬 때 과거 · 현재 · 미래가 있어 그것들을 곱해서 나오게 된 숫자라고 했다. 여섯 가지 번뇌에는 좋음 · 나쁨 · 즐거움 · 괴로움뿐 아니라 '좋지도 나쁘지도 않음'과 '즐

겁지도 괴롭지도 않음' 도 들어 있었다. 그 말을 들으니 그녀는 자기를 떠나오게 한 것이 무엇인지는 알 듯도 싶었다.

목각 인형

남자는 늘 소매 없는 티셔츠만 걸쳤다. 그 검은 티셔츠는 가슴팍이나 등이 땀에 절어서 언제나 허옇게 소금기가 얼룩져 있었다. 하긴 그녀가 입고 있는 티셔츠도 남자의 것처럼 조잡한 영문이 나염되었고 여러 번 빨았던 탓에 보푸라기가 일어서 남자보다 나을 것도 없었다.

빵과 우유를 쟁반에 받쳐 들고 남자가 일하는 법당 앞으로 가면서 그녀는 하얀 개가 따라오지 않는지 뒤를 흘끔 돌아보았다. 공양주 보살은 비 오던 날 밤 오랜만의 외식으로 배탈을 얻었다. 세 끼 밥도 겨우 지었다. 그래서 그녀가 남자의 간식을 나르는 것이었다.

그녀가 부엌문을 나서는 것을 처음부터 보고 있었는지 마당으로 발을 내딛자마자 미리부터 전기톱 소리가 조용해졌다.

"제기, 또 빵이야?"

남자는 쟁반을 건네 받자마자 한입에 빵을 우겨 넣으며 둔한 발음으로 말을 이었다.

"안 되겠구만. 이따가 읍내 내려가서 자장면이라도 한 그릇 먹어야지. 고기 맛 본 지 벌써 며칠째야" 하더니 "같이 내려갈래요?"라며 그녀를 힐끔 쳐다보았다. 스스로도 소용없는 말인 줄 다 안다는 듯이 입가에 빵가루를 붙인 채 지레 벌쭉 웃기도 했다.

그녀는 남자의 귀뿌리 쪽에 시선을 멈추었다. 남자의 귓속에는 대팻밥이 가득해서 마치 비울 때가 다 된 연필깎이의 통 속 같았다. 지저분하고 입자가 거친 나무 가루들이 그의 귓속에서 꾸역꾸역 쏟아져 나오고 있는 것처럼 보였다. 수염을 깎지 않은 턱과 뺨에도 대팻밥들이 아무렇게나 들러붙어 있었다. 남자는 뺨의 근육을 푸는 사람처럼 입을 벌리고 이쪽 저쪽으로 한껏 돌려 가며 입천장에 들러붙은 빵덩이를 떼더니 그 속으로 우유를 들이부었다. 입 가장자리에 흘러내린 우유는 손등으로 문질러 헐렁한 바지에 쓰윽 닦았다. 바지를 직접 입까지 끌어올릴 수는 없는 노릇이니 손으로 닦아 바지에 문지르는 것은 당연했지만 어쨌든 무척 지저분해 보였다.

남자는 작업대 위에 올려진 나무를 한 손으로 가볍게 탁탁 치며 물었다.

"이런 거 해봤어요?"

"네?"

"목수질 말예요. 이거 전기 대패인데 한번 밀어 볼래요?"

하고는 한 걸음 다가와 선뜻 그녀의 팔을 잡았다. 바로 귓가에서 남자의 목소리가 들려 왔다.

"괜찮아요. 이렇게 한번 해봐요."

남자에게 반쯤 안긴 자세가 된 그녀는 자기의 손 위에 겹쳐 놓인 남자의 커다랗고 울퉁불퉁한 손을 쳐다보았다. 손톱 밑이 참 새까맣다고 생각하는데 그 순간 몸이 부르르 떨렸다. 남자가 갑자기 전기 스위치를 눌러 전기 대패가 부르르 떨리기 시작했던 것이다.

전기 대패를 작동시킨 남자는 그녀에게 혼자 해보라는 것인지 손을 떼고 뒤로 물러났다. 그렇지 않았다면 그녀는 숨이 막혔을지도 모른다. 땀 냄새가 너무나 지독했기 때문이었다. 그녀는 반사적인 동작으로 손 안에서 움직이고 있는 낯선 전기 도구를 놓칠까 봐 힘주어 붙잡고 있었다. 그것을 움직이는 일까지는 할 수 없었다. 남자가 스위치를 끄더니 투덜댔다. 제기랄, 나무 다 패어 버렸네. 그러고는 전기 대패를 잡고 다시 스위치를 올려 능숙하게, 팬 자국을 깎아서 매끄럽게 만든 뒤 만족스럽게 말했다. 것 봐요. 쉬운 게 아니라고요.

그녀는 맹세코 그 일이 쉽다고 생각해 본 적도 없었으며, 그 일이 쉽지 않다는 사실을 좀 알게 해달라고 남자에게 부탁한 적도 없었다. 그렇다고 그런 것을 말할 생각도 없었다. 남자는 그녀가 자기를 존경이라도 하게 됐다고 믿었는지 말투가 의기양양했다.

"내일은 진짜로 고기 좀 먹어야 한다고 미타심 보살한테 말해 줘요. 칠을 하는 날은 먼지를 많이 먹으니까 기름기가 들어가야 속이 씻어지거든. 참, 스님이 서울 가셔서 고기 사러 갈 차가 없겠구나. 그럼 나라도 내려가서 사와야지."

스님이 절에 계시다고 한들 고기를 사러 갈지 안 갈지는 그녀로서도 알 수 없는 일이었다. 그녀는 남자의 픽업 트럭을 떠올렸다. 그 옆에는 영추사에 그녀를 실어 오는 것을 끝으로 잊혀져 버린 그녀의 자주색 엑셀도 있었다.

"같이 가자구요, 바람도 쐬고."

남자는 오른팔을 쳐들어 왼쪽 어깨를 긁적이면서 이래야만 직성이 풀린다는 표정으로 또 비죽이 웃으며 실없는 말을 던졌다. 쳐든 팔 밑으로 겨드랑이의 수북한 털이 보였다. 그 털 속에 붉은 땀띠가 톡톡 두드러져 있었다. 그리고 바람도 없는데 그녀 쪽을 향해서 땀 냄새가 밀려들었다.

쟁반을 들고 돌아서 가는 그녀의 걸음은 아무렇게나 늘어놓은 목재 사이를 골라 딛느라 비틀비틀했다. 목재 틈에 슬리퍼 뒤축이 끼여 잠깐 걸음이 삐끗한 순간 그녀의 등뒤에서 남자가 휘이익, 하고 휘파람을 불었다. 휘파람 소리는 꼬리라도 달려 있는지 그녀의 뒷모습을 결박하듯 휘감았으며 길고 천박했다.

오후가 되자 모래자갈을 실은 차 한 대가 도착했다. 비가 오면 흙이 조금씩 쓸려 내려가곤 하는 법당 앞마당을 돋우기 위해 며칠 전 스님이 주문한 모래자갈이었다. 운전사는 스님이 안 계셔서 일당을 줄 수가 없다는 미타심 보살과 몇 차례 실랑이를 벌이더니 모래자갈을 일부러 멀리 일주문 옆에 부려 놓고 가버렸다. 미타심 보살은 분을 이기지 못해 스스로 소매를 걷고 모래자갈을 법당 앞마당으로 옮기기 시작했다. 그녀도 함께 고무대야에 자갈을 퍼서 날랐다. 몇 번 나르지 않아 벌써 다리가 후들거렸다. 티셔츠가 등에 척 달라붙었다. 남자가 돼지고기를 사갖고 돌아온 것은 그때였다. 남자는 트럭에서 뛰어내리더니 먼저 두 여자의 고무대야를 보고 피잉, 코웃음을 친 다음 그 두 배가 넘는 통을 가져와서 몇 번 만에 간단히 모래자갈 한 부대를 다 옮겨 버렸다. 마당을 쓸고 대야를 치우는 그녀에게 슬쩍 다가와서는, 미타심 보살 혼자 하고 있었다면 곧 죽어 자빠진다고 해도 몰라라 했을 거요, 라고 속삭이는 것도 잊지 않았다.

그날 공양주 보살은 저녁 밥상을 수선당 선방의 뒷마루에 차렸다. 언제 손님이 들어올지 모르는 요사채에서는 절대 고기 냄새를 풍길 수 없다고 미타심 보살이 펄쩍 뛰었기 때문이다. 고추장에 볶은 돼지고기를 상 한가운데에 남부럽지 않게 벌여 놓은 남자는 절 아래 텃밭에서 따온 상추와 깻잎의 물기를 상다리 옆에다 뿌려서 털어 내며 입이 한껏 벌어졌다. 그날따라 다른 일꾼도 없어 식구가 단출했다. 공양주 보살까지 서둘러 밥을 먹고 전화를 지키고 있는 미타심 보살을 부르러 자리를 뜨자 뒷마루의 저녁상은 남자와 그녀 둘만의 겸상이 되어 버렸다. 남자가 그녀를 타박했다.

"쌈은 그렇게 먹는 게 아녜요. 된장도 듬뿍 바르고 마늘도 좀 넣고 그래야 맛이 나지. 왜 그렇게 콩새같이 밥을 콕콕 찍어 먹어요?"

그녀가 아무 말 하지 않자 남자는 볼이 미어져라 우적우적 씹으며 또 말을 붙였다.

"뭐 하던 사람예요?"

"예?"

"여기는 뭐 하러 왔냐고요."

남자의 앞니는 반 이상이 초록색 잎으로 뒤덮여 치열이 보이지 않았다. 상추에 고기를 얹으면서 남자는 연신 쩟쩟 소리를 내며 혀로 잇사이를 빨아대더니 또 불쑥 물었다.

"남편이 죽었다면서요?"

"……."

"식은 올린 거요? 반지를 보니까 결혼 반지는 아니던데."

"……."

"근데 그거 진짜 진주요? 반지가 이쁘더라구. 그래서 쳐다본 건데 오해는 마쇼."

남자의 목소리가 잦아드는 품이 분명 자기 말의 경솔함을 변명하는 말투였다. 그녀는 천천히 밥 한 공기를 비웠다. 물을 마시고 일어설 때까지도 미타심 보살은 오지 않고 있었다. 마루 기둥에 몸을 기대고 앉아서 쇠젓가락으로 이를 쑤시던 남자는 눈을 위로 치뜨고 그녀가 일어나는 것을 쳐다보았다.

밤이면 읍내로 내려가 술을 마시거나 당구를 치던 남자는 그날 밤에는 요사채에서 텔레비전을 보겠다며 설거지를 마치기도 전에 먼저 와서 방에 드러누워 있었다. 미타심 보살이 곱게 볼 리가 없었다. 남자는 눈총을 받고 쫓겨 갔다. 그러나 다음날 남자가 새로 텔레비전 받침대를 만들어 주자 미타심 보살도 더 이상 구박은 하지 못하게 되었다. 남자는 저녁 나절에 뚝딱뚝딱 하더니 그녀에게도 조그마한 옷 상자를 하나 만들어 주었다. 귀퉁이를 돌려 깎은 것이나 뚜껑에 꽃을 새겨 넣은 것이 뜻밖에도 앙증맞았다. 그녀는 그 안에 넣을 옷이 없었으므로 은근히 탐을 내는 미타심 보살에게 그 상자를 주었다.

그 다음날인가 그녀는 자기 방문 앞에 무언가가 놓여 있는 것을 보았다. 그것은 목각 인형이었다. 몸통은 장승처럼 밋밋하게 길쭉했지만 얼굴은 꽤 섬세하게 조각돼 있었다. 그런데 눈이 지나치게 크다 싶어서 자세히 보니 안경이었다. 누군가가 그녀를 만들고 있었다. 자기도 모르는 사이에 누군가가 자기를 해석하고 만들어 내고 있다는 것은 섬뜩한 일이었다. 더구나 스스로 생각할 때 지금의 그녀는, 그녀도 아니고 아무것도 아니었다.

그녀는 목각 인형을 한참 내려다보다가 풀숲 쪽으로 내던져 버렸다.

그녀는 남자의 방 안을 들여다보았다. 언제나 열려 있는 방이었지만 안을 들여다보기는 처음이었다. 방구석에 신문지로 덮인 것을 한번 들춰 보았다. 깎다 만 목각 인형이 여러 개 뒹굴고 있었다. 모두 안경을 끼고 있었지만 그녀의 방문 앞에 있던 인형과는 달랐다. 하나같이 여자의 알몸을 갖고 있었다. 젖가슴과 허리, 음부까지 섬세하게 조각된 목각 인형들. 그녀는 목각 인형의 아랫도리를 한참 동안 가만히 쳐다보았다. 이윽고 팔을 쳐든 그녀는 눈을 후벼파듯 안경을 손톱으로 꾹꾹 짓이겼다. 만약 그녀가 그녀의 친구처럼 뭔가를 바꿀 수 있다고 생각한다면 그것은 아랫도리가 아니라 자의식이라는 안경이었던 모양이다.

요사채를 향해 걸어가며 그녀는 실제로 남자가 그녀의 몸을 보았을지도 모른다는 데에 생각이 미쳤다. 그녀는 저녁 설거지를 마친 뒤에 부엌문을 걸어 잠그고 몇 번 목욕을 했다. 불안한 목욕이었다. 특히 그제 저녁인가는 남자가 마루에 있는 것을 알았기 때문에 다른 날보다 더욱 서둘렀다. 모래자갈을 나르는 바람에 몸이 땀에 절어서 씻지 않을 수도 없었다. 그녀는 찬물을 어찌나 급하게 쏟아부었던지 밤에 잔기침을 했었다.

법당 마당에서 위잉위잉, 요란한 기계 소리를 내며 나무를 만지고 있던 남자가 그녀를 보고 소리쳤다.

"스님 돌아오셨어요!"

그녀는 걸음을 빨리 하려다가 생각을 바꾸어 발을 멈추고 남자 쪽을 쏘아보았다. 남자가 전기 스위치를 끄자 갑자기 사방이 조용해졌다.

"인형 봤어요?"

웬일인지 남자는 수줍어하고 있었다. 그녀의 벗은 몸이 생각나서 어색해하는 건지도 모른다. 그녀는 무슨 말인가 하려다가 그럴 것까지는 없겠다 싶어서 가볍게 고개만 끄덕이고는 다시 걸음을 옮겼다. 남자는 그녀의 등뒤에 휘파람도 불지 않았고 같이 마을에 내려가자는 둥 실없는 말도 던지지 않았다.

스님은 영가천도일이 가까워져서 서둘러 돌아왔다고 했다. 서울에서 같이 왔다는 손님과 겸상으로 밥을 차리라 했을 때 상을 내간 것은 그녀였다. 상을 내려놓자 손님은 두 손을 합장하며, 어이구, 고맙습니다, 보살님, 하면서 그녀를 한번 올려다보았다. 그녀는 그 옆에 밥상을 하나 더 차려야 했으므로 나무 밥상에 행주질을 하고 있었다. 그녀에게 손님이 말을 걸었다. 그 안경테 알마니죠? 끝에 큐빅이 박힌 것 보니 올해 나온 모델인데. 백화점에서 샀으면 한, 이십오만 원? 뭐 하던 분인지 돈 많이 버는 보살이신가 보네. 그녀가 입을 벌린 채 돌아다보자 손님은 감탄하는 스님을 향해 껄껄 웃어 보였다. 아, 안경 장사가 벌써 몇 년짼데요, 이 정도도 모르면 밥숟가락 놓아야죠.

그 동안 절에 드나든 손님은 일꾼들까지 합해서 적지 않은 사람이었다. 그러나 영추사에 오기 전의 그녀에 대해 한 가지라도 제대로 눈치챈 사람은 아무도 없었다. 그녀는 시폰 블라우스도 입지 않았고 머리에 컬을 만들지도 않았으며 화장도 하지 않았다. 보라색 플라스틱 슬리퍼에 나일론 바지를 입고 공양주 보살에게 얻은 고무줄로 머리를 질끈 묶고 있었다. 굴러다니는 신문쪽 하나도 읽지 않았다. 물론 교정도 보지 않고 제목도 달지 않았으며 그 동안 그녀가 글씨라고 쓴 것이라면 만등불사를 접수한 신도들의 이름뿐이었다. 그녀는 간단한 일상적인 대화 외에는 말도 거의 하지 않았다. 그러나 껍데기를 다 바꾸었는데도 안경이라는 껍데기가 최후까지 남아 그녀의 불필요한 신분을 나타내고 있었던 것이었다. 그 안경 알마니죠? 그 말을 들었을 때의 기분은 자신의 알몸 목각 인형을 볼 때 못지않게 섬뜩했다.

점심 공양을 마치고 공양주 보살이 배추를 솎으러 밭에 가자는 것을 그녀는 감기 기운이 있다는 핑계를 대고 방으로 들어왔다. 그러고는 얼마 안 가 잠이 들어 버렸다. 누군가 부르는 것 같아서 잠이 깬 그녀는 온몸이 땀에 젖었음을 알았다. 방문을 여니 남자가 마루 기둥에 기대 서 있었다.

"아프다면서요? 지금 읍내 내려가는데 약 사다 줄까요?"

괜찮다고 말하고 난 뒤에야 그녀는 머리가 빠개질 듯 아프다는 것을 깨달았다.

"어젯밤에도 기침을 하는 것 같던데요?"

그녀는 약을 사다 달라고 간단히 말한 다음 방문을 닫았다.

드르륵, 남자가 자기 방의 문을 여는 소리가 들렸다. 옷을 갈아입는지 휘파람 소리를 내며 한참을 꾸물거렸다. 남자의 휘파람 소리를 들으며 누워 있으려니 그녀는 불현듯 그 소리가 정다웠다.

처음 그와 여관에 갔던 날. 오래 전 일이라 자세히 기억이 나진 않는다. 술에 취한 그들은 손을 잡고 골목을 한없이 헤매다가 불쑥 어떤 문을 열고 들어갔었다. 마치 술래의 눈을 피해 이리저리 돌아다니는 숨바꼭질하는 아이들 같았다. 남자아이는 숨어 있기 좋은 장소를 발견하자 여자아이의 손목을 잡아당겨 덤불 속으로 들어갔다. 남자아이가 끄는 대로 덤불 속으로 몸을 구겨 넣으며 여자아이는 술래를 따돌렸다는 쾌감 때문에 흥분해 있었다. 그러나 남자아이의 몸이 너무 밀착돼 여자아이는 거북해지기 시작했고 차라리 술래가, 그녀가 믿고 의지해 온 바깥 세상의 눈길이 빨리 그들을 발견해 주기를 바랐다. 아무래도 그들은 너무 깊이 숨은 거였다. 술래는 그들을 찾다가 엄마가 부르는 소리를 듣자 그대로 저녁밥을 먹으러 간 모양이었다. 밤이 되었고, 덤불 속에 웅크린 채 여자아이는 곰곰이 생각했다. 이렇게 돼버렸으니 난 이제 이 남자아이와 결혼하지 않으면 안 될 거야. 그러다가 깜빡 잠이 들었다.

다음날 아침 술이 깬 여자아이는 어른이 되어 있었다. 사과를 따먹은 이브처럼 부끄러움을 알게 되었으므로 눈을 뜨자마자 고민이 시작되었다. 그녀는 얼굴을 들고 여관문을 나갈 자신이 없었다. 골목을 나가기만 하면 길 가던 사람의 무리에 천연덕스럽게 섞여들어 걸어갈 뻔뻔스러움은 있었지만 문을 여는 순간 얼굴로 쏟아질 아침의 빛을 도저히 마주할 수 있을 것 같지는 않았다.

그들이 묵은 방은 이층이었다. 몇 계단 앞서 내려가는 그의 뒤에서 그녀의 내딛는 걸음은 묵직하게 끌렸다. 그때 그가 그녀를 돌아봤다. 그녀의 눈을 보고 그는 알았다. 그는 계단을 다시 성큼성큼 올라왔다. 그녀의 회오를 짐져 주기 위해서. 계단 중간에 머뭇대며 서 있는 그녀를 다정하게 껴안고 그는 마리아상에게 하듯이 신성하게 입을 맞추었다. 그러고는 구원의 여성을 대하는 남자의 당연한 자세라는 듯 그녀의 어깨에 팔을 두르고 계단을 내려와서 여관문을 활짝 열어젖혔던 것이다.

마지막으로 언제 함께 잤더라.

그가 결혼한 뒤로는 아침까지 함께 있어 본 적이 없었다. 당연한 일이었다. 그녀는 받아들였다. 이따금 그는 낯선 자세를 원했다. 다리를 이렇게 해봐. 자, 등을 돌리고. 그것은 그가 다른 여자와의 섹스를 응용하는 것이었다. 그녀는 독점할 수 없는 섹스 파트너라는 존재가 얼마나 깊은 자기 모멸감과 비애를 안겨 주는지 경험해야 했다. 그녀의 허리나 등을 쓰다듬다가 잠깐씩 그의 손길이 멈출 때도 있었다. 그의 손끝이 다른 여자의 감촉을 기억했기 때문이었다. 지금 만지고 있는 감촉과 선의 흐름이 다른 여자의 것과 다르다는 것을 느끼고는 그 다름의 간격을 좁히기 위해 멈추는 것임을 그녀는 알았다. 어느 날은 그가 이렇게 말했다. 넌 소리를 별로 안 내는 것 같아, 그렇지? 글쎄, 그런가? 그녀는 무심코 대꾸하다가 또 그의 아내가 침대에서 어떻게 하는지 한 가지를 더 알게 되었음을 깨달았다.

이제 생각이 났다. 마지막으로 함께 여관에 간 날, 그는 그녀가 쓰고 난 비누에 머리카락이 너무 많이 엉켜 있다고 투덜댔었다. 먼저 욕실을 쓰면 뒤처리를 좀 잘하고 나와야지, 라면서. 머리를 빗던 그녀는 등뒤에 서 있는 그를 거울 속에서 물끄러미 쳐다보았다. 팔 년이란 한 남자의 애인으로 지내기에는 확실히 긴 시간이다. 짜증이 날 때마다 치켜 올라가곤 하는 그의 왼쪽 눈썹을 힐끗 쳐다보고 그녀는 손가락으로 빗살 사이의 머리카락을 빼냈다. 머리를 빗기 전에 먼저 빗이 더러운지 아닌지 살펴보는 것이 그의 오랜 버릇이었기 때문이다. 그녀는 빗을 거울 앞에 놓고 일어났다. 그가 빗을 집어 들더니 빗살을 점검하는 것이 보였다.

선방 다락에 두고 쓰던 것이라서 그녀가 덮고 있는 이불에서는 눅눅한 냄새가 났다. 그녀는 불현듯 이불을 젖히고 일어나서 마루로 나갔다. 옆방 남자는 이미 나가고 없었다.

잠시 마루 끝에 서 있다가 방으로 들어갔던 그녀의 손에는 자동차 키가 들려 있었다. 그녀는 외롭지 않았다. 확신할 수 있었다. 외로움에 이따금 속아 넘어갈 만큼 마음속이 메마르고 비어 있을 뿐이었다. 그리고 감기 기운도 있었다. 뜨거운 물에 목욕을 하고 오 밀리미터쯤의 거품이 덮인 맥주를 마시고 싶었다. 그러고 나서, 어쩌면 전화기가 눈에 띄면 그에게 전화를 걸어 잘 있다는 말을 전할 수도 있을 것 같았다.

보름은 넘었을 거라는 그녀의 짐작과는 달리 절을 내려가는 것은 열흘 만이었다. 그녀의 생각처럼 거기에서도 시간이 그렇게 쉽게 흘러가 준 것은 아니었다.

터미널 앞 삼거리

그녀는 터미널 앞 삼거리에서 일단 차를 멈췄다. 한쪽 길이 터미널을 향해서, 또 한쪽은 읍내로, 그리고 나머지 한쪽 길은 영추사로 가는 길로 갈라진 그 삼거리는 영추사로 올라가려는 사람들이 택시를 부르는 장소이기도 했다.

삼거리에는 서림장이라는 이름의 제법 번듯한 모텔이 있었다. 그녀는 그 모텔의 지하에 있는 사우나로 들어갔다. 사우나에는 선탠을 짙게 한 아가씨 둘이 키득거리고 있을 뿐 썰렁했다. 아가씨들은 귀를 서너 개씩 뚫어 가지가지 귀고리를 달고 진한 파란색 에나멜을 발톱에까지 칠하고 있었는데 시골 사우나에서 보았기 때문에 그런지 세련되기보다는 이질적으로 보였다. 게다가 아직 스무 살도 되지 않은 얼굴이었다. 탈의실에서 담배를 피우던 그들은 함께 벌거벗고 사우나를 했던 여자가 헐렁한 자주색 바지와 조잡한 나염 티셔츠로 신분을 드러내자 자기들끼리 수군대기도 하고 킥킥대기도 했다.

그녀는 젖은 머리 그대로 사우나 옆에 있는 지하 카페로 들어가 맥주를 주문했다. 카페 역시 한산했다. 카운터에 앉아 있던 길다란 파마 머리에 마스카라를 짙게 칠한 주인 여자가 직접 맥주 두 병을 쟁반에 받쳐 왔다.

얼마가 지난 뒤 그녀는 화장실에 가면서 맥주 두 병을 더 주문했다. 화장실에서 나와서는 공중전화 앞으로 갔다. 그의 회사에 전화를 걸어 보고 나서야 그녀는 그날이 일요일이란 것을 알았다. 그녀는 전화기를 오른손으로 옮겨 쥐고 이번에는 집 전화번호를 눌렀다. 그녀의 손가락이 움직일 때마다 진주알이 경쾌하게 따라 움직였다. 술기운이 퍼져 그녀는 조금 쾌활해져 있었다. '괴로움도 즐거움도 아님'과 '좋음도 싫음도 아님'이 그녀의 번뇌였다면 어쩌면 지금 이 모습이 그녀의 본래면목에 더 가까운 것인지도 모른다.

만약 그의 아내가 받더라도 끊어 버리지 않을 작정이었다. 그녀가, 아무개 씨 계신가요? 하고 물으면 그의 아내는, 네 잠깐 기다리세요, 할 것이다. 그러고는 싫어도 할 수 없이 그를 그녀에게로 넘겨 주어야만 한다. 괜찮은 기분일 것 같았다.

"여보세요."

전화를 받은 것은 그였다. 그녀가 말했다.

"나야."

"……."

그녀는 그의 침묵의 의미를 파악하려고 하지 않았다. 안다는 것은 어차피 잘못 안다는 뜻이다. 분별은 모두 소용없다.

"잘 지냈어?"

"나야 늘 그렇죠 뭐."

그의 목소리는 어쨌든 예의바른 것이었다. 그러고 나서 세 마디쯤 더 얘기를 나누긴 했다.

그녀는 맥주를 세 병 더 마셨다. 그 동안 사우나에서 보았던 두 아가씨가 몸에 달라붙는 검은색 끈원피스에 화려한 화장을 하고 나타나서 누군가를 기다리기 시작하는 것, 주인 여자가 바닥에 엎질러진 팝콘을 주워 담으려고 몸을 구부렸을 때 스판바지 위에 생리대 자국이 선명하게 두드러지는 것, 머리에 무스를 잔뜩 바른 뚱뚱한 남자가 와서 주인 여자에게 화를 내더니 핸드폰을 맡겨 놓고 어디론가 다시 나간 것 등등을 다 보고 있었다. 그러고 보면 그녀는 그렇게까지 취하지는 않은 것 같았다. 그런데도 그와 전화로 나누었던 말은 한마디도 기억이 나지 않았다.

그녀의 기억은 다른 시간 속을 헤매고 있었다. 그들이 사랑했던 지루한 시간들.

그녀가 약속 시간에 늦을 때마다 그는 차갑게 비꼬았다. 시간 좀 지켜라. 이제 나한테 호의는커녕 예의도 없구나. 그는 그녀가 운전을 할 때 결코 서두르지 않는다는 점을 처음에는 얼마나 칭찬했는지 모른다. 그러나 이제는 그녀를 기다리며 흘려 보낸 자기의 시간에 더 의미를 두었다.

그녀가 미처 화장을 고치지 못하고 피곤한 모습으로 나온 날 그는 못마땅해서 어쩔 줄을 몰랐다. 그녀는 그날 그가 왜 그렇게 말끝마다 트집을 잡는지 눈치채지 못했다. 길가의 레코드 가게에서 마침 그가 좋아하는 노래가 흘러 나왔다. 그녀는 언제 들어도 좋다고 일껏 마음에 없는 소리까지 했지만 그는 창법이 천박하다며 그 노래를 깎아 내렸다. 심지어 그런 노래를 좋아하는 취향을 가진 사람이 눈앞에 있다면 당장 침이라도 뱉어 주고 싶다고 말하는 것이었다. 오늘 기분이 영 안 좋은 모양이네. 왜 그래?라고 물었더니 그는 아니야, 라고만 대꾸했다. 조금 있다가 그녀는 다시 물었다. 정말이야. 무슨 안 좋은 일 있는 것 같은데? 그러자 그는 화를 버럭 내며, 이러다 정말 멀쩡한 기분까지 안 좋아지겠다. 사람을 왜 이렇게 피곤하게 해, 라고 소리쳤다. 그날 밤 헤어지면서 그가 잘 가, 라고 한 다음, 그리고 거울 좀 자주 보고, 라고 덧붙일 때에야 그녀는 그 밤 내내 그를 짜증나게 한 것이 그녀의 모습이 초라해 보였기 때문이라는 사실을 깨달았다.

피곤한 날 그는 더욱 그녀의 존재를 그리워하긴 했다. 그래서 만났고 만난 다음에는 피곤한 나머지 예민해졌다. 점점 그들은 예전과 달리 상대방의 피곤을 알아채고 기분을 풀어 주기 위해서가 아니라, 서로가 함께 있음에도 불구하고 여전히 피곤하다는 사실을 파악하는 데에, 그리고 그것을 감춰야 하는 데에 예민함을 사용했다. 그들은 여관 앞을 지나고 있었다. 피곤한데 들어가자, 그가 말했고 그녀는, 아직 해도 안 졌는데? 했으며 그의, 언제부터 그렇게 남의 눈을 의식했어?라는 말에 그녀가 차갑게, 그러게 말야. 남을 의식해야 할 처지에 있는 건 당신일 텐데, 라고 비꼬았다. 그러자 그는, 마누라가 기다린단 말이지? 깜빡 잊었는데 가르쳐 줘서 고마워, 한 뒤 입을 다물었다. 그들은 약 십 분쯤 한마디도 하지 않고 걷다가 택시 정류장이 보이자 약속이나 한 듯이 줄을 섰다. 그가 앞에 서 있었기 때문에 먼저 택시를 타고 떠났다.

그가 직장을 옮기겠다고 할 때 그녀는 그가 얼마나 소심하고 변화를 두려워하는지 알고 있었으므로 아무런 충고도 하지 않았다. 과연 그는 그대로 주저앉았으며 그녀가 자기 인생에 관심이 없다고 원망했다. 그녀는 더 이상, 너는 긍정적인 성격이기 때문에 쉽게 직장을 옮기지 않고 적응하는 미덕을 갖고 있잖아, 따위의 말을 하지 않았다. 그는 자신이 그런 말을 원한다는 것을 알고도 말해 주지 않는다는 것까지 알았기 때문에 그녀를 원망하는 거였다.

그들은 질투에도 지쳤다. 그는 그녀 주변의 남자라면 그녀가 다니는 홍보실뿐 아니라 삼십육층짜리 사옥의 전 직원은 물론이고 일흔이 넘은 창업주까지 질투했다. 누군가의 옷차림을 칭찬하면 낭비벽이 있을 거라고 헐뜯었고 성격이 좋다고 하면 이중 인격자라고 못박았다. 그들은 더 이상 주말에 함께 영화를 보러 다니지 않았다. 그러면서도 그녀가 영화 이야기를 했다가는 친구와 같이 봤다고 아무리 설명을 해도 그 친구가 여자라는 증거를 대지 못하고 있지 않냐며 헤어지는 순간까지 신문을 당해야만 했다. 생각해 보니 그것은 사랑에서 비롯된 질투가 아니었다. 집착이었다. 사랑이라면 그녀의 입장을 이해하고 얼마쯤 용서할 수도 있는 여유가 있지만 집착은 매섭고 가차없는 감정이었던 것이다.

침대에서 그녀를 안으면서 그는 이렇게 말하곤 했다. 미안해. 사는 게 지겨워서 너한테 자꾸 화를 내게 되는 것 같아. 널 사랑해.

알지? 나한테는 너뿐이야. 그의 머리통을 안으며 그녀도 뇌까렸다. 나도. 그러고는 다음 순간 문득 그들은 둘 다 사랑한다는 말의 뜻에 대해서는 생각해 본 지 오래되었음을 깨달았다.

아마 그가 그녀를 사랑하긴 했을 것이다. 한동안 만나지 않으면 금단 증세처럼 불안이 나타났다. 그가 익숙하고 편한 친구이자 섹스 파트너로서 원하는 여자가 있다면 그녀뿐이었다. 그녀에게는 그가 첫 번째 남자였다. 사실 그녀는 몇 번째라는 서수를 의식해 본 적도 없었다. 다른 경우를 생각해 보지 않는 것은 그녀다운 일이었다.

그러나 더 이상 서로에 대해서 알 것도, 알고 싶은 것도 없이 사랑하는 관계란 지긋지긋했다. 어떤 날은 어쩌다 보니 너무 이른 시간에 만나 버렸기 때문에 그들은 저녁을 먹고 여관에 가기 전까지의 시간을 어떻게 보내야 할 줄 몰라하다가 결국 또 싸울 수밖에 없었다.

서림장의 지하에 들어간 지 몇 시간 만에 그녀는 지상으로 나왔다. 밖은 이미 어두워져 가고 있었다. 그녀의 차는 일단 삼거리에 도착했다. 하지만 영추사 쪽 길로 올라가지 않고 읍내 쪽으로 방향을 잡았다. 술을 마신데다 길이 어두워서 그녀는 차를 천천히 몰았다. 먼지가 잔뜩 앉은 그녀의 자주색 엑셀은 마치 밤거리를 어슬렁거리는 바람난 아줌마 같았다. 으슥한 다리를 지나고 시장통과 초등학교 교문, 읍사무소의 게시판 앞을 지나도록 거리는 어둠침침했다. 그것이 무척 자연스럽고 마음 편했다. 혼자만 환하게 불을 켜고 있는 편의점이 되레 음흉스러워 보였다. 드디어 찾고 있던 간판이 눈에 들어왔으므로 그녀는 차를 세웠다. 로얄 호프.

자리마다 칸막이가 있고 크리스마스 이브처럼 울긋불긋한 오색등이 점멸하는 로얄 호프에서 그녀는 처음으로 왕족처럼 호사스럽게, 그리고 나중에는 취한 왕족답게 거나하게 맥주를 마셨다. 건너편 자리에서 왁자지껄하게 술을 마시던 한 떼의 남자들이 그녀를 힐끗

거리며 저 아줌마가 왜 술집에서 혼자 술을 마시는지에 대해 빈약한 상상력을 동원하며 저희들끼리의 음담에 그녀의 존재를 이용하기도 했다. 그러나 별다른 일은 없었다. 별다른 일은 생각지도 않게 일어나는 것이지만 또 이상하게 기다리는 사람에게는 여간해서는 일어나지 않는다. 사실 그녀가 별다른 일을 기다린 것은 아니었다. 그녀에게는 삶에 대한 기대가 그다지 없었다. 어쩌면 적극성이 없었던 것인지도 모르지만 말이다.

하지만 익숙해서 지긋지긋하고 편한 나머지 넌더리나고, 그런 시간들, 그들이 사랑했던 그 시간들 속에서 그녀인들 지금과는 다른 시간을 기다리지 않았을까.

그녀가 헤어지기로 결심을 하면 그날로 그는 자리에 앉아서 몇마디 하기도 전에 그녀의 내리깐 눈빛, 숨소리, 찻잔을 드는 팔꿈치의 각도만 가지고도 그녀의 마음속을 눈치챘다. 그런 날이면 침대에서 더욱 다정했다. 그녀의 몸 속에 들어가서 움직이며 숨가쁘게 말했다. 제발 내 곁에 있어 줘. 알잖아. 네가 없다면 난 사는 것도 아냐. 그녀는 그의 말의 반 이상이 거짓이란 것을 알면서도 그가 그녀의 마음속을 그렇게 눈치챌 만큼 그녀에 대해 너무 잘 알고 있다는 사실, 그 습관과 필요에 번번이 그냥 주저앉고 마는 것이었다.

정작 헤어지자는 말을 자주 한 것은 그녀가 아니라 그였다. 약 서른세 번쯤 했을 것이다. 정말 다시는 안 만날 사람들처럼 인사까지 하고 헤어진 적도 있었다. 하지만 얼마 안 가 그가 전화를 걸어 왔다. 뭐 해? 응, 원고 쓰고 있어. 잘 돼? 그럭저럭. 몇 시에 만날까? 글쎄, 야근할 것 같은데. 끝나면 몇 시쯤 되는데? 늦을 거야. 늦으면 몇 시? 한 열 시? 그럼 열 시에 기다릴게. 거기 알지? 지난번……. 알고 있어. 그래, 그럼 이따 봐. 응. 그들은 자신들이 너무 천연덕스럽다는 것도 점점 느끼지 못했다.

로얄 호프를 나왔을 때는 시간이 꽤 늦어 있었다. 그녀는 몇 시나 되었는지 여기가 어디쯤인지 알 수가 없었다. 아무것도 알 수가 없었다. 차를 세워 둔 곳으로 걸어가다가 자기가 운전을 하지 못할 만큼 취했다는 것을 깨달았는데 그것조차 그녀로서는 가까스로 알아낸 현실이었다. 그녀는 택시를 잡았다. 영추사까지 가는데요. 택시 기사는 그녀의 티셔츠와 헐렁한 바지를 위아래로 훑어보더니 오만 원을 달라고 했다. 그녀가 선뜻 그러마고 했는데도 타라는 말을 하지 않고 가만히 있더니 무슨 생각에서였는지 다시 십만 원을 요구했다. 그녀는 지갑 안에 십만 원은 있을 거라고 생각했다. 그렇게 가세요, 라고 술 냄새를 풍기며 호기롭게 말했다. 그러자 운전기사는 돌았군, 하면서 그냥 가버렸다. 그 다음 택시가 왔을 때 그녀는 터미널까지만 가자고 말했다. 터미널 삼거리에 가면 영추사를 오가는 택시가 많이 있었다.

그녀는 몇 시간 만에 다시 삼거리로 돌아왔다. 길 건너에 그녀가 목욕을 하고 술을 마셨던 서림장 모텔이 화려한 네온을 밝히고 있었다. 그 앞에 줄지어 서 있는 택시들도 보였다. 지금 그녀가 내린 곳은 어두웠다. 토할 것만 같았다. 그녀는 그 자리에 쭈그리고 앉았다.

어느 날 그녀는 깨달았었다. 그와 그녀. 그들처럼 사랑하면서 더 이상 서로에 대해 알 것이 없는 사람들은 누구나 결혼해 있다는 것을. 사랑은 서로 마주보는 것이 아니라 함께 같은 방향을 바라보는 것이다. 그 말은 그녀가 중학교 때나 좋아했던 어떤 프랑스 소설가의 말이었다. 그러나 그 말이 서로를 애증에 차서 노려보게 될 즈음이면 이제 슬슬 아이를 낳고 집을 장만하는 일상의 길로 함께 접어드는 것이, 언젠가는 끝나게 마련인 사랑이 종말로 향해 가는 가장 바람직한 수순이라는 뜻인 줄은 몰랐었다.

토하고 나니 머리가 좀 맑아지는 것 같았다. 그런데도 그녀는 그대로 쭈그리고 앉아 있었다. 건너편의 불빛을 보았다. 서림장. 팔

년 동안 그들이 드나든 여관 중에 저런 이름도 있었을 것이다. 은하장, 우래장, 세종여관, 금수장, 유명파크모텔, 제일여관, 미화장, 목화장여관, 스타장, 덕수장. 그러면서 그녀는 생각했었다. 언제까지 이 남자아이와 짝이 되어 숨바꼭질을 해야 하는 걸까. 이제 그만 결혼해서 사랑을 끝낼 때가 되지 않았을까. 다른 아이와 함께 새로운 숨바꼭질을 하거나 아니면 다른 방법으로 어른이 되어야 하지 않을까. 그래, 결국은 다 지루한 일이겠지만.

갑자기 헤드라이트의 불빛이 그녀의 얼굴로 쏟아졌다. 누군가 일부러 하는 짓이 틀림없었다. 그녀는 한 손으로 눈을 가리고 불빛을 피해 고개를 돌렸다.

"여기 왜 이러고 있어요."

픽업 트럭에서 남자가 내렸다.

"목욕 갔다는 사람이 왜 여기 쭈그리고 있냐고요. 내가 절까지 두 번이나 올라갔다 왔어요. 여기말고는 다른 길이 없으니까 이 삼거리에서 한 시간 전부터 기다리고 있는 거란 말요."

남자는 화가 난 것 같지는 않았지만 목소리가 거칠었다. 술 덕분인지 그녀는 남자가 가까이 오는데도 그의 지독한 땀 냄새를 느낄 수가 없었다. 남자가 바지 주머니에서 뭔가 꺼내 주는 것을 그녀는 멍청하니 쳐다보았다. 그것은 구겨진 약봉지였다. 반지일 리는 없었다.

취한 밤, 수문 근처

또 안개였다. 안개는 댐이 가까워질수록 두터워졌다. 포장 도로 위에서도 밤 숲에서도 하늘에서도 허공에서도 사방에서 온통 안개가 뿜어 나오고 있었다. 차바퀴 밑에서까지 스물스물 기어 나왔다. 그녀와 남자는 밤안개를 헤치고 천상의 절을 향해 한없이 한없이 올라가고 있었다. 양수댐이라고 적힌 입석이 있는 곳에 오자 남자의 차는 옆으로 방향을 틀었다. 댐을 끼고 천천히 한 바퀴 도는 것이었다. 세상은 너무 어둡고 조용했다. 그들 또한 아무 말도 하지 않았다. 남자는 수문 앞에서 차를 세웠다. 바닥에 깡통 따위가 굴러다니고 있었는지 차가 서자 바퀴 밑에서 찌그륵 하고 이그러지는 소리가 났다. 운전석에서 내린 남자는 기지개를 한번 켜더니 댐이 내려다보이는 풀밭에 가서 앉았다. 그녀도 차 문을 열고 내려왔다. 그들은 나란히 앉아서 안개가 피어 오르는 댐을 내려다보았다. 영추사가 잠겨 있는 검은 골짜기. 거기에 또 무엇이 잠겨 있을까. 혼자 와서 마시고 울컥 던져 버린 빈 술병, 근처에 뒹굴던 쇳조각과 돌멩이들, 혹은 주머니칼, 맹세의 시효가 지난 반지, 그 밖의 모든 무거운 것들, 죽음들. 남자가 말했다. 무서워요? 그녀는 미타심에게 들은 적이 있었다. 저 댐에 여자도 하나 빠져 죽었어요. 밤에 망루에 올라가서 술을 마시다 떨어져 죽은 사람도 있고. 그 뒤부터 망루 올라가는 문을 막아 버렸지요. 그때 남자가 다시, 안 무서워요?라고 말하며 그녀의 윗몸을 가만히 밀쳤다. 그녀는 뒤로 쓰러지면서도 남자가 무섭냐고 묻는 것이 남자 자신이란 것을 끝내 깨닫지 못했다. 얼굴을 덮쳐 오는 남자의 뒤로 안개에 싸인 희미한 망루를 보면서 그녀는 중얼거렸다. 안 무서워요. 자기의 입술을 거칠게 빨아들이는 남자의 입술을 느끼며 그런 생각은 했다. 조금 전 토했는데, 그 사람이라면 내가 양치질을 하기 전에는 절대 입을 맞추려 하지 않을 텐데, 라고. 그녀는 남자가 벗긴 자기의 안경이 풀밭 위로 툭, 하고 기운없이 떨어지는 소리를 들었다. 바지를 더듬는 남자의 손길을 느꼈지만 그녀는 내버려두었다. 남자가 몸 속으로 들어오자 역겨운 이물감 때문에 구역질이 올라왔다. 그러나 남자가 움직이는 대로 가만히 있었다. 남자의 품이 따뜻했다. 풀밭이 축축하게 젖어서 그녀의 몸은 흠칫 떨렸다. 그럴 때마다 남자는 그녀를 더욱 꼭 안았다. 그 위로는 또 안개가 그녀의 얼굴을 깊숙이 덮어 주었다. 시간이 꽤 지나가기는 한 것 같았다. 어디선가 차 소리가 들려 왔다. 헤드라이트 불빛을 비치며 차 한 대가 느리게 수문 쪽으로 오고 있었다. 숨소리를 고르면서 그녀의 몸 위에 엎드려 있던 남자가 벌떡 일어나 바지 앞섶을 추슬렀다. 그녀의 어깨를 붙잡아서 일으켜 주며 남자는 헤드라이트 쪽을 향해 얼굴을 찡그리고는 낮게 내뱉었다. 씨팔, 어떤 씹새끼야.

세 번째를 향해 놓인 사다리

안경을 잃어버렸기 때문에 그녀는 운전을 할 수가 없었다. 스님이 내려가는 차에 같이 타고 가서 로얄 호프 앞길에 세워 놓은 그녀의 자주색 엑셀을 찾아온 것은 남자였다. 미타심 보살과 공양주 보살은 초저녁 잠이 깊어서 밤 아홉 시 이후에 일어난 일은 아무것도 알지 못했다. 그러므로 그녀는 아홉 시 십 분에 돌아온 것으로 되어 있었다. 남자가 그녀를 위해 만든 거짓말은 그것만이 아니었다. 목욕탕에서 안경을 도둑맞은 그녀가 삼거리에서 자기를 만나기 전까지 저녁 내내 얼마나 곤경에 빠져 있었는지 설명하는 남자의 말을 듣고 공양주 보살은 혀를 끌끌 찼다. 원, 안경이 없으니까 차도 몰 수 없고, 목욕만 갔다 온다고 나갔으니 주머니에 택시비가 있을 리도 없고, 고생했구만. 남자가 으쓱한 얼굴로 그녀 쪽으로 던진 시선을 그녀는 표정 없이 받았다.

그녀의 거처는 요사채로 옮겨졌다. 감기 기운이 있는 몸이 술과 밤안개 속에 함부로 부려졌던 탓에 열이 높았다. 읍내에서는 열대야로 잠을 못 이루는 칠월이었지만 해발 1, 096미터나 되는 영추사의 밤은 꽤 추웠다. 요사채의 두 보살은 언제나 군불을 때고 잤다. 미타심 보살은 그녀의 열이 높은 것을 알자 그렇지 않아도 그녀가 불이 들지 않는 선방에 머무는 것이 마음에 걸렸다며 부엌 곁방으로 옮기라고 했다. 그녀는 그렇게 했다. 그녀의 엑셀을 가지러 로얄 호프에 다녀온 남자는 그 사이에 그녀가 그 방으로 떠나 버린 것에 대한 불만이었겠지만 어제의 것과 똑같은 모양의 구겨진 약봉지를 주머니에서 꺼내 던져 놓고 일을 하러 갔다. 그녀는 남자가 사온 약을 먹고 어두운 방에서 앓았다. 감기 몸살인데 아랫도리와 엉치께는 왜 뻐근한 것인지를 그녀는 법당 쪽에서 전기톱 들들거리는 소리가 들려 오기 시작할 때 불현듯 깨달았다. 약 기운 덕분인지 방이 따뜻해서인지 땀을 흘리며 깊은 잠을 잤다. 저녁 무렵 어둑해진 방 안에서 눈을 뜬 그녀는 이불 속에서 일어나 벽에 기대 앉았다.

마루로 나와 보니 미타심 보살은 방바닥에 흰 종이를 펴놓고 이름을 길게 써내려 가고 있었다. 영가천도일이 이틀 뒤로 다가와서 미타심 보살은 마음이 분주하다고 했다. 마침 그녀가 나타나서 가르쳐 줄 수 있게 되어 다행이라는 얼굴로 미타심 보살은 설명했다.

"영가는 죽은 사람의 넋이고, 천도란 그 넋을 극락으로 인도하는 거예요. 산 사람들이 재를 올려서 죽은 사람을 극락왕생하게 도와주는 거지요."

흰 종이 위에 나란히 적힌 이름들은 마치 줄을 맞춰 늘어선 묘비 같았다. 이름이 세 글자가 되지 못하여 박씨 김씨 하는 식으로 짤막하게 기우뚱거리는 묘비도 있었다. 안경을 쓰지 않았기 때문에 글자가 뭉개져 보이는 것뿐인지도 모른다. 미타심 보살이 그녀를 힐끗 쳐다보며 말했다.

"보살도 이름 하나 올릴래요?"

그녀는 미타심 보살을 물끄러미 쳐다보았다. 그러다가 미타심 보살의 말뜻을 알아채고는 말없이 마당 쪽으로 고개를 돌렸다. 미타심 보살은 그녀에게서 시선을 거두고 다시 흰 종이를 내려다보고 있었지만 붓을 든 손을 멈춘 채 가만히 있는 것이 그녀의 대답을 포기하지 않은 것 같았다. 마루 아래에서는 개 세 마리가 달그락거리며 밥그릇을 핥고 있었다. 법당 마당을 질러서 요사채로 오고 있는 남자의 모습이 부옇게 보였다. 그녀는 시야가 흐릴 때의 버릇대로 안경을 올리려다가 빈 콧등 위에서 허전해진 손을 다시 반지 쪽으로 가져갔다. 그런 다음 그대로 가만히 앉아만 있었다. 이윽고 그녀가 그의 이름을 불러 주자 미타심은 특별 대우라는 듯이 차례를 어기고 흰 종이에 그 이름을 먼저 써넣었다.

남자의 슬리퍼 소리가 더욱 가까워지기 전에 그녀는 일어나서 부엌 곁방으로 건너갔다. 남자는 꽤 늦게까지 요사채에 머물러 있는 모양이었다. 아마 아홉 시 오 분 전까지 있었을 것이다. 다른 때처럼 큰소리로 여자 탤런트에 대해 유치한 평판을 지껄여대지는 않았다. 선방으로 되돌아가는 슬리퍼 소리도 질질 끄는 것은 다른 날과 마찬가지였지만 어딘가 풀이 죽어 있는 듯싶었다.

스님의 독경 소리가 산사의 새벽을 깨우고 있었다. 스님이 안 계신 동안 미타심이 대신 올리던 예불 때는 들을 수 없었던 맑은 소리였다. 미타심은 오랜만에 늦잠을 자는지 그날 예불에는 스님과 그녀 둘뿐이었다. 그녀는 예불을 마치고 스님을 뒤따라 법당을 나왔다. 댐에서 안개가 올라와 대웅전 마당이 자욱했다. 장삼을 벗어 접으면서 스님이 그녀에게 말을 건넸다.

"내가 보살한테 줄 법명을 하나 생각해 봤는데……."

스님은 안개로 덮인 낮은 산들을 먼눈으로 내려다보며 말을 이었다.

"보림이라고 달마 스님이 수도를 했던 산이 있어요. 거기서 따온 건데 '보림월'이 어때요. 불가에서 달은 지혜를 뜻하거든."

"……."

"달마 스님은 구 년 동안 벽을 쳐다보고 지냈어요. 벽을 보고 좌선을 한 것이 아니라 번뇌가 들어올 수 없도록 마음을 집중시켜 벽처럼 되려고 그랬답니다. 인연과 망상을 그치고 자기의 심신을 잊어버리면 맑고 깨끗한 자신의 본래 마음이 보이는 것이고 그게 바로 안심(安心)이라는 것이지요. 보살님도 이제 지나간 인연을 잊어버리고 바깥의 번뇌가 들어오지 못하도록 마음을 장벽처럼 만들어 보세요."

미타심 보살이 그녀의 법명을 지어 달라고 부탁했다며 스님은 이렇게 덧붙였다. 이곳에 온 지도 꽤 여러 날 되었고 당장은 떠날 생각이 없는 것 같다고 하던데 아마 이름도 없이 같이 지내기가 불편했던 모양이에요.

스님이 수선당 쪽으로 내려간 뒤에 그녀는 요사채의 수돗가로 갔다. 양은대야에 물을 쏟아붓고 나서 그녀는 습관대로 먼저 안경을 벗으려고 했다. 차가운 물로 얼굴을 씻고 일어나서 마당 쪽을 보니 걷혀 가고 있는 안개 속에서 세 마리의 개가 이리저리 뛰어다니고 있었다. 가운데에 있는 하얀 개와 그 주위를 둘러싸고 장난을 치는 수컷들이 실눈을 떠야만 분간이 되었다.

아침상을 물리면서 미타심 보살은 남자에게 장을 좀 봐다 줄 수 있냐고 물어 봤다. 오후에 신도들이 올라와서 일을 돕겠지만 미타심 보살은 늑장을 피우는 그들을 영 믿지 못하겠다는 눈치였다. 천도재에는 명부 사자에게 음식을 대접해야 하므로 음식 장만에 소홀해서는 안 된다는 말을 어젯밤 그녀에게도 했었다. 남자는 무엇 때문인지 다른 날 같지 않게 퉁명스러웠다. 내일은 사람들이 몰릴 텐데, 그럼 법당 마당에 깔아 놓은 자재하고 연장들 다 치워야 할 거 아녜요, 시간 없어요. 그러나 그녀가 안경을 맞추기 위해서는 읍내에 내려가야만 하는데 그 방법은 자동차를 이용하는 것뿐이고, 또 이곳에 자동차라고는 주지스님의 승용차와 남자의 픽업 트럭뿐인데 주지스님에게 데려다 달라고 할 수는 없는 노릇이라는 사실을 알자 남자의 태도는 대번에 달라졌다. 영동 장이 오늘 아닌가? 까짓 거 영동까지 갔다와 버릴까요, 하면서 적극적이 되었던 것이다.

그녀가 미타심 보살에게 사야 할 물건의 목록이 적힌 쪽지를 건네 받고 조수석에 올라타자 남자의 픽업 트럭은 기세좋게 출발했다. 댐 근처를 지나갈 때 남자는 휘이익, 하고는 전에 몇 번 들은 적이 있는 길고 천박한 휘파람까지 불었다. 그러면서 곁눈으로 그녀를 슬쩍 쳐다보았지만 그녀는 아무 생각도 하고 있지 않았다.

미타심 보살이 조바심을 낸 것에 비해 사야 할 물건은 몇 가지 되지 않았다. 그녀는 안경을 먼저 맞추려고 했지만 안경점을 쉽게 찾을 수 없어서 장을 먼저 보았다. 그리고 남자의 도움으로 시장 근처에서 안경점을 하나 찾아냈다. 그러나 거기에서 안경을 맞추지는 못했다. 읍내를 반 바퀴쯤 돈 뒤에야 신용카드를 쓸 수 있는 안경점을 찾을 수 있었다. 안경집 주인은 그녀가 자신이 권해 주는 첫 번째 테로 쉽게 결정해 버리는 것을 보고는 더 비싸게 불러도 될 뻔했다고 후회하는 모양이었다. 정말 싸게 하시는 겁니다, 라는 말을 몇 번이나 되풀이하면서 아쉬움을 표시했다. 시력 검사를 한 다음 주인은 한 시간 후에 찾으러 오라고 말했다. 자기네 같은 최신 설비나 되니까 이렇게 빨리 찾을 수 있는 거라고 생색을 낸 다음 주인은 그녀가 외지 사람이기 때문이라며 먼저 계산을 해달라고 요구했다. 안경값을 지불하기 위해 그녀는 신용카드가 들어 있는 지갑을 꺼냈다.

명함 넣는 빽빽한 칸 속에 들어 있어서 신용카드는 잘 빠지지 않았다. 그녀가 힘주어 카드를 빼내자 그 뒤에 들어 있던 사진 한 장이 같이 딸려 나왔다. 카드를 주인에게 준 다음 그녀는 유리 진열대 위에 떨어진 그 사진을 도로 지갑 속에 집어 넣었다. 주인은 신용카드를 꼼꼼히 들여다보고 있었다. 아, 골드카드네요? 주인은 새삼 그녀를 위아래로 훑어보았다. 비씨카드에다, 또, 제일은행 거고. 그녀는 뒤쪽으로 몇 걸음 떨어져 서 있던 남자가 주인의 말을 들으려고 가까이 다가오는 소리를 들었다. 주인은 계속해서, 에, 98년까지이고, 이름이 박……하더니 다음 영문을 읽는 데 자신이 없는지 거기서 멈추고 카드를 신용확인기 안에 집어 넣었다. 매출 전표를 찍기 전에 남자는 한 번 더 다짐을 두었다. 이 카드, 본인 것 틀림없지요?

주인은 서너 마디 말을 했을 뿐이었다. 그러나 그 말은 그녀에게 구체적인 자신의 모습, 그 편린을 환기시켜 주었다. 즉 그녀가 삼 년 전에 친구의 권유로 친구의 남편이 다니는 은행에서 이 신용카드를 만들었고 친구 남편이 실적을 올려 줘서 고맙다는 뜻으로 서류를 잘 꾸며 주는 바람에 골드카드를 쓰게 되었다, 는. 그녀는 납작한 신용카드 속에 숫자와 기호로 들어 있다가 안경집 주인의 말에 의해 모양을 갖추고 살아나서 눈앞에 등장한 자기의 모습이 낯설었다. 그러나 그녀의 이름은 박 아무개였다. 설령 보림월로 불린다고 해도 이름이 아예 바뀌는 것은 아닐 것이다.

남자는 그녀의 바로 옆에 다가와 있었다.

"성이 박이요?"

라고 말하며 남자가 그녀의 어깨 위로 손을 올려놓자 구부리고 앉아서 렌즈를 꺼내던 주인 남자는 호기심을 이기지 못하고 유리 장식장 아래에서 고개를 비죽이 쳐들었다.

"저런 카드도 갖고 있고, 정말 가구점에 다녔어요?"

남자의 말에 그녀는 아무 대꾸 없이 남자를 빤히 쳐다보았다. 남자는 여자가 지금 자기를 난생처음 보는 사람을 쳐다보듯이 아무 생각 없이 보고 있다는 것을 깨달은 듯했다. 여전히 손톱 밑이 새까만 울퉁불퉁한 손을 그녀의 어깨 위에서 스르르 내리더니, 씨팔, 잘 나갔던 모양이구먼, 하고 혼자말을 내뱉고는 안경집의 유리문을 열고 나가 버렸다. 픽업 트럭의 시동을 걸고 기다리던 남자는 그녀가 올라타자마자 거칠게 차를 몰기 시작했다.

천변의 공터에는 차들이 길게 늘어서 있었다. 아마 낮 동안 주차장으로 사용하는 모양이었다. 남자는 버드나무 가지가 드리워진 그늘을 골라서 그곳에 차를 세웠다.

"한 시간 뒤라고 했죠? 나는 그때까지 한숨 잘 거요."

남자의 말을 듣고 두리번거려 보니 옆에 세워져 있는 차 안에서도 자고 있는 사람들이 눈에 띄었다. 대부분 트럭 운전사들이었다. 남자가 등을 기대고 눈을 감아 버렸으므로 그녀는 반대 의견을 말할 기회도 없었다. 다른 좋은 생각이 있는 것도 아니었다. 얼마 안 가 남자는 코를 골기 시작했다. 입김을 내뿜을 때마다 입 안에 고여 있던 심한 냄새가 차 안으로 퍼지며 그녀의 콧속을 괴롭혔다. 남자는 입가에 흘린 단침 위에 파리가 세 마리나 앉은 것도 모르고 잠을 잤다. 남자의 입가에 커다란 점처럼 붙어 있는 파리들은 더 이상 나은 곳은 찾을 수 없을 거라고 확신하는지 봄날 양지쪽에 몰려 앉은 꼬마들처럼 꼼짝도 하지 않았다.

더운 날이었다. 물가라고는 해도 시멘트 바닥에 내리쬐는 한낮 햇볕이 따가웠다. 달구어진 바닥에서 뜨거운 기운이 끼쳐 왔다. 그나마 차를 나무 아래 세웠기 때문에 그녀는 남자가 잠든 옆에서 그 시간을 견딜 수 있었다. 물 가까운 곳에 팬티만 입고 슬리퍼를 신은 아이들의 노는 소리, 그리고 멀리서 다리를 지나가는 차 소리가 들릴 뿐 조용하고 나른했다.

—바깥의 번뇌가 들어오지 못하도록 마음을 장벽처럼 만들어 보세요.

스님의 말이 떠오르기도 했고 이어서 친구의 얼굴도 떠올랐다. 결혼식 날짜가 지났을 텐데 잘 했을까. 현실을 견딜 수 없다며 군대로 떠났던 남자 친구는 제대를 하고 돌아오자 한동안 발목까지 올라오는 농구화만 신고 다녔다. 군화에 너무 익숙해졌나 봐. 그냥 단화를 신으면 꼭 넘어질 것 같아. 군대가 나를 많이 바꿔 놓았어. 하지만 몇 달이 지나지 않아 남자 친구는 다시 단화를 신었고 게을러졌으며 여전히 현실에 울분을 터뜨렸다. 그 남자 친구가 그렇게나 혐오하던 군사 정권도 끝이 났으니 지금은 더 이상 그런 말을 하지 않을까. 알 수 없다. 팔 년 전부터 그 남자 친구의 소식은 들은 적이 없으니까.

그녀는 잠이 오는 듯도 싶었다. 남자의 코 고는 소리가 일정했다. 그녀는 잠깐 남자에 대해서 생각을 했다. 아무 관련 없이 미타심 보살의 말도 떠올랐다.

—달을 보았으면 손가락을 잊어버리고 지붕 위에 올랐으면 사다리를 잊어버리고 개울을 건넜으면 징검다리를 돌아보지 않으며…… 이게 다 깨달음을 얻었으면 그것을 표현하는 말에 집착하지 말라는 뜻이에요.

그럼 남자는 사다리였을까. 세 번째를 향해 놓인 사다리. 그리하여 이제 그녀가 세 번째 남자라는 지붕에 오르면 사랑하고 안 하고의 분별없이 사랑을 하게 되는 걸까.

정신이 가물가물해지면서 그녀는 어린 시절의 기억도 떠올랐다. 잠으로 떨어지기 전까지 그녀는 곧잘 어린 시절의 온갖 기억 속으로 이리저리 끌려다니곤 했던 것이다. 지금 그녀를 끌고 가는 것은 어린이 잡지를 읽던 마루였다. 그녀는 '믿거나 말거나'라는 페이지를 읽고 있다. 어린이 여러분, 아프리카의 어떤 원시인들은 숫자를 둘까지밖에 세지 못한대요. 하나, 둘……그 다음부터는 어떻게 세는지 아세요? '많다'예요. 셋 이상은 무조건 많다고 하는 거래요. 셋부터는 다 똑같다고 생각하나 봐요. 우습죠? 믿거나 말거나, 그것은 여러분 마음에 달려 있지만 말예요.

한참을 자고 일어난 남자의 눈은 빨갛게 충혈돼 있었다. 더위에 벌겋게 익고 땀과 기름기로 번들거리는 얼굴을 손바닥으로 아무렇게나 문지른 다음 남자는 옆에서 잠들어 있는 그녀를 흔들었다.

그들이 영추사에 돌아갈 무렵에는 해가 꽤 기울어 있었다. 남자는 별로 말을 하지 않았다. 삼거리와 영추사의 중간쯤에 가게가 하나 있었다. 그 가게 앞에 차를 세우더니, 목 타는데 콜라 좀 사와요, 라고 말할 때와 절에 거의 가까이 오자 길이 구부러지는 곳에서 갑자기 급브레이크를 밟아 그녀의 몸을 자기 쪽으로 쏠리게 한 다음, 놀랐어요?라고 말할 때, 그 두 번 정도 입을 열었을 뿐이었다.

부엌 곁방에서 그녀는 일찍 잠들었다. 그러나 한밤중에 악몽을 꾸고 깨어난 그녀는 누군가 방문을 긁어대는 소리를 들었다. 한참 듣고 있으려니 밤나방이 얇은 종이문에 날개를 부비고 있는 소리였다. 나방은 밤새도록 그녀의 방문 밖에서 흐느끼듯 날개를 떨었다. 그녀는 다시 잠을 이룰 수가 없었다.

새벽에 그녀는 지갑의 명함 넣는 칸에 들어 있던 사진을 꺼내 태웠다. 그녀가 사진에 불을 긋자 피어오르는 불꽃에 그의 얼굴이 일그러지기 시작했다. 짜증을 내듯이 일그러지던 그의 얼굴은 그녀의 손 안에서 천천히 녹아 없어졌다. 그녀는 그의 얼굴이 녹아드는 것을 끝까지 보지는 못했다. 손끝이 뜨거워서 반쯤 탔을 때 떨어뜨려 버렸던 것이다.

영가천도재 날의 검은 재

법당 안은 발 디딜 틈도 없었다. 분위기도 다른 날과는 사뭇 달랐다. 본존불 옆에 앉은 관세음보살과 지장보살의 얼굴이 굳어 있었다. 불보살을 모신 상단뿐 아니었다. 좌우에 신중단과 영단이 다 긴장에 싸여 있었다. 천장의 용과 극락조, 아름다운 연꽃과 길상을 상징하는 갖가지 무늬들도 마치 긴한 볼일이 있어서 살아난 것처럼 보였다.

천도재는 삼귀의(三歸依)로 시작되었다. 귀의불 양족존 귀의법 이욕존 귀의승 중중존……신도들이 침통하게 따라 외었다. 재를 여는 취지를 밝히는 스님의 목소리. 그리고 명부 사자를 맞이하기 위한 분향과 사자를 초청하여 축원하고 공양하는 순서가 이어졌다. 그 다음이 오늘 극락으로 가기를 원하는 외로운 넋들을 부를 차례였다.

흰 종이 위에 적혀 있던 이름이 하나씩 불리기 시작했다. 영가의 이름이 불릴 때마다 그 이름을 올린 사람들이 일어나 절을 올렸으며 그중 몇몇은 불단 옆에 놓인 함에 종이돈을 집어 넣기도 했다. 죽은 넋들이 산 자의 불공으로 극락에 한 걸음 다가가는 시간이 숨막히게 지나가고 있었다. 절을 올리면서 우는 사람들도 많았다. 그녀의 옆에 앉아 있던 흰 블라우스를 입은 젊은 여자는 유난히 섧게 울었다. 절을 올릴 때는 물론이고 제자리로 돌아와 다시 무릎을 꿇고 앉아서도 여전히 눈물을 멈추지 못하고 흐느꼈다. 그 여자의 어깨가 들먹이는 것을 가만히 보고 있던 그녀의 귀에 갑자기 낯익은 이름이 들려 왔다. 그녀의 얼굴에는 핏기가 가셨다. 반소매 밑에 드러난 팔에는 온통 소름이 비늘처럼 돋아나 있었다.

그녀는 눈을 들어 검은 묘비가 빽빽이 서 있는 흰 종이를 보았다. 너무 작아서 글씨는 잘 보이지 않았다. 그의 이름은 거기 어딘가에 죽은 이들의 옆에 나란히 누워 있을 것이다. 절을 올린 다음 그녀는 넷째손가락에서 반지를 빼 함 속에 넣었다. 자리로 돌아오자 그녀는 옆에 앉은 젊은 여자와 똑같이 어깨를 떨었다.

수아차법식, 하이아란찬, 기장함포만, 업화돈청량……

나의 이 법식을 받으면 어찌 해탈식과 다르리오.

주린 배는 다 부르며 업의 불길은 일시에 청량하리다.
탐욕과 어리석음을 한꺼번에 버리고 항상 불법 앞에 귀의하여
생각 생각이 보리심이면 곳곳이 극락세계이리라.

축원하는 자들은 마지막으로 독경 소리 속에 참회와 서원을 했다.

'중생무변서원도, 번뇌무진서원단…….'

그녀는 네 가지를 다 다 외우지 못했기 때문에 두 번째 서원만 되풀이했다. 끝없는 번뇌를 끊으오리다. 끝없는 번뇌를 끊으오리다.

스님이 독경을 외며 법당을 나가자 신도들이 열을 지어 뒤를 따랐다. 두 손을 합장하고 둥근 원을 만들며 오른쪽으로 도는 동안 그녀와 젊은 여자는 서로를 의지하듯 꼭 붙어서 슬픔을 나누었다. 종이 타는 냄새가 나며 독경 소리가 높아졌다. 스님의 손끝에서 흰 종이가 불에 타고 있었다. 죽은 이들의 이름이 적힌 종이에서 불꽃이 너울거리면서 사방으로 검은 재가 흩어졌다. 그리고 한가운데에서 희미한 연기가 솟더니 하늘로 올라갔다. 극락으로 가는 것이었다. 그도 극락으로 갔을 것이다. 사랑을 맹세한 영추사가 물에 잠겨 버려 지금까지 그의 넋은 구천을 떠돌았다. 이제 오래된 반지를 노자 삼아 극락으로 떠났다, 그는. 그러나 그녀가 보내는 것은 그가 아니었다. 천상의 약속을 천상으로 돌려 보내는 것이었다. 사랑이란 천상의 약속일 뿐이다. 그녀의 머리와 어깨에 검은 재가 와서 앉았다. 그 밤 수문 앞에서 안개에 둘러싸일 때처럼 그녀는 무언가가 자기의 어깨를 다정하게 안아 주는 것을 느꼈다.

작별 인사를 하기가 싫다면 지금처럼 요사채가 안팎으로 북적거릴 때 떠나는 편이 나았다. 신도들의 점심을 차리느라고 두 보살은 정신이 하나도 없었다. 그녀는 뒷마당으로 빠져서 일주문으로 나갈 생각이었다. 그러나 뒷마당 끝에 거의 다 가서 그녀는 불현듯 방

앞으로 되돌아왔다. 그리고 새벽에 그의 사진을 불태웠던 자리를 찾아보았다. 그 자리에는 아주 보잘것없는 검은 재가 조금 흩어져 있을 뿐 아무것도 없었다. 그녀는 쉽게 일어섰다. 뒷마당 문을 열고 나가려던 그녀는 문 옆에 하얀 개가 서 있는 것을 보았다. 그녀가 쳐다보자 하얀 개는 경계하며 뒤로 한 걸음 물러났다. 누런 털 한 가닥 없이 새하얀 개의 등 위에 검은 재가 몇 개 올라앉아 있었다. 그녀는 마당 안쪽으로 눈을 돌렸다. 그녀의 짐작대로 벌써 마당 귀퉁이에서 수캐들이 이쪽을 향해 뛰어오는 게 보였다.

흐린 날

서울이 가까워오자 에프엠 방송이 또렷이 잡혔다.

―구름이 잔뜩 낀 날씨인데요. 이렇게 흐린 날 듣기 좋은 음악으로 골라 봤습니다.

그녀는 음악을 거의 듣고 있지 않았다. 구름에 대해 생각하기 시작했다.

얼마 전에 그녀는 신문을 읽고 있었다. 그런 구절을 읽은 기억이 났다. '기상청은 한랭전선이 지나갈 때 대기가 불안정해지면서 구름 두께가 평시보다 두 배 이상 두꺼운 십 킬로미터 정도 되는 경우가 있으며…….'

평시보다 두 배 이상 두꺼운 십 킬로미터. 그렇다면 보통 때에도 구름 두께는 오 킬로미터나 된다는 말이다. 머리 위에 늘 오 킬로미터나 되는 구름이 싸여 있어 보지 못했던 것일까. 타인 속의 허상을.

'사랑이 식었다고 생각했었지.'

그녀는 가볍게 웃었다.

'그것이 사랑의 본색일 뿐인데.'

서울로 들어오기 전 마지막 휴게소에서 그녀는 국수를 사먹었다. 문득 생각이 나서 그녀는 핸드백 안주머니에 들어 있던 호출기를 꺼낸 뒤 빼놓았던 전지를 다시 끼웠다. 국수를 다 먹고 나서 종이 커피를 한 잔 뽑아 드는데 기다렸다는 듯이 호출기가 울어댔다. 커피를 다 마시고 나서 그녀는 전화를 걸었다.

"너 지금 어디야? 정말 그럴 수 있는 거야? 대체 어떻게 된 거냐구?"

그는 쉴새없이 질문을 퍼부었다. 내가 이놈의 삐삐를 하루에 몇 번씩 친 줄 알아? 전화는 또 그게 뭐냐? 전화를 했으면 있는 데나 말을 해줄 것이지 그렇게 끊어 버리면 어떡해? 그러고는 다급하게 말을 이었다.

"아무튼 만나서 얘기하자. 지금 어디야?"

"……."

"별일 없는 거지?"

"……."

"일곱 시에 기다릴게. 거기 알지?"

그녀는 어린 시절 어린이 잡지에서 읽은 아프리카 사람들의 숫자 세는 방식에 대해 생각하고 있었다. 하나, 둘……그 다음부터는 어떻게 세는지 아세요? 무조건 '많다'예요. 셋부터는 다 똑같다고 생각하나 봐요. 믿거나 말거나, 여러분 마음에 달려 있지만 말예요.

그녀는 믿는 쪽으로 마음을 정했다. 셋부터는 다 똑같다. 그도 세 번째 남자 중의 하나가 되지 말란 법은 없다. 그 생각을 하느라고 잠시 대답이 늦어졌던 것뿐이었으므로 그녀는 천천히 입을 뗐다.

"……알고 있어."

"그래, 그럼 이따 봐."

공중전화 부스에서 나온 그녀는 서울 쪽을 쳐다보았다. 이제부터 그녀가 진입해 들어갈 도시의 하늘에는 구름이 잔뜩 끼여 있었다. 거기에서 그녀는 세 번째 남자들을 만날 것이다. 그리고 그녀가 첫 번째로 만나는 '세 번째 남자'는 아마 지금 손목시계를 힐끗 쳐다본 다음 머리카락을 한번 쓸어 넘기고 나서 다시 책상 위의 펜을 집어들고 있을 것이다. 그녀는 그라는 타인에 대해 그 정도는 알고 있었다.

추 · 천 · 우 · 수 · 작

존재는 눈물을 흘린다

공 지 영

1963년 서울 출생.

연세대 영문과를 졸업하고,

1988년 《창작과 비평》에 〈동트는 새벽〉으로 등단했다.

소설집으로 《인간에 대한 예의》,

장편소설로 《무소의 뿔처럼 혼자서 가라》 · 《고등어》

《더 이상 아름다운 방황은 없다》 · 《착한 여자》가 있다.

제18회 이상문학상 추천우수작에 선정된 바 있다.

존재는 눈물을 흘린다

나는 해고되었다. 한 달 전에 이미 그 통지를 받았고 책상은 지난 주에 정리되었다. 모든 것은 예고된 수순이었다. 깊어 가는 가을보다 먼저 깊디깊이, 그래프로 떨어져 내리는 경기 탓이었다. 회사는 브랜드 네임을 좀더 이국적인 언어로 바꾸고 그에 걸맞은 이미지의 옷들을 생산할 채비를 하고 있었다. 단발머리에 금속 광택이 나는 꽃핀을 꽂은 신세대들이 짧은 치마에 무릎까지 올라오는 부츠를 신고 대거 회사 문으로 입장했고 파마를 자주 해서 머리가 푸석해진 우리들은 반대편 문으로 이제 나가야 했다. 반짝이는 아이디어와 신선한 감각을 생명으로 하는 이 바닥에서 사실 서른이면 구세대였고 우리는 이미 촉탁 디자이너라는 이상한 이름을 달고 있었으므로 정확히 말하자면 해고가 아니라 촉탁 해지였다. 경리과에 가서 한 달에서 조금 모자라는 날짜가 적힌 지불 명세서를 냈다. 상고를 갓 졸업한 듯이 보이는 머리가 길다란 소녀가 내게 지불할 지폐를 봉투에 넣고 동전들을 세고 있었다. 대학을 졸업하고 바로 입사했으니 나는 십 년에서 조금 모자란 날들을 이 회사에서 보낸 셈이었고 그런 지난 날들이 소녀가 세는 동전 소리로 딸그랑딸그랑 마감을 알리고 있었다. 십 년……그 시간 동안 가을을 알리는 바바리 직물들이 울 개버딘에서 실크로, 실크에서 금속 광택이 번쩍이는 천으로 달라졌고, 내가 처음 디자인한 옷에 붙어 있던 '신도'라는 이름은 이제 '끄 뛰베'라는 외국말로 바뀌어 있었다. 나는 동전을 세고 있는 소녀를 될 수 있는 한 담담한 표정으로 바라보았다. 거울도 보고 있지 않으면서 내가 내 표정을 의식했던 것은 아마 그때 내 가슴으로 어떤 통증이 지나갔기 때문이었을 것이다. 어쩌면 지금 내가 이 소녀를 질투하고 있는지도 모른다는 생각이 스쳤던 것이다. 그건 아직 파마약 한번 묻히지 않은 것 같은 그 소녀의 싱싱한 머리카락 때문이 아니라, 단순한 노동을 하는 그녀의 직업 때문이었을 것이다. 처음 입사하던 때의 설렘, 내 힘으로 돈을 번다는 일의 뿌듯함, 패션 디자이너라는 이름이 주는 약간의 오만함 같은 것들은 이제 거의 기억도 나지 않았다. 하지만 저 소녀만한 나이 때 나는 열렬하게 생각하곤 했다. 창의적인 직업을 가지고 싶어요……그런데 이제 마지막 월급 봉투를 기다리고 있는 나는 껍질 같았다. 내 속에서 나를 나답게 해주던 모든 촉촉함 같은 것들이 창의력이라는 이름으로 소진돼 버린 느낌이었던 것이다. 아무리 해외 출장을 다니고 세계의 유수한 패션 잡지를 들여다보아도 유행은 앞으로만 달려가고 있었다. 조금 더 속도가 빠르도록 정해져 있는 공을 따라 달려가는 사람처럼 나는 언제나 숨이 찼다. 하지만 그래도 나는 나름대로 최선을 다해 뛰고 있었다. 그런데 어느 날, 누군가 내게 다가와서 말했다. 그만 뛰지. 공은 이미 하늘로 올라가 버렸어. 이제는 날개가 달린 사람이 필요해. 나는 그 자리에 서서 그만 멍해져 버린 기분이었다. 소녀가 동전까지 정확히 센 봉투를 내밀었다. 모든 끈이 떨어져 나가고 이 세상에 혼자 남겨진 것 같은 허탈감이 휘익 나의 내부를 훑고 지나갔다. 이혼을 하고 나서도 이토록이나 혼자라는 생각은 하지 않은 나였다. 나는 해고라는 이름으로 달려든 이 소속감 부재의 상태를 느끼면서 봉투를 받아 건성으로 돈을 세고 있었다. 소녀가 언뜻 나를 바라보았다. 나는 이제 안면이 익은 그녀가 가끔 오실 거죠, 라거나 이제 어떻게 하실 거예요, 묻는다면 어떻게 하나 하는 부질없는 생각들을 잠시 했다. 그러나 그녀는 컴퓨터에서 뽑아져 나온 영수증을 부욱 잘라서 내게 내밀고는 곧바로 차례를 기다리고 서 있던 다른 사람의 지불 명세를 입력하기 시작했다. 말을 꺼낼 뻔한 것은 나였다. 가끔 올게요, 하고. 하지만 아마 가끔이라도 이제 이곳에 올 일은 없을 것이다. 공은 하늘로 부웅 떠버렸으니까 말이다. 나는 날아가기에는 너무 무거웠다. 등에 업힌 아이도 있고 슬그머니 다가와 내 옷자락에 말년을 의탁하는 친정 어머니가 있고 그리고 빈 껍질만 딱딱하게 굳은 서른세 살의 나이가 있다. ……고마워요. 나는 소녀에게 말했다. 컴퓨터 자판을 두드리던 소녀가 나를 바라보며 언뜻 웃었다. 나는 경리과를 지나 로비로 나왔다. 점심을 먹을 시간은 지났고 저녁을 하기에는 아직 이른 오후였다. 동전이 짤랑거리는 봉투가 바바리 주머니에 묵직하게 들어 있었다. 문득 나는 이 바바리가 이 년 전 그와 처음 데이트를 시작하던 날 입은 옷이라는 걸 깨달았다. 만나기로 한 화랑이 문을 닫은 바람에 나는 길거리에 서 있었다. 약속 시간보다 조금 늦게 온 그는 나를 한번 휘익 돌아보더니 가볍게 내 허리에 손을 얹고, 이 바바리 참 좋은데, 했던 것이다. 내가 디자인한 거야, 이 옷을 사려고 매장마다 여자들이 줄을 섰다구, 나는 말했었다. 그 무렵 내가 더 이상 디자인을 할 수 없을 거라는 것을 상상이라도 해보았을까.

그가 떠나고 아주 연락이 끊어진 후에도 나는 가끔 그의 회사에 전화를 걸곤 했다. 아주 오래 연락을 끊었던 철없는 후배처럼 한껏 쾌활하게 목소리를 과장하면서……나는 묻곤 했다. 그러면 전화기 저쪽에서, 아마도 그가 앉아 있던 자리에서, 그가 나와 통화하던 그 수화기를 들고 있을 남자는 잠시 곤혹스럽다는 듯 침묵을 지킨 후에, 모르시는군요, 그분은 지금 페루 지사에 계신데요, 했다. 가끔 남자는 그쪽 전화번호를 가르쳐 드릴까요 묻기도 했다. 나는 덤덤한 후배처럼 아니에요, 그럴 필요까지는 없어요 하고 대답했다. 그런 날 오후면 나는 내내 시큰거리는 사랑니와 싸워야 했다. 그래서 페루는 내 치통이었다. 진통제를 두 시간 간격으로 네 알씩 먹고도 나는 그 치통을 이겨내지 못했다.

꽉 찬 가을이 유리문 저쪽에서 일렁이고 있었다. 굵다란 은행나무들이 이파리를 떨군 거리는 노란 카펫이 깔린 것처럼 보였다. 이른 오후. 이제 아무 할 일도 없이 나는 서 있다. 보통 때 같으면 나는 이 자리에 이렇게 무의미하게 서 있는 사람이 아니었다. 나는 길거리나 전철 안에서나 사람들의 옷을 관찰했고 그들의 취향이 미묘한 속도로 변해 가는 것을 바라보곤 했다. 때로 그들은 유행보다 앞서 가기도 하고 우리가 판매 전략을 위해 내세운 유행을 힘겹게 따라오기도 했다. 그러므로 계절은 내게 짧아지는 스커트와 함께 왔다가 넓어지는 바지통과 함께 갔다. 흐르는 강물처럼이 아니라 쏟아져 내리는 폭포처럼 정신없는 나날이었다. 그런데 오늘 나는 은행이파리들이 소복소복 떨어져 앉은 길을 천천히 바라보고 있다. 어쩌면 내 생애 처음 맞는 어떤 가을 같았다. 은행잎은 이제 계절의 변화를 선도하는 색채로서가 아니라 그저 은행잎이었던 것이다. 나는 보고 싶지 않은 영화 포스터를 구경하는 것처럼 어쩌면 편안한 눈빛이었을 것이다. 그런데 누군가가 아까부터 나를 바라보고 있는 듯한 시선이 느껴졌다. 마치 수억 년 전쯤에 깊은 사랑을 나누던 남자와 우연히 눈이 맞은 것처럼 나는 거역할 수 없는 그 힘에 이끌려 시선을 돌렸다. 거리에 줄지어 선 비슷비슷한 은행나무

중 유독 한 그루가 눈길을 끌고 있었다. 평범하기 짝이 없는 그 은행나무에서 나는 시선을 떼지 못했다. 십 년 만이야, 이제야 너는 나를 알아보기 시작하는구나, 여기 서서 십 년 동안 너를 바라보고 있던 나를, 하는 느낌이 들었다. 그러자 정말 이상하게도 바람도 없는 한길에서 그 은행나무가 갑자기 낙엽을 퍼부어대기 시작했다. 돌연한 일이었다. 나는 그 나무가 떨구는 노란빛의 축포를 멍한 시선으로 바라보았다. 포스터의 정물이 갑자기 움직이기 시작한 것 같았다. 정신을 차리고, 그 길가에 서 있던 나무들 중, 정말로 내게 선물이라도 하려는 것처럼 유독 그 나무만이 무수한 이파리를 떨구었다는 걸 안 것은 누군가 유리문 앞에서 툭, 하고 내 어깨를 치고 지나가고 그가 아, 미안합, 이란 말도 다 삼키지 못하고 밭은걸음으로 유리문을 열었을 때였다. 유리창 밖에서 저 혼자 익어 가고 있던 가을이 쌉쌀한 바람과 함께 밀려들었을 때 나는 해고를 당해 아무리 정신이 멍하다고 해도 은행나무와 눈이 맞는 일 따위는 일어나지 않는다고 비로소 내 자신에게 말해 주었다. 가을이었고, 가을이어서 잎을 떨어뜨려 버리는 일은 인류가 탄생하기 전부터 은행나무가 한 일이었다. 은행나무는 공룡과 함께 산 적도 있는 수종(樹種)이었다. 그때 무리에서 떨어져 나와 해고당한 공룡과 눈이 마주친 은행나무가 그를 위로해 주기 위해 하는 수 없이, 맨 처음 이파리를 떨구기 시작하지는 않았을 것이었다. 나는 지하 주차장으로 내려가는 어두운 통로로 들어가 천천히 계단을 내려갔다.

나에게는 삶이 언제나 강파른 비탈길 같았다. 단지 한 달을 살아갈 뿐인 돈을 받는 일의 무서움을 내가 알게 된 것은 정확히는 이혼 후의 일이었다. 아이는 자라고 있었고 이 자리에서 쫓겨나게 되면 아무데도 갈 곳이 없었다. 자리는 한정되어 있는데 옷을 갈아입어야 하는 계절은 일 년에 네 번뿐이고 사람들은 그저 비슷한 종류의 옷들을 사입을 뿐이었다. 발랄하고 깜찍한 창의력을 가진 새로운 디자이너들은 한 해에 몇만 명씩이나 쏟아지고 있었다. 서른이 넘은 이후, 언제나 나는 사람들이 줄지어 서 있는 식당의 탁자에서 밥을 먹는 기분이었다. 그들은 내가 나가기만을 기다리고 있었다. 하지만 그 자리를 박차고 나가면 나는 어디로 가나. 그 무서움이 너무 커서 나는 한 번도 내가 해고당할 거라고는 생각하지 않았다. 괜찮아 모든 건 잘될 거야 그저 잘될 거라구. 나는 성냥팔이 소녀처럼 세 개피 남은 성냥에 하나씩 불을 밝히면서 내 손에 남은 개피 수를 절대로, 세려고 하지 않았던 것이다.

그래서 나는 오래오래 이 회사에 남고 싶었다. 가끔 그만두고 싶다는 말이 목구멍에서 손가락처럼 쑤욱 올라올 때도 있었지만 노후 연금과 붓고 있는 적금을 헤아려 보면 그래도 이 회사의 그늘에 있는 게 낫다는 계산이 나왔다. 나는 타협하면서 늙어 갈 거야. 재능은 바닥나고 눈은 무디어 가니 점점 눈치만 늘게 되겠지. 그래도 버티겠어. 젊은 소비자들의 구미를 맞추고 싶어서 안달이나 하면서……내 아이의 유치원 등록금과 어머니의 치과 비용을 네가 잠시 대줄 수는 있겠지. 하지만 몇 년 가지 않아 너도 결국 생각하게 될 거야. 사랑은 식고, 우리가 서로를 눈곱 낀 눈으로 아무렇지도 않게 바라볼 무렵, 너는 말할지도 몰라. 어디론가 달아나고 싶어……훌훌 벗어 버리고 혼자가 되고 싶어……나는 언제나 빠르게 그렇게 말했고 우리는 자주 그렇게 다투곤 했다. 나는 결코 그를 내 생애의 계획에 끼워 주지 않았다. 이미 나는 세 식구의 가장이었다. 그 역시 삼 년이 넘도록 적금을 부어도 이 년마다 돌아오는 전셋값 한번 올려 주기 힘든 사람이었으니 내 말이 별로 틀리지는 않았을 것이었다. 게다가 그도 고향에서 그의 월급날을 기다리는 노모와 남동생들이 있는 사람이었다. 그래서 그가 페루 이야기를 꺼냈을 때 페루가 뭐야? 나는 물었었다. 그러고는 그가 마치 마법의 나라로 도망이라도 치자는 것처럼 웃음을 터뜨렸다. 게다가 잠시의 여행도 아니고 삼 년 동안의 지사 근무라니……그래, 백 번을 양보해서 너와 결혼하고 나의 아이까지 달고 마치 우리가 처음부터 세 식구였던 것처럼 시치미를 뗀 채로 그곳으로 떠난다고 하자. 너는 너의 일을 하지만 나는 거기서 무엇을 할까. 영어를 배우러 페루의 학원에 다니는 것도 우습고, 나중에 식당이라도 차릴 요량으로 거기서 이탈리아 음식을 배우러 다닐 수도 없잖아. 너의 어머니와 나의 어머니가 교대로 편지를……띄우겠지, 잘들 있는지 자나깨나 걱정이구나, 로 시작해서 결국은 돈을 보내 달라는 이야기로 끝나는 그런 편지를. 삼 년을 쉬고 나면 디자이너로서의 내 생명은 끝이야. 감각이 완전히 뒤떨어져 버린다구. 그렇게 남편을 따라갔다가 돌아와서 집에서 머리만 비벼대는 선배들을 한두 명 본 것도 아니고……앞서 실패한 이들을 바라보면서 그걸 반복한다는 건 눈을 뜨고는 차마 하지 못할 일이지……페루라니, 페루는 너무나 먼 나라야. 그는 내가 담배 한 대를 다 피울 때까지 아무 말도 하지 않았다.

나는 빨리 늙어 버릴 거야. 첫 연금을 타면 제일 먼저 흔들의자를 사겠어. 그것을 베란다에 내다 놓고 하루 종일 앉아 있을 거야. 시간이 얼마나 느리게 흐르는지를 바라보면서 내내 거기 앉아 있을 거야……아마 생각하겠지, 이렇게 허망해져 버릴 것을 왜 그렇게 볼이 빨개지도록 뛰어다녔을까, 나는 거기 앉아서 내 젊은 날의 욕망을 비웃을 거야. 하지만 내게 그런 시간이 남아 있을 거라는 꿈이 있기 때문에 나는 이 욕망을 지금은 소중히 여기겠어. 적어도 실장 자리에는 오를 거고, 적어도 내 이름으로 된 브랜드 하나쯤은 차리고 싶다구.

생은 우리에게 많은 것을 허락하지는 않는다고 그가 말했다. 젊음과 시간, 그리고 아마도 사랑까지도……기회는 결코 여러 번 오는 것이 아닌데, 그걸 놓치는 건 어리석은 일이야. 우리는 좀더 깊은 눈을 뜨고 그것들을 천천히 하나씩 곱게 땋아 내려야 해. 그게 사는 거야. 아주 작은 행복 하나를 부여잡기 위해 사람들이 얼마나 많은 눈물을 흘리면서 사는 줄 너는 아니? 진짜 허망한 건 제가 어디로 가는지도 모르고 휩쓸려가 버리는 거라구. 너는 늙어서 흔들의자를 내다 놓고 앉아 그걸 생각하며 울게 될 거야. 나는 잠시 멈칫했지만 이내 창 밖을 보며 딴전을 피웠다. 나는 무능한 아버지의 둘째딸이었고 그것이 주는 삶의 강파름을 이미 겪을 대로 겪은 뒤였으니까. 그가 총각이었고 나는 두 살배기 애가 딸린 이혼녀여서가 아니라, 그것이 가로막을 우리의 사회적 결합 때문에 겁이 나서가 결코 아니라 그냥 그가 태평하게 먼 나라로 가자는 이야기를 꺼내는 것이 미웠다. 마치 내가 남편과 결혼할 때 그랬던 것처럼, 열정 하나로, 다만 사랑의 이름으로, 그러니까 우리는 아직 젊고 그래서 노력하면 안 될 것 없다는 그런 순진한 얼굴을 하고 달려드는 그가 어쩌면 나는 무서웠는지도 모른다. 생애는 많은 상처들로 이루어져 있으며 그리하여 스웨덴에서 자란 아이들이 모두 행복하지 않듯이 상처의 빛깔 같은 것은 돈의 액수로 결정되지 않는다는 것, 지니고 있는 상처는 사람의 얼굴 모양새만큼 다른 것이라는 것을 이제 알고 있지만, 나는 언제나 그에게 그런 태도를 취했다. 니가 돈만 아는 그런 얼굴을 하는 게 나는 싫어, 그가 말했다. 돈만 아는 것은 물론 싫은 일이었다. 이 세상에는 돈보다 중요한 것이 있으니까. 그러나 기가 막힐 일은 돈보다 중요한 것들이 분명 있기는 했지만, 그건 너무 적다는 것이었다. 나는 일찍이 그런 것들을 깨달으며 자랐고 생은 내가 혹시라도 그것을 잊어버리기라도 할까 봐 여러 번 그 사실을 일깨워 주었다. 남편과 나의 결혼 생활도 결국 돈 계산으로 마감을 하고 말았으니까. 전셋집을 얻을 수 있는 위자료라는 이름의 돈과 양육비를 놓고 우리는 치열하게 싸웠다. 그 싸움은 우리가 아이를 놓고 과연 이혼을 해야느냐 마느냐보다 더 노골적이고 더 심각했다. 나는 남편이 그토록 돈을 소중하게 여기는 사람인 줄은 처음 알았다. 이혼을 하지 않았으면 나는 어쩌면 남들에게 이렇게 말하고 다녔을 것이다. 우리 남편은 돈에 대해선 원래 무심한 사람이야. 그러므로 여행 같은 것, 산다는 것은 세월과 사랑과 희망 들을 곱게 땋아 내리는 거라는 마음뿐인 남자와 페루로 가는 일 같은 건 내게는 돈을 벌고 또 벌고 또 벌어서 흔들의자에 앉아 있을 은백의 나이에나 일어날까 말까 한 일이었다. 감상으로, 혹은 연민으로 일을 저지르기에 나는 이미 많은 나이를 먹어 버렸다. 대학 졸업 무렵의 깊은 실연의 상처 때문에 오 년을 해외 지사에서 자신의 젊은 시간들을 곱씹으며 보냈다고, 그가 신발을 벗고 들어가 앉는 낡은 술집에서 오래오래 수줍고 서글프게 고백했을 때, 나는 사실은 하품이 하고 싶었었다. 그 여자하고 결혼했더라면 너는 아마도 그 상처를 씻기 위해서가 아니라 그 여자와 헤어진 자유로움 때문에 오 년을 떠돌았겠지, 춤이라도 추면서 뛰어다녔을지도 몰라. 사랑이라든가 결혼이라든가, 그건 그런 거야. 영원은, 맹세하는 찰나에만 완성될 뿐이지. 나는 혼자 키득키득 웃다가 지금 입고 있는 이 바바리에 언뜻 술을 쏟을 뻔하기도 했었다. 그리하여 그를 보내고 나서도 나는 기특하게도 한참 동안 담담했었다. 모든 존재는 저마다 슬픈 거야. 그 부피만큼의 눈물을 쏟아 내고 나서 비로소 이 세상을 다시 보는 거라구. 너만 슬픈 게 아니라……아무도 상대방의 눈에서 흐르는 눈물을 멈추게 하진 못하겠지만 적어도 우리는 서로 마주보며 그것을 닦아내 줄 수는 있어. 우리 생에서 필요한 것은 다만 그 눈물을 서로 닦아 줄 사람일 뿐이니까. 네가 나에게, 그리고 내가 너에게 그런 사람이 되었으면 해. 마지막으로 우리가 만나던 날 그는 내 차에 앉아 그렇게 말했다. 니 눈물을 닦아 주기에 나는 너무 해야 할 일이 많아, 나는 말해 버렸다. 나는 울지 않았다. 겁이 났던 것일까, 때로는 나도 내가 한번 가졌던 그 헛된 유혹에 빠지기도 했었다. 그와 함께라면, 아마 행복 같은 걸 잡을 수 있을지도 모른다는 생각을 해보지 않은 것도 아니었다. 약속한 카페 입구로 들어서다가 문득 신문을 꼼꼼히 보고 앉아 있는 그의 옆모습을 보고는, 그 열중해 있는 자세의 신중함이 보기 좋다는 생각에 가슴이 얼얼해질 때면 나는 잠깐 생각하기도 했었다. 그를 닮은 아이를 낳고 싶다는 욕망을……그런 때 나는 다시 그 카페를 나와 먼길을 돌아다니곤 했다. 그러고는 뺨이 찬바람에 얼얼해질 때쯤 약속된 시간보다 아주 늦게 그의 앞에 나타나 말했었다. 아주 바쁜 일이 있었어. 시간이 벌써 이렇게 흐른 줄도 몰랐다니까.

나는 계단을 내려서는 동안 이미 어둠에 익어 버린 눈으로 차가 있는 쪽으로 향했다. 문득 아이를 보고 있을 어머니에게 전화를 걸어야겠다는 생각이 들었다. 오늘은 아주 밤늦게야 집으로 돌아가겠다고. 동대문이나 광장 시장에 나가서 부자재로 쓰일 단추나 특이한 모양의 지퍼나 레이스를 고르기 위해서가 아니라, 백화점에 나가서 우리 브랜드의 어떤 옷들이 어떤 계층에서 어떤 선호도로 팔리는지를 알아보기 위해서가 아니라, 오늘 하루는 직장을 위해서도 아니고 아이를 위해서도 아니고 어머니를 위해서도 아니고 그저 나를 위해 쓰고 싶다, 고 어머니에게 말하고 싶었던 것이다. 그러면 아이는 나를 기다리다가 잠이 들 것이었다. 잠들기 전에 할머니에게 애초부터 없던 레고 기차 바퀴 하나가 없어졌다고 떼를 쓸 것이고 인내심을 가지고 달래는 할머니에게 결국은 엉덩이를 한 대 얻어맞을 것이고, 엄마가 올 때까지 절대로 자지 않겠다고 골목이 보이는 싸늘한 베란다에 나와 고집스럽게 서 있을 것이었다. 그러고 나서는 내리덮이는 눈꺼풀을 비비며 내가 없는 빈 침대로 기어들 것이었다. 그리하여 아이도 점차로 알게 될 것이었다. 누군가가 떠난 빈자리도 삶의 일부라는 것을. 기다리는 것이 언제나 제시간에 오지는 않는다는 것을, 가고 싶은 어미의 마음과 보고 싶은 아이의 마음이 아무리 허공에서 만난다 해도 이 세상에는 기필코 이루어지지 않는 일이 있다는 것을……나는 핸드폰을 꺼내 들었다. 해고 때문이었을까, 예정된 것이었음에도 불구하고 아마 나는 당황하고 있었던 것 같다. 그렇지 않다면 이 지하에서 핸드폰을 꺼내 들지는 않았을 것이다. 핸드폰은 붉은 빛을 반짝이며 '노 서비스 에어리어'라는 글씨를 반짝이고 있었다. 당연한 일이었다. 이 지하, 이 땅 깊숙한 곳에서는 누구와도 통신할 수 없다. 지상의 전화선들과 끼리끼리 육체로 연결된 공중전화라면 몰라도 눈에 보이지 않아 만질 수도 없고 느낄 수도 없는 이런 허황한 전파에 의지하는 통신 따위는 불가능한 일인 것이다. 하기는 이 지구상 어디엘 간다 해도 이제 내 삶은 '노 서비스 에어리어'였다. 도망칠 곳이 없었다. 그러자 뜻밖에도 제일 먼저 나를 스쳐 간 생각은 만일 빠른 시간 내에 다른 곳에 취직 자리를 알아보거나 아니면 남대문 시장에 점포라도 열어서 내 브랜드를 만들거나 그도 아니면 돈 있는 남자를 만나 결혼해 버리지 않는다면 이 핸드폰을 제일 먼저 팔게 되겠지 하는 생각이 들었다. 그러자 나의 차가 보였고 그 다음은 저 차의 순서라는 것이 떠올랐다. 그러고 나면 화장대 서랍 깊숙이 넣어 둔 아이의 돌팔찌와 돌반지의 차례가 올 것이었다. 방 두 칸인 집을 아마도 방 한 칸인 집으로 옮기게 될 것이고, 그도 아니면 늙은 어머니의 눈처럼 침침한 반지하 깊숙이 처박히게 될 것이었다. 그가 아는 것은 나의 핸드폰 번호뿐이므로 아마도 핸드폰을 먼저 팔든 반지하로 가는 것이 먼저이든 그와 나와 이 지상에서 만날 수 있는 마지막 통신 부호는 사라져 버리게 될 것이었다. 그와 나를 연결해 주려고 한때 애썼던 인생은 그로부터 언제까지나 노 서비스라는 붉은 빛을 찬란하게 띠게 될 것이었다. 그러고 나서, 그리고도 희망이 없을 때는 아마도 나, 를 팔게, 되, 겠, 지……라고 생각하는 순간, 이제껏 나는 나를 팔아 살아오지 않았나 하는 생각이 들었다. 새로운 것, 좀더 눈에 띄는 것, 좀더 소비자들의 기호를 만족시켜 주는 것, 그런 옷들을 만들어 내기 위해 나는 세상에 태어나 알아낸 가지가지의 빛깔과 도형들을 생각해 내야 했다. 처음에 내 자신이 행복해지기 위해 디자이너가 되고 싶었지만, 이제 디자이너라는 이름을 유지하기 위해 나는 나를 바쳤다. 좋은 영화를 볼 때도 의상이 제일 먼저 눈에 들어왔다. 그 여자 블라우스 심플해서 좋던데, 가 어느덧 내 영화평이 되어 있었던 것이다. 텔레비전 가요 프로그램에서도 나는 가수들의 노래가 아니라 그들의 옷차림새를 듣고 있었다. 유행을 앞서가는 그들의 모양을 놓치지 말고 감지해 내야 했다. 나는 살아가기 위해 디자이너가 되었는데, 이제 디자이너의 자리를 놓치지 않기 위해 살고 있었다. 새로운 것, 좀더 새로운 것, 이라는 말은 이제 하도 들어서 나에게는 그처럼 낡은 말이 없을 정도였다. 하지만 나는 노력했고 몇 년 동안은 제일 먼저 매진되어 결코 할인 매장으로 나가지 않는 옷을 만드는 디자이너로 회사의 표창을 받기도 했다. 하지만 누군가가 다가와서 이봐, 뛰는 것을 멈추지, 공은 이미 하늘로 날아가 버렸어, 요즘 공들은 날개가 돋기도 하거든, 했을 때 모든 것은 그걸로 끝이었다.

나는 주머니에서 열쇠를 꺼내 들었다. 그때 어떤 반짝이는 빛이 나의 차를 향해 미끄러져 들어가기 시작했고 이어서 퍽, 하는 파열음이 들렸다. 아주 짧은 시간이기는 했지만 처음에 나는 그것이 어떤 상황인지 도무지 알 수가 없었다. 그저, 빛이 다가왔고 이어 퍽, 하는 소리가 들린 것만 같았으니까. 검은 중형차에서 어떤 남자가 내려서는 것이 보였다. 그제야 나는 남자의 차가 미끄러져 내 차와 충돌한 거라는 걸 알아차렸다. 이제 고물 시장에 저 차를 내다 놓아도 한 달 생활비도 제대로 쳐서 받지 못하겠구나 하는 생각이 제일 먼저 머리를 스쳤고, 이어 좋은 일은 한 가지씩 오지만 나쁜 일은 언제나 무리를 지어 다닌다는 격언이 생각났다. 나는 천천히 차 곁으로 다가갔다. 그리고 차의 앞부분이 찌그러진 것을 바라보며 처음으로 남자에게 얼굴을 돌렸을 때 내 얼굴은 뜻밖에도 웃음을 터뜨리고 있었다. 남자가 마치 해고당한 공룡 때문에 처음으로 자신의 나뭇잎을 떨어뜨리려고 하는 은행나무 같은 얼굴을 하고 있었기 때문이었다.

별거 아니에요. 조금 찌그러졌군요.

나는 이 세상에서 가장 관대한 여인의 얼굴을 하고 남자가 상처낸 내 차의 문을 열며 말했다.

괜찮다니까요. 문도 열리잖아요.

바닥, 이, 미끄러웠어요.

남자는 나의 반응이 믿을 수 없다는 듯 조금 더듬으며 말했다.

미끄러워요……이놈의 바닥이 미끄러워서 저도 지금 미끄러졌거든요.

나는 하이힐을 신은 발로 바닥을 몇 번 두드리며 말했다. 알 수 없는 해방감이라고 할까, 지금 이 시간, 왠지 나는 한없이 너그럽고 싶었다. 아무것도 아니에요, 그게 무슨 대수겠어요, 그런다고 누가 죽는 것도 아니잖아요, 괜찮다구요 괜찮아, 아무도 묻지 않았지만 그렇게 소리치고 싶은 이상한 기분이기도 했다.

바쁘시다면 지금 처리를 할까요……다행히 요 앞에 제가 아는 카센터가 있습니다만…….

남자는 어떻게 이 미안함을 다 표현할 수 있겠습니까, 하는 투로 말했다.

바쁘지 않아요.

남자가 잠시 생각과 시간이 정지된 표정으로 나를 바라보았다. 그 순간 이상한 느낌이 나를 스치고 지나갔다. 이런 일이 언젠가 벌어졌던 것 같은……생각을 더듬기도 전에 남자가 말했다.

잘됐군요. 절 따라오세요.

나이는 서른이 좀 넘었을까, 나는 남자의 차를 따라 지하 주차장을 나왔다. 남자가 오른쪽 깜빡이를 켜면 나도 오른쪽 깜빡이를 켜고 남자가 브레이크를 밟으면 나도 브레이크를 밟고 그가 다시 왼쪽 깜빡이를 켜면 나도 왼쪽 깜빡이를 켜면서 나는 남자를 따라갔다. 나의 차는 여기저기 긁힌 자국이 있었고 찌그러진 문짝을 단 채였다. 내가 운전을 시작한 이후 다닌 길이 가지가지였듯이 이제 내 차에 박힌 상처 자국도 가지가지였다. 처음 매끈한 새 차의 범퍼를 누군가 긁어 놓은 것을 집 앞 골목길에서 발견했을 때, 나는 밤잠을 자지 못할 정도로 화가 났었다. 그리고 두 번째로 지하 주차장에서 내 차의 문짝 하나를 누군가 심하게 박아 놓고 쪽지 하나 없이 사라져 버린 것을 보았을 때는, 카센터에 차를 가져가서 돈이 많이 들어도 좋으니 새 차처럼 만들어 달라고 울 듯한 얼굴로 말했었다. 그리고 연이어 다시 차가 찌그러졌다. 이번에는 카센터에 가지 않았다. 그저, 내 차를 박아 놓고 사라진 인간이 누구인지 모르지만 교통 사고나 팍, 나서 차가 찌그러져 버려라, 혼자서 악담을 퍼붓고 말았던 것이다. 하지만 날이 지나고 상처는 깊어지고 많아져서 이제는 그것이 언제 어디서 긁힌 상처인지 분간할 수조차 없었다. 나는 이제는 화도 안 내고 악담도 하지 않았다. 그리고 그렇게 여러 날이 흐르는 동안 나도 아마 어딘가에서 남의 차를 슬며시 박아 놓고 무심히 나와 버렸는지도 모른다. 그 차의 주인은 밤잠도 못 이루고 분해하면서 나를 향해 화를 내고 악담을 퍼부었을지도 모른다. 그러니 사실, 남자가 갑자기 속도를 높여 뒤따라오는 나를 따돌리거나 그도 아니면 노란불에서 빨간불로 바뀌는 아슬아슬한 사이, 붉은 신호등 앞에 어쩔 수 없이 멈춰 선 나를 두고 쌩 하니 혼자 도망쳐 버린다고 해도 크게 억울할 일도 못 되었다. 광화문의 그 넓은 차도에서 차선 하나를 바꿀 때마다 행여라도 내가 따라가지 못할까 봐, 열심히 깜빡이를 켜대는 것을 조금은 느긋한 기분으로 바라보면서 나는 남자를 따라갔다. 흐린 가을날이었다. 하늘은 회색빛으로 축축 내려앉고 있어서 노란 은행빛들이 선명해 보였다.

아까 나와 눈이 마주친 나무를 찾아보았다. 그 나무 밑에만 은행잎이 유독 수북해서 금방 찾아낼 수가 있었다. 다시 한 번, 이제는 호기심으로 그 은행나무와 눈맞춰 보고 싶었지만 나무는 내게 눈길을 주지 않았다. 그것은 이 생에서 단 한 번 주어진 기회였을 뿐이야, 라고 쌀쌀하게 말하는 듯했다. 나는 공연히 무안한 기분이 들어서 그 은행나무가 떨어뜨린 노란 잔해들을 바퀴로 뭉그러뜨리며 달려갔다. 가을은, 그리고 봄은 움직이는 계절이라고 그가 말했었다. 한 번은 완전한 소멸을 향하여 그리고 또 한 번은 충만한 푸르름을 위해서……그래서 봄에는 처녀들이 가을이 되면 남자들이 흔들리는 거라고……이제 가을이니, 그의 마음도 흔들리고 있을까. 엄숙한 불모의 계절이 곧 다가온다고 그는 페루에서도 생각할까. 덕수궁 앞에는 신부들이 비슷비슷한 하얀 웨딩드레스를 입고 서 있었다. 그 곁에는 비슷비슷한 턱시도를 입은 신랑들이 서 있었다. 어디선가 왈츠가 흘러 나온다면 무도회를 열어도 될 것 같았다. 그리고 그 곁에는 소풍을 나온 유치원 아이들이 노란 모자를 쓰고 초록과 노랑이 섞인 풍뎅이 같은 배낭을 멘 채로, 어린 선생님의 얼굴을 바라보며 일렬로 앉아 있었다. 그리고 또 그 뒤에는 연한 갈색 돌담의 어깨 위로 아름답게 물든 고궁의 나무들이 갸웃 고개를 내밀고 있었지만, 나는 또 보고 말았다. 그 뒤로 드리워진 무거운 회색빛 하늘…….

남자의 차는 덕수궁 옆 골목으로 들어서 옛 법원 자리를 지나 작은 카센터 앞에 멈추어 섰다. 나도 따라 멈추어 섰다.

차가 수리되는 동안 차 한잔이라도……괜찮으시겠습니까?

그가 물었다. 보통 이런 경우 사고를 낸 측은 돈을 지불하고 가는 것이 상례인 터라 조금 의아한 기분이 들었다.

글쎄요……기분나쁘게 생각지 마십시오, 저 때문에 지체하시게 되었는데……저 혼자 그냥 가버리기가 어쩐지 죄송해서요.

어차피 제 할 일은 제가 알아서 하고, 제 갈 길은 제가 간다는 기분으로 살고 있던 나는 의아한 표정을 거두고 남자를 따라 걸었다. 차가 고쳐지는 동안 딱히 할 일도 없었다. 다만 저런 식으로 산다면 저 남잔 곧 해고될지도 모르겠구나 하는 생각이 들었다. 아니다. 그는 어쩌면 벌써 해고되었는지도 모른다. 저런 식으로 저렇게 날마다 미안한 표정을 짓는다면, 자신이 한 아주 작은 실수에 더없이 뻔뻔한 표정을 지으며 그것은 사실은 내 탓이 아니었다는 표정을 짓지 못한다면 말이다. 이번 일만 하더라도 탓할 것이야 얼마든지 있었다. 미끄러운 바닥과 하필이면 통로에 주차해 놓은 내 차의 엉거주춤한 위치와 그리고 침침한 지하 주차장의 등불들. 광화문 쪽으로 조금 걸어가자 골목이 나왔고 거기 '존재는 눈물을 흘린다'라는 긴 이름을 가진 카페가 보였다. 자리에 앉은 그는 눈이 나쁜 모양인지 조금 눈살을 찌푸린 채로 메뉴판을 들여다보고 나서는 마추픽추라는 이름을 댔다. 아마도 칵테일인 모양이었다. 하지만 마추픽추라는 말을 들었을 때 나는 잠깐 가슴 아래께에 약간의 통증을 느꼈다. 그저 같은 걸로, 라고 내가 말했다. 둘만이 마주앉게 되자 그는 어색한 표정으로 두 손을 마주대고 비볐다. 내가 담배를 꺼내 물자 그는 이제서야 어색함을 좀 벗어나겠다는 듯이 주머니에서 얼른 라이터를 꺼냈다. 펑 하는 고운 소리가 들렸다.

뒤퐁인가요.

라이터를 보며 내가 물었다. 남자가 어깨를 조금 으쓱해 보이더니,

아시는군요……이 소리 좋지요? 담배를 못하는데……이 소리가 좋아서 가지고 다닙니다, 하고 담배를 피우지 못하는 것이 부끄럽다는 듯이 말했다.

그의 서른세 번째 생일날 나는 그 라이터를 선물한 적이 있다. 눈이 쏟아져서 서울 시내의 교통이 거의 마비된 날이었다. 저녁을 먹

으러 강변으로 나가려던 계획을 취소하고 우리는 겨우 차를 몰고 그의 아파트로 갔었다. 그의 머리에도 내 머리에도 눈이 쌓여 있었다. 우리가 긴 입맞춤을 끝냈을 무렵 나는 아직도 그의 품에 안긴 채로 그의 머리칼 위의 흰눈이 작은 이슬 방울로 변해 버리는 것을 보고 있었다. 내 머리칼의 흰눈도 그러하리라. 그 머리 위에 다시 흰눈이 내려앉도록 그와 함께하고 싶다는 희망이, 오래된 상처의 기억처럼 나를 스치고 지나갔었다. 사랑의 완성은 결혼이라는 것을 누가 우리에게 가르쳐 주었을까. 신데렐라와 콩쥐팥쥐와 춘향전과 그리고…….

나는 남자가 내미는 라이터 불에 담배를 붙였다. 라이터를 닫고 딱히 할 일도 없으므로, 하는 표정으로 남자는 내가 담배 피우는 모습을 바라보고 있었다. 그도 담배를 피우지 못했었다. 그는 내가 담배를 피울 때마다 그 라이터로 불을 붙여 주는 것을 좋아했었다.

마추픽추에 가본 일이 있으세요?

밀림의 여름 같은 진초록색과 자주색이라고밖에 말할 수 없는 붉은빛이 켜켜이 쌓인 화려한 칵테일이 날라져 오자 남자가 물었다. 나는 천천히 고개를 가로저었다.

저는 며칠 전에 거기서 이리로 왔어요.

남자가 나를 따라 잔을 들며 말했다. 나는 차 수리가 끝나지 않는다 해도 이 잔을 비우면 자리를 떠야겠다는 생각을 했다. 해고를 당한 이 가을날 오후에 핸드폰과 찌그러진 차와 아이의 돌반지까지 팔 생각을 하면서 이 낯선 남자와 마주앉아 마추픽추가 있는 페루 이야기를 한다는 것은 내키지 않는 일이었다. 하필이면 왜 페루이고 하필이면 왜 마추픽추인가 말이다. 단 한 번 부쳐져 온 그의 엽서에는 시루떡처럼 생긴 마추픽추의 그림이 들어 있었다. 잠시 시간이 나서 마추픽추에 들렀다. 수도 리마에서 한 시간 남동쪽으로 날아왔지. 거기서 북서쪽으로 백 킬로미터쯤 떨어져 있는 우루밤바의 험준한 산악 지대 속에 '늙은 봉우리' 마추픽추와 '젊은 봉우리' 와이나픽추가 있다. 이 두 산이 이어진 곳에는 하늘로 날아올라 보아야만 그 전모를 파악할 수 있는 '잃어버린 도시'가 있지. 인구 일만쯤을 수용할 수 있는 잉카의 도시였으나 언제 어떻게 건설되었는지 언제 사람들이 떠났는지 알 길이 없다. 모든 것은 이제 전설 속에 묻혔을 뿐……나는 그가 보낸 엽서를 세 번쯤 찢어서 쓰레기통에 버렸다. 그가 왜 마추픽추에 갔는지 알고 싶지 않았다. 젊은 봉우리와 늙은 봉우리, 그리고 새처럼 날아오르지 않으면 그 모습이 파악되지 않는, 이제는 사람이 살고 있지 않은 잃어버린 도시…… 그들은 다 어디로 갔을까. 그들은 왜 그 도시를 그토록 힘들여 지었을까. 그는 아마도 그런 것을 생각하고 있을 것이다. 아니, 어쩌면 그곳에서 그는, 소꿉처럼 작은 토산품을 외국인 관광객에게 들고 다니며 파는 어린 소녀의 그 작고 조잡한 물건을 모두 사서 제 가방에 넣고는 그 소녀를 무릎에 앉힌 채 소녀의 검은 머리를 땋아주고 있을지도 모른다. 그는 그런 사람이었다. 언젠가 월남 지사에서 근무할 때도 그는 통킹만(灣)에서 만난 소녀의 물건을 모두 사주었다고 했었다. 그의 집 진열장에는 쓸모 없는 그런 물건들이 주르르 서 있었다. 다 합쳐 봐야 몇 푼도 되지 않는 물건을 팔기 위해 작은 아이가 애쓰고 있는 게 안쓰러웠다고. 나는 쓰레기통에서 다시 엽서를 꺼내서 형체도 알아볼 수 없을 때까지 잘게 찢어 버렸던 것 같다. 마주칠 힘이 없으면 돌아가라, 피할 수 있는 데까지 피하라……그것이 서른 몇 살을 사는 동안 살아가기 위해 내가 얻은 유일한 진실이었다.

저, 결혼하셨습니까?

남자가 딱히 할 말도 없다는 듯 말했다.

네……그리고 이젠 혼자예요.

아마도 곧 이 자리를 떠나리라는 결심 때문이었을 것이다. 하지 않아도 될 말을 덧붙인 것은. 남자는 잠시 머릿속이 혼란한 듯이 고개를 갸웃하더니 머리가 한참 모자라는 사람처럼 아아, 하고 웃었다.

괜한 질문을 드렸군요.

남자는 정말 미안하다는 듯이 말했다. 나는 창 밖을 바라보았다. 골목길에는 가을 바람만 휑하니 불어가고 있을 뿐 아무도 없었다. 은행나무 몇 그루가 천천히 이파리를 떨구고 있었다. 나는 그 은행나무를 바라보았으나 나무는 나와 눈을 맞추지 않았다. 대체 은행나무와 눈맞추기를 바라는 것 자체가 애초부터 글러먹은 생각이었다. 곁을 주지 않는 쌀쌀한 사람에게 말을 붙이려고 했다가 무안만 당한 것처럼 나는 얼른 시선을 돌리고 그저 카페를 둘러보았다. 손님은 우리뿐이었다. 주인은 우리에게 칵테일을 날라 놓고 어디론가 사라져서 통유리창만 큰 카페는 어항 속처럼 적막했다.

그런데 왜 이혼하셨어요?……아 죄송합니다. 이런 질문……그렇지만 전 아직 결혼 전이거든요…….

나는 피우던 담배를 비벼 끄고 남자를 바라보았다. 뭐 이런 질문이야 한두 번 겪는 일도 아니었다.

글쎄요. 내가 곁에 없으면 그 사람, 죽을 것만 같아서 결혼했는데……살다 보니까 그 사람이 더 곁에 있으면 내가 죽을 것 같아서요.

말을 마치면서 나는 아주 조금 웃었다. 남자는 웃지 않았다. 대신 잔을 들어 한 모금 마시고 나서 아주 굳은 표정을 했다.

이상한 일이군요……언젠가 어떤 여자가 제게 그런 말을 했었어요. 일 년 전쯤 제가 페루로 떠나면서 헤어진 사람인데…….

남자는 말을 마치며 피식 웃었다. 나는 웃지 않았다. 그도 이렇게 지금 지구의 반대편, 페루의 카페 한구석에서 어떤 여자와 이런 말을 나누고 있을지도 모른다는 생각이 들었던 것이다. 그러자 문득 가슴 한구석에 다시 통증이 느껴졌고 이어 페루에서 온 이 남자가, 그가 거기서 어떤 여자와 다정하게 마주앉아 내 이야기를 하고 있는 것을 봤다고 우기기라도 한 것처럼 화가 치밀었다. 나는 갑자기, 이 남자와 어서 친밀해지고 싶은 기분이 들었다.

힘들었습니다.

그 남자는 칵테일의 둥근 잔을 손으로 빙빙 돌리며 담담한 표정으로 말했다.

힘드셨겠군요…….

나는 될 수 있는 대로 친밀하게 남자의 말을 받았다.

정말 그렇게 생각하십니까. 하지만 내가 정말로 힘들었던 건 그 여자는 혹시 조금도 힘들지 않은 건 아닐까, 그 여자에게는 그저 모든 것이 끝나 버린 듯한 게 아닐까 하는 그런 마음이 드는 때였어요…….

말을 마치는 남자의 입술이 참았던 슬픔으로 인해 일그러지는 게 보였다.

글쎄요, 실연을 당한 친구가 찾아와서 그런 말을 한 적이 있었어요. 비가 내리는 날이었지요……내가 위로를 건네자 그 친구는 내리는 비를 한참 바라보더니 말했어요. 그래도 같은 하늘 아래서 살고 있어, 내가 보는 이 비를 그도 바라보고 있다는 생각을 하면 조금은 위로가 돼…….

알겠냐는 듯 나는 남자를 바라보았다. 남자는 알 수 없다는 듯한 얼굴로 나를 바라보고 있었다. 그날 내게 찾아와 실연을 하소연하던 친구처럼, 조금만 더, 조금만 더 상투적인 말로라도 나를 위로해 주겠니? 하는 얼굴이었다. 하는 수 없이 내가 다시 입을 열었다.

페루로 떠났다면 그건 막막하잖아요, 막막한 거 말이에요……내리는 이 비를 그가 보는지 어떤지 그 여자는 모를 테니까요. 여기에 비가 내리는 날 페루의 한 도시에선 건조한 모래바람이 불지도 모르고, 여기에 눈이 내리는 어느 날 페루에선 사람들이 해수욕을 떠나고, 여기는 화창한 날인데 페루에서는 폭풍우에 시달린 새들이 떼죽음을 당하고 있을지도 모르니까요. 일본도 아니고 미국도 아니고 뭐 프랑스, 독일도 아니고 신문에 나오는 세계 주요 도시의 일기예보에도 나오지 않는 페룬데……아시겠어요? 내가 먹는 우동을 그도 지금쯤 저기서 먹고 있겠지, 하는 생각도 못하고……내가 듣는 이 노래를 어디선가 그도 듣고 있겠지, 그런 생각도 못하고……우리가 자주 걷던 길을 걸으면서 한번쯤 내 생각을 할까, 내가 그런 것처럼, 하는 생각도 못하고 힘들었겠지요. 언제나 보내는 사람이 힘겨운 거니까요. 가는 사람은 몸만 가져가고 보내는 사람은 그가 빠져 나간 모든 사물에서 날마다 그의 머리칼 한 올을 찾아내는 기분으로 살 테니까요. 그가 앉아 있던 차 의자와 그가 옷을 걸던 빈 옷걸이와……그가 스쳐 간 모든 사물들이, 제발 그만해, 하고 외친다 해도 끈질기게 그 사람의 부재를 증언할 테니까요. 같은 풍경, 같은 장소 거기서 그만 빠져 버리니 그 사람에 대한 기억만 텅 비어서 꽉 차버리겠죠. 그 여자가 어떻게 힘들지 않을 수 있을까요.

남자는 작게 고개를 끄덕였다. 하지만 별로 위로받지 못한 얼굴이었다. 문득 괜히 혼자 열을 냈나 하는 기분이 들었다.

담배 피우는 여자를 보면 그 여자 생각이 났어요. 담배 피우는 여자는 이 세상에 그렇게도 많은데.

남자의 고개가 내 담배 연기 속에서 숙여졌다. 잠시 고개를 숙이고 바바리 자락을 만지작거리더니 그는 혼자 생각에 잠겼다.

그런 거예요, 산다는 게……담배를 보고 생각하고 남산을 보고 생각하고, 하지만 그건 담배 탓도 남산 탓도 아닌 걸요.

고개를 숙이고 있던 남자가 무슨 소리냐는 듯, 눈을 깜박였다. 나는 피식, 하고 웃었다. 남자는 모를 것이다. 그의 작은 아파트가 남산 아래에 있었고 그의 집에 처음 갔을 때 커튼을 열자 불쑥 다가 오던 남산의 탑. 밤이 되면 페르시아 왕자의 보석 모자처럼 어둠 속에서 황홀히 빛나던 그 탑. 그가 나의 잠옷으로 정해 준 그의 낡은 면 티셔츠, 휴일이나 토요일 오후 나는 그의 커다란 티셔츠를 원피스처럼 입고 엎드려서 앙상한 다리를 함부로 덜렁거리며 그의 집에서 영화를 보고 또 커피를 마셨다. 그는 그 티셔츠를 페루로 가져갔을까. 내게서 사라진 지 오래지만 많이 빨아서 실크처럼 후들거리는, 소매끝이 약간 바랜 그 면 티셔츠의 초록색은, 아이를 재우고 잠옷으로 갈아입을 때마다 내 팔이 먼저 기억해 냈다. ……그 빛바랜 티셔츠가 있던 그의 집은 아직도 남산 아래에 있지만, 그래서 지금은 다른 사람이 거기서 라면도 끓여 먹고 살고 있겠지만, 그 사람들도 가끔 창을 열고 남산 탑을 바라보겠지만, 그래도 퇴근길에 그를 만나기 위해 내가 찾아가던 그 비탈길과 택시에서 내린 우리가 서둘러 입맞추던 어두운 골목길과 우리가 자주 가던 홍합탕을 끓이는 집은 아직 거기 있다. 담배 피우는 여자를 어디서나 볼 수 있듯이 남산도 서울 어디서나 보인다. 심지어 고속도로를 달려 아직 서울로 진입하기 전에도 언덕을 넘으면 한강 너머 멀리 거기 남산 탑이 보인다. 서울 토박이지만, 나는 남산 탑이 그렇게 서울 어디서나 잘 보이는 곳에 있는지 알지 못했었다. 기억은 머리로 하는 것이지만 추억은 가슴으로 하는 것이어서 내 가슴의 탑은 날마다 불을 환히 밝혔다. 나는 남산 탑에 버림받은 여자 같았다.

페루로 가서도 그 여자의 회사에 가끔 전화 걸곤 했어요.

남자는 대체 페루하고 남산이 무슨 상관이 있는지 모르겠다는 듯한 표정을 짓더니 제 생각에 취해 말을 이었다.

내 전화를 받으면 냉랭해져 버리기 때문에 그 여자가 퇴근하고 회사에 아무도 남아 있지 않은 그런 시간에 전화를 걸었지요. 그 여자가 없는 그 여자의 공간에 전화 거는 기분 같은 거 이해할 수 있으세요?

쭈뼛쭈뼛거리던 남자가 말갛게 눈을 뜨고 나를 정면으로 바라보며 물었다. 갑자기 마주쳐 버린 눈 때문에 나는 얼른 시선을 돌렸다. 빈 사무실에 울리는 전화벨 소리, 빈 사무실인 줄 알면서 전화거는 마음……나는 빈 골목길을 바라보았다. 바닥에 떨어져 내린 은행이파리 때문에 노란빛만 환했다.

그 여자는 누군가 자기와 함께 슬퍼해 줄 수 있는 따뜻한 마음이 있다는 걸 이제 믿지 않으려고 했어요. 어떤 때 그 여자는 결국 모든 것을 끝장내려고 사는 것 같았어요. 그래도 나는 표를 두 장 준비하고 기다렸어요. 페루는 비자가 없어도 갈 수 있는 나라니까. 공항에 그 여잔 나오지 않았어요. 핸드폰은 죄송합니다, 지금은 연결이 되지 않습니다고 말하더군요. 그리고 오늘 그 여자 회사에 전화를 했는데 그만두었다고 하대요. 사실은 아까 그 주차장에 전화를 하러 들어간 거였어요. 그 여자 회사가 그 근처거든요. 내가 페루로 떠난 후에 여자는 이사를 했나 봐요. 바뀐 전화번호도 알 길이 없고 해서…….

그가 떠난 후 일 년, 그 동안 회사로 그의 전화가 한 번 걸려 오기도 했었다. 목소리가 너무 가깝게 들려서 나는 그가 페루에 있다는 사실을 믿을 수가 없었다. 마지막 접선을 시도하는 비운의 첩자처럼 그는 적어, 하는 말로 통화를 시작하면서 자신의 거처를 알리는 암호 같은 긴 전화번호를 불렀다. 스타일화를 그리고 있던 나는 그의 전화번호가 허공에서 헛되이, 내가 그린 스커트의 날카로운 선을 따라 스러지는 것을 바라보고 있었다. 결혼은 사랑의 완성이라고 누가 우리에게 가르쳐 주었을까. 나는 그때 이 세상에는 존재하지 않으나 다만 스타일화 속에서만 표준으로 존재하는 십등신 몸매를 가진 여자의 스커트 자락 위에 그의 전화번호 대신 완성이라는 낱말을 무수히 쓰고 또 갈겨쓰고 있었다.

회사 동료가 귀띔을 해주더군요. 어떤 여자가 같은 목소리로 가끔 전화를 걸어서 내 이름을 찾는다고 말이지요. 그러고는 페루의 전화번호를 가르쳐 주려고 하면 황급히 전화를 끊었다구. 나는 왠지 그게 그녀라는 생각이 들었어요. 어디 속이 불편하신가요? 아니면 제 이야기가 너무 부담스러우셨나요?

아닙니다. 괜찮아요.

괜찮지는 않았다. 나는 명치보다 조금 더 아래께에 통증을 느끼고 있었다. 나는 마취제로서의 알코올의 성분을 생각하며 칵테일을 마셨다. 낮에 마시는 술이기 때문인지 기분이 조금 가벼워지는 것 같았다. 나는 한 모금 더 마셨다. 가벼워지고 싶었다. 가벼워지고 가벼워져서 날개가 돋도록. 마추픽추 신전의 모양을 모방해서 만들었을 칵테일의 초록과 자주의 층이 작은 유리잔 속에서 조금씩 무너져 내려 이제 거의 형체를 알아볼 수가 없었다.

새들이 페루에 가서 죽는다지요?

몸이 가벼워지자 이 자리를 떠나야겠다는 조급한 마음도 사라지고 있었다. 내가 화제를 바꾸며 물었다. 남자가 빙그레 웃으며 면도 자국이 남아 있는 턱을 한번 쓸었다.

로맹 가리가 쓴 소설 말이군요. 어디서나 새들은 죽어요. 그리고 어린 새들이 또 태어나겠지요. 페루에 대해 궁금하신가요?

아니요, 전 페루에 대해 아는 게 없어요.

알고 싶지 않으신 거로군요. 죽을까 봐.

남자가 웃었다. 나는 웃지 않고 그저 담배를 물었다. 남자가 은빛 라이터를 꺼내 담배에 불을 붙여 주었다. 남자의 유리잔 속의 마추픽추도 거의 형체를 알아볼 수 없이 허물어져 버리고 있었다. 하지만 내가 마신 마추픽추는 위 속으로 들어가 다시금 진초록과 진자주로, 선명하게 다시 쌓이고 있는 듯했다. 카페엔 손님이 없었다. 낮은 소리의 음악도 끝나 버렸지만 주인은 나타나지 않아서 카페는 무덤 속처럼 고요했다. 나는 시계를 들여다보았다. 카센터 주인이 말한 시간이 얼추 다 되어가고 있었다.

한때 저를 매혹시켰던 책의 첫 구절은 이렇게 시작되지요. 이 세상에서 변하지 않는 단 하나의 진실은 모든 것은 변한다는 사실뿐이다. 그러고 보니 아까 하신 말씀이 생각납니다. 맞아요, 처음에 나는 그 진실이 없으면 죽을 것만 같았는데 이제 그것을 간직하면 여기서 내가 죽을 것만 같더군요. 그 책은 진리를 말하고 있었던 거예요. 모든 것은 변한다. 저는 그 구절만 빼놓고 그 책에 있는 모든 것들을 믿었지요. 그 책이 나에게 주었던 진실이 진실인 것만은 변하지 않을 거라고 어리석게도 생각했던 거예요. 세상에, 이 세상에 변하지 않고 언제나 거기 있어 주는 것이 한 가지쯤 있었으면 했지요. 그게 사랑이든, 사람이든, 진실이든 혹은 나 자신이든…… 나는 기대어 서 있고 싶었나 봐요. 존재란 건 원래 머무르고 싶어 하니까요. 그래서 저는 페루로 갔습니다.

차가, 차가 다 고쳐졌을 것 같군요.

내가 남자의 말을 막았다. 그가 잠시 실망스러운 표정을 지었다.

난데없는 제 말이 부담스러우신가 보군요, 곧 가겠습니다. 저도 가야 하는 시간이니까요. 머물고 싶지만 그럴 수가 없으니까요. 그래도 한마디만 괜찮다면,

남자가 애타는 눈길로 나를 바라보았다. 이상한 사람이군, 나는 시계를 들여다보고 나서 이야기가 조금이라도 더 길어지면 지체 없이 일어나겠다는 표정을 지었다.

죄송합니다. 댁을 보는 순간 하지만 왠지 이 말을 꼭 드리고 싶었어요. 사랑은 완성되어야 할 그런 것이 아니라고 말이지요. 혁명이 그렇고 삶이 그렇듯이. 하지만 우리는 끝을 보고 싶어했어요. 손으로 만질 수 있고 눈으로 볼 수 있는 그런 것이 아니면 모든 것이 처음부터 없었던 것과 같아지는 거라고. 그 중간은 존재하고 그 과정도 존재하며 사실은 삶이란 게 바로 그런 과정들일 뿐인데 말이지

요. 삶조차 완성될 수는 없는 건데요. 나는 조급히 끝을 만지고 싶어하는 그 여자를 사랑한 만큼 증오했나 봐요. 끝이 보이지 않았던 내 희망을 사랑하고 증오했듯이……아마 그래서 그 여자 없이도 페루로 갈 수 있었던 것 같아요.

나는 자리에서 일어났다. 남자는 잠시 침묵하더니 나를 존중한다는 듯 따라 일어나 돈을 지불했다. 남자가 돈을 내는 것을 보고 있기도 뭐해서 고개를 돌리는데 갑자기 남보랏빛 물체가 눈을 가로막았다. 벽 위에 형체가 무너져 가는 한 사람이 서 있었다. 그러니까 남자인지 여자인지 알 수도 없는 한 존재, 지금 여기를 바라보고 있는 건지 아니면 등을 돌려 떠나가는 참인지 알 수 없는 그런 존재. 존재는 땅에 발을 붙이지 못한 채로 서 있었다. 왜냐하면 남보랏빛과 검은빛이 섞인 땅은 소용돌이에 휩싸인 듯이 보였기 때문이었다. 왜였을까, 나는 문득 머릿속을 스치는 죽음, 이라는 단어를 느꼈다. 하지만 그 그림 밑에 씌어진 제목은 이랬다. 존재는 눈물을 흘린다. 순간 아랫배가 출렁, 하는 느낌이 들었다. 켜켜이 줄을 지어 선 마음의 서랍이, 아까 그를 만난 순간부터 위쪽에서부터 아래쪽으로 열리기 시작하면서 내가 살아오는 동안 한 번도 열리지 않았던 그 맨 아랫서랍이 삐그덕, 삐그덕 열리고 거기 담겨 있던 나의 내장이, 내 존재를 육체이게 해주는 나의 내장들이 소금에 절여진 듯이 꿈틀꿈틀거리고 있었다. 둔중한 쓰라림이 나의 등을 뻣뻣하게 스쳐 지나갔다.

여기서 헤어져야겠군요.

카페 앞 골목으로 나서자 남자가 말했다. 나는 그가 밟고 선 노란 은행잎들을 바라보았다. 한때는 반짝였으나 이제는 먼지가 얇게 앉아 있는 그의 낡은 구두와 한때는 서슬 푸르게 꼿꼿했을 그의 낡은 바짓단, 단정한 감색 바바리가 무릎까지 내려와 있었다. 그 위에 목을 얹은 그의 얼굴은 뜻밖에도 영원한 고요 속으로 침잠하려는 것처럼 아주 슬퍼 보였다. 그렇게 살지 말아요. 그렇게 살면, 힘들어요. 나는 마치 가까운 후배에게라도 하듯 말하고 싶었다. 그가 다가와 바바리를 입은 내 허리를 가볍게 쓸어내렸다. 나는 남자를 알지 못하는 처녀처럼 당황한 채로 한 발짝 물러나 얼른 가벼운 목례를 보내고 돌아섰다. 그러자 손가락들이 말하기 시작했다. 아까부터, 마음의 맨 아랫서랍이 열리는 것을 느꼈을 때부터 아우성 친 내 손가락들의 유혹을 한번쯤 들어주고 싶다는 생각이 들었다. 내 차에 상처를 낸 그에게 관대했듯이 그렇게, 손가락에게도 관대해 보자고. 나는 핸드폰을 꺼내 들었다. 그리고 오래 전부터 나 때문에 힘겨웠던 내 입술에게도 한번쯤 기회를 주고 싶었다. 입술은 나의 허락을 믿지 못하겠다는 듯 작게 몸을 떨었다.

그의 페루 전화번호를 알고 싶습니다.

어떻게 하지요. 저, 그분 실종되었어요. 일 주일째 아무 연락이 없습니다. 잠시 여행을 갔다 오겠다고 가벼운 차림으로 나섰다는데, 아파트도 비어 있고 완벽하게 사라졌어요. 절대로 그러실 분이 아닌데 말이지요. 거긴 폭풍이 굉장했대요. 폭풍이 지나간 후, 산에서 바다에서 살아남은 사람들은 다들 빠져 나왔는데 그분은 오시지 않았어요. 현지 경찰과 대사관이 조사를 시작했지만 아직 찾지 못했습니다.

사내는 더듬거리며 말했다. 마치 그가 사라진 것이 자신의 잘못이라도 된다는 듯했다. 전화를 끊지도 못하고 나는 문득 그가 사라진 골목 저쪽을 바라보았다. 외줄기로 길게 뻗은 골목길엔 아무도 없었다. 나는 갑자기 다급한 마음이 들어 그가 간 쪽의 골목길을 따라 뛰어가다가 큰길로 나왔다. 그는 어디에도 없었다. 사라진 것이다. 차들이 와왕거리며 지나가고 소풍을 마친 유치원 아이들이 삐약삐약 떠들어대며 차에 타고 있었다. 사진 촬영을 끝낸 신랑이, 긴 드레스가 버거운 신부를 데리고 싱글거리며 내 앞을 스쳐 지나갔다. 한때는 희망으로 빛나던 이 길을 당신들도 언젠가 절망으로 걸어갈 날이 있을 것이다. 희망으로 한번 빛나 보지 않은 길은 결코 절망으로도 이르지 못한다. 그것은 결코 길의 탓은 아니지만, 경계하라! 그 변덕스러운 삶의 갈피를……언젠가 음악이 멈추고 무도회가 끝난 것처럼, 귓속으로 먹먹한 정적이 스며들지도 모른다. 그러니 다시금 경계하라! 불행조차도 고여 있지 않다는 진실을……나는 완벽한 침묵의 공간에 서 있는 것 같았다. 그를 처음 만났던 것도 우리 회사의 지하 주차장이었다. 그때 그는, 아직은 멀쩡하던 내 차의 옆구리를 박으며 내 삶에 끼여들었다. 내 차에 흠집을 냈던 다른 모든 사람처럼 그냥 도망쳐 버려도 되는데, 그는 차 곁에서 우두커니 서 있었다. 비상등을 켜두셨길래 금방 오실 줄 알았어요. 그때도 나는 생각했었다. 나한테는 고마운 일이지만, 이렇게 살다가는 이 사람 오래 버티지 못하겠군. 이 년 전 가을의 일이었다. 그때도 나는 이 바바리를 입고 있었다. 그때 이후 얼마 동안 지하 주차장의 어두운 등불들 별처럼 빛나고 내가 걸친 이 바바리의 섶들은 유월의 들풀처럼 꼿꼿했었다. 하지만 지금 이 길거리에는 후줄근한 낡은 바바리를 입은 여자가 서서 고막을 터뜨릴 듯 내리누르는 침묵을 견디고 있을 뿐이다. 그는 사라져 버린 것이다. 그는 대체 어디로 갔을까. 아까 카페에서 나와 단정한 그의 감색 바바리 자락이 문득 나의 옷깃을 스쳤을 때, 내 허리에 얹힌 그의 손에 대한 기억이 뒤늦게, 그러나 정수리를 쪼개듯 선명하게 머리를 스치고 지나갔다. 내가 당황하며 한 발짝 물러선 것은 그의 친근한 표현이 두려워서가 아니라, 그 손길의 낯익음 때문이었다. 몸은 그의 손길을 기억하고 있었던 것일까. 그는 드디어 가벼워져서 여기까지 날아온 것일까. 나는 나도 모르게, 아니야, 하고 말했다. 하지만 내가 그 말을 정말 입 밖에 낸 것일까. 아니 이 모든 일이 정말 실제로 일어나기나 한 것일까. 내 귀에는 아무 소리도 들리지 않고 그저 고막을 찢을 듯한 무거운 침묵뿐이었다. 그러자 바로 그 때 푸딩처럼 엉긴 무거운 침묵을 바수어뜨리며 내 귓가에 무수한 새들이 푸드득 푸드득 날갯짓을 하고 날아오르는 소리가 들렸다. 무심히 열려 버린 내 서랍 속에 오래 갇혀 있던 새들은 날아올라 대열을 정비하고 오래 전부터 꿈꾸어 왔던 일이라는 듯이 일제히 한 방향을 향해 날기 시작했다. 나는 그 새들이 막막한 대양을 건너서, 하늘에서만 볼 수 있는, 잃어버린 도시를 지나, 늙은 봉우리 마추픽추에 머리를 부딪혀 죽는 환상을 이어서 언뜻 본 것 같기도 했다. 무수히 죽어 나자빠진 새떼의 육체들을.

죽기 전에 새들은 날개가 처음 돋았던 시절을 기억했을까. 처음 비상을 할 때, 하늘을 우러르는 빛으로 솟아오르던 그 푸른 눈동자들을. 그리고 시간이 지나간 후, 날개가 꺾여 파르르 떨리던 그 순간이 왔을 것이다. 하지만 그 순간들이 있는 한, 죽음 역시 삶의 과정으로 존재하게 되는 것, 이라고 그의 말대로 나는 생각해도 되나. 태어난 새들은 어디서나 죽고 그러고 나면 다시 어린 새들이 태어나겠지. 흐린 이 가을날, 먼 곳 들판 한켠에서 엎드린 곤충들이 바싹바싹 말라 가며 죽어 가고 있고, 그 곁에 말갛게 씻은 참깨 같은 알들이 소복이 쌓여 있듯이, 먼 곳 페루에서 한 남자가 사라질 수도 있으리라. 그럴 수도 있으니까. 표창을 받은 경력을 가지고도 해고당하고, 서른세 살에 갑자기 구세대가 되어 버리고, 천년을 맹세한 도시를 지어 놓고 살던 일만 명의 사람들이 자취도 없이 사라져 버리는 일이 일어날 수도 있듯이……하지만 대체 어디로, 대체 어떻게, 차마, 사라질 수가 있을까마는…….

나는 그와 처음 보았던 연극의 제목을 생각해 냈다. 〈어떤 사람도 사라지지 않는다〉라는 연극이었다. 그렇다면 그는 사라지기 위해서 내게 그 연극을 보자고 했던 것일까. 이렇게 사라져 버리고는 겨우, 어떤 사람도 끝내 사라지지 않는다, 는 그 말을 훗날의 내게 남기고 싶어서? 이제는 내가 그리워하지 않을 테니 제발 있어 달라고, 지구 한 모퉁이, 세계 주요 도시의 일기예보에도 나오지 않는 페루든, 어디든, 제발이지 그저 살아 있어 달라고, 이제 나는 다시는 기도도 하지 못한다는 말일까? 나는 흐린 가을의 오후 속에 혼자 서 있었다. 아직도 핸드폰을 들고 있는 나의 손은 축축해져 있었다. 나는 핸드폰을 백 속에 넣고 바바리 자락에 젖은 손을 문질렀다. 새떼들이 죽어 나자빠지고 은행나무의 기억 속에서 공룡이 걸어온다고 해도 나는 이제 다시는 페루로 가고 싶지 않을 것이다. 마음속에서 날마다 페루를 향해 은밀한 비상을 꿈꾸던 새들은 모두 떠나 버렸으니까. 그렇지만, 그래도, 다시 어린 새들이 태어나면 어떻게 하나, 서랍 안에 갇혀서, 먼 곳만을 보도록 운명지어진 눈을 말갛게 뜬 채로.

어서 집으로 돌아가야겠다는 생각이 들었다. 흔들의자를 베란다에 내다 놓고 아이를 무릎에 앉힌 채, 천천히 아이의 머리라도 땋아 주며 나는 생각을 좀 해보고 싶었다. 이 세상에서 변하지 않는 단 한 가지의 진실은 모든 것은 변한다는 것이다, 라고 내가 희망을 걸었던 책의 첫 구절에 써 있었지요. 나는 그 구절만 빼고 그 책에 씌어진 모든 것들을 다 믿었어요. 그 진실만은 변하지 않을 거라고 믿었지요. 세상에, 이 세상에 단 한 가지쯤은 변하지 않고 늘 거기 있어 주는 게 한 가지쯤 있었으면 했어요. 그게 사랑이든 사람이든 진실이든 혹은 내 자신이든……나는 기대어 서 있고 싶었고 존재는 머무르고 싶어하니까요……그러자 늙은 봉우리, 마추픽추 한 언덕빼기, 이제 영원히 그곳에 머물게 될 새들의 주검들 속에서 마지막까지 버티며 날개를 퍼덕이던 새 한 마리가 움직임을 멈추었고, 생을 맹세하고 막막한 대양 위를 날아가 잃어버린 도시를 찾아낸 그의 푸른 눈빛이 멍해지면서 눈물이 한 방울 떨어져 내렸다. 이미 늦은 거야, 하는 생각 때문에 한 발짝도 움직일 수 없는 기분이었지만, 미안해, 정말, 미, 안, 해. 나는 적어도 시간만은 우리 앞에 오래 지속될 거라고 믿었어……천천히, 떨리는 손을 내밀어, 나는 그의 눈물을 닦아 주었다.

노란 은행잎이 천천히 떨어져 내리는 길이 이어져 있었다. 무덤 속처럼 적막한 긴 길이었다.

추 · 천 · 우 · 수 · 작

거울에 관한 이야기

김 인 숙

1963년 서울 출생.

연세대 신문방송학과를 졸업하고,

1983년 《조선일보》 신춘문예에

〈상실의 계절〉이 당선되어 등단했다.

소설집으로 《함께 걷는 길》·《칼날과 사랑》,

장편소설로 《핏줄》·《불꽃》

《긴 밤, 짧게 다가온 아침》·《그래서 너를 안는다》

《시드니 그 푸른 바다에 서다》·《먼길》 등이 있다.

한국일보문학상을 수상했으며,

제21회 이상문학상 추천우수작에 선정된 바 있다.

거울에 관한 이야기

1

제과점의 유리창은 물빛이었다. 물빛 유리창도 다 있는가 싶었으나 가까이 다가가 보니, 그것은 그저 투명 유리일 뿐이었다. 물빛은 유리 위에 걸려 있는 푸른색 차양의 빛이었다. 하늘 꼭대기에서 어슷 빗나가기 시작한 한 시 무렵의 해가 차양 위에 걸려서 차양의 색깔을 창에 부어 준 것이었다. 거기에 바깥의 아지랑이가 물결처럼 일렁이고 있었다.

어쨌든 물빛의 유리창은 시원해 보였다. 유리를 통해 밖을 내다보는 동안, 나는 바깥이 이글거리는 폭염의 한낮이라는 사실을 깜빡깜빡 잊곤 했다. 실내는 시원하다 못해 추울 정도여서, 나는 나도 모르는 사이에 짧은 팔의 옷소매를 자꾸 끌어내리고 있는 중이었다. 내가 앉은 곳의 체감으로 바깥 역시도 그렇게 바라보였다. 폭염의 아지랑이 사이를 느릿느릿 걷고 있는 사람들의 모습 속에서 흘러내리는 땀방울이라던가 훅훅 내뱉어지는 더운 숨이라던가, 하는 것은 전혀 짐작조차 되지 않았다.

그러나 건널목 저편에 어머니의 모습이 나타났을 때, 나는 순식간에 창 바깥의 거리로 내동댕이쳐지는 기분이었다. 참을 수 없는 더위가 훅, 하고 몰려들었다. 어머니의 이마에서부터 뺨으로 툭툭 떨어져 내리고 있을 땀방울의 근지러운 느낌이 그대로 내 목 언저리에서도 느껴졌다.

물론 건널목이 새삼스러운 것은 아니었다. 어머니의 모습이 거기에 나타나기 전부터 나는 내내 그 건널목을 바라보고 있었다. 문제는 아마도 어머니였을 것이다. 어머니의 모습이 거기에 나타나는 순간, 건널목은 갑자기 출렁이는 강물처럼 보였다.

그러나 어제 저녁, 어머니와 약속을 정할 때 어머니가 건널목 저편에서 버스를 내리실 거라는 걸 내가 까맣게 모르고 있었던 것은 아니었다. 다만 생각을 안 하고 있었을 뿐이었다. 사실 이 제과점의 위치를 자세히 설명해 준 것은 오히려 어머니 쪽이었다. 어머니는 이 제과점이 약국 바로 옆에 있다는 사실까지 기억하고 계셨다. 때때로 비상한 기억력이었다. 어머니는 제과점이 약국 바로 옆에 있다는 말을 하시다 말고, 내가 일곱 살 적의 일을 꺼내셨다.

"너 기억나니? 너 그때 왜, 손가락 사이에 습진이 생겼을 때 말이다. 무슨 수를 써도 그게 나아야지 말이다. 손가락 사이가 툭툭 짓물러 터지는데 이걸 발라 봐도 안 낫고 저걸 발라 봐도 안 나아. 내가 네 손을 붙잡고 얼마를 걸어서 그 약국까지 갔었던가 모른다. 날은 덥지, 네 손에서는 땀에 고름에 줄줄 흐르고 있지……차암, 죽을 맛이더라."

일곱 살 적의 기억, 그러니까 벌써 스무 해도 훨씬 전의 일이지만 그건 나도 기억하고 있는 일이었다. 당시의 대부분의 일을 잊고 있으면서도 유독 그 일을 기억하고 있는 것은, 그 습진으로 인해 겪었던 일이 내게는 너무 고약했기 때문이었다. 친구와 공기놀이를 하던 중이었을 것이다. 옆에 앉아서 친구와 내가 공기놀이를 하고 있는 걸 유심히 바라보고 있던 친구 어머니가 갑자기 내 손을 확 잡아채서는 손바닥을 쫙 벌리게 만들었다. 친구 어머니는 내가 보는 앞에서 공기돌을 마당 저편으로 팽개치고, 그걸 되집으러 가려는 자기 딸의 머리통을 호되게 쥐어박고, 그리고는 자기 딸의 손을 빨랫비누로 박박 문질러댔다. 그때 내 손을 잡아채던 친구 어머니의 매몰찬 손길의 기억, 그것이 내가 일곱 살 나이에 겪었던 습진의 기억이었다. 그러나 어머니는 다르셨던 모양이었다.

"내가 나중에 니 고모한테 그 약국이 용하더라고 알려 주느라 한 번 더 거길 갔었지 뭐냐. 그때 거기 옆에 제과점에서 빙수를 사먹었었는데, 어찌나 네가 눈에 밟히던지 말이야. 널 데리고 갔을 때 네가 그렇게나 빙수 한 그릇만 사달라고 하던 걸, 그깟 거 뭐라구, 한 그릇 사줬으면 좋았을걸. 세상에나 그 집 빙수가 그렇게 맛있더라. 지금 그 제과점 얘기가 아니라 전에 있던 데 말이다."

우연찮게도 여전히 약국과 제과점은 나란히 붙어 있었지만, 지금의 약국과 제과점 모두가 삼십 년 전의 그 약국, 그 제과점은 아니었다. 그러나 나는 어머니께 빙수를 사드리겠다고 말했고 어머니는 그깟 거 먹자고 거기까지 갈 일 있냐고 마다하시다가, 끝내 응낙을 하셨던 것이다.

어머니가 건널목을 건너셔야 한다는 사실을 깜빡 잊고 있었던 것은 그 때문이었다. 세상에, 어머니는 내가 일곱 살 때 일을 저렇게 잘 기억하고 계시네, 하는 감탄 때문에 갑자기 내가 느끼고 있던 걱정 전부가 모두 다 터무니없는 것처럼 여겨져 버렸던 것이다.

그러나 건널목 앞에 서 계시는 어머니는 다시 위태롭다. 나는 물빛 유리창에서 시선을 떼어 내지 못한 채로 어머니를 바라보고 있었다. 적어도 유리창 안에서 바라보기에 어머니는 그저 무연히 서 계시는 것 같았다. 그러나 신호등이 파란불로 바뀌어 건널목에 서 있던 사람들이 모두 다 차도 아래로 내려서는데도, 어머니는 여전히 거기 서 계실 뿐이었다. 느릿느릿, 필요 이상으로 커보이는 손가방 안에서 손수건을 꺼내 이마와 목덜미의 땀을 닦아 내리면서 어머니는 건널목을 건너는 사람들을 그저 바라보고만 있었다. 어머니의 정수리 위에 해가 곤두서 있는 것처럼 보였다. 어머니는 비오는 날 우산을 갖고 나와야 한다는 걸 번번이 잊는 것처럼, 이 햇살 뜨거운 날에는 양산을 갖고 나와야 한다는 것을 잊으신 모양이었다.

어느 날 아침, 어머니는 비를 흠뻑 맞은 채로 내 집 문 앞에 서 계신다. 그날은 새벽부터 비가 온 날이었다. 엄마, 우산은? 내가 물으면 어머니는 그냥 환하게 웃으신다. 비오는 걸 보면서도 우산 챙기는 걸 잊는 것쯤은 어머니한테는 큰일이 아닌 것이다. 그때 어머니의 손에는 미역 한 타래가 들려 있다. 어머니는 그날이 당신 딸자식의 생일이라는 것을 잊지 않고 있으셨고 그 자식을 위해 벌써 한 달 전부터 찬장 깊숙이 챙겨 두었던 미역이 있다는 것을 잊지 않으셨던 것이다.

—글쎄, 비오는 걸 뻔히 보고도 우산을 안 갖고 나왔지. 늦을까봐 내처 와버렸다. 너 나가기 전에 와서 미역국 끓여 줄려구.

그렇다. 어머니에게 중요한 기억은 우산 따위가 아니었다. 딸자식의 생일과 딸자식이 살고 있는 아파트의 동 호수와, 딸자식의 전화번호. 중요한 건 그런 것들이었던 것이다.

나는 어머니가 잃어 가고 있는 기억들이 그저 사소한 것들이기만 하였으면 하고 바라고 있었다. 그저 사소한 것들, 말이다. 예컨대 냉장고 문을 열었다가는 다시 닫아야 한다는 것, 가스를 다 쓴 뒤에는 반드시 밸브를 잠가야 한다는 것, 수돗물 역시 틀었다가는 다시 잠가야 한다는 것……그런 정도의 사소한 것들 말이다.

어제 저녁, 친구 어머니의 부음을 받고 들렀던 영안실에서 나는 내 어머니를 생각했었다. 돌아가신 친구 어머니에게 치매가 있었다는 사실이 어쩌자고 그렇게 가슴을 막막하게 만드는지 알 수 없는 일이었다. 생전에 단 한 번도 뵌 적이 없는 분이었는데도 나는 친구 어머니의 영정 앞에서 하마터면 눈물을 흘릴 뻔했다. 치매 환자인 친구 어머니가 길을 잃어버리고 거리에 서 있는 모습이 눈앞에 아른거리는데, 곧 친구 어머니의 모습이 내 어머니의 모습으로 바뀌었다가 다시 내 모습으로 바뀌기도 했다.

친구 어머니가 길을 잃었던 건, 치매 초기의 일이었다고 했다. 그러니까 아직은 그 누구도 당신에게 치매가 있다는 것을 알지 못했을 때, 친구 어머니는 당신 혼자만의 어둠 속으로 홀로 곤두박질쳐 버리셨다.

친구의 말에 의하면 친구가 회사에서 퇴근을 하고 귀가하던, 아무런 의미도 붙일 수가 없는 그저 어느 날 저녁 무렵의 일이었다고 했다. 친구가 버스에서 내려 집 쪽으로 걸어가는데 어머니가 버스 정거장과 건널목 사이에 우두커니 서 계시더라고. 엄마, 왜 거기 그러고 계세요? 친구가 물었을 때 그의 어머니의 눈 속에는 모든 것을 한꺼번에 삼켜 버린 동공밖에는 보이지가 않더라고 했다. 어머니가 그 눈을 크게 두어 번 껌뻑거리다가 대답하시더라고. 얘야, 길을 건널 수가 없구나…….

친구 어머니가 거기에 왜 나와 계셨던지, 어쩌다가 그렇게 되셨는지는 두고두고 알 수가 없는 일이었다. 친구 어머니가 찾을 수 없었던 건널목은 친구와 친구 어머니가 십 년씩이나 한 자리에서 살았던 집의 바로 앞에 있는 것이었다. 친구 어머니는 그 건널목을 수백 번쯤은 넉넉히 건넜으리라. 그리고 길을 잃기 바로 직전에도 건넜을 건널목……그것이 어떻게 그리 송두리째 사라져 버릴 수가 있었을지…….

친구 어머니가 아직 칠순이 되기도 전인 나이에 덜컥 목숨을 놓아 버린 이유가 치매 때문이 아니라 치매 노인의 텅 빈 달팽이 껍질 같은 육체 속에 기생하고 있던 암세포 때문이었다는 것을 알게 되었어도 내 마음은 편치가 않았다. 친구 어머니의 영안실에 들러 집으로 돌아오던 길에, 나는 도중에서 차를 세우고 공중전화를 찾아 들어갔다. 전화는 어머니가 직접 받으셨다. 어머니는 느닷없이 점심을 사드리겠다는 내 말이 못 미더운지, 한참이나 망설이다가 갑자기 명랑해져서 그 제과점의 위치를 설명하기 시작하셨다. 아주 오래 묵었던 내 일곱 살 적의 기억까지 꺼내 가면서 말이다.

2

이날 아침, 나는 약속 시간보다 두어 시간이나 먼저 나와 제과점 옆으로 즐비한 가구점들을 구석구석 살폈다. 어느 가구점에나 화장대나 거울이 없는 곳은 없었지만 처음부터 딱히 어떤 것을 사겠다는 생각이 없어서였는지 쉽게 마음을 정할 수 있는 것이 없었다.

"어떤 걸 찾으시는데요?"

반짝반짝 윤이 나는 광택 가구에서부터 원목 가구까지를 전시하고 있는 대형 가구점에서, 친절을 보이던 점원 하나가 내게 물었다. 그러나 노인네가 쓰실 건데요, 라는 말은 쉽게 나오지 않았다. 대부분의 가구들은 젊은 이들의 취향에 맞춰져 있었다. 십 년도 쓰고 이십 년도 더 쓴다고 선전하고 있는 가구들이었다. 그 가구들이 이제 앞으로 오 년을 더 살지 일 년을 더 살지도 알 수 없는 노인네를 위해 자신들을 봉사하고 싶을지는 알 수 없는 일이었다.

물론 아직도 자개장 따위를 전문으로 파는 곳이 있었다. 뜻밖에도 자개를 넣어 박은 가구들은 매우 비싸서, 그것이 노인네들의 뒷방 차지로 가기 위해 아무렇게나 만들어진 것은 아니라는 것을 알 수 있게 했다. 그러나 물론 어머니의 방에는 그런 고급 자개 경대는 어울리지 않았다.

어울리는 것……애시당초 어머니의 방에 어울리는 것을 찾는다는 것이 가능한 일일 수 있는 걸까? 어머니의 방에 놓인 가구들은 전부 다 이십 년 삼십 년씩 흘러간 것들이었다. 얼마 전에 어머니가 깨뜨려 버렸다는 경대가 오히려 그중 역사가 가장 짧아서 십 년쯤 된 것이었다. 그러나 물론, 그 역사는 어머니의 방에서만이었다. 어머니가 쓰던 앉은뱅이 화장대는 전에 집주인이 쓰던 것이었다. 그때까지만 해도 아직 새것이었던 화장대였으나 전 주인은 어머니가 그것을 몹시 탐낸다는 것을 알았고, 그래서 당시 중고치고는 매우 비싼 값으로 그것을 어머니에게 팔아치웠던 것이다. 전에 집주인은 이민을 간다던가 그랬었다.

어쩌면 어머니로서는 그것이 당신 생애의 가장 큰 사치였을 것이다. 어느 날 화장대의 거울 밑받침이 흔들리기 시작했을 때, 어머니를 모시고 사는 동생이 위험하다는 이유로 새것을 장만해 드리려고 했음에도 어머니가 그것을 굳이 마다하셨던 것도 그런 이유 때문이었을 것이다. 어쨌든 어머니는 어디서 구해 왔는지 얇은 판자 조각을 가지고 오셔서 그것을 정성껏 쪼개, 흔들리는 동안 홈이 패인 밑받침 사이에 끼워 넣으셨다.

—봐라! 이렇게 멀쩡한 것을 가지고!

어머니의 말처럼 화장대는 거짓말처럼 튼튼해졌다. 거짓말처럼 튼튼해졌을 뿐만이 아니라 거울은 갑자기 전보다 더 투명해지고 더 번쩍번쩍 광채가 나는 것 같았다. 이미 늙어 가고 있던 주인을 새로 만나, 십 년 넘게 그 주인의 얼굴을 지켜보아 온 거울이었다. 그 거울의 번쩍이는 광채는 주인의 마지막까지도 지켜보겠다는 듯이 맑고 투명하고 또 속이 깊었다. 며칠 전, 어머니가 당신 스스로 그렇게 애를 써서 끼워 넣은, 그리고 또 그렇게 자랑스러워하셨던 판자 조각을 '이게 뭐냐'며 힘껏 잡아 빼내기 전까지는 말이다.

어머니가 거울을 깨는 바람에 큰일이 날 뻔했었다는 소식을 올케로부터 전해 들었을 때 내가 가장 먼저 떠올렸던 것은, 어느 날 바뀐 양말을 신고 내 집에 다니러 오셨던 어머니의 모습이었다. 한쪽은 흰색, 한쪽은 붉은색이었던, 짝이 다른 양말. 그때 내가 잠깐 울었던가는 기억이 나지 않는다. 그러나 만일 그때 내가 잠깐이라도 눈시울을 붉혔다면 그건 짝 바뀐 양말보다는 그 양말 위에 초라하게 솟아 있던 어머니의 종아리 때문이었을 것이다. 푸른색 힘줄이 툭툭 돋아나 있던 그 종아리는, 평생을 고단한 노동으로 살아온 한 칠순 노인네의 힘겨운 인생을 웅변하고 있었다. 머리의 기억이 다 사라진 뒤에라도 육체가 증거할 삶……그 삶의 고단하고 힘에 겨운 흔적들.

그러나 나는, 모르는 체하고 싶었다. 그건 그저 사소한 일에 지나지 않는다고도 생각하고 싶었을 것이다. 습관적인 기억 따위를 잃어버리는 것은 중요한 일이 아니었다. 모든 습관적인 기억이 다 사라진 뒤에도 남아 있을 것……두려운 것은 어쩌면 그것이 아니겠는지.

당연히, 친구 어머님의 부음을 접하는 일만 없었더라도 나는 그 깨진 거울의 소식 같은 것은 다시 생각하지 않았을 것이다. 당신이 손수 끼워 넣은 판자 조각을 '이게 뭐냐?' 하시면서 힘껏 잡아 빼낼 때의 어머니의 얼굴 같은 것도 생각해 보려고 들지 않았을 것이다. 그러나 도무지 이해할 수가 없는 일이었다. 도대체 건널목을 잃어버린 치매 노인의 모든 것을 한꺼번에 삼켜 버린 시커먼 동공의 흔적과 어머니의 깨진 거울이 무슨 상관이라구?

그런데 혹시 동생은 벌써 어머니에게 새 화장대를 장만해 드리지 않았을까? 가구점 골목의 끝에 이르러서야 나는 뒤늦게 그런 궁금증을 가졌다. 노인네의 방에 화장대가 두 개나 된다면 그것도 별로 좋은 풍경은 아닐 듯싶었다. 그때 난데없이 가구점 골목의 끝에 고가구점이 보이더니, 그 쇼윈도 안에 작은 경대가 하나 보였다. 옛날 영화에나 등장할 법한, 뚜껑의 반을 접었다 폈다 하는 것이었다. 이제 블라우스 하나를 입어도 회색이나 흰색보다는 붉은색과 노란색을 더 좋아하게 되신 어머니가 그런 식의 고풍스러운 경대를 좋아하실지는 알 수가 없는 일이었다. 그러나 날은 너무 더웠고, 나는 이미 지칠 대로 지쳐 있었다. 가게에 들어가 그 경대의 구석구석을 살피기도 전에 나는 이미 그것을 사기로 마음먹었다. 그 정도 크기의 경대라면, 동생이 어머니에게 이미 화장대를 새로 사드렸다고 하더라도 문제가 될 게 없을 것 같았고 또는 그것 하나만이더라도 괜찮을 것처럼 보였다. 혹시 또다시 어머니가 거울을 깨뜨리는 한이 있더라도 이번에는 큰일 같은 건 절대로 나지 않을 만큼 그 거울이 작고 안전해 보인다는 것이 내 마음에 들기도 했다.

가게에 들어가 시원한 에어컨 바람을 맞으며 경대의 가격을 물었을 때, 뜻밖에도 그것은 커다란 화장대 하나 값을 할 만큼 값이 비쌌다. 그러나 이제는 별수없는 일이었다. 나는 또다시 저 뜨거운 정오의 거리로 나가 땡볕을 맞고 싶지가 않았다. 거울은 사야만 했다. 그러지 않는다면, 나는 일껏 불러낸 어머니와 무슨 얘기를 하면서 그 긴 시간 동안 빙수를 먹고 점심을 먹을 것인가.

"저걸 사고 싶은데……예약을 해둘 수가 있나요?"

경대를 미리 사들고 가면 어머니와의 시간이 너무 길어질 것 같은 예감 때문에 나는 미리부터 경대를 예약만 해둘 작정이었다. 그러나 예약금을 지불하려고 지갑을 열었을 때, 지갑 속에는 소액의 현금과 크레디트 카드밖에는 보이지 않았다. 아침에 나올 때 현금을 챙겨 나오는 것을 깜빡했던 것이다. 그렇다. 깜빡하는 것……그건, 누구에게나 있을 수 있는 일인 것이다.

"선금을 내셔야지요. 예약만 해두고 사러 오지는 않는 사람들이 얼마나 많은지 몰라요."

주인은 심드렁한 표정이었다. 돈을 벌려는 목적보다는 취미로 가게를 열고 있는 게 아닌가 싶을 만큼, 그는 손님 따위에는 관심도 없어 보였다.

"저어……노인네를 사드리려고 그러는데 지금 제가 카드밖에는 가지질 않아서요."

노인네를 사드리려고 한다는 말이, 역시 나이 든 주인의 마음을 흔들리게 할지도 모르겠다는 내 생각이 적중하는 듯싶었다. 주인은 잠깐 망설이며 경대의 뚜껑을 열었다 폈다 해보였다.

"아침에도 이걸 보고 간 사람이 있었는데……."

그는 한번 중얼거리고 나서야 좋다는 듯이 뚜껑을 탁 덮었다.

"그럽시다. 까짓 거. 좋은 거울일수록 나이 든 양반들이 가져야지. 저승길을 가더라도 기왕이면 분단장을 하고 가야 염라대왕도 잘 봐줄 텐데, 까짓 거."

주인이 경대를 쇼윈도 쪽에서 꺼내는 것을 보며, 나는 가게 바깥 저쪽, 정오의 건널목을 바라보았다. 저승길……그런데, 저승길에도 건널목 같은 게 있을까?

물론, 아무런 의미도 붙일 수가 없는 그저 어느 날이었던 저녁 무렵에 건널목을 잃어버렸던 사람은 내 어머니가 아니라 친구 어머니였다. 생의 마지막 순간을 당신 혼자의 어둠과 당신 혼자의 빛 속에서 당신 아닌 사람과는 아무런 상관도 없는 시간으로 보내야 했던 사람도, 내 어머니가 아니라 친구 어머니였다. 그런데도 내 가슴이 이렇게 답답한 까닭은 무엇 때문인지.

어머니가 건널목을 건넌 건, 신호등이 두 번째 바뀐 뒤에도 시간이 조금 더 흘러 다시 그 파란불이 점멸하기 시작할 무렵이었다.

어머니는 허둥지둥 건널목을 건너다가 그예 차도 한복판에 사로잡히기까지 한다. 어머니보다 뒤늦게 출발하였던 청년 하나가 어머니의 팔을 가볍게 잡고 그 건널목을 마저 건너게 해주었다.

나는 여전히 어머니를 창 안에서 바라보고 있었다. 어머니는 건널목을 다 건너자마자 당신의 팔을 붙잡아 주었던 청년에게서 야멸차다 싶을 정도로 등을 돌려 버리신다. 청년이 무안을 타는 듯한 얼굴로 어머니의 등을 바라보고 서 있었다. 잠시 후, 청년이 어머니의 등을 향해 주먹을 던지는 듯한 태도를 취했는데 그건 어머니를 향해서는 아니었던 모양이었다. 곧 청년의 앞으로 머리를 노랗게 물들인 또 한 명의 청년이 다가서고 있었다.

내가 청년의 태도에 공연히 안절부절을 못하고 있는 사이, 어머니는 어느 새 제과점 안으로 들어서 계셨다. 어머니는 조금 안쪽에 앉아 있는 나를 찾기가 어려운지, 우두커니 입구에 서 계셨다. 가만 보니 우두커니인 것만도 아니었다. 어머니는 앞섶의 블라우스 깃을 벌려 에어컨 바람을 가슴속으로 밀어 넣고 있는 중이었다. 블라우스의 목덜미와 겨드랑이 부분이 물을 맞은 것처럼 푹 젖어 있는 것이 보였다. 순간, 이번에는 좀더 확연한 느낌으로 가슴속이 꽉 막혀 버리는 기분이 들었다. 어머니는, 당신이 나를 만나러 그 제과점 안으로 들어서셨다는 것을 까맣게 잊고 계신 것이었다.

"엄마."

비로소 어머니의 시선이 내게로 다가왔다. 그때 어머니의 얼굴에 순간적으로 지나간 것은 분명 안도의 빛이었다. 잃어버린 것……그것이 무엇인지도 몰랐는데, 저렇게 소중한 것을 찾았다는 듯한 얼굴……바로 그러한 얼굴. 나는 재빨리 시선을 돌려 버렸다. 역시 물빛인 제과점 측면의 유리창에 한 모녀의 두 얼굴이 어려 있었다.

"건널목엔 왜 그렇게 오래 서 계셨어요?"

어머니에게선 대답이 없었다.

"파란불이 두 번이나 바뀌던데, 그 땡볕에 그냥 서 계셔 놓구선."

"……어찌나 땀이 흐르던지 눈이 아른거려서 파란불인지 빨간불인지 뵈지도 않더라."

"다른 사람들이 건너면 파란불이지."

"아이구, 얘가 시비나 붙이자구 날 나오랬나?"

어머니는 화를 내지도 못하고 한숨 소리로만 내게 말했다. 어머니는 내가 일부러 그런 것을 확인시켜 드리지 않았더라도 이미 당신 자신에 대해 충분히 상처를 입고 계신 거였다. 그러나 그걸 짐작 못할 만큼 내가 어리석었던 것은 아닐 거였다. 나는 내가 어머니를 어색해하고 있다는 것을 알았다. 그건 습관적인 기억을 잃어버릴 만큼 늙어 버린 어머니에 대해서가 아니라, 언제부턴가 내가 잃어 가고 있는 것들에 대해서였다. 어머니와는 다르게 내가 잃어버리고 있는 것들……어쩌면 내가 두려워하고 겁을 내고 있는 것은 그것을 늙은 어머니에게 들키게 되는 일일지도 몰랐다.

"앉으세요."

나는 애써 다정한 목소리를 냈다. 어찌 되었든 간에 오랜만에 모녀가 단둘이 함께 앉게 된 자리였다. 어제 저녁 어머니와의 통화를 끝내자마자 나는 벌써 그런 전화를 드린 것을 후회하고 있었지만, 그러나 이제 와서는 가급적 이 자리를 성공적으로 끝마치고 싶다고 생각하고 있었다. 늙은 어머니와 맏딸의 자리……다정한 모녀……그런 풍경, 말이다.

"얘, 여기가 참 많이 변했다."

어머니의 목소리는 밝다. 방금 전의 일 같은 건 까맣게 모른다는 듯, 시침을 뚝 뗀 목소리. 당신 등뒤에서 몰래 냉장고 문이 닫히는 소리를 들을 때, 혹은 퀴퀴한 냄새에 장롱 속을 들여다보니 과일 몇 쪽 남았던 게 난데없이 그 안에서 썩어 문드러지고 있는 것을 발견하게 될 때, 어머니는 늘 시침을 뚝 떼고 밝게 소리치신다. 차암, 별일이다, 라고. 그러나 당신을 위해서가 아니라 당신을 바라보고 있는 자식들을 위해서였다. 어머니는 당신 자신이 두려우신 만큼이나 당신 자식들의 실망과 공포가 두려우신 거였다.

그러나 지금 어머니의 밝은 목소리에는 또 다른 의미가 담겨 있었다. 내가 모르는 체하면서도 어머니의 습관적인 기억 감퇴에 대해 모든 것을 알고 있는 것처럼 어머니 역시도, 당신의 하나뿐인 딸이 속수무책으로 무언가를 잃어 가고 있다는 것을 알고 계신 거였다.

"옛날에 너 습진 생겼을 때, 그때는 여기 의자 서너 개 놓고 빙수기계 하나만 달랑 있었는데. 그리고 참, 얼마나 큰 어항이 있던지. 내가 그때 붕어 기르는 집을 처음 봤었지 싶어. 빙수를 먹다 말고, 네 생각이 자꾸 나는데 아이고, 우리 윤희가 저 붕어를 봤으면 얼마나 좋아했을까, 싶더라."

"그때 애기는 자꾸……."

"자꾸가 다 뭐니. 나는 그때 네가 혹시 문둥병에라도 걸린 게 아닌가 해서 밤에 잠자는 네 눈썹도 만져 보고 손톱이랑 발톱도 만져 보고 그랬더란다."

"끔찍하게 문둥병은……."

"끔찍한 게 다 뭐야. 너 그 병 걸리기 전에 문둥이 하나가 동냥질을 왔었거든. 그게 영 마음에 걸려서 말이다."

"나병이란 게 잠복기가 얼마나 긴 병인데 그 얼마 전에 문둥이가 왔었다고 덜컥 그 병이 옮는대요?"

"내가 그런 걸 알게 뭐니……."

어머니의 말끝이 길게 늘어진다. 어쩌면 나보다도 더 어머니는 다정한 모녀의 풍경을 그리워하고 계신지도 몰랐다. 아니 다정한 모녀, 그 이상……어머니는 아주 오래 전부터, 거울을 깨기 훨씬 전부터 내게 무언가 하시고 싶은 말씀이 있으셨던 것이다. 차마 꺼내기가 어렵게 느껴지는 그 말……어제 저녁 어머니에게 전화를 드린 뒤 곧 그렇게 한 것을 후회했던 것은 바로 그런 이유 때문이었다. 어머니의 입으로도 차마 꺼내기가 어려운 말은 내겐 또 얼마나 어려운 이야기가 될지.

"기억도 밝아요. 엄마는, 그런 일들을 어떻게 그렇게 다 기억해요?"

나는 다시 다정하고 상냥한 목소리를 낸다. 어쨌든 어머니를 불러낸 것은 나였던 것이다.

"네가 지금 에밀 놀리고 있지?"

날라져 온 빙수 그릇을 내 앞으로 먼저 밀어 놓으시다가 말고 어머니는 수줍게 웃어 보이신다. 당신의 기억 속에서 무언가가 속수무책으로 빠져 달아나고 있다는 것을 느끼신 다음부터, 어머니는 어린아이처럼 그런 칭찬이 수줍으신 것이다. 그러나 쓸쓸하기가 짝이 없는 수줍음…….

어머니의 빙수 그릇을 내 앞으로 끌어당겨 빙수를 뒤섞기 시작하면서, 나는 어린 시절 친구 어머니의 매몰차던 손길을 떠올렸다. 그래서였던가, 그 사람도……. 손에 습진이 다 나은 뒤에도 나는 그 친구와는 한동안 함께 놀 수가 없었다. 아마도 영숙이란 이름을 가졌었던 것 같은 그 친구. 내가 그 아이의 집 앞에서 노올자, 영숙아 노올자, 부르면 그 아이는 자기 집 장독대 위에서 말도 없이 나를 내려다보다간 돌멩이를 집어 던지곤 했었다.

그래서였을 것이다. 어머니는 어린 내 손을 붙잡고 서울 시내의 용하다는 약국을 순례처럼 돌아다니는 것을 마다하지 않았었다. 그 땡볕의 여름에 말이다. 그러나 물론 나는 기억하고 있었다. 혹여 문둥병일까, 잠자는 내 눈썹도 만져 보고 손톱 발톱도 만져 보았다는 어머니는 진물이 줄줄 흐르던 내 손을 당신 손 안에서 단 한 번도 놓지 않았었다는 것을 말이다.

3

언제나 손을 놓아 버리는 것은 자식 쪽의 일이다. 일곱 살 어린 나이 그때부터 지금까지 어머니는 단 한 번도 내 손을 놓지 않으셨으리라. 어떠한 순간, 어떠한 일에도 불구하고 말이다.

손을 놓은 것은 분명히 나였다. 어머니가 짝 바뀐 양말을 신고 오셨던 날, 나는 이제 비로소 내 쪽에서 잡아 드려야 할 어머니의 손을 절대로 쳐다보지 않았고, 그 손 안에서 내 손을 빼내어 버렸다. 어머니가 평생을 힘주어 왔던 당신의 손 안에서 살그머니 달아나 버리던 딸의 손……그래서였을 것이다. 벌써 몇 달 동안……어머니는 내 집에 다니러 오실 수가 없었다. 그때 어머니는 내가 우는 것을 보셨거나, 혹은 내가 울고 싶어한다는 것을 알아차리셨을 것이다. 당신이 잃어버린 것들 때문이 아니라 바로 내가 잃어버린 것들 때문에.

내가 세 번째 아이를 유산한 지 얼마 되지 않았던 때였다. 그날 어머니의 손에는 한약방에서 지어 온 약재가 들려져 있었다. 그러나 어머니는 그 약에 대해서는 한마디 설명도 하지 못하신 채, 마치 양말을 짝 맞춰 신어야 한다는 것을 잊은 것처럼 그 약을 놓고 가는 것도 그래서일 뿐이라는 듯이, 그 약을 잃어버린 짐보퉁이처럼 내 집에 놓고 가셨다.

내 집에 앉아 있던 동안 내내 어머니는 당신의 짝 바뀐 양말만을 만지작거리고 계셨다. 내가 일껏 농담을 한다고 '그건 뭐 새로운 패션이야' 하고 말했음에도 어머니는 화장실에 다녀오면서 변기의 물을 내리지 않았고 냉장고에서 물을 꺼내 마신 뒤에는 냉장고 문을 닫지 않으셨다. 그때까지도 나는 어머니가 잃어버리고 있는 습관적인 기억들에 대해 아는 척하지 않고 있었다. 그때 이미 나는 어머니를 걱정할 수 있는 자격을 상실한 자식이었다. 첫 번째 아이, 두 번째 아이, 그리고 세 번째 아이까지 유산해 버린 이후 아무리 애를 써도 나는 어머니에게 기쁨이 되어 드릴 수가 없었다. 어머니 역시 아무리 애를 써도, 안타까운 신기루를 바라보듯이 나를 바라보는 시선을 감추지 못하셨다. 당신에게는 금쪽 같았던 딸, 세상의 모든 것을 다 이루라고 밤마다 땀 젖은 머리칼을 한 올 한 올 쓸어올려 주었던 딸이었다. 그러나 당신은 이제 그 딸을 바라볼 수조차 없게 되어 버렸다.

잊혀지는 것……그것이 지나간 시절의 희망이거나 현재를 짓누르는 절망과 같은 것이라면 얼마나 좋은 일이겠는지. 그러나 어머니는 아무것도 잊지 않고 계셨다. 고작 당신이 잊고 있는 것은 양말은 반드시 제 짝을 맞춰 신어야 한다는 사실, 그런 정도에 지나지 않는 것이었다.

어머니가 화장실의 변기물을 내리지 않고 나왔을 때, 나는 화장실에 들어가 벽장 위에 숨겨 놓은 위스키를 마셨다. 어머니가 냉장고 문을 닫지 않고 거실로 들어갔을 때 나는 열린 냉장고 문 뒤편에 숨어, 싱크대에 숨겨 놓았던 소주병을 꺼내 마셨다. 그리고 어머니가 슬픈 눈으로 나를 바라보았을 때, 나는 과일주를 담을 작정이었다며 거짓말을 했다.

어머니는 쭈그려 앉은 자리에서 짝 바뀐 양말을 만지작거리기 시작하셨고, 나는 그 어머니의 앞으로 다가가 어머니의 짝 바뀐 양말 위쪽 발목을 움켜쥐었다.

—엄마, 엄마는 돌아가시면 극락으로 가실 거야.

이건 이미 칠순을 넘긴 어머니에게 자식이란 자가 할 수 있는 말이 아니었다. 그러나 나는 꿈속에서처럼 중얼거렸다. 별수없는 일이었다. 나는 취해 있었고 어머니도 그걸 모르지 않으셨을 것이었다. 아무도 아는 체를 하지 않고 있었지만 언젠가부터 내가 툭하면 술을 마신다는 건 모두가 다 알고 있는 사실이었다.

—그런데 나는 가더라도 천국으로 갈 텐데……그런데 천국이랑

극락은 얼마나 멀까, 엄마?

—글쎄다……내 생각엔 아마 옆 동네쯤 되지 않을까 싶은데……안 가봤으니 모를 일이지.

어머니는 당신의 발목을 잡고 있는 내 손등을 어루만지시며 서너 살배기 어린아이에게 대꾸하듯이 말씀하셨다. 그러나 그때 어머니는 어쩌면 울고 계시지 않았을까. 그러나 나는 기어코 이 말마저 해버리고 만다.

—지옥은 지옥끼리 또 얼마나 멀까……엄마.

할 수만 있다면 나는 그때의 일들은 이제 다 지나간 일들이라고 어머니에게 말하고 싶었다. 감쪽같이 시침을 뚝 떼고 말이다. 사실 나쁜 건 아무것도 없었다. 어머니는 습관적인 기억 감퇴에도 불구하고 아직 건강하셨고, 나는 어쩌면 또다시 아이를 갖게 될지도 모를 일이었으니까 말이다. 무엇보다도, 내가 그렇게 말할 수만 있다면 어머니는 다시 성큼 내 손을 잡아 주실 테니까 말이다. 내가 아무리 빼내려고 들어도 절대로 빼낼 수 없을 만큼 힘껏, 있는 힘껏 말이다.

"먹기 힘드시면 그만 드셔도 괜찮아요. 빙수는 그만 드시고 점심 잡수러 가요. 가까운데 잘하는 한정식집이 있어요."

"점심, 먹었다."

"점심을 먹고 나오셨다구요?"

"성진 에미가 김칫국물에 국수를 말았더라. 걔가 나이는 어려도 손맛이 있어서 김치 하나에 국수를 말아도 바깥에서 사먹는 고기맛보다도 낫다."

점심 같이 먹자고 한 말은 어디로 들으시구……이렇게 급하게 나오려는 말을 나는 애써 입 안에 가둬 둔다. 아무려면……그까짓 거야 무슨 상관이 있겠는가.

"그럼 일어나세요."

어쨌든 차라리 다행이다 싶은 생각도 들었다. 아직 모든 것이 그리 나쁘게 보이지 않을 때, 나는 내가 맡은 역할을 얼른 끝내고 싶은 것이었다. 할 수만 있다면 어머니와 헤어지기 직전, 나는 말하리라. 엄마, 나는 이제 괜찮아요. 정말 괜찮다구요……. 그러니 아무 말씀도 하지 마세요……제발.

"서두를 거 뭐 있니."

어머니는 일어서려고 하지 않으셨다. 별수없이 초조한 기분이 들어서 나는 테이블 아래에 숨겨진 치맛단을 손으로 움켜쥐었다. 헤어지기 직전에야 가능하다면 하고 싶은 말이었지만 어쩌면 지금 해야 하는 건 아닐까. 엄마, 나는 이제 괜찮아요, 라고.

"성진 에미 말이다."

"네."

"애가 어려서 그렇지……나쁜 애는 아니다. 그건 너도 알잖니."

나는 치맛단을 손으로 움켜쥔 채, 시선은 물빛 유리창으로 향하고 그냥 웃었다. 그런 건 아무래도 상관없어요……. 어머니에게 그렇게 말하고 싶었으나 그렇게 말을 하는 것이 어머니에게는 오히려 상처가 되리라. 어머니가 하시고 싶은 말씀이 고작 그 정도에 지나지 않는다면 오히려 그게 다행일지도 모를 일이었다.

4

어머니가 거울을 깨뜨려서 큰일이 날 뻔했다는 전화를 걸어 오던 날, 내가 '영아야'라고 이름을 부르는 손아래 올케는 울먹거리던 끝에 기어코 어린애처럼 울음을 터뜨렸었다. 물론 어머니의 말처럼 올케는 착한 여자였다. 동생과 함께 처음 인사를 오던 날, 대뜸 나를 '언니'라고 부른 이후 한 번도 나를 시누이라고 멀리 해본 적이 없는 올케였다. 그건 어머니에게도 역시 마찬가지였다. 미국의 큰 오빠에게서 어쩌다가 뭉칫돈이 송금되어 올 때 어머니가 그 돈의 한 귀퉁이를 헐어 올케에게 주면 올케는 당장 어머니의 목을 끌어안고 '고마워요, 엄마'라고 애교를 떨어댈 수도 있는 여자였다. 어쩌다가 한 번이라도 왜 막내인 자기가 시어머니를 모셔야 하는 거냐고 푸념을 해본 적이 없는, 착하고 귀여운 그 여자는……다만, 어머니가 잃어버린 기억들에 가장 큰 두려움을 느끼는 사람일 뿐이었다.

어머니가 가스를 안 잠그셔요……어제도 냄비 하나를 그대로 태워 먹었지 뭐예요……그깟 냄비야 상관없지만……어떡해요? 부엌에 들어가시지 말라고 할 수도 없고…….

나는 올케가 걱정을 해올 때마다 그건 노인네의 사소한 건망증에 지나지 않는 거다, 라고 말을 해주곤 했다. 그건 나 자신에 대한 위로이기도 했는데 올케가 기다렸던 말 역시 바로 그러한 말이었던 모양이었다. 내가 그런 대답을 해줄 때마다 그녀는 기다렸다는 듯이 '그렇지요, 언니?' 하면서 말끝이 활짝 밝아지곤 했다.

그랬다. 내가 바라고 올케가 바라는 것처럼 모든 것들은 다 사소한 일들일 수 있었다. 신경이 바짝 곤두선 올케가 어머니의 뒤를 쫓아다니며 안 닫은 냉장고 문도 몰래 닫고, 가스불도 몰래 내리고, 어머니의 방구석에서 냄새를 피우고 있는 곰팡이 핀 음식 찌꺼기들도 몰래 치우고 그런다고 한들 그 모든 것은 아직 사소한 일들일 수 있었다. 그러나 나이 어린 올케가 정작 걱정하고 있는 것은 그런 사소한 일들이 아니었다. 어느 날 아침 멀쩡하게 일어난 어머니가 벽에 똥칠을 하고 있을까 봐, 절대로 사소하지 않은 일이 일어날까 봐 올케는 겁을 먹고 있는 거였다.

어머니가 거울을 깨뜨려서 큰일이 날 뻔했다고 말하다가 말고 올케가 느닷없이 울기 시작했을 때, 내가 올케에게 짜증을 부렸던 것 역시 두려움 때문이었을 것이다. 이번엔 거울을 깨고 다음엔 무엇을 깨실지. 어머니의 화장대 거울은 반신상을 비출 만큼 큰 것이어서 그것이 한꺼번에 무너져 내렸다면 온 방 안이 거울 파편으로 난장판이 되었을 것임은 쉽게 상상이 가는 일이었다. 그러나 그렇더라도 나는 그게 큰일이 아니라고 믿고 싶었다. 이제 갓 돌을 넘긴 막내 성진이가 하필이면 그때 어머니 방에 뉘어져 있다가 팔뚝과 허벅지에 피를 조금 흘리게 되었다고 하더라도, 여전히 아이는 건강하게 울 수 있는 목청을 갖고 있지 않은가. 아직은 무사한 생의 순간들……중요한 것은 그것뿐인 거라고 믿고 싶었을 것이다. 그래야만 다시 어머니의 손을 잡게 되리라고……어머니의 손을 잡은 채 어머니에게 물을 수 있으리라고……중요한 것은 아직은 무사한 생의 순간들, 이라는 그 말을 들을 수 있게 되리라고……그렇게 말이다.

—언니는 몰라요. 성진이 팔뚝에 파편이 박혔었다구요. 팔뚝이었길래 망정이지 얼굴이라도 다쳤으면 어떡할 뻔했어요? 잘못해서 중요한 데 핏줄이라도 건드렸으면 어떡할 뻔했어요? 그 여린 살에……언니는 아이를 안 낳아 봐서 모른다구요. 언니가 그런 걸 어떻게 알겠어요.

그때 올케가 나를 그렇게 비난했을 때 나는 조용히 수화기를 내려놓아 버렸다. 가슴속에서 무언가가 무더기로 쏟아져 나와 감쪽같이 눈앞에서 사라져 버리는 것 같았다. 그때, 나는 차라리 어머니처럼 빨리 늙어 버리고 싶다고 생각하고 있었다.

"성진이 에미 말에 네가 너무 마음 쓸 거 없다. 그애가 놀란 마음에 저도 모르게 그런 소리를 했을 게다."

"상관없어요."

기어코 나는 상관없다는 말을 해버리고 만다. 어머니는 그런 내 반응이 서운하신 모양이었다. 어머니는 내 말이, 예전에 내가 아직 건강한 딸이었을 때처럼 당신을 위로하기 위해 하는 말이 아니라는 것을 알아차리고 있는 것이었다.

"아기들한테는 잘된 일이잖아요. 난 요즘 그런 생각을 해요……태어나지 않을 수도 있다면, 그쪽이 훨씬 나을 거라구. 그러니까 내 입장 같은 건 별로 상관이 없어요."

어머니의 얼굴이 무너져 내리는 것을 나는 보지 않고도 알 수 있었다. 언제나 말은, 뱉어 놓은 다음에 후회였다. 어머니를 상처 입히기 위해 한 말은 결코 아니었으나 그러나 해서는 안 되는 말이었다. 그러나 한 번 잘못된 말은 연속적인 실수를 불러일으켰다.

"엄마도 전에 그랬었잖아. 다시는 사람으로 태어나지 않았으면 좋겠다구."

어머니에게서는 대꾸가 없고, 테이블 밑의 내 손은 점점 더 신경질적으로 치맛단을 말아쥐고 있었다.

"망할 년."

짧은 침묵 뒤 어머니는 나를 향해 욕설을 내뱉고 손가방을 열어 급히 손수건을 찾으셨다. 엄마, 그런 뜻이 아니에요……그렇게 말하고 싶었으나 입은 열리지 않은 채 시선만 창 밖으로 옮겨졌다. 그러나 아마도, 아무것도 실수인 것은 없었던 모양이었다. 예정된 수순을 밟는 것처럼 익숙한 고통과 참을 수 없게 역한 갈망들이 가슴을 꽉 채워 왔다. 그것은 아픔 같기도 하고 고통 같기도 하였으나 그러나 어떻게 보면 견딜 수 없는 혐오와 경멸 같기도 했다. 아니, 어쩌면 두려움일까. 남편과 함께 살던 칠 년 동안 내 뿌리 어딘가에 항시 기생하고 있던……그 막막한 두려움. 그, 고독이라는 이름의 두려움 말이다.

5

남편은 자상하고 세심한 사람이었다. 한때는 전도사가 되고 목사도 되고 싶었다는 그는, 이루지 못한 꿈 대신 평신도로서 자신의 사명이 무엇인지를 알아냈다. 그에게 사랑은 지상에서 이루어야 할 가장 큰 사명이었으므로 그 사명으로 그는 나를 사랑했다. 그는 나에 대한 사랑으로 간혹 타인에 대한 자신의 사명을 유보하기도 했는데, 그가 행하고 있는 수많은 봉사 활동 중에서, 버려진 아이들을 위한 봉사 활동을 맨 마지막에 선택했던 것이 바로 그러한 예였다. 그는 내가 아이를 낳지 못한다는 사실 때문에 자격지심이라도 갖지 않을까 늘 그것을 염려했다.

그러나 나는 남편에게 미안했다. 그는 모르겠지만 나는 아이를 원하지 않았다. 세 번째 아이를 임신하게 되었을 때, 나는 거의 필사적으로 내 태중에서 아이를 밀어냈다. 만일 자연 유산이 되지 않았다면 나는 부득이 인공 유산을 생각해야만 했을 것이다. 습관성 유산. 내게는 그런 진단이 따라붙었다. 아이를 세 번 임신했지만 세 번 다 삼 개월을 전후해서 생명 대신 핏덩이로 아이를 쏟아 내었다. 남편은 그때마다 내게 미안하다, 고 말을 했지만 내 미안함에 비한다면 그건 아무것도 아니었을 것이다. 그의 아이를 낳아 주지 못해서가 아니었다. 언제부턴가 나는 내가 그런 것처럼 남편 역시 아이를 원치 않을지도 모른다고 생각했다. 아니, 내가 아이를 원치 않게 된 것은 어쩌면 남편 때문이라고……아니 그것도 아니라, 내가 아이를 낳을 수 없는 것은 남편이 아이를 원치 않기 때문이라고……그런, 견딜 수 없게 참혹한 의심, 그 절망스러운 의혹을 어찌 미안하다는 말 한마디로만 표현할 수 있겠는지.

첫 번째 아이를 유산했을 때, 남편이 했던 기도를 나는 기억하고 있었다. 그는 세상에 나오지 못한 내 아이가 그의 신의 품에서 비로소 평화와 행복을 얻게 되리라고 기도했다. 아이를 추악한 이 세상이나, 내 태중에서보다 신의 품에 있게 한 것을 그의 신께 감사한다고도 말했다. 그에게, 유산이 된 나의 아이는 내 태중이라는 정거장을 잠깐 거쳐 천국에서 다시 천국으로 돌아간 아이였다.

내가 남편에게 미안해지기 시작한 것은 어쩌면 벌써 그때부터였을 것이다. 유산은 혹시 남편의 기도 때문이 아니었을까. 그는 내 아이가 아직 태중에 살아 있을 때에도 저렇게 기도하지 않았을까. 저 더러운 자궁으로부터 당신의 천국으로 자신의 아이를 데려가 달라고……저, 저어 더러운 자궁으로부터 말이다.

아니, 그건 나쁜 생각이었다. 그의 신이, 그를 사랑하는 한 남자의 기도를 들어주었다면 다시는 내 자궁 속에 또 하나의 생명을 심어 주는 짓 같은 것은 하지 않았을 테니까 말이다. 그런데도 남편에게 미안할 일은 계속되었다. 두 번째 아이를 임신했을 때의 어느 날 밤, 나는 남편이 내 배를 갈라 태중의 아이를 꺼내 가는 꿈을 꾸었다. 그때 남편의 어깨에는 천사의 날개가 달려 있었고, 태중에서 빠져 나간 핏덩이 아이는 천사의 날개에 피 묻은 뺨을 기댄 채 웃고 있었다.

―빌어먹을! 망할! 개 같은!

내 생애 그렇게 모진 욕설을 내뱉어 본 적이 언제 또 있었겠는지. 그러나 나는 내 입으로 뱉어지는 욕설이라고는 믿어지지 않는 말을 내뱉으며 꿈에서 깨어났고, 그 새벽 화장실 변기에는 또다시 핏덩이가 쏟아졌다.

나는 남편에게 미안했지만 다시는 아이를 원치 않았다. 비로소 나는 내가 죽음의 자궁을 갖고 있다는 것을 알게 되었다. 내 자궁이 기억하는 것은 죽음, 그것뿐이었다. 또는 영원한 부재……텅 빔. 이별도, 아픔도, 절망도 아닌 그저 영원한 부재, 혹은 텅 빔, 말이다. 세 번째에도 또다시 유산하게 되었을 때, 그것은 오히려 편안한 느낌이었다. 죽음의 씨가 심어진 자궁에, 죽음 이외의 것을 기억하는 꽃이 피어날 일은 없을 테니까 말이다.

언젠가 남편에게 윤회를 믿느냐고 물었던 적이 있었다. 독실한 크리스천인 남편이 불교적인 생사관을 믿을 리가 없을 게 뻔할 터인데, 신발장에 숨겨 놓은 값싼 럼주를 다섯 모금이나 들이켜고 들어와 남편에게 물어 버린 것이다.

—왜 그런 걸 물어 봐?

나를 사랑하기 때문에 차마 나를 형편없는 여자라고는 생각할 수가 없는 남편은, 내가 술을 마셨다는 것도 아는 체할 수가 없어서 그저 안경 속의 눈만 조심스럽게 쳐들어 나를 바라보았다. 술 냄새를 감추기 위해 나는 화장을 지우는 시늉을 하기 시작했다. 화장대 위에는 그날 아침 내가 오려 놓았던 신문 기사가 놓여 있었다. 유엔인구기금의 보고서에 관한 기사였다.

> 전세계에서 매일 8,500명이 에이즈에 감염되고 1분마다 여성 1명이 임신 관련 질환으로 숨지고 있다. 현재 에이즈 환자는 2,260만 명에 이르고 있다. 에이즈가 아닌 성병으로도 매년 1백만 명이 숨지고 있다. 매년 성병에 새로 감염되는 3억 3,300만 명 가운데 절반은 십대 청소년이다. 뿌리깊은 관습의 영향으로 매년 여성 200만 명이 성기 훼손을 당할 위험에 처해 있고 5~15세의 여자 어린이 200만 명이 해마다 매춘 시장에 팔려 가고 있다. 매년 58만 5,000명의 여성이, 즉 1분마다 여성 1명이 임신 관련 질환으로 숨진다. 특히 출산 후유증으로 불구자가 되는 여성은 이보다 몇 배나 많다. 해마다 여성 7만 명이 인공 유산 후유증으로 사망하고 있다.
>
> —유엔인구기금 보고서에서

그때 나는 내 뱃속에서 사라져 간 아이들을 생각하고 있었다. 그 아이들은 윤회하지 않을 것이다. 아무 죄도 짓지 않았으므로. 전생의 무슨 업 때문에 내 자궁 속으로 들어왔는지는 모르나, 다행히 좋은 자궁을 만나 더 이상은 아무런 업도 짓지 않은 채 돌아갈 수 있었으므로. 그 아이들은 결코 윤회하지 않을 것이다.

그러나 남편은……남편 역시도 윤회하지 않을까? 나는 남편의 삶을 알고 있었다. 그는 성자였다. 그는 가난한 사람과, 문둥병 환자들과 거리의 창녀들을 위한 사람이었다. 그는 토요일마다 고아원을 방문하고 수요일마다 지체 부자유자들을 위해 봉사하고 일요일마다 교회에 봉사했다. 그는 헌혈을 자주 하고 사후 장기 기증 서약서에 도장을 찍고 아프리카의 난민들을 위해 꼬박꼬박 성금을 헌납했다. 그러나 그는 무엇을 위해 그리하는 것인지. 천국의 자리, 그 비싼 자리 한 평을 얻기 위해 그는 그렇게 사는 것일까. 아니, 그는 윤회하지 않기 위해 그렇게 살고 있을 것이다. 이 끔찍한 세상 속으로 절대로, 절대로 다시는 돌아오지 않기 위해 말이다.

—왜냐하면 나는 꼭 다시 태어날 것 같아서예요.

—다시 태어나는 일 같은 건 없어.

남편은 부드럽게, 아이를 못 낳는 이유로 우울증에 빠져 버린 아내를 위해 기도하는 목소리로, 내게 말했다. 그러나 나는 입술을 비틀어 다시 말했다.

—그렇다면 나는 지옥에 있겠군요. 천국과 지옥은 아주, 아주 먼 거리에 있을 거예요. 그 사이에는 버스도 안 다니고 택시도 안 다닐 텐데……다행이에요. 당신을 다시는 안 보게 될 테니.

6

"죄송해요. 잘못했어요."

손수건으로 눈물을 찍어 내다 말고 멍해져 버린 어머니에게 나는 책을 읽듯이 말했다.

"얼마 전 교회에 가서 안수 기도를 받았어요. 아이가 다시 생길지도 몰라요."

물론 그건 거짓말이었다. 남편이 그런 의사를 비쳤을 때, 나는 그것이 죽음의 기도가 될 거라고 생각했었으니까. 그러나 나는 어머니를 안심시키고 싶었다. 어떤 방식으로든……그렇게 해서 내가 놓아 버린 어머니의 손을 다시 잡을 수만 있다면 말이다.

"사실은 얼마 전에 박 보살한테 다녀왔어."

느닷없는 소리였다. 박 보살이라니……어머니와 같이 절에 다니는 친구들 중의 한 분이신가? 그러나 어머니의 이어진 말은 뜻밖이었다.

"그 왜, 족집게라는 만신보살이 있다고 한 번 말하지 않았었니?"

"아, 네."

만신이면 만신이고 보살이면 보살이지, 만신보살이라는 말이 희한해서 기억에 담아 두었던 그 이름이 비로소 떠올랐다. 할아버지신과 부처를 함께 모시는 무당이라서 만신보살이라고 한다던가. 어머니는 누구에게인가 그 만신보살이 말할 수 없이 용하더라는 얘기를 들었노라고 했었다. 꽤 오래 전의 일이었는데, 어머니는 역시 당신에게 필요한 기억은 절대로 잊지 않고 계신 모양이었다.

"그 보살 말이, 한 집안에서 모시는 신이 둘이라 그 신들이 서로 머리채를 휘어잡고 싸운다고……. 또 뭐라더라, 금방 듣고도 다 잊어버리는구나……어쨌든……그게 문제라서 애들이 자궁문을 못 연다고……무서워서 말이다."

"엄마!"

"들어라, 제발."

어머니의 얼굴이 어찌나 간절했는지 나는 더 이상 어머니의 말을 만류할 엄두를 낼 수가 없었다. 어머니가 내게 그토록이나 하고 싶었던 말……그게 바로 이것이었던가.

"그 보살이 말할 수 없이 용하더라. 내 얼굴을 보자마자, 사주도 안 집어 넣었는데 저런, 허해서 어쩌나, 그러는 거야. 머릿속에서 뭐가 뭉텅뭉텅 빠져 나가니 앉아도 앉은 것 같지가 않고 서도 선 것 같지가 않겠다고……내가 할 말은 아니다만, 사실이 그렇지 않니. 나도 알 건 알지. 오늘이 될지 내일이 될지는 모른다만 이런 날 양산 대신 우산을 갖고 나오기만 하겠냐. 어느 날 아침에는 벽에다가 똥칠을 하고 있겠지."

"엄마……."

"윤희야. 내가 글쎄 양산을 펴려고 보니까 우산이더라."

어머니가 옆자리에 놓여 있던 손가방을 들어올려 보이기까지 하면서 내게 하시는 말씀이었다. 비로소 건널목에 멍청히 서 계시던 어머니의 모습이 이해되었다. 차마 양산 대신 우산을 쓰실 수는 없었으리라. 나는 어머니에게서 얼른 고개를 돌려 버렸지만, 그러나 어머니의 눈자위가 확 붉어지는 것을 그 사이에도 놓칠 수는 없었다.

"박 서방이 교회일이다 봉사일이다 너무 열심인 게 탈이긴 하다만 그만한 사람은 또 없다."

어머니는 콧물을 들이켜면서 말을 이으셨다.

"노름질 계집질하는 놈들도 세상에 허다한데 교회일 봉사일, 나쁜 일도 아니고……좋은 일이지. 요즘 세상에 남 돕는 일을 그렇게 열심히 하는 사람이 어디 있겠니. 술을 허기를 허나 담배를 허나. 너한테 큰소리를 한번 내기를 허나. 내가 박 서방 얼굴을 볼 면목이 없다."

"엄마가 왜요?"

"박 서방한테 교회 그만 다니라는 소리는 죽으라는 소리나 같겠구……박 보살이야 저가 부처를 모시고 사는 사람이니까 박 서방을 말려야 한다고 말하지만, 그거야 씨도 안 먹힐 소리고……어차피 한 집안에 신을 둘 모시는 게 문제라면……나야, 얼마나 살겠다구……또 죽어서 무슨 영화를 보겠다구……자식 새끼를 이 꼴로 만들어 놓고…….”

나는 어머니 앞에서 할 말을 찾을 수가 없었다. 그러니까 어머니 말의 요점은, 당신이 평생을 다니시던 절 길을 그만두시겠다는 소리였다. 물론 어머니가 독실한 불교 신자인지 아닌지는 알 수 없었다. 어머니는 책을 보지 않고는 불교 경전의 두 구절도 제대로 못 외우시는 양반인데다가 불교에 대한 이해라는 것도 할아버지신과 부처를 동시에 모신다는 만신보살이나 다를 게 하나도 없었다. 어머니의 말처럼, 독실함, 그 정도로 따지자면 남편의 정도를 절대로 따라가지 못할 게 틀림없었다. 그러나 문제는 그게 아니었다. 분명히 문제는 그게 아니었다. 나는 어머니에게 그것을 설명해야 했지만, 그러나 머리가 욱신욱신 쑤시기 시작하면서 도무지 아무 말도 찾아낼 수가 없었다.

“나는 아무 상관도 없다. 부처님이 있으시면 에미 심정도 아시겠지. 솔직히 말하면 부처가 정말 있는지 없는지도 모르겠다. 내가 이때까지 살면서 절을 다녀도 한두 번을 다닌 게 아닌데……칠십 평생 오늘까지 무슨 고생이 이리도 많을까……오죽하면 하나밖에 없는 딸년, 지 배 아파 애 한번 못 낳아 보게 만들었을까……그러니 나는 아무 상관도 없다. 다시 태어날 때 사람으로나 안 태어나면…….”

“엄마, 그게 아니에요!”

나는 기어코 소리를 질러 버리고 말았다. 다정한 모녀의 모습, 그 풍경을 성공적으로 끝마치고 말리라던 다짐에도 불구하고 나는 소리를 지르고 부들부들 떨리는 손을 테이블 위에 올려놓은 채 그만 입술까지 악물어 버리고 마는 것이다. 그러나 다행이었다. 입술을 악물지 않았다면 나는 더 말해 버리고 말았으리라. 절대로 해서는 안 된다고 생각하는 말……그러나, 신발장에 감추어 놓은 술을 마시고, 싱크대에 감추어 놓은 술을 마실 때마다 미치게 하고 싶었던 말……그건, 결코 윤회에 관한 얘기가 아니었다는 것……문제는, 그가 무엇을 믿느냐가 아니라, 문제는 그가 삶보다 죽음을 더 많이 믿는다는 것……문제는 바로 그것이라는 것……을 말이다.

그리고 삶보다 죽음을 더 많이 믿는 그의 곁에서, 회개하지 않고 구원받지 못하고 있는 나는……다 잃어버리고 끝내는 아무것도 남지 않게 되리라는 것을 말이다. 누가 짐작이나 하겠는지. 술을 마실 때마다 나는 눈을 뜬 채로 꿈을 꾼다. 꿈속에서 나는 창녀였고, 나는 문둥이였으며, 나는 바리새인이었다. 그러나 꿈속의 나는 살아 있었다. 나는 아무 남자하고나 교접하고, 문드러진 손으로 문드러진 남자의 성기를 만지며, 내게 언짢게 구는 사람의 뺨을 때리고 욕을 하고 가끔은 그를 죽이기 위해 칼을 갈기도 한다. 꿈속의 내 삶은 아름답다. 바닥, 저 아래. 바닥보다 더 낮은 저 아래의 삶에서, 내 삶은 꿈틀거리고 꿈틀거리다가 회개하고, 그 회개의 눈물을 혐오하고, 혐오하고 경멸하며 사랑한다.

그러나 술을 마시지 않을 때, 나는 내가 미안해하는 남편 앞에서 늘 죽어 있다. 성자인 남편은 간음하고, 문둥병에 걸리고, 살인하는 나를 짓밟고 저 강물을 건너간다. 그에겐 내가 이 세상이다. 더럽고 추악하며 아무것도 용서할 수 없는……다만 회개해야 할 뿐인, 이 세상이다.

—여보! 제발 날 밟고 가지 말아요!

나는 소리지르지만, 그러나 그는 듣지 않는다. 듣지 않는 그를 볼 때마다 나는 내 자궁 속에서 사라져 간 세 아이처럼, 어느 누군가의 죽음의 자궁 속으로 들어가고 싶다고 생각한다. 텅 빈, 영원한 부재……그 자궁 속으로. 그러나 그 자궁 속으로 들어가기 직전 다시 말할 수 있다면 나는 아마도 이렇게 말하리라.

—그래도 나는 살아 있잖아요. 죽기 전까지, 우리는 다 살아 있잖아요. 여기, 바로 이 자리에 말이에요.

7

오후 다섯 시가 가까운 시간, 그러나 햇살은 아직도 정오의 그것처럼 뜨겁고 거침이 없다. 고가구점에서 경대 배달을 부탁하고 거리로 나올 때, 아주 잠깐 먹구름이 모이는가 싶었다. 한 줄금 소나기라도 내려 줄 먹구름을 기대하며 하늘을 올려다보았으나 그 사이 어느 새 하늘은 다시 쨍 하게 밝아 있었다.

경대값이 비싸다는 것을 알게 되면 한 차례 실랑이가 불가피하리라 생각했었지만 뜻밖에도 어머니는 내가 하고 싶은 일 모두에 고개를 끄덕여 주셨다. 사실을 말하자면 어머니는 진이 다 빠져 버리신 것이었다. 제과점에서의 길지 않았던 시간, 그러나 어머니는 당신의 가슴속에 오래 묵혀 두었던 말을 꺼내셨으니 이젠 더 이상 할 말이 남아 있지 않게 된 것이었다. 이제는 당신 스스로 감당해야 할 일들만이 남아 있으리라. 속수무책으로 빠져 나가는 기억들 속에 그래도 악착같이 남아 있을 고통의 기억……. 어머니는 그것을 어떻게 끌어안고 당신의 마지막 길을 가야 하실지, 이제부터는 그것만을 생각해야 하실 것이었다.

"괜찮으세요?"

차가 어머니의 집 앞으로 들어가는 사거리에 이르렀을 즈음, 나는 힘겹게 등받이에 등을 기대고 있는 어머니께 괜찮으시냐고 물었다. 어머니는 그저 희미하게 웃으셨다. 어머니의 희미한 웃음, 그것이 다시 내 가슴을 할퀴고 지나갔다.

경대를 포장하면서 고가구점 주인은 어머니에게 서비스로 손거울 하나를 선물했다. 내가 하는 일을 그저 옆에서 구경만 하고 계시던 어머니가 그 손거울을 받아들고는 문득 하셨던 말씀이었다.

—어떤 노망난 노인네가 거울을 들여다보고는 당신 누구요, 그랬더라지. 지 얼굴을 보고 말이다.

—그런 걱정 마세요.

어머니의 말을 받은 건 고가구점 주인이었다. 그는 자신이 관상을 조금 볼 줄 아는데, 어머니의 상이 노망 같은 거하고는 거리가 멀게 생긴 총명한 상이라며 너스레를 떨었다. 그러나 어머니는 그때에도 그저 희미하게 웃으셨을 뿐이었다.

"엄마, 거울 이야기 하나 해드려요?"

"해보렴."

"옛날에 어떤 시샘 많은 여자한테 서방이라는 사람이 거울을 하나 사줬는데, 그 여자한테는 거울이란 게 난생처음 보는 물건이었거든요. 거울 속에 들어 있는 얼굴이 자기 얼굴인지도 모르고 서방이 시앗을 데려왔다고 난리굿을 쳤더래요."

"시어미한테 달려갔겠구나."

"아시는구나?"

"더 해보렴."

어머니가 그런 흔한 옛날이야기 한 구절도 모르리라고 생각해서 꺼냈던 말이 아니었다. 다만 입을 다물고 있기가 뭣해서였을 뿐인데 막상 어머니가 '더 해보렴' 하고 말씀하시자 그 이야기의 끝을 맺는다는 게 다 쓸데없이 여겨져 버렸다. 시어머니가 그 거울을 들여다보고는 이런 쭈그렁 할멈이 시앗이라면 무슨 걱정이겠느냐고 했다는, 그 이야기의 끝을 말이다.

"옛날에 어떤 사람이요."

나는 이야기를 다른 쪽으로 돌려 버렸다.

"거울의 뒷면을 들여다보고는 자기 얼굴이 안 보인다고 미쳐 버렸더래요."

어머니는 아무 말씀도 하지 않으셨다.

"안 웃으세요?"

내가 어머니 쪽으로 고개까지 틀어 가며 물었으나 어머니는 여전히 아무 말씀도 하지 않으셨다. 엄마, 하고 어머니를 한번 불러 보려고 할 때 어머니는 옆에 놓여 있던 손거울과 손가방을 집어 드시고 여기서 내려 달라, 하셨다. 어느 새 어머니의 집 앞쪽으로 들어가는 진입로에 들어서 있었다.

"집 앞까지 가세요."

"길만 건너면 곧바로 집인데 뭣하러 복잡하게 골목까지 들어간다니. 여기서 나만 내려 주고 너는 집으로 가. 얼른 가야 저녁 준비하지 않니."

박 서방은 오늘 '종말을 기다리는 사람들'의 모임에 세미나를 하러 가는 날이에요, 그러니 저녁 같은 건 짓지 않아도 돼요, 라고 말할 수도 있었으나 나는 어머니의 말처럼 건널목에 못미처 차를 세웠다.

"엄마."

어머니가 보조석의 차 문을 열고 반쯤 몸을 내렸을 때 나는 어머니를 불렀다. 어머니가 차에서 내리다 말고 나를 돌아보셨다.

"아니에요. 잘 들어가시라구요."

"다 잊어버려도 설마 집이야 잊어버리겠니?"

"별말씀을 다해요, 엄만."

"윤희야."

불쑥 내 이름을 부르는 어머니의 목소리가 물결처럼 출렁이는 것이 느껴졌다. 아니 출렁이는 것은 어쩌면 내 가슴이었는지도 모르겠다. 어쩌면 어머니에게는 아직도 내게 하실 말씀이 남아 있을지 모른다는 것……억울하고 고단한 삶이었지만 그래도 당신은 그 삶에 대해 단 한 번도 눈을 감아 보지 않았다는 것……아직은 무사 한 삶에 감사한다는 것……그런 말들 말이다.

"어여 가거라."

그러나 어머니의 말은 그것이 고작이었다. 어머니가 차에서 내려 운전석의 내 쪽으로 손을 한번 흔들어 보이고 그리고 건널목 앞으로 걸어가는 것을 보면서 나는 운전대를 잡았으나 그러나 내 눈은 여전히 룸미러를 통해 어머니의 모습을 뒤쫓고 있었다.

어머니의 뒷모습을 바라보는 동안 문득, 그 어머니의 손을 잡고 있는 한 어린아이의 모습이 보였다. 환영이지, 하면서 눈을 몇 번 깜빡이고 다시 바라보니 이번엔 아이 혼자였다. 그렇다. 한 아이가 있었다. 손가락 사이가 툭툭 짓물러 터져 남들이 다 봉숭아물을 들일 때에도 저 혼자만은 노란색 악취 나는 연고를 바르고 있어야 하는. 그 아이는 아무도 저와 놀아 주지 않으므로 마당 한복판에 물을 받아 놓고 그 물 속에 발도 담가 봤다가 얼굴도 담가 봤다가 하면서 무료한 시간을 죽이고 있다. 아이는 얼마 전에 자기 집에 다녀갔었던 문둥이를 기억하고 있다. 문둥이가 다녀가자마자 대문간을 소금물로 박박 씻어 닦던 어머니는, 말씀하셨다.

—업이 많다. 다아, 전생의 업이다.

아이는 전생이란 말을 궁금해한다. 대야에 받아 놓은 물이 출렁일 때마다, 그 물결에 어린 자기 얼굴을 들여다보며 아이는 묻는다.

—너는 누구니?

물결 속의 아이는 대답하지 않는다.

—나는 난데, 너는 누구지?

물결 속의 아이는 대답하지 않는다.

와락 눈물이 쏟아질 것 같아서 힘주어 눈을 감았다가 다시 떴을 때, 룸미러 속에는 다시 어머니의 모습만이 보였다. 어머니는 차들이 씽씽 달리는 거리 한복판의 건널목 앞에 서 계셨다. 어머니가 손가방을 여는가 싶더니 그때 무언가가 쨍 하고, 내 눈을 찔렀다. 어머니는 손가방 안에다가 손거울을 집어 넣고 계셨는데 아마도 쨍 했던 빛살은 그 손거울에 반사된 햇살이었던 모양이었다. 문득, 나는 잠시 전에 어머니께 했던 말을 떠올린다. 옛날에 어떤 사람이 거울의 뒷면을 보고 자기 얼굴이 안 보인다고 미쳐 버렸대요……. 그러나 어머니는 혹시 아시지 않을까. 모든 기억, 삶의 모든 습관들을 다 잃어버린 뒤에도 어머니는 아시지 않을까. 칠십 평생을 걸어온 삶의 기억으로 밝아진 혜안, 그것으로 어머니는 보시지 않을까. 당신의 뒤통수마저도……아니, 이 세상의 뒤통수까지도 말이다.

뒤에서 빵빵 경적음이 울리는 순간, 건널목의 불이 파란불로 바뀌는 것이 보였다. 그러나 어머니는 제과점 앞의 건널목을 건널 때처럼 또 무연히 서 계셨다. 뒤쪽에서 차들이 계속해서 빵빵, 경적음을 울리고 있었지만 나는 다급히 운전석 쪽의 문, 손잡이를 움켜쥐었다. 어머니가 차도 아래로 내려선 게 바로 그때였다. 이마에 흐르는 땀을 닦아 내시다 말고 손가방을 활짝 열어 무언가를 꺼낸다 싶던 어머니는, 그 쨍한 햇살 아래 검은색 우산을 활짝 펼쳐 들고 씩씩하게 건널목을 건너기 시작하셨다. 손거울의 쨍한 빛살은 그 검은색 우산에 가리어져 더 이상 보이지 않았다. 흐르듯 기억이 새나가고 있는 어머니의 뒤통수도 검은색 우산 속에 가리어져 버렸다. 그러나 그때, 나는 어머니가 거울의 앞면을 통해, 저쪽 거울의 뒷면까지 걸어가고 계신다는 느낌을 받았다. 거울의 앞면과 뒷면 사이……그 사이에는 더 이상 건널목이 아닌 강물이 출렁이며 흐르고 있었다.

추 · 천 · 우 · 수 · 작

말무리반도

박 상 우

1958년 경기도 광주 출생.

중앙대 문예창작과를 졸업하고,

1988년 《문예중앙》 신인문학상에

중편소설 〈스러지지 않는 빛〉이 당선되어 등단했다.

소설집으로 《샤갈의 마을에 내리는 눈》·《독산동 천사의 詩》,

장편소설로 《시인 마테오》·《섬, 그리고 트라이앵글》

《카시오페아》·《호텔 캘리포니아》 등이 있다.

말무리반도

1

서울을 떠나 진부령을 넘어갈 때까지, 근 네 시간 가까이 운전을 하는 동안 나는 단 한 번도 주행을 멈추지 않았다. 서울을 벗어나 경춘국도로 접어든 직후부터 빈번하게 나타나기 시작한 도로 휴게소는 56번 도로와 44번 도로, 그리고 46번 도로를 따라 대각으로 북상을 계속하는 동안 심심찮게 눈앞을 스쳐 가곤 했었다. 그러니까 나는 춘천 조금 못 미친 지점의 신남에서 경춘국도를 버리고 구봉산을 넘어 56번 도로로 접어들었다가 다시 44번 도로로 접어든 직후부터 북상을 시작했던 것인데, 한계령과 진부령 방면이 갈리는 인제군 북면에서 다시 46번 도로를 타고 진부령으로 오르기 시작할 무렵에는 오랜 집중으로 근육이 경직된 때문인지 목 뒤가 깁스를 한 것처럼 뻣뻣해지기 시작했다. 차량 통행이 워낙 뜸한 도로라 어디서든 쉬고자 한다면 도로 가장자리에 차를 세우고 잠시 휴식을 취할 수도 있을 테지만, 진부령으로 올라가는 동안 나의 감정 상태는 피로에 반해 더욱 경직되어 가고 있었다. 진부령 스키장 표지판이 보이는 곳이 아마도 영마루이지 싶었는데, 아니나다르랴 싶게 거기서부터는 오르막길과 전혀 다른 급경사 커브길이 시작돼 휴식이고 나발이고 마음부터 지레 곤두박질을 치게 만들었다. 트렁크에 넣어 둔 화구(畵具) 상자가 극심한 경사와 커브 때문에 차가 한쪽으로 쏠릴 때마다 귀에 거슬릴 정도로 덜그덕거리는 소리를 냈다.

왜 싣고 왔던가.

좌우로 연신 핸들을 돌리고 브레이크를 밟아대면서도 나의 정신은 기실 화구 상자에 집중돼 있었다. '화구＝화근'이라는, 아주 오래 전부터 나의 뇌리에 각인되어 온 미묘한 등식 때문이었는지도 모를 일이었다. 그래서 차가 한쪽으로 쏠릴 때마다 운동 반대 방향으로 미끄러지면서 제멋대로 덜그덕거리는 소리를 내는 그것이 화구 상자가 아니라 자동차에서 나는 소리, 자동차에서 나는 소리가 아니라 내 자신의 내부에서 밀려나오는 조악스런 해체의 소음일지도 모르겠다는 자괴심에 그때 이미 나는 단단히 사로잡혀 있었다. 그래서 진부령을 절반쯤 내려왔을 때 두어 번, 운명을 하늘에 맡기고 도박을 하는 심정으로 나는 반대편 차선으로 넘어가 경사진 급커브를 돌아 버렸다. 관광 버스라거나 탱크 로리 차량 같은 것, 그런 걸 기대하며 한껏 긴장하고 커브를 돌던 단 몇 초 동안은 화구 상자의 덜그덕거리는 소리, 아니 내 자신의 내부에서 밀려나오는 해체의 소음 같은 걸 전혀 들을 수 없었다. 하지만 목숨을 담보로 한 도박의 짜릿한 몰아경에도 불구하고, 내가 어느 쪽에다 승부수를 두고 있었는지를 나는 전혀 알아차릴 수 없었다. 죽음과 삶, 어느 쪽에다 나는 패를 던지고 싶어한 것일까.

진부령을 다 내려와 도로가 갑작스럽게 넓어지는 지점에서 나는 비로소 차를 세웠다. 맑은 물이 제법 기운차게 흘러내리는 우측의 계곡과 좌측의 암반 절벽 사이에 짙은 그늘이 드리워져 있었다. 도로 우측의 공지에다 주차를 하고 처음으로 운전석에서 벗어나 나는 다소 멍한 눈빛으로 계곡물을 내려다보았다. 암반 절벽 때문에 내가 선 도로에는 짙은 그늘이 드리워져 있었지만, 바닥이 들여다보일 정도로 맑은 계곡물은 여전히 양광의 범주에 속한 채 지즐대듯 완만한 경사를 따라 흘러내리고 있었다.

양 손으로 허리를 짚고 몇 차례 목을 움직인 뒤에 나는 담배를 피워 물었다. 그리고 고개를 돌리고 구름 한 점 없이 맑은 오월의 하늘과 무성한 녹음이 조성해 내는 가슴 저린 풍경의 세계를 조망했다. 네 시간 가까이 운전을 하는 동안 고의적으로 도외시했던 푸르른 산과 들과 촌락과 하늘과 햇살이 문득문득 되살아나 내가 바라보는 풍경 위에 날카롭게 중첩되는 것 같았다. 내가 겪어온 삶에도 남모르게 누적된 회한은 많았던 모양, 난생처음 접해 보는 낯선 풍경의 세계에 홀로 서 있자 지상의 모든 불행이 모조리 내게서 비롯된 것 같다는 섬뜩한 생각까지 들었다.

진부령 계곡 유원지에서 이십 분쯤 더 달리다 보면 좌측으로 거대한 송전탑이 나타나게 될 거라고 현석은 말했었다. 그리고 거기서부터 서행을 하며 '금강산 건봉사 입구'라고 흰 글씨로 쓰인 짙은 녹색 바탕의 철제 안내판을 찾아보라고 했다. 하지만 찾아보고 자시고 할 건덕지도 없이 그것은 송전탑과 동시에, 그러니까 대각으로 일직선을 이룬 원근 구도의 첫 번째 정물처럼 단박 내 시야로 밀려들었다. 그래서인가, 지난 몇 시간 동안의 팽팽하던 긴장감이 무르녹듯 잦아들어 일시에 온몸을 나른하게 만드는 것 같았다.

나는 철제 안내판이 지시하는 곳으로 접어들기 위해 반대편 차선을 가로질러 길이가 일 미터쯤 되는 짧은 다리를 건넜다. '금강산 건봉사 입구'라는 안내 표지는 교각도 없는 그 다리 바로 옆에 세워져 있었고, 그것을 지나치자 다시 좌측으로 길이 꺾어지며 협소한 비포장 도로가 나타났다. 줄곧 논을 끼고 곧게 뻗어 나간 비포장 도로는 차량 한 대가 다니면 적당할 너비라서 마주오는 차량이라도 있을라치면 아슬아슬한 교차 묘기를 부려야 할 듯싶었다.

오월 중순, 하오 다섯 시경.

한적한 비포장 도로를 따라 서행하며 나는 우측의 논과 그 건너편의 야산, 그리고 야산 자락에 띄엄띄엄 자리잡은 몇 채의 농가를 눈에 담았다. 사람의 모습이라곤 보이지 않는 오롯한 풍경의 세계가 낯선 이방인의 진입을 잠잠하게 지켜보고 있는 것 같았다. 하지만 비포장 도로의 중간쯤에서 내가 차를 세운 건 정적의 늪에 깊이 가라앉아 있는 듯한 마을의 정경 때문이 아니라 전방, 늦은 하오의 잔광을 역으로 받으며 광량에 따라 서로 다른 색상으로 떠오른 감동적인 산경(山景) 때문이었다.

똑같은 광량을 받고 있음에도 불구하고 원근에 따라 완연하게 다른 색상으로 떠오른 그것들은 얼추 헤아려 보아도 열 가지가 훨씬 넘을 듯싶었다. 그리고 심오한 빛으로 가라앉아 있는 가장 뒤쪽의 수려한 산세(山勢)는 앞쪽으로 중첩된 높고 낮은 산 전체를 감싸안으며 그윽한 풍모를 과시하고 있었다. 산고곡심(山高谷深), 산이 높고 골짜기가 깊다는 걸 절로 느끼게 하는 자연의 위세가 그 까마득한 풍경 속에는 묵연하게 깃들여 있는 것 같았다. 저 헤아리기 어려운 산곡(山谷)의 어딘가에 금강산 건봉사가 자리잡고 있을 거라고, 마치 사찰을 찾아 길을 떠나온 사람처럼 나는 막막한 감동에 젖은 채 나도 모르게 한숨을 내쉬었다.

—너, 금강산 건봉사라는 사찰 아냐?

자신의 별장 열쇠를 내게 건네 주던 닷새 전, 현석은 내게 그렇게 물었었다. 그가 별장을 소유하고 있다는 것 이외에 그것이 어디에 있으며 그 주변에 어떤 명소가 있는지에 대해 전혀 아는 게 없던 나로서는 묵묵부답, 도리 없이 그의 다음 말을 기다릴 수밖에 없었다.

—비포장 도로이긴 하지만, 별장에서 차로 올라가면 이십 분이면 족해. 원래의 금강산 건봉사 자리는 민통선 북쪽에 들어 있고 그것도 육이오 때 거의 모두 불에 타버려 지금 자리로 옮겨 지었는데, 그 절 입구에 가면 증축할 때 쓰고 남은 굵직굵직한 소나무 토막들이 엄청 많이 쌓여 있어. 지금의 건봉사야 왕년에 비하면 정말 보잘것없지만, 적멸보궁까지 한 바퀴 둘러보고 계곡에 발을 담그고 앉아 있으면 내가 살던 서울이 어딘가 싶어진다구. 내 말은, 거길 떠날 때 차 트렁크에다 소나무 토막을 정도껏 실어 오라는 거야. 그리고 그걸로 밤에 별장 마당에다 모닥불을 피우고 앉아 있으면 부처님의 은덕이 따로 없다는 생각이 절로 들 거다. 여자라도 하나 달고 가면 극락이 바로 거기라는 생각이 들 텐데……네놈 처지나 꼴상을 보아 하니 그런 건 아예 꿈도 꿀 수 없겠구나.

어둡게 가라앉은 내 표정을 읽고 나서 현석은 육이오 전의 금강산 건봉사, 그것이 설악산의 신흥사와 백담사, 양양군의 낙산사 같은 절들을 말사(末寺)로 거느렸을 정도로 어마어마한 규모를 과시한 사찰이었다는 얘기를 덧붙였다. 얘기의 흐름이 본의 아니게 내 신상 쪽으로 돌려진 걸 제 스스로 차단하겠다는 속내 때문이었을 것이다. 삶의 맥락을 잃어버리고 아무 곳이나, 그야말로 조용하기만 하다면 지옥에라도 가고 싶다며 별장 사용을 부탁하러 나타난 나에게, 금강산 건봉사가 일제 강점기에는 해마다 육칠천 섬의 쌀을 거두어들이고 백 명이 넘는 승려가 있었을 만큼 규모가 컸었다는 얘기를 들려준 이유—그것이 불교나 역사에 대한 그의 해박한 지식과 관심을 반영하는 건 결코 아니었던 것이다.

일 킬로미터 남짓한 좁은 비포장 도로가 두 갈래로 나뉘는 지점에서 나는 차를 세웠다. 거기, 현석이 말한 대로 붉은 벽돌로 만들어진 자그마한 버스 정류장이 있었다. 내가 가야 할 길이 금강산 건봉사로 이어진 좌측이 아니라 우측, 이제 막 모내기를 끝낸 듯한 무논을 가로지른 좁은 농로(農路)라는 걸 알면서도 나는 왠지 모르게 망설이는 기분이 되어 주변을 살펴보았다. 논을 중심으로 타원형으로 에워싸인 산자락 밑에 띄엄띄엄 떨어진 가옥들이 눈에 띄긴 했지만, 그 산재한 상태가 촌락의 유형과는 아예 거리가 먼 것 같았다. 모두 합해 스무 채나 될까 말까 한 동네, 아무튼 거기가 내 목적지라는 사실을 확인하고 나서도 나는 왠지 모를 마음의 저어함에 선뜻 핸들을 꺾을 수 없었다.

바다윗말.

행정 지명이 해상리(海上里)인 그곳을 주민들은 그렇게 부른다고 현석은 내게 말했었다. 술을 마셔서 기억이 정확하진 않지만, 그 말을 듣던 순간에 나는 바다와 인접한 마을이 아니라 바다 위에 둥실둥실 떠 있는 신비스런 마을을 떠올렸었다. 턱없는 상상력의 비약이나 동화적인 상상력이 필요한 시간이 전혀 아니었음에도 불구하고 내 멋대로 가상의 마을 하나를 만들어 낸 것이었다. 그처럼 터무니없는 상상력의 이면, 거기에 어쩌면 나의 발악적인 현실 도피 심리가 또아리를 틀고 있었는지도 모를 일이었다. 아무리 취중이라지만, 바다에 인접한 마을이 아니라 바다 위에 떠 있는 마을로 가고 싶다는 발상은 얼마나 황당무계한 것인가.

무논 사이로 열린 좁은 농로를 건너가자 길은 다시 두 갈래로 나뉘어 야산 자락을 끼고 서로 다른 방향으로 돌아가고 있었다. 거기서 잠시 차를 세우고 나는 현석이 그려 준 약도를 글로브 박스에서 꺼내 보았다. 그러고 나서 우측, 차량 한 대가 아슬아슬하게 진입할 만한 길로 접어들었다. 좌측에는 오래 전부터 사람이 살지 않은 듯 낡은 기왓장 사이로 푸릇푸릇하게 잡초가 돋아난 폐가가 한 채 있었고, 그 마당 한가운데에는 무슨 이유 때문인지 의도적으로 짓뭉개 버린 듯한 우물터가 남아 있었다. 시멘트와 돌을 섞어 올렸던 원통형의 에움막이 흉하게 으깨어져 그리 높지 않은 우물 둔덕은 물론 그 주변에까지 제멋대로 널브러져 있었다. 집 주변에 무성하게 자라난 잡초와 오랫동안 방치해 둔 퇴비 더미, 문틀에서 떨어져 내린 문짝과 찢어진 창호지 따위들이 집 뒤쪽의 야산을 배경으로 하고 있어서인지 밝은 날빛 속에서도 한껏 음산한 느낌을 불러일으키는 것 같았다.

폐가를 지나 왼쪽으로 꺾어지자 길의 너비가 차량의 몸체와 거의 맞먹을 정도로 협소한 사잇길이 나타났다. 산자락과 산자락 사이로 길이 열린 것까지는 좋았는데, 왼편에 논으로 흘러 나가는 깊은 도랑이 있어서 자칫하면 바퀴가 도랑으로 내려앉기 십상일 것 같았다. 하지만 조심하면 얼마든지 들어갈 수 있다던 현석의 말이 생각나 좌우를 살피며 한껏 서행을 했다. 산으로 에워싸인 골의 중심부로 들어가는 것 같다는 생각이 들었지만, 예상과 달리 그 협소한 길은 백여 미터쯤 이어지다가 거짓말처럼 뚝 끊어지고 말았다. 하지만 오죽(烏竹)이 무성한 숲을 이룬 좌측으로 다시 샛길이 이어져 있는 걸 발견하고 나는 의외로 크게 안도의 한숨을 내쉬었다. 핸들을 좌측으로 한껏 꺾고 나서야 비로소 발견한 것인데, 거기 움푹 꺼진 샛길 바로 옆에도 둥근 나무 덮개를 덮어 놓은 우물이 하나 있었다.

어쨌거나 대나무숲 사이로 난 샛길로 접어들자 비로소 경사진 전방에 주홍빛 기와가 얹힌 별장의 일부분이 산뜻하게 시야로 밀려들었다. 까탈스럽게까지 느껴지던 모든 길들이 결국 거기, 야산 속에 숨어 있는 은거지 같은 별장에서 완전히 끊겨 버린 것이었다.

바다 근처의 별장.

그래, 현석에게 별장 키를 건네받은 다음날부터 내가 꿈꾸어 온 것은 오직 바다뿐이었다. 그날 술을 마시고 부풀렸던 턱없는 동화적 세계로서의 바다가 아니라 열린 출구로서의 바다, 아니면 그것을 내 스스로 예감하거나 구상할 수 있는 원점으로서의 바다를 나는 갈망하고 있었는지도 모를 일이었다. 그래서 십 년 가까이 임대했던 사무실 겸 작업실을 부동산에 내놓고, 자질구레한 비품과 화구를 박스에 담아 한쪽 구석에다 차곡차곡 쌓아 올리면서도 나는 감정적인 함몰을 가까스로 모면할 수 있었다. 현실은 나에게 파장(罷場)을 선고했지만, 내가 결정을 내리기 전까지 그것은 아무런 의미도 없다고 나는 이를 악물고 모든 것을 유보의 공간으로 내밀었던 것이다.

바다로 가면 어떤 식으로든 길이 열릴 거야.

그날 밤, 짐을 다 꾸려 놓고 나는 작업실 한쪽 구석에 웅크리고 앉아 세 병의 소주를 마셨다. 내가 걸터앉은 간이 침대와 길쭉한 작업대, 그리고 벽 쪽으로 쌓아올린 박스들이 십 년 세월 끝에 남겨진 것의 전부라고 생각하니 술이 절로 목을 타넘어 가는 것 같았다. 그곳에서 밤낮 가리지 않고 일에 몰두하며 청춘을 날려 버렸건만, 이제 그 공간에 댕그러니 남겨진 것이라곤 꿈을 상실해 버린 한 인간과 폐기 처분해야 할 소모품들이 고작일 뿐이었다. 그 공간에서 십 년 세월을 버티며 꿈을 지탱해 온 대가로 이제는 내 자신까지도 폐기 처분 대상이 되어 버린 건가, 되새겨 보니 가슴속에서 검은 숯덩어리들이 버석거리는 것 같았다. 버석거리는 게 아니라 그것들에 불씨가 옮겨 붙어 틱틱탁탁 소리를 내며 벌겋게 달아오르는 것 같았던 것이다.

—지난 열 달 동안 당신이 집을 나가 사무실에서 지냈던 것과 달라질 건 아무것도 없어요. 이렇게 법적으로 정리된 것보다 훨씬 오래 전부터 우리는 실질적으로 정리된 거예요. 보람이가 보고 싶으면 아무 때나 집에 와서 보고 가세요. 나도 일자리를 얻게 될 테니 낮엔 언제나 친정 엄마가 집에 있을 거예요. 나하고 마주칠 염려도 없으니 부담 같은 건 조금도 가질 필요 없어요. 그리고 우리가 어떻게 살아갈지, 그런 건 전혀 신경 쓰지 않아도 돼요. 어차피 이젠

서로 다른 인생을 살아가야 하니까 아이를 짐스럽게 생각할 필요도 없어요. 아이나 어른이나 저마다 타고난 팔자대로 살아가는 거라면, 차라리 냉정하게 정을 끊어 버리는 게 현명한 처사일지도 모르니까요.

법원에서 이혼 수속을 끝내던 날, 아내 미강은 부근의 커피숍에서 마치 준비한 원고를 읽어 나가듯 냉랭한 표정으로 말을 쏟아 놓았다. 하지만 아침부터 취해 있었기 때문에 나는 한 세상 저쪽에서 들려 오는 아련한 북소리를 듣기라도 하듯 사뭇 몽롱한 표정으로 앉아 있었다. 그녀의 말이 시사하는 바가 무엇인지를 못 알아듣거나 그것이 기막히게 들려서 그런 태도를 취한 건 결코 아니었다. 나는 현실의 바깥에 앉아 있고 그녀는 현실의 중심부에 앉아 있는 것 같다는 이질감, 그녀의 표현을 빌리자면 이미 다른 팔자의 공간에서 서로를 바라보고 있는 것 같다는 아득감, 거리감이 느껴져서 그런 것이었다. 그때 미강이 다시 입을 열었다.

—십 년이 지나긴 했지만, 어쨌거나 이제 다시 원점으로 되돌아가게 됐으니 당신으로서도 억울할 건 없을 거예요. 당신이 그토록 원하던 꿈을 실현할 수 있게 됐으니 나나 친정 식구들을 원망하지도 마세요. 아무도 당신을 괴롭히려고 일부러 그랬던 건 아니고, 사실이 그렇다는 건 어느 누구보다도 당신이 더 잘 알 거예요. 그러니 당신도 하루빨리 마음 정리하고 다시 십 년 전으로 돌아가도록 하세요. 헤어진 사람일지라도, 못 되는 것보다 잘 되는 게 훨씬 나을 테니까요.

미강의 말을 듣고 나서 나는 손을 들어 이마를 짚었다. 십 년 전, 원점, 꿈……현실적인 동일성에도 불구하고 내가 과연 십 년 전의 그 자리로 회귀한 것인가, 하는 데 대한 일종의 정신적 멀미 같은 것 때문이었다. 결혼하기 전처럼 외형상으로는 다시 혼자가 되었지만, 아무리 생각해 봐도 그 지점은 내가 출발한 원점이 아닌 것 같았다. 설령 순환 구조를 이루며 다시 원점으로 되돌아오는 일순(一巡)의 과정이 있었다 해도, 십 년 세월의 시차가 확인시켜 준 것은 불행하게도 현실과 의지가 극단적으로 어긋나 버린 한 사내의 초췌한 몰골일 뿐이었다. 그러므로 나는 원점으로 회귀한 것이 아니고 또한 과거로 환원한 것도 아니었다. 원귀처럼 떠도는 꿈이 아니라 꿈의 원귀가 되어 십 년 세월을 살아왔다면, 꿈이거나 원귀이거나 한심하기로는 피차일반일 수밖에 없었던 것이다.

—아직도 해야 할 말이 남았나?

물컵에 남겨진 냉수를 마저 마시고 나서 나는 몽롱한 어조로 미강에게 물었다. 나의 말에 다소 당황한 표정을 짓긴 했지만, 그녀는 이내 머리를 좌우로 흔들며 자리에서 일어날 채비를 했다. 그녀가 가방을 들고 상체를 움직이자 차단되어 있던 빛살이 튕기듯 밀려들어 눈앞을 아뜩하게 만들었다. 반쯤 자리에서 일어서다 말고 나는 깊은 현기를 느끼며 도로 자리에 주저앉고 말았다. 잠시 사이를 두었다가, 손으로 이마를 짚은 채 탁자를 내려다보며 나는 혼자말처럼 중얼거렸다.

—먼저 가.

현기가 가시길 기다리며 잠시 눈을 감고 있는 동안 또각또각, 미강의 구두 발자국 소리가 나로부터 빠르게 멀어져 가기 시작했다. 십 년 전이 아니라 십 년 이후, 원점이 아니라 미래를 향해 점 찍듯 명쾌하게 걸어 나가는 소리였다. 무슨 악다구니인가, 멀어져 가면서도 여전히 명쾌한 그 소리를 향해 나의 내면에서 터무니없는 아우성이 소용돌이치기 시작했다. 어쩌자고 세상은 이렇게 화창하고 어쩌자고 봄꽃은 제멋대로 피어나는 건가. 어쩌자고 나는 어제도 나이고 어쩌자고 나는 내일도 나일 수밖에 없는 건가, 어쩌자고!

가야 할 노정(路程)을 갑작스럽게 망각해 버린 사람처럼 나는 당황스런 표정으로 마당 한가운데 서 있었다. 호젓한 별장 앞마당이 아니라 무성하게 자라난 잡초밭에 서서 여기가 어딘가, 목적지를 잘못 찾아온 사람처럼 정신없이 사방을 두리번거린 것이었다. 아무리 생각해 봐도 그곳은 내가 염두에 두던 장소가 아닌 것 같았고, 아무리 생각해 봐도 그곳은 내가 머물러야 할 곳이 아닌 것 같았다. 적벽돌로 처리된 벽면과 주홍빛 지붕, 마당 쪽으로 난 커다란 창유리가 건물의 외관을 은근히 돋보이게 하고 있었지만, 그런 것과 아무런 상관도 없이 나의 마음은 그곳을 정처로 받아들이지 못한 채 산만하게 부유하고 있었다.

바다는 어디 있는가.

뒤늦게 기만당한 걸 깨달은 사람처럼 노기 어린 표정으로 나는 다시 한 번 주변을 둘러보았다. 잡초 무성한 마당 한쪽에 서 있는 감나무 한 그루를 제외하고 주변을 에워싼 것은 온통 잡목 일색이었다. 별장 터 자체가 산자락을 파들어간 지점이라서 무성한 뒷산 떡갈나무 잎새들이 별장의 지붕에까지 느긋하게 내려앉아 있었다. 그것을 올려다보며 나는 비로소 바다, 그것과 전혀 무관한 장소에 내가 서 있다는 걸 알 수 있었다. 뿐만 아니라 서울을 떠나 예까지 오는 동안 단 한 번도 바다를 보지 못했다는 것도 또한 기억해 낼 수 있었다. 가락재, 느랏재, 미시령, 진부령 따위의 산세를 타고 와 결국 전망이 전혀 없는 산 속에 속수무책으로 파묻히게 된 것이었다.

—난 거기 일 년에 한 번 정도밖에 안 가. 작년에도 단풍철에 한 번 다녀오곤 내내 비워 뒀는데, 마땅히 관리하고 자시고 할 건덕지도 없어. 근데 말야, 내가 맨 처음에 그 터를 보러 갔을 때 아주 이상한 느낌을 받았다는 거 아냐? 속초에 사는 당고모의 소개로 거길 갔는데, 그곳으로 들어서는 순간 아주 이상한 인력 같은 게 단박 발목을 휘어감는 느낌이 드는 거야. 마치 그 땅을 사지 않으면 내 신상에 무슨 불상사가 생겨나기라도 할 것처럼 강렬한 흡인력 같은 게 느껴지더란 말이지. 그래서 에라 모르겠다, 청정 지역이니까 통

일이 되면 땅값이라도 올라가겠지 싶어서 터를 사고 별장을 지은 거야. 그러니까 명당 자리인 줄 알고 가서 조용히 수양이나 하고 와라. 맘에 들면 아예 거기서 살아도 괜찮아.

별장 내부는 방 한 칸과 화장실을 별도로 빼고 나머지를 전부 거실 공간으로 할애했기 때문에 밖에서 예상했던 것보다 훨씬 넓게 보였다. 밝은 보랏빛 커튼을 걷고 나는 마당 쪽으로 난 창문부터 열었다. 그러고 나서 침구가 들어 있는 방과 화장실을 들여다보고 주방을 살펴보았다. 플러그를 빼둔 냉장고 안에는 작년 가을에 사다 둔 것인 듯한 국산 양주 한 병과 빈 양념통 몇 개가 들어 있었다. 뿐만 아니라 싱크대 안에는 반쯤 남은 라면 박스와 일회용 은박 접시, 종이컵, 나무젓가락 따위들이 수북하게 쌓여 있었다. 모기향과 양초, 물파스 같은 것도 있었다. 조리대 한쪽 옆에는 냄비, 그릇, 프라이팬, 밥그릇 따위가 크기의 역순으로 쌓아올려져 있었고, 개수대 앞에는 식기 세척제와 수세미까지 얹혀 있었다.

흠, 하는 표정을 지으며 나는 가스 테이블의 점화 레벨을 돌려 보았다. 좁쌀만큼 작은 불꽃이 푸르게 튀었지만 점화는 되지 않았다. 다시 한 번 반복하자 그제서야 막힌 구멍이 뚫리듯 몇 개의 홈에서 푸른 불꽃이 고개를 내밀고 이어 둥근 왕관 모형의 불꽃이 전체적으로 살아났다. 수도꼭지를 돌리자 처음에는 퍼퍽, 하는 헛바람 소리를 내뿜다가 이윽고 시원스런 물줄기가 터지듯 밀려나왔다.

벽에 부착된 기름 보일러의 조절 장치는 점화 상태를 유지하고 있었는데, 비워 두는 동안을 위해 실내 온도를 항상 십오 도 정도에 맞춰 놔야 할 필요가 있다는 게 현석의 설명이었다. 그러면 바닥에서 온기가 느껴질 정도는 아니지만 혹한기의 동파나 장마철의 습기 따위는 걱정하지 않아도 된다는 것이었다. 이곳에 며칠이나 머물러 있게 될진 모르겠지만, 보일러 조절 장치는 내가 전혀 손을 댈 필요가 없다는 얘기가 되는 셈이었다. 혹 마음이 춥다면 몰라도 지금은 오월이 아닌가.

아무렇든 내가 지난 십 개월 동안 자취의 공간으로 삼았던 '예림기획'의 작업실에 비하면 여긴 호텔급이라는 생각을 하며 나는 열어둔 창 옆에 놓인 소파로 가 앉았다. 창이 낮아서 소파에 몸을 묻은 채 조금만 고개를 돌려도 마당과 오죽숲이 동시에 내다보일 정도였다. 건너편 야산에는 희디흰 아카시아꽃이 만개해 가을강으로 번져나가는 잔물결처럼 느리게 흐느적거리고 있었다. 그때 호르르륵, 하는 소리를 내며 검은 새 한 마리가 마당을 가로질러 맞은편 야산 쪽으로 빨랫줄 같은 선을 그리며 날아갔다. 그제서야 작지만 수다한 새소리가 저물녘의 숲속에서 밀려나와 남기가 배어드는 허공에다 자수처럼 현란한 성문(聲紋)을 아로새기고 있다는 걸 알 수 있었다. 이 세상의 모든 저녁 풍경은 얼마나 다르고 또한 각별한가.

날이 완전히 저물 때까지 나는 소파에 망연한 표정으로 앉아 있었다. 몇 가지 옷과 세면 도구를 챙겨 온 가방도 풀지 않고, 화구상자는 아예 차 트렁크에서 꺼내지도 않은 채였다. 그렇게 소리 없이 날이 저물고, 어스름이 사물의 경계를 지워 나가는 걸 나는 소파에 몸을 묻은 채 묵묵히 지켜보았다. 하늘이 잉크빛일 때 주변의 숲은 먹보랏빛으로 가라앉고, 하늘이 먹보랏빛일 때 주변의 나무들은 이미 온전한 먹빛을 담뿍 머금고 있었다. 세상의 여백이 지워져 나가는 광경은 참혹하리만큼 적막했지만, 내가 어둠의 일부가 되어 함께 침잠하고 있다는 자각은 의외로 마음을 편안하게 만들었다. 은결든 가슴, 어느 한구석에 어둠에 대한 두려움이 남아 있으랴.

날이 완전히 저물자 더 이상 밖이 내다보이지 않았다. 밖은 물론 실내에도 빈틈없이 어둠이 들어차 아무것도 식별할 수 없을 정도였다. 이렇게 온전한 어둠을 경험한 게 언제였던가, 기억의 암층에서도 비견할 만한 어둠은 선뜻 떠오르지 않았다. 하지만 먹물바다와 같은 어둠 속에서도 나는 무수한 생명감을 느낄 수 있었는데, 낮은 수런거림이나 은밀한 속삭임으로 감지되는 그것들에게서 이질감이 아니라 친근감이 전해지는 게 외려 이상하게 느껴질 정도였다.

느낌이 소리로 변하고, 소리가 감촉으로 변하는 낯선 시간 속에서 나는 참으로 오랜만에 오감이 만개하는 걸 느낄 수 있었다. 그리하여 숲에서 전해져 오는 낮은 수런거림, 무논에서 밀려오는 아련한 개구리 울음소리, 잊을 만하면 한 번씩 허공으로 솟아오르는 밤새 울음소리를 나는 청각이 아니라 온몸으로 듣기 시작했다. 하지만 그 모든 생명의 소리를 전체적으로 감싸안는 건 물론, 내 자신까지도 부드럽게 감싸안는 오직 한 가지 소리에 대해서만은 끝내 확신을 가질 수 없어 마음이 다시금 산만해지기 시작했다.

바다가 보이지 않는 바다윗말.

내장을 송두리째 훑어 나가는 듯한 소리의 정체를 알아차리기도 전, 흑요석 같은 어둠의 저편으로부터 아주 기이한 빛이 살아나기 시작했다. 선(線)이 아니라 면(面)으로 살아나 슬금슬금 점유지를 넓혀 나가는 그것이 나의 눈에는 한없이 낯설고 무한정 신비스럽게 보였다. 광목처럼 희끄무레하게 보이는가 하면 사금 가루처럼 노르스름하게 보이고, 언뜻 건조하게 보이는가 하면 속 깊은 곳에 물기를 담뿍 머금고 있는 것처럼 보이기도 했다. 하지만 더욱 놀라운 것은 빛의 점진적인 이동이 아니라 내가 의아스러워하던 소리, 그것이 은밀한 빛의 움직임에 실려 함께 움직이고 있다는 사실이었다.

그래, 소리가 빛에 실려 오고 있다는 걸 알아차리고 나는 퍼뜩 자세를 고쳐 앉았다. 등줄기로 서늘한 냉기가 밀려들고, 그것이 온몸으로 번져 나가 나도 모르게 푸릇푸릇한 소름이 살갗으로 돋아나기 시작했다.

달빛에 젖은 파도 소리!

금방이라도 누군가, 길 아닌 어느 곳에선가 걸어 나와 자박자박 마른 발자국 소리를 내며 내게 다가올 것 같았다. 지은 죄 없다고 아무리 뇌까려도 멈추지 않고, 그림자처럼 내 앞으로 다가와 우뚝 걸음을 멈출 것 같았다. 그리고 내 가슴에다 슬그머니 손을 밀어 넣고, 한껏 절박하게 파닥이는 검붉은 심장을 끄집어 낼 것 같았다. 심장이 아니라면 늑골, 늑골이 아니라면 쓸개라도 뽑아내 가차 없이 잡초 무성한 마당에다 패대기를 칠 것 같았다. 그러고는 이목구비가 지워진 얼굴을 내 면전으로 들이밀고 흐으, 한없이 음산한 공명음으로 이런 물음을 던질 것 같았다.

—너, 윤곽선이 지워진 세계의 비극이 뭔지 아느냐?

2

따가운 햇살이 눈꺼풀을 연해 찔러대는 걸 견디다 못해 나는 한껏 인상을 찌푸리며 눈을 떴다. 눈을 뜨자마자 창으로 넘어오는 돋을볕에 붉은 기운이 감도는 것 같다는 생각을 얼핏 했는데, 막상 몸을 일으키고 밖을 내다보니 붉은 기운은 어디에서도 찾아볼 수 없었다. 밤 사이 내린 이슬을 담뿍 머금어서인가, 각광처럼 비스듬하게 쏟아져 내리는 햇살을 받고 선 마당의 잡초들은 더욱 칠칠하게 보였다. 세계가 완전히 뒤바뀐 것 같다는 생각을 하며 나는 멍한 표정으로 마당과 감나무와 오죽숲과 건너편 야산을 내다보았다. 가슴이 시릴 정도로 푸르고 맑은 기운에 휩싸인 세상, 아무리 눈을 씻고 내다봐도 어제의 잔흔은 어디에도 남아 있지 않았다.

아, 언제나 이렇듯 다른 세상에서 깨어날 수 있다면!

지난밤의 기억을 되새기며 나는 찬찬히 실내를 둘러보았다. 어두워진 뒤에도 실내의 불을 밝히지 않은 채 앉아 있다가, 푹신한 황갈색 소파에서 그대로 잠이 들었다는 걸 알 수 있었다. 탁자 위에는 빈 양주병과 재떨이, 그리고 담뱃갑과 라이터가 놓여 있었다. 냉장고에 들어 있던 양주를 꺼내 온 게 몇 시였는지 기억할 수 없지만, 적막한 산중으로 한없이 신비롭게 흐르는 달빛을 내다보며 술을 병째 홀짝거리다 그대로 잠이 들어 버린 모양이었다. 술보다 달빛에 훨씬 깊이 취했던 걸 반영하기라도 하듯, 아직도 몸의 일부에 서늘한 기운이 남아 지난밤의 신비를 연연하게 자극하는 것 같았다.

나는 거실에다 훌훌 옷을 벗어 던지고 곧장 욕실로 들어갔다. 샤워기를 한껏 세게 틀어 놓고 욕실 전체를 물로 씻어 내린 다음, 뼛골이 저릴 정도로 차디찬 냉수를 온몸에다 뿌려대기 시작했다. 옆구리의 어디쯤에선가, 가슴의 어디쯤에선가, 아니면 뇌리의 어디쯤에선가, 죽었던 세포가 다시 살아나듯 아릿아릿한 자극감이 느껴졌다. 습기에 젖은 몸으로 힘겹게 눈을 뜨던 작업실, 세상 만사가 이를 데 없이 구차스럽게 느껴지던 어제까지의 아침과는 확연하게 다른 신선함이 온몸으로 번져 나가는 것 같았다. 하지만 그런 와중에서도 내가 지금 머무르고 있는 곳, 내 인생이 부유하는 낯선 공간에 대한 이방감이 오래된 체념의 뿌리를 건드리는 것 같아 마음을 다잡아먹지 않을 수 없었다. 다만 낯선 곳에서 눈을 떴을 뿐인데, 그것으로 묵정밭 같아진 가슴에다 또다시 어설픈 희망을 파종하겠다는 것인가?

샤워를 끝낸 뒤에 나는 서둘러 마당으로 나가 맨손으로 잡초를 뽑기 시작했다. 어제 오후, 이곳에 당도한 직후부터 눈에 거슬리기 시작한 그것들을 말끔히 뽑아 내고 나면 한결 마음이 편해질 것 같다는 생각이 들었기 때문이었다. 어쩌면 마음이 편해지려고 작정을 한 게 아니라 그것들이 왠지 모르게 내 마음의 정황을 닮아 있는 것 같다는 은근한 유사성을 견디기 어려워 내린 결정이었는지도 모를 일이었다.

하지만 잡초를 맨손으로 뽑는 일은 생각처럼 쉽지 않았다. 키가 훤칠하게 자라난 것들은 쑥쑥 뿌리째 뽑혀 올라왔지만, 지면에 착

들러붙은 것들은 뿌리가 옆으로 퍼져서인지 뜻대로 뽑혀지지 않았다. 끈질긴 저항력을 보이며 내가 당기는 대로 조금씩 끊어지기만 할 뿐, 손가락으로 땅을 후벼파도 그것들은 좀체 끝을 드러내지 않았던 것이다.

뿌리를 뽑는다는 것.

그래, 잡초를 뽑으며 나는 뿌리를 뽑는다는 게 얼마나 어려운 일인가를 새삼 확인할 수 있었다. 지난 십 년, 내 자신이 잡초처럼 척박한 땅에다 뿌리를 내리고 살아왔으니 손놀림이 모지락스러워지는 것도 결코 무리는 아닐 터였다. 그러니 잡초가 아니라 가슴에 응어리진 자기 혐오를 뽑아 내기 위해 나는 정신없이 땅을 파헤치고 있는 건지도 모를 일이었다. 내 스스로 뿌리를 내렸으나 내 스스로 거두지 못한 끈질긴 비관과 절망의 뿌리, 그것들은 지금 내 영혼의 어느 암층에까지 뻗어 나가 있을까.

스물일곱에서 서른일곱 사이.

언뜻언뜻, 푸릇푸릇한 잡초 사이로 음습한 기억의 그늘이 살아나기 시작했다. 그늘진 세계의 한구석에서 스스로 빛에 대한 저항력을 포기해 버리고 그것의 뿌리가 썩어 문드러지길 갈망했던 모진 병력(病歷)의 세월. 하지만 그것은 내가 미강과 서둘러 결혼을 했기 때문도 아니고, 그녀의 오빠가 사업에 실패하고 내가 장모까지 모셔야 하는 생활고에 시달렸기 때문도 아니고, 원하는 그림이 아니라 그리기 싫은 상업화를 그렸기 때문도 아니고, 경제적인 문제로 순수한 창작 욕구를 상실했기 때문도 아니었다. 꿈은 여건에 침해를 받을 수 있지만, 여건이 꿈을 말살시킬 수 있다는 건 지나친 피해 의식을 반영하는 것일 뿐이었다. 여건에 지레 절망해 버린 자에게 무슨 꿈이 변명의 이름으로 남겨질 수 있겠는가.

나로 하여금 '예림기획'을 인수하게 만든 건 미강의 오빠였지만, 그가 처음부터 나의 인생과 꿈을 말살시키기 위해 그런 권유를 한 건 결코 아니었다. 사업에 실패하고 부정수표 단속법으로 교도소까지 다녀온 그로서는 아마도 자신이 모셔야 할 장모를 내가 모시고 있다는 사실을 몹시 미안하게 생각했을 터였다. 뿐만 아니라 군복무를 끝낸 직후, 미대 졸업반으로 자신의 여동생과 결혼한 나의 앞날이 몹시 불투명해 보였기 때문에 그런 권유를 했을 가능성도 없지만은 않을 터였다. 미대를 졸업했다고 번듯한 직장이 얻어지는 것도 아니고, 미대를 졸업했다고 곧바로 유명한 화가가 되는 것도 아니었으니, 나도 또한 그 무렵에는 호구지책의 방도가 막막해 밤마다 잠을 설치던 시절이기도 했었다. 예술이 속세를 등진 혈거인들의 전유물이 아니라면, 우선은 먹고 살아야 한다는 걸 지상 과제로 받아들이지 않을 수 없었던 것이다.

아무렇든 평생 그림만 그리며 생애를 일관하겠다던 나의 꿈은 초장부터 샛길로 접어들기 시작했다. 미강과의 갑작스런 결혼도 건축업을 하던 그녀 오빠의 사업 실패와 부도에서 기인한 것이었지만, 내가 건물의 투시도나 조감도를 그리게 된 것도 또한 그녀 오빠의 권유에서 비롯된 것이었으니 미강보다도 그와 나 사이에 훨씬 뿌리 깊은 악연의 고리가 숨어 있었는지도 모를 일이었다. 어쨌거나 보증금 몇백만 원을 마련해 '예림기획'을 인수했을 때, 그는 개업 기념이라며 나에게 몇 통의 명함을 만들어다 주었고 거기에는 '건축미술연구소 예림기획/소장 이윤수/TOTAL INTERIOR PERSPECTIVE'라는 내용이 그럴듯하게 인쇄돼 있었다. 그것을 들여다보며 이게 무슨 '구멍가게 회장님' 식의 과장이냐고 나는 실소를 터뜨렸지만, 만약 미래를 예견할 수 있는 능력이 있었다면 실소가 아니라 그 자리에서 단박 자결을 했을는지도 모를 일이었다. 사소한 명함 한 장에도 십 년 세월의 비밀을 아로새길 수 있는 게 운명이라면, 아무것도 모른 채 그것을 받아들여야 하는 인간의 무지와 어리석음은 대체 무엇으로 구제받을 수 있을까.

정신없이 뽑아 낸 한 아름의 잡초를 나는 마당 가장자리에 오롯이 서 있는 감나무 밑으로 옮겨 놓았다. 한 시간 넘게 햇살 속에 앉아 있어서인가, 공기는 청량했지만 등판과 겨드랑이에는 어느덧 땀이 배어나 있었다.

안으로 들어와 나는 다시 한 번 샤워를 하고 옷을 갈아입었다. 내가 가방에 챙겨 온 옷이라고 해봤자 작업복 겸해서 늘상 입고 다니던 낡은 청바지와 헐렁한 남방 몇 벌이 고작이었다. 하지만 그것들을 갈아입고 욕실의 거울 앞에 서자 마치 새로 사서 처음 입어 보는 옷인 양 전혀 다른 느낌으로 고개를 갸웃하게 만들었다. 뿐만 아니라 코발트 그린의 남방과 빛 바랜 청바지를 입고 젖은 머리로 서 있는 내 자신도 어제까지의 나와는 판이한 느낌으로 미묘한 생기를 회복하고 있는 것 같았다. 사실이 아니라 일종의 착시 현상이라고 해도, 그 순간 나를 에워싸고 있는 주변의 모든 것들이 그것을 전혀 의심하지 못하게 만든 것이었다.

서른일곱?

십 년 동안 꿈만 꾸다가 깨어나 현실을 턱없이 낯설어하는 사람처럼 나는 거울 속의 나와 기억 속의 나와 현실 속의 나 사이에서 미묘한 이질감을 느꼈다. 하지만 그중의 어느 존재감도 아직은 내 것이 아닌 양 어설프고 부정확하고 또한 부적합한 느낌이 들었다. 그래서 무슨 상관이란 말인가, 하고 중얼거리고 나서 나는 욕실에서 나와 밖으로 나갈 채비를 했다. 어제와 오늘 사이, 바다윗말에 와 있음에도 불구하고 나는 아직 바다를 발견하지 못한 것이었다. 지난밤 달빛에 은은하게 실려 오던 파도 소리로 미루어 짐작컨대, 그리 멀지 않은 어느 곳에선가 오월의 눈부신 바다가 숨쉬고 있을 거라고 생각하니 기분이 한결 가볍고 상쾌해지는 것 같았다.

차를 몰고 별장에서 빠져 나와 폐가를 지나고 농로를 건너 버스 정류장이 세워진 곳에서 나는 좌측으로 방향을 꺾었다. 어제 들어

왔던 길로 다시 나가기 위해서였는데, 그건 바다가 금강산 건봉사로 들어가는 산 속 어디쯤에 숨어 있지는 않을 거라는 생각이 들었기 때문이었다.

논을 끼고 이어진 일 킬로미터 정도의 좁은 비포장 도로를 빠져나가고, 거기서 다시 46번 도로를 타고 나가 산세가 끊기는 지점쯤에 이르면 이윽고 바다가 개활지처럼 시원스럽게 시야로 밀려들 것 같다는 생각이 들었던 것이다.

비포장 도로로 접어들자마자 언뜻, 순간적인 빛살 하나가 날카로운 반사광처럼 나의 시야에서 튀어올랐다. 버스 정류장에서 좌측으로 핸들을 꺾자마자, 그러니까 에어컨 스위치를 누르고 컨트롤 패널과 송풍 속도를 조절하고 난 직후였다. 햇살에 반사되면서 물체의 형해가 순간적으로 지워진 건가? 나는 브레이크 페달을 밟고 일직선으로 뻗어 나간 비포장 도로를 올곧게 내다보았다. 햇살을 받아 하얗게 빛이 바랜 듯한 좁은 길, 오륙백 미터쯤 전방에서 희디흰 물체 하나가 움직이고 있었다. 하지만 나는 이내 그것이 흰옷을 입은 사람의 움직임이라는 걸 알아차리곤 다소 실없는 기분이 되어 다시 차를 움직이기 시작했다.

서행하는 동안 나의 시선은 줄곧 흰옷을 입은 사람의 움직임에 고정되어 있었다. 한없이 투명한 햇살 속으로 등을 보이고 걸어가는 모습에서 왠지 모를 권태로움, 아니면 삶의 이면에 깃들인 나른한 정서 같은 게 느껴진 때문이었다. 하지만 그 움직임의 실체가 점차 가까워지면서 나는 대상이 여자라는 것과 왠지 모르게 걸음걸이가 불안정해 보인다는 사실을 동시에 알아차릴 수 있었다. 엔진 소음이 들릴 텐데도 그녀는 뒤돌아보지 않고 좁은 길 우측으로 조금 비켜 서서 계속 걸음을 옮겨 놓았다. 어떤 반사적인 느낌 같은 것에 사로잡혀 나는 그녀 바로 옆에다 차를 세우고 조수석 윈도를 내렸다.

"바깥쪽으로 나가실 건가요?"

얼결에 말은 했지만, 말을 하고 나서 생각하니 터무니없는 질문이라는 생각이 들었다. 집을 벗어난 사람이 누군들 바깥쪽으로 나가지 않을 것이며, 바깥쪽으로 나가지 않는다면 쏟아지는 햇살의 폭포를 맞으며 무엇하러 이 길을 걸어갈 것인가.

"……."

나의 물음에 아무런 대답도 하지 않고 그녀는 물끄러미 차 안의 나를 들여다보았다. 스물넷이나 다섯쯤 될까? 한없이 투명한 햇살에 노출된 그녀의 뺨에는 다소 발그레한 기운이 떠올라 있었지만, 머리를 뒤로 넘겨 이마까지 드러난 갸름한 얼굴에는 잡티 한 점 박혀 있지 않았다. 맑고 선연한 이면에서 솟아오르는 수련한 기운 때문인가, 화장기라곤 없는 민낯이었음에도 불구하고 그녀의 얼굴은 이를 데 없이 단아해 보였다. 뿐만 아니라 뚜렷한 윤곽선과 결정적인 힘을 느끼게 하는 하나하나의 이목구비가 바라보는 나를 단박 무력하게 만드는 것 같았다. 적막감이 느껴질 정도로 한갓진 시골길을 이렇게 절대적인 미감을 느끼게 하는 여자가 혼자 다리를 절며 걸어간다? 그제서야 나는 그녀 옆에서 내가 차를 세우게 된 심리적 배경을 이해할 수 있었다.

"어떨까 모르겠지만…… 괜찮으시다면 타세요."

조심스럽게, 그러나 조금 웃어 보이며 나는 다시 입을 열었다.

"어디로 가시죠?"

열린 윈도 쪽으로 한 발 가까이 다가서며 그녀는 물었다.

"좀 이상하게 들릴지 모르겠지만, 바다를 찾아가는 중이에요. 바다로 가는 길을 알려 주시면 저에게도 도움이 될 텐데……."

"바다로 가는 길을 찾는다구요?"

무슨 이유 때문인가, 그녀는 희디흰 치아를 드러내고 활짝 웃음을 지어 보였다. 그러고는 비로소 안심한 표정으로 조수석 도어를 열고 안으로 들어와 내 옆자리에 앉았다.

"왜, 내 말이 웃기게 들렸나요?"

내렸던 윈도를 올리고 브레이크 페달에서 발을 떼며 나는 물었다.

"아뇨. 바다는 저 산모롱이만 돌아가면 나타나거든요. 그래서 웃은 거예요. 바다를 지척에 두고 찾으시니까……근데 서울에서 오셨나요?"

문득 생각난 것처럼 내 쪽으로 고개를 돌리고 그녀는 물었다.

"네, 어제 왔죠."

"그럼 건봉사에서 나오시는 길이겠네요? 이 길로 오가는 외지 차들은 거의 다 그러니까요."

"아뇨, 아니에요. 건봉사가 아니라 저쪽 건너편 산 속에서 나오는 길이에요."

짧은 다리가 있는 곳, 그러니까 금강산 건봉사 안내 표지판이 세워진 곳에서 차를 멈추고 나는 내가 빠져 나온 건너편 야산 쪽을 가리켰다. 그러자 그녀가 잠시 사이를 두었다가 이상하다는 어조로 다시 입을 열었다.

"그쪽이라면……왼편이 아니고 오른편을 말하는 건가요?"

"그래요. 거기 마당에 우물을 메워 버린 폐가가 있는 곳에서 다시 안쪽으로 더 들어가요."

"아……."

무슨 이유 때문인가, 포장 도로로 진입할 때 그녀의 입에서 깊은 탄성이 흘러 나왔다. 내가 놀란 표정으로 돌아보자 두 눈을 동그랗게 뜨고 그녀가 다시 물었다.

"거기, 그 대나무 숲속의 별장을 말씀하시는 거죠?"

"그래요. 어제 오후에 그곳에 왔는데 아직 바다를 보지 못했어요. 근데 어디로 가는 거죠?"

좌우를 살피고 도로의 건너편 차선으로 진입하고 난 뒤, 문득 그녀의 행선지를 알아야 할 것 같다는 생각이 들어 나는 물었다.

"저는 간성으로 가요. 차로 가면 한 오 분쯤 걸리는데, 여기서 가장 가까운 읍거리예요."

"아, 그럼 잘됐군요. 저도 몇 가지 필요한 것들을 사야 하거든요."

산모롱이를 돌자 곧이어 군경 검문소가 있는 삼거리가 나타났다. 그러자 그녀가 저기요, 하고 전방의 어디쯤인가를 향해 손가락질을 해보였다. 재빨리 그녀를 돌아보고 나서 나는 그녀의 손가락이 지시하는 방향을 내다보았다. 거기, 검문소를 지나 직진하는 도로의 우측으로 감파르족족한 바다가 열려 있는 게 보였다. 하지만 검문소에서 우측으로 꺾어져야 한다고 그녀가 내게 일러주었기 때문에 바다는 이내 시야에서 사라져 버리고 말았다. 얼핏 바다의 손톱을 본 것 같다는 생각이 들 정도로 아쉬운 풍경이었지만, 우측으로 차를 꺾어 경사진 도로를 타고 올라 제법 긴 다리로 진입하자 좀전의 그 바다가 훨씬 드넓게 좌측 전방으로 떠올랐다. 마을 아래쪽으로 십 분 정도의 거리에 있는 바다……그제서야 바다윗말이란 마을 이름에서 어느 정도 현실감이 느껴지는 것 같았다. 하지만 다리를 건너자마자 바다는 주변의 구조물들에 가려 다시 자취를 감춰 버리고 말았다.

"별장에는 혼자 오신 건가요?"

다리를 건너 내리막길을 달릴 때 그녀가 다시 물었다.

"네, 혼자요."

그렇게 대답하자 혼자라는 사실, 그것이 때아닌 깨달음처럼 서늘하게 가슴을 훑고 갔다. 절대적 혼자. 그래, 지금 갑작스럽게 혼자가 된 게 아니라 아주 오래 전부터, 그러니까 꿈을 유보한 이후로 마음에 빗장을 지르고 내가 철저하게 혼자 살아왔다는 걸 퍼뜩 깨닫게 된 것이었다.

"아, 전 이쯤에서 내려 주세요."

다리를 건너 이삼 분쯤 달린 뒤, 자신이 내릴 지점을 까맣게 잊고 있었던 것처럼 그녀는 갑작스럽게 입을 열었다. 도로가 왼쪽으로 휘어들어간 지점에서부터 읍거리가 시작되고 있었는데, 그녀가 가리킨 곳은 거의 초입에 해당하는 지점으로 좌측에는 군청 건물이 있고 그 주변에는 자잘한 단층 상가 건물들이 즐비하게 늘어서 있었다. 우측 방향 지시등을 켜고 차를 도로 가장자리에다 세우자 그녀가 다시 입을 열었다.

"여긴 읍거리라고 해도 아무것도 볼 게 없어요. 너무 작고 썰렁하거든요."

"……."

나는 말없이 그녀를 돌아보았다. 순간적으로 어떤 망설임 같은 게 느껴진 때문이었는데, 묵연하게 전방을 내다보는 그녀의 옆얼굴에서 알 수 없는 나른함 같은 게 읽혀서 얼른 고개를 돌리고 말았다. 그녀는 중얼거리듯 고맙다고 말하고 나서 차분한 동작으로 도어를 열고 밖으로 나갔다. 잠시 그녀의 동작을 지켜보았지만, 허리를 약간 굽혀 인사를 하고 그녀는 곧이어 인도로 올라서 버렸다. 하지만 차를 도로 중심으로 진입시키고 나서 실내 후면경을 들여다본 뒤에 나는 좀전의 망설임에 대해 다시 한 번 후회하는 마음이 되지 않을 수 없었다. 그녀가 거기, 인도에 서서 망연한 표정으로 멀어져 가는 내 차를 주시하고 있었기 때문이었다.

혼자인 처지에 무슨 말을 나는 망설였던 것일까.

뒤로 쏠리는 미묘한 마음을 애써 다스리며 나는 천천히 읍거리를 관통해 나갔다. 하지만 도로 좌우로 즐비하게 늘어선 상가 건물들은 불과 오륙백 미터 정도에서 허망하게 끝이 나 버렸고, 마지막 지점의 버스 정류장을 지나치자 갑작스럽게 앞이 훤하게 열리며 읍거리가 이미 끝나 버렸음을 절로 알아차리게 했다. 그것이 속초로 나가는 도로임을 알리는 도로 표지판을 보고 나서 나는 다시 차를 돌려 읍거리를 반대 방향에서 거슬러 올라가기 시작했다. 좌우 단선 도로의 가장자리에 일렬로 노상 주차된 차량들, 인도와 연한 자잘한 상점과 대리점, 긴장감 없는 얼굴로 느릿하게 길을 오가는 사람들이 무한정 쏟아지는 오월의 햇살을 받으며 졸음에 겨운 듯한 풍경을 조성하고 있었다.

차를 노상 주차장에다 주차시키고 나서 나는 제법 규모감을 느끼게 하는 부근의 슈퍼마켓으로 들어갔다. 그리고는 그곳에서 통조림과 인스턴트 식품, 몇 가지의 캔 음료와 그래뉼 커피, 계란 등을 샀다. 계산을 하면서 제과점의 위치를 물었더니 저기요, 하고 주인 여자가 길 건너편을 손가락으로 가리켰다. 지난 열 달 동안의 악식에도 불구하고 별장에서 손수 밥을 지어 먹을 자신이 없어서 빵이나 사가야겠다고 작정한 것이었다. 적어도 작업실에서 기식할 때처럼 라면을 주식으로 삼지 않을 수만 있다면, 먹거리에 대해서는 그다지 신경을 쓰지 않아도 될 거라는 게 내 생각이었다. 별장에서 며칠이나 머물게 될진 모르겠지만, 라면을 먹지 않을 수만 있다면 다른 건 아무래도 괜찮다는 게 내 생각이었던 것이다. 밥이나 국, 아니면 찌개 같은 게 정 먹고 싶으면 다시 읍거리로 나와 사먹으면 그만 아닌가.

부근의 허름한 식당으로 들어가 아침 겸 점심으로 물냉면 한 그릇을 시켜 먹고 나서 나는 읍거리를 떠났다. 오던 길을 되돌아 다시 다리를 건너고 검문소를 지나 금강산 건봉사 표지판이 세워진 곳에서 우측으로 핸들을 꺾었다. 하지만 버스 정류장 앞에서 잠시 차를 세우고 망설이다가 직진, 깊은 산 속 어딘가에 자리잡고 있을 사찰을 찾아가 보기로 했다.

버스 정류장을 지나쳐 이십 미터쯤 위로 올라가자 좁은 비포장 도로 옆에 두 채의 집이 마주보고 있었다. 지나치면서 흘끗 확인해 보니 좌측은 가정집이고 우측은 유리문이 달린 구멍가게였다. 주변에 마을이 형성돼 있는 것도 아닌데 누구를 위한 구멍가게인가, 다소 의아하다는 생각이 들었다. 건너편 야산 기슭에 산재한 몇 채의 가옥과 건봉사를 오가는 신도나 관광객을 대상으로 한 것일 수도 있겠다는 생각이 들기도 했지만, 설령 그렇다 해도 영리적인 측면에서는 도무지 수지타산이 맞지 않을 성싶었다. 하지만 삼사 분쯤 더 달리고 난 뒤, 도로와 연한 군부대의 블록 담장을 발견하고 나서야 나는 비로소 구멍가게에 관한 의구심을 해소할 수 있었다. 세상에 수지타산을 무시한 장사가 어디 있으랴.

금강산 건봉사 가는 길, 그것은 거친 도로 상태로 인해 험로를 주파하는 자동차 경주를 연상케 했다. 산허리를 질러 깎거나 산자락을 파들어간 좁고 거친 도로는 오르막과 내리막의 연속이었고, 노면에는 유난스레 돌이 많아 심심찮게 텅텅, 회전하는 타이어에 튕겨오른 것들이 차량의 하체를 때리는 소리가 났다. 그러면서 산세는 빠르게 깊어지고 사방을 에워싼 녹음은 봇물처럼 도로를 압박해 들어왔다. 뿐만 아니라 지대가 높아진 곳에는 전시를 대비한 도로 차단용 콘크리트 구조물이 길 양 옆으로 세워져 있었고, 거기에는 발파할 때 폭약을 밀어 넣기 위한 것인 듯 여러 개의 구멍이 뚫려 있었다. 그쯤에 이르자 비로소 긴장감이 감도는 지점, 내가 군사분계선 가까운 곳에 와 있다는 걸 실감할 수 있었다. 아니나다르랴 싶게 가팔진 경사길을 내려가자마자 포연에 그을린 듯한 커다란 고사목 뒤쪽으로 '남방 한계선'이라고 쓰인 커다란 표지판이 보였다.

고사목을 사이에 두고 갈려 나간 두 갈래 길 중 왼쪽으로 난 샛길로 접어들어 이삼 분쯤 올라가자 비로소 널찍한 공지와 함께 사찰의 모습이 드러났다. 넓은 공지는 아마도 주차장으로 사용되는 곳인 듯 거기에는 봉고차 한 대와 은색 중형차 한 대가 주차돼 있었다. 사찰은 그 공지보다 이삼 미터쯤 높은 곳에 디귿자를 오른쪽으로 뒤집어놓은 듯한 구도로 자리잡고 있었는데, 어찌된 셈인지 지붕 아래쪽으로는 단청이 전혀 되어 있지 않았다. 차에서 내려 주변을 둘러보니 현석이 말한 자투리 나무 더미가 거적에 씌워진 채 공지 우측의 산자락 아래쪽을 차지하고 있었다.

사찰은 바깥쪽뿐 아니라 안쪽에도 단청이 되어 있지 않았다. 그래서인가, 마당으로 접어들어 둘러보니 사찰의 규모감에도 불구하고 왠지 모르게 어설픈 느낌이 들었다. 갓 올린 듯한 기와와 속살빛을 그대로 드러낸 소나무 기둥, 선방의 깨끗한 창호지 따위들이 깊고 수려한 산세와 전혀 조화를 이루지 못하고 있는 것 같았던 것이다. 현석의 말을 들은 이후, 과거의 번성이나 세월의 풍상을 떠올릴 수 있는 사찰을 기대하고 있었기 때문인지도 모르겠지만, 아무렇든 나는 문이 열린 대웅전으로도 올라가 보지 않고 허전한 심사가 되어 사찰 맞은편을 건너다보았다. 마당 아래쪽으로 내려가는 돌계단과 화강암으로 만들어진 돌다리를 건너가자 절터 자리였던 듯한 흔적이 잡초 속에 남아 있고, 그 앞쪽으로 '나무아미타불(南無阿彌陀佛)'이라고 쓰인 높다란 돌 솟대가 세워져 있었다. 그리고 이백여 미터쯤 전방, 우측 산발치에 작고 아담한 별도의 법당이 오롯이 세워져 있는 게 눈에 띄었다.

적멸보궁(寂滅寶宮).

천천히 오솔길을 따라 올라가 나는 다소 긴장된 눈빛으로 현판을 올려다보았다. 그러고는 잠시 망설이다가 서늘한 산바람이 밀려나오는 법당 안으로 들어섰다. 번뇌의 경계를 떠나고 생멸이 함께 없어져 무위적정(無爲寂靜)해진다는 공간에는 정말 불상이 모셔져 있지 않았다. 하지만 그곳은 돌다리 저쪽의 본채와 달리 새뜻하게 단청이 되어 있었을 뿐만 아니라 뭔지 모를 집중력으로 내부가 가득 들어차 있는 것 같았다. 그것이 적멸이라면, 적멸이란 얼마나 가슴 벅찬 공허를 의미하는 것이랴.

좁은 마당에는 작은 석등이 세워져 있었고, 법당 우측의 추녀 밑에는 풍경(風磬)이 매달려 청량하면서도 그윽한 소리를 밀어내고 있었다. 아무도 없는 그 공간, 법당 맞은편의 마루에 앉아 나는 뜻 없는 시선으로 좁게 열린 허공을 올려다보았다. 과거의 풀섶에서 떼뱀처럼 밀려나오는 서늘한 기억에도 불구하고, 핍색했던 세월의 허물이 허공으로 떠올라 한없이 가벼운 망사(網紗)로 직조되는 것 같았다. 이렇듯 적멸한 공간에서라면, 이루지 못한 꿈인들 허망할 게 무어랴.

세월의 수레바퀴에 실려 간 꿈은 이제 아쉬움의 대상이 아니었다. 필요한 것은 적멸이 아니라 소멸, 그리고 또 다른 길을 향한 준비이거나 출발일 뿐이었다. 그러므로 십 년 세월 저쪽, 꿈과 무관한 길을 떠나던 시절의 기억은 부정이나 타파의 대상이 될 수 없었다. 그것이 원하는 길은 아니었지만, 어쨌거나 그 시절의 나를 부정하고 지금의 나를 인정할 수는 없는 법이었다. 원하는 길을 가기 위해 원치 않는 길을 에돌아가는 것, 그것을 통해 오히려 강화되거나 견고해질 수 있는 게 꿈이라면 지금의 나를 무슨 말로 변명할 수 있으랴.

꿈을 위해 꿈을 잠재우는 과정.

생활 형편이 나아질 때까지 오직 생계를 위해, 한 삼 년 죽어라고 돈을 번 뒤에 나의 길을 가겠다는 생각으로 나는 이를 악물고 '예림기획'의 소장 노릇에 최선을 다했다. 주문이 아무리 밀려도 마다하지 않았고, 납품 일자를 어기지 않기 위해 며칠씩 집에도 못 들어가고 밤샘 작업을 하기도 했다. 뿐만 아니라 기존의 투시도나 조감도들이 지니고 있는 판에 박힌 듯한 도식성을 탈피하기 위해 독자적인 변화를 가미하기도 했다. 주문 업계의 반응과 평판이 괜찮아지면서 작업량은 더욱 늘어났고, 급기야는 손이 달려 사람을 쓰기 시작했다. 설계도를 들여다보며 라면을 먹고, 붓질을 해가며 담배를 피우고, 어떤 때는 꿈에서도 주문 날짜에 쫓기는 나를 만나기도 했다. 한번 발을 담그기 시작하면 두 번 다시 헤어나기 힘든 거대한 늪지대로 내 자신이 빨려 들어가고 있다는 걸 그때는 전혀 자각하지 못한 것이었다.

뚜렷한 목적 의식을 지니고 무엇엔가 몰두하는 자에게는 세월도 촌각과 같다는 말처럼, 흐름을 감지하지도 못하는 사이에 삼 년은 거짓말처럼 흘러가 버렸다. 이십오 평 아파트 한 채를 마련하는 데 드는 금액을 맞추고 나서 생각해 보자는 미강의 권유 한마디에 다시 이 년이란 시간이 덩달아 흘러가 버렸다. 하지만 더 이상 이사를 다니지 않을 수 있게 되었다고 해서 뚝, 하던 일을 하루 아침에 팽개치고 내가 원하는 일을 할 수 있게 되었다면 나는 세상이 꿈꾸는 자의 것이라는 말을 믿었을는지도 모르리라. 세상이 꿈꾸는 자의 것이라는 말은 세상이 결코 꿈꾸는 자의 것이 될 수 없다는 걸 역으로 반영하는 말일 뿐이었다. 만약 꿈꾸는 자의 것으로 만들고 싶다면, 꿈을 보장받기 위해 음험한 뒷거래에 눈을 떠야 하는 건지도 모를 일이었다. 그런 걸 미강은 이미 오래 전부터 터득하고 있었던 모양, 호구지책이라는 먹성 좋은 괴물의 아가리에다 여분의 돈을 물려 놓지 않으면 아무것도 할 수 없다는 사실을 회유하듯 일깨우며 또다시 나의 손목을 부여잡았다.

—한 삼 년만 더 하고 손을 놔요. 이 세상에서 나만큼 당신 꿈을 잘 알고 있는 사람이 누가 또 있겠어요? 어느 정도 목돈이 손에 잡히면 그때부턴 내가 나서서 뭔가를 해볼게요. 당신은 한적한 전원에다가 농가 주택 같은 걸 사서 작업실로 개조하고, 거기서 그리고 싶은 그림만 그리면 되는 거예요. 당신은 나를 야속하다고 원망할지도 모르겠지만, 지금으로서는 당신이 일에서 손을 떼봤자 우리 가족 몇 달도 버티기 어려워요. 내가 나서서 뭔가를 할래도 우선은 손에 쥔 게 있어야지요. 당신이 하고 싶어하는 일은 어차피 평생을

두고 해야 하는 거니까, 한 번 더 속는 셈치고 삼 년만 참아 줘요, 네?

꿈에 의해 지탱되던 내가 바로 그 꿈에 의해 주눅들 수밖에 없었던 이유는 안타깝게도 미강의 말에 틀린 구석이 하나도 없었기 때문이었다. 무작정 손을 놓고 어쩌겠다는 것인가. 주변인 하나 없는 무인도로 표류해 온 속수무책의 한 가족을 떠올리며, 그럴 때마다 나는 막막한 눈빛으로 주변을 두리번거리곤 했다. 가족이 표류해 온 게 아니라, 어쩌면 표류하는 섬에 갇혀 터무니없는 기적을 기다리고 있는 것이나 아닌지. 꿈을 찾아 머나먼 에움길을 돌아가는 사람처럼, 갈 길은 먼데 어느덧 날 저물어 버리니 가슴에 뜻을 품었다는 죄로 스스로 영어(囹圄)의 몸이 되는 형국이었다. 꿈이 사면초가를 만들면, 사면초가가 아니라 꿈을 허물면 그만 아닌가.

태양 광선의 스펙트럼처럼 탄생하는 화가들.

대학 동기들 중에는 이미 국전과 공모전으로 화단에 얼굴을 내밀거나 프랑스 이태리 등지로 유학을 다녀온 인물들도 있었다. 뿐만 아니라 개인전으로 화려하게 주목을 받거나 미술 평론가들의 호평을 받으며 평판이 자자해지는 면면들도 있었다. 하지만 나는 '예림기획'을 인수한 이후부터 어느 대학 동기도 만난 적이 없었고, 나중에는 미술계 소식을 접하는 게 두려워 신문까지 끊어 버리고 말았다. 고작 한 사람, 고등학교 동창이었던 현석을 일 년에 몇 번 만나는 일 말고는 그야말로 친구도 동기도 없는 산간 벽지의 독학생 같은 처지가 되어 버리고 만 것이었다. 하지만 현석은 그때 이미 의자 제조업체를 아버지로부터 물려받아 여유만만한 삼십대 중반으로 살아가고 있었기 때문에 나와는 달라도 한참 다른 처지가 되어 있었다.

여적 실현하지 못한 꿈을 가슴에 품고 강박적 사고를 지닌 인물로 변해 버린 나, 자본주의적 삶의 여건에 걸맞게 골프나 땅투기,

해외 여행 같은 것에 지대한 관심을 쏟는 그—우리는 건성으로 만나도 어차피 물과 기름일 수밖에 없었고, 물과 기름일 수밖에 없었기 때문에 오히려 서로를 덜 부담스러워할 수 있었다. 본질이 아니라 조건으로 대차 대조되는 물과 기름.

이래저래 심신이 주눅들어 갈 무렵부터 설상가상, 건설 업계에 불황이 밀어닥치기 시작했다. 주문량이 줄어든 거야 당연한 결과라고 할 수 있었지만, 동일 업종 간의 수주 경쟁까지 야기돼 투시도나 조감도 하나 그려 주고 받는 가격에도 덤핑이 생겨나기 시작했다. 한창때 일곱 명씩이나 되던 직원이 주문량의 감소에 비례해 차츰 줄어들더니 나중에는 잔심부름하는 여직원 하나만 달랑 남았다. 하지만 그때 이미 나는 돌아가는 일의 정황을 강 건너 불 구경하듯하고 있었다. 주문량이 현격하게 줄어들어도 단 한 푼도 단가를 낮추지 않았고, 온다간다 말 한마디 없이 일손이 빠져 나가도 그들의 빈자리에 아쉬운 눈길 한번 주지 않은 것이었다.

될 대로 되라, 어떻게든 되겠지.

시간이 나면, 그것이 오전이었건 오후였건 나는 인근의 시장 바닥으로 들어가 혼자 낮술을 마시곤 했다. 모든 것이 흐무러져 있었으므로 예전과 같은 조바심도 별로 느껴지지 않았다. 어느덧 미강이 연장한 삼 년이 다 되어가고 있었기 때문이 아니라, 내 마음이 이미 오래 전에 '예림기획'을 떠나 있었기 때문이었다. 무슨 낙으로 팔 년을 버텨 왔던가. 스물일곱에서 더 이상 나이를 먹지 못한 사람, 아니면 인생의 팔 년을 공생애로 날려 버린 사람처럼 나는 생경한 눈빛으로 세상의 풍물을 새롭게 뇌리에 각인하기 시작했다. 팔 년이 의미하는 게 나에게는 눈멀고 귀먹은 세월 이외에 다른 아무것도 아니었기 때문이었다.

하지만 팔 년 세월을 마감하던 그 해 가을, 내 인생의 가지 끝에서 위태롭게 대롱거리던 꿈의 마지막 잎새가 떨어져 내렸다. 내가 견뎌 온 게 잎새의 점진적인 조락인 줄 알았는데, 저주스럽게도 마지막 잎새가 떨어진 뒤에야 나는 비로소 그것이 말라비틀어진 고사목에 매달려 있었다는 걸 알게 된 것이었다. 모든 것이 끝나 버린 뒤, 그러니까 그때는 내가 여축한 돈뿐 아니라 은행에 저당잡힌 아파트까지 경매에 붙여질 위기에 처해 있을 때였다. 더 이상 숨길 수 없는 지경에 이르러서야 비로소 미강은 자신이 오빠와 함께 도모했던 일의 내막을 마지못해 나에게 털어놓았다.

—지난 오월, 시내 중심가에 목 좋은 호프집이 났다고 오빠가 찾아왔어요. 거긴 오빠가 자주 다니던 곳이라서 장사가 얼마나 잘 되는지도 훤히 알고 있다고 했고……나도 미심쩍어서 오빠를 따라가 봤는데 정말 장사는 잘 되는 곳이었어요. 당신은 내가 바보 같은 짓을 했다고 할지도 모르겠지만, 내가 오빠에게 넘어간 것도 따지고 보면 당신을 위해 나도 이젠 뭔가를 해야겠다는 생각이 앞섰기 때문이었어요. 가겟세가 엄청 비싸서 모아 둔 돈과 아파트를 저당잡히고 은행에서 대출 받은 돈을 합해도 턱없이 부족했어요. 하지만 동업을 하겠다던 오빠 친구가 발을 빼지만 않았어도 이렇게 앉은 채로 돈을 날리는 일은 일어나지 않았을 거예요. 오빠만 해도 우리가 엄마를 모시니까 자기가 나서서 집안을 일으켜야겠다고 생각한 거지, 그게 어디 자기 한 몸 편해지자고 생각해 낸 일이겠어요? 당신에겐 정말 미안한 일이지만……기왕 일이 이렇게 된 거 그저 팔자려니 생각하고 조용히 넘어가요. 우리에겐 그래도 밥줄이 남아 있잖아요.

당신이 말하는 밥줄이 뭐냐고, 그것이 무엇을 의미하는지를 모르겠어서 나는 정박아처럼 흐무러진 표정으로 미강에게 물었다. 그러자 잠시 사이를 두었다가, 다소 어이가 없다는 표정으로 그녀는 이렇게 대답했다.

—당신, 정말 몰라서 묻는 거예요? 우리에게 남겨진 게 예림기획

뿐인데, 그걸 발판으로 다시 시작해야지 이제 달리 무슨 방도가 있겠어요?

그래, 달리 방도가 없었으니 앉은 자리가 곧 지옥일 수밖에 없는 나날이 시작되었다. 아파트를 급매로 처리하고, 그것으로 은행 대출금을 정리하고, 남은 돈으로 방 두 칸짜리 월셋집을 얻어 이사를 하는 변화가 연이어졌다. 하지만 그때부터 시작된 또 다른 양태의 삶에 대해서는 어느 누구도 적응의 몸짓을 보이려 하지 않았다. 아이는 아이대로 짜증을 부리고, 미강은 미강대로 밖으로 겉돌고, 나는 나대로 마음에 빗장을 질러 버린 것이었다.

미강은 일자리를 알아봐야겠다며 밖으로 나돌아쳤지만, 그것이 나의 질타나 원망에서 비롯된 건 결코 아니었다. 그녀가 자신의 오빠와 함께 도모했던 일에 대해 나는 그로부터 일 년이 넘도록 일언반구로도 내 감정을 표현하지 않았다. 표현하기 싫어서가 아니라 할 말이 없었기 때문이었고, 할 말이 있었다 해도 이미 나는 말하는 방식을 망각하고 있었기 때문이었다. 말을 떠올릴 때마다 송장 속에 들어찬 수렴(水廉)처럼 가슴속이 흥건해지고, 그러면 떠올랐던 말이 기억의 어느 언저리에도 들러붙지 못한 채 고스란히 녹아 버리곤 한 것이었다. 작년 여름, 살아서는 갚지 못할 대죄를 짊어지기라도 한 것처럼 내 얼굴을 마주 대하지 못하는 늙은 장모가 부담스러워 작업실로 거처를 옮길 때에도 나는 말이 아니라 메모로서 나의 의사 표시를 대신했다. 아무리 기를 써봐도 입이 떨어지질 않아서, 어쩔 수 없이 한마디의 말을 종이에 적어 미강에게 건넨 것이었다.

—나, 이제 작업실에서 살게.

오후 네 시경, 나는 현석이 일러 준 대로 차 트렁크에다 굵직한 소나무 몇 토막을 싣고 건봉사를 떠났다. 밤에 마당에다 모닥불을 피워 놓고 앉아 술이나 한잔 해야겠다는 생각을 했던 것인데, 건봉사를 떠나 한참을 달린 뒤에야 비로소 간성 읍내에서 아주 중요한 것 한 가지를 구입하지 않았다는 사실이 번개처럼 뇌리를 스쳐 갔다. 술! ―다른 건 몰라도 그것만은 준비해 둬야겠다는 생각, 그것을 위해 다시 간성 읍내로 나가야겠다는 생각이 연해 뇌리를 스쳐 갔다. 하지만 다음 순간, 천만다행스럽게도 올라오는 길에 보았던 구멍가게가 떠올라 절로 한숨이 나왔다. 술 익는 구멍가게라면 몰라도, 술 팔지 않는 구멍가게는 어디에도 없을 터였다.

이윽고 차를 세우고 내려 보니 구멍가게는 지나갈 때 얼핏 보았던 것보다 훨씬 낡고 퇴락한 외관을 드러내고 있었다. 낮은 슬레이트 지붕과 앞쪽으로 다소 기울어진 듯한 시멘트 벽, 심지어는 미닫이 식으로 만들어진 유리문 위에까지 백분(白粉)을 바른 듯 뽀얗게 흙먼지가 뒤덮여 있었다. 간판도 없는 가게 안으로 유리문을 열고 들어서자 두어 평이나 될까 말까 한 공간, 빵과 과자류를 올려놓은 선반과 진열대가 어지럽게 시야로 밀려들었다.

왼편에 작은 방문이 하나 있었지만 아무도 문을 열고 내다보지 않아 나는 허리를 조금 굽히고 방문 아래쪽의 유리를 들여다보았다. 십육절지 두 장 크기만한 유리 안쪽, 짙게 그늘진 방바닥에 희디흰 손 하나가 놓여 있었다. 손등이 방바닥에 닿아 있는 걸로 보아 누군가 누워 있는 것 같았지만, 그것이 아무런 움직임을 보이지 않아 다소 섬뜩하다는 생각까지 들었다.

"아무도 안 계신가요?"

방문을 향해 내가 말을 하자 곧이어 손이 사라지며 안에서 부스럭거리는 기척이 들렸다. 그리고 잠시 뒤에 방문이 열렸는데, 막상 거기서 얼굴을 내민 흰 손의 주인을 보고 나서 나는 벙그렇게 입을 벌리고 말았다. 옹색한 방 안을 배경으로 모습을 드러낸 여자의 얼굴에서는 이상한 광채가 뿜어져 나오는 것 같았고, 그것이 나의 의식으로 스며들어 이내 정신이 몽롱해지는 것 같았다. 하지만 무심하게 얼굴을 내밀었던 여자의 눈망울에도 역시 놀라운 기색이 가득 들어차 만개한 꽃처럼 동공이 활짝 열렸다. 지극히 짧은 순간을 한껏 응축시키는 이해할 수 없는 힘에 짓눌린 듯한 목소리로 나는 간신히 입을 열었다.

"여기가 집인 줄 몰랐군요."

"어떻게……여길?"

갑작스럽다 싶을 정도로 확연하게, 여자의 얼굴에 발그레하게 홍조가 떠오르기 시작했다.

"건봉사에 갔다 오는 길인데……여기 사시는 건 정말 모르고 들어왔어요. 소주를 몇 병 사갈까 해서요."

나의 말을 듣고 나서야 비로소 그녀는 엉거주춤하게 서 있던 자세에서 벗어나 슬리퍼를 신고 밖으로 나섰다. 처음 햇살 속에서 보았을 때보다 옹색한 배경 속에 서 있는 지금의 그녀에게서 훨씬 깊고 구체적인 미감이 느껴지는 것 같다는 생각을 하며 나는 관찰자와 같은 눈빛으로 그녀를 훔쳐보았다. 이렇게 아름다운 여자가 어째서 이런 데서 사는 걸까, 그 이유를 궁금해하지도 않았는데 절로 마녀의 저주에 걸린 동화 속의 공주가 떠올랐다. 진열대 옆에 놓인 궤짝에서 그녀는 소주 한 병을 꺼냈고, 그것을 지켜보고 있던 나는 그제서야 한 병이 아니라 세 병이라는 말을 덧붙였다.

"여기, 혼자 사시는 건가요?"

비닐봉지에 담긴 소주를 건네 받고 돈을 내밀며 나는 물었다.

"아뇨. 엄마하고 아버지는 밭에 일하러 가셨어요. 지금은 한창 바쁠 때거든요."

거스름돈을 내밀며 그녀는 조금 웃어 보였다. 하지만 요원한 꿈을 좇다가 갑작스럽게 현실로 되돌아온 사람처럼, 어설픈 웃음에도 불구하고 그녀의 눈망울에는 알 수 없는 여백이 떠올라 있었다. 그래서인가, 더 이상 해야 할 말이 없었음에도 불구하고 나는 선뜻 가게를 빠져 나가지 못했다. 그때 어색한 침묵을 걷어 내기 위해서인 듯 그녀가 다시 입을 열었다.

"그 소주, 혼자 다 드실 건가요?"

"이거요? 그냥……만일의 경우를 대비해서 비축해 두려구요. 별장이 너무 후미진 곳에 있어서 밤이면 좀 무섭기도 하구요. 아무튼 제가 다 마시게 되겠죠 뭐."

그 말을 하고 나서야 나는 비로소 진득한 미진함을 털어 낼 수 있었다. 그녀가 설령 마녀의 저주에 걸린 공주라 해도, 내가 그녀를 구해 줄 수 있는 백마 탄 왕자가 아니라는 현실감이 문득 정신을 일깨운 것이었다. 그래서 가볍게, 그녀에게 눈인사를 건네곤 곧장 등을 돌렸다. 밖으로 나서서 유리문을 닫아 주려고 하자 놔두세요, 하고 말하며 그녀가 열린 공간 앞으로 한 발 다가섰다. 길 떠나는 사람을 배웅하듯 유리문 사이에 서서 나를 내다보려는 것 같았다. 소주가 담긴 비닐봉지를 뒷좌석에다 던져 놓고 내가 마악 운전석 문을 열었을 때, 얼핏 그녀의 목소리가 들리는 것 같아 나는 재빨리 뒤를 돌아보았다. 하지만 유리문과 유리문 사이, 내가 빠져 나온 그 공간은 여전히 열려 있었지만 그녀는 이미 모습을 감추고 없었다.

밤의 정령들이 춤추는 시간.

어둠이 내리고도 한참이 더 지난 뒤부터 나는 별장 마당에다 모닥불을 피워 놓고 앉아 소주를 마시기 시작했다. 낮 동안의 이른 더위에 비해 밤에는 스산하다 싶을 정도로 기온이 낮아졌지만, 가늘면서도 끈덕지게 너울거리는 불꽃이 내 주변에다 부드러운 박막을 형성하는 것 같아 한결 마음이 편안해졌다. 지난 열 달, '예림기획'의 작업실에서 경험했던 어둠과는 비교도 되지 않을 정도의 무한 공간감—그런 상태에서 심신이 자연스럽게 각성된 때문인가, 두 병의 소주를 비웠음에도 좀체 취기가 느껴지지 않았다. 다만 혼자라는 의식의 각인, 그 허전한 공백감이 나도 모르게 주변을 의식하게 만들었다. 그래서 교교한 달빛과 숲의 수런거림, 간간이 어둠을 찔러대는 밤새 울음소리가 살갗으로 아리게 스며드는 것 같았다.

집을 나와 '예림기획'의 작업실에서 기거했던 지난 열 달, 그것은 꿈과 어둠과 빛이 난투극을 벌인 시간이었다. 꿈을 갈망하면서도 그것을 증오하고, 어둠에 젖어 살면서도 그것을 혐오하고, 눈부신 빛의 세계를 그리워하면서도 그것을 두려워하는 이율배반적인 은거의 시간. 그래서 밤이 되면 중얼중얼, 정신을 취기에 빼앗긴 채 작업실 한쪽 구석에 처박힌 낡은 책의 한 구절을 저주의 주문처럼 읊어대곤 했다.

—밤이 다가온다. 밤과 더불어 내게 낯익은 유령들이 깨어 일어난다. 그래서 나는 무섭다. 해가 저물 때, 내가 잠들려 할 때, 그리고 잠에서 깨어날 때, 이렇게 나는 하루 세 번 무섭다. 내가 획득했다고 여겼던 것이 이렇게 나를 저버리는 세 번……허공을 향하여 문을 열어 놓는 저 순간들이 나는 무섭다. 짙어 가는 어둠이 그대의 목을 조일 때, 잠이 그대를 돌처럼 굳어지게 할 때, 한밤중에 그대가 나는 무엇인가 하고 결산해 볼 때, 그대가 생각할 때—존재하지 않는 것을 생각할 때, 대낮은 그대를 속여 위로한다. 그러나 밤은 무대 장치조차 없다……나를 진정시켜 다오.

가물거리는 불꽃, 은연한 취기 속으로 또다시 지난밤과 같은 환각이 찾아오는 것 같았다. 달빛에 젖은 파도 소리가 은밀하게 시공을 넘어오는 것 같고, 내가 예감하기 어려운 누군가의 존재감이 지척으로 다가오고 있는 것 같았다. 퍼뜩 두 눈을 부릅뜨고 고개를 돌리자 자박자박, 누군가 검푸른 오죽숲을 돌아 별장으로 이어진 샛길로 접어드는 게 보였다. 온몸에 깊은 전류가 퍼져 나가는 걸 느끼며 나는 반사적으로 몸을 일으켰다. 어둠에 스며든 푸르스름한 달빛을 받으며 누군가 길이 끝나는 별장 마당을 향해 조심스럽게

다가오고 있었다. 하지만 그 걸음걸이는 일정한 간격을 보이면서도 어딘가 모르게 불안정한 구석이 있어 보였다. 환각과 현실의 경계에서 피어나는 꽃처럼, 서릿발 같은 긴장감을 온몸으로 느끼며 나는 꼼짝 않고 서 있었다. 숨막히는 묵적(默寂)의 시간.

"미안해요……놀라셨죠?"

손에 흰 종이봉지를 들고 내 앞까지 다가온 그녀가 조심스런 눈빛으로 나를 보았다.

"밤길인데……내가 뭔가에 홀린 줄 알았어요."

푸른 달빛을 받은 그녀의 얼굴에서 환상적인 색감을 읽어 내며 나는 중얼거렸다

"예상했던 대로 혼자 술을 드시는군요. 이거요……드시라고 가져왔어요."

소주병과 종이컵을 내려다보고 나서 그녀는 손에 든 종이봉지를 내게 내밀었다. 그것을 건네 받아 접은 윗부분을 열어 보자 고소한 냄새와 함께 바스락거리는 소리가 났다. 뿐만 아니라 봉지에서 따뜻한 온기까지 느껴져 나는 고개를 갸웃하며 내용물 하나를 꺼내 들었다. 각질처럼 딱딱한 감촉—미역인가? 내가 그것을 입에 넣어 조금 깨물자 다소 수줍은 듯한 표정으로 그녀가 다시 입을 열었다.

"다시마 튀김인데……방금 튀겨온 거라서 술 안주 하시면 좋을 거예요."

"달밤의 다시마 튀김……감동적인 맛이로군요."

모처럼 환하게 웃으며 나는 그녀를 보았다. 그러고는 앉으라고, 모닥불 옆에 만들어 두었던 내 자리를 그녀에게 권하고 다시 마당 가장자리로 가 벽돌 한 장을 들고 왔다. 서서 볼 때는 푸르고 서늘한 기운에 젖어 있었으나, 모닥불 옆에 앉은 그녀의 안면에는 어느새 다감한 홍빛이 가득 번져 있었다. 나는 별장 안으로 들어가 다시 한 병의 소주와 종이컵을 들고 나왔다. 하지만 종이컵을 건네기

전, 다소 미심쩍은 표정으로 그녀에게 물었다.

"소주를 마실 수 있나요?"

"네……가끔 혼자 마셔요."

예상 밖이다 싶을 정도로 순순히, 그리고 담박한 표정으로 그녀는 고개를 끄덕이며 대답했다.

"혼자, 어디서 술을 마시죠?"

그녀에게 종이컵을 건네고 소주를 따라 주며 나는 물었다.

"밤에 부모님들이 잠들면……가게에 있는 소주 한 병을 꺼내 들고 혼자 밖으로 나와요. 집 주변에서 마실 때도 있지만……대부분은 이쪽으로 건너와서 마시곤 해요."

"이쪽이라뇨? 이렇게 캄캄한 곳으로 와서……그러니까 이 별장 마당으로 와서 술을 마시곤 했다는 건가요?"

사뭇 놀라는 표정으로 나는 그녀를 보았지만, 나와 달리 그녀는 지극히 차분한 표정으로 흔들리는 불꽃을 들여다보고 있었다.

"자주 둘러보고 가긴 했지만, 여기서 술을 마신 적은 없어요. 이곳으로 들어오는 길 옆에 있는 폐가……그게 원래 우리 집이었어요. 지금은 외지인에게 팔렸지만, 재작년 가을까지 거기 살았었거든요. 그래서 마음이 심란해지면 밤에 이쪽으로 건너와 그 집 우물터에 앉아서 혼자 소주를 마시곤 해요."

"그 집에 살 때가 좋았었나 보죠? 그러니까 그 시절이 그리워서……."

"아뇨. 꼭 그런 건 아녜요. 그냥 거기 앉아 있으면 마음이 편안해지는 것 같아서요. 그리고……."

말을 멈추고 그녀는 잠시 허공을 올려다보았다. 그런 뒤에 문득 생각난 것처럼 손에 든 종이컵을 입으로 가져갔다. 내가 다시 술병을 내밀자 습기를 머금은 듯한 눈빛으로 그녀는 잠시 나를 물끄러미 바라보았다. 이윽고 빈 종이컵을 내밀어 술을 받은 뒤에 그녀는 자신이 하던 말을 거두고 엉뚱한 물음을 내게 건넸다.

"이런 곳에 왜 혼자 오셨나요?"

그녀가 갑작스럽게 말머리를 돌린 탓에 나는 잠시 당황한 표정으로 너울거리는 불꽃을 내려다보았다. 하지만 컵에 담긴 술을 비우고 나자 왜일까, 그것이 무엇이 되었건 그녀에게 뭔가를 말하고 싶다는 욕구가 은근히 눈을 뜨기 시작했다. 혼자인 상태, 그것에 대한 자각을 무르녹게 하는 그녀의 존재감 때문인가?

"인생이 극도로 불투명하게 느껴질 때가 있죠. 내가 살아온 이유와 살아갈 이유, 그런 것에 아무런 확신도 가질 수 없을 때……그러니까 혼자인 게 당연하고 혼자일 수밖에 없는 시간 같은 거요. 아마 나는 지금 그런 시간을 지나가고 있는 것 같아요. 같이 올 사람이 아무도 없었으니까요."

결혼을 하지 않았느냐고, 나의 말을 듣고 나서 그녀는 잠시 머뭇거리다가 물었다. 그래서 했었다고, 하지만 지금은 모든 게 끝장나 버렸다고, 타인의 불행을 말하듯 나는 허전한 표정으로 중얼거렸다. 그러고 나서 꿈에 대해, 그러니까 그녀가 묻지도 않은 부분에 대해 자복하듯 모든 걸 털어놓기 시작했다. 십 년 전의 꿈, 십 년 동안의 삶, 그리고 원점 아닌 원점으로의 회귀—내가 그리고 싶어 하던 대상으로서의 세상에 꿈을 빼앗기고, 이제는 내 자신이 꿈의 허물로 남아 세상으로부터 멀어져 가고 있다는 말을 하고 나서야 나는 비로소 말을 맺었다.

고개를 들고 그녀를 보자, 그녀는 내 말이 아니라 자신의 생각에 깊이 침잠한 표정으로 물끄러미 불꽃을 들여다보고 있었다. 그러다가 문득 고개를 들고, 어떤 비의가 담긴 듯한 눈빛으로 내게 물었다.

"혹시 말무리반도를 보신 적 있나요?"

3

오전 열 시경에 눈을 떴을 때, 나는 옷을 입은 채 거실 바닥에 누워 있었다. 기억이 끊긴 건가, 잠시 당황스런 기분이 들어 누운 채로 지난밤의 일들을 정리해 보았다. 하지만 지난밤의 일들은 비교적 명료하게, 그리고 생생하게 기억에 남아 있었다. 다만 한 가지, 그녀에게 내 자신에 관한 말을 지나치게 많이 늘어놓은 것 같다는 때늦은 자괴심은 기분을 몹시 찜찜하게 만들었다. 그녀도 소주를 몇 잔 나누어 마시긴 했지만, 아무리 그렇다고 해도 교분이 있는 사이도 아닌데 무슨 신세 타령이란 말인가!

자정 무렵, 그녀를 버스 정류장 앞까지 배웅해 주고 돌아온 기억을 되살리고 나서 나는 굼뜨게 몸을 일으켰다. 거실 바닥에서 잠이 든 과정이 기억에 남아 있지 않은 걸 보면, 그녀를 배웅하고 돌아와 갑작스럽게 긴장이 풀린 게 아닌가 싶었다. 소파에 앉아 마당을 내다보니 지난밤의 잔해가 꿈이 아니었다는 걸 입증하듯 고스란히 남아 있었다. 빈 소주병들과 종이컵, 벽돌과 벽돌 사이에 놓인 다시마 튀김 봉지, 그리고 타다 남은 나무토막과 희뿌연 잿더미…… 하지만 지난밤의 잔흔 위로도 햇살은 눈부시게 쏟아지고 있었다. 뿐만 아니라 주변을 에워싼 푸르른 녹음과 상쾌한 대기, 구름 한 점 없는 하늘이 평화로운 조화를 이루며 이 아침은 어제와 또 다른 날빛으로 팽팽하게 부풀어오르고 있었다.

오, 빛이 만들어 내는 무한한 시각의 변화!

눈을 가늘게 뜨고 나는 원근으로 내다보이는 풍경의 세계를 관망하기 시작했다. 멀고 가까운 풍경을 감각적으로 단순화시키고, 그 안에서 자연스럽게 부각되는 대각과 수평과 수직의 구도를 분류해 냈다. 그리고 다양한 구도 사이에서 이루어지는 순간적이거나 점진적인 빛의 변화를 주시하기 시작했다. 빛에 의한 시각의 변화를 감지하고, 그것이 인상으로 각인되고, 그것이 다시 감각을 자극하는 지극히 짧은 동안에 이 세계는 나의 오감 속에서 고스란히 해체되고 또한 재구성되었다. 빛의 찰나적인 진동과 파장 속에서 순간적으로 강조되거나 덧없이 스러지는 것들의 무궁무진한 향연은 얼마나 신비로운가.

빛의 변화가 만들어 내는 감각적인 화폭 위로 선명한 영감이 떠오르기 시작했다. 프리즘의 분광(分光)에 휩싸인 한 여자의 강렬한 인상과 그것을 부각시켜 주기 위해 보색으로 병치된 배경의 세계! —눈을 감아도 그것은 지워지지 않았고, 다시 떠봐도 그것은 지워지지 않았다. 그래서 아무런 반감도 느끼지 못한 채 나는 마음의 각인을 고스란히 수용할 수 있었다. 이게 얼마 만인가, 그제서야 비로소 깊은 한숨이 터져 나왔다. 꿈을 갈망하면서도 그것을 증오하고, 어둠에 젖어 살면서도 그것을 혐오하고, 눈부신 빛의 세계를 그리워하면서도 그것을 두려워하는 이율배반적인 은거의 시간—'예림기획'의 작업실에서 내가 갈망하고 두려워하던 것들의 실체가 비로소 확연해지는 것 같았기 때문이었다.

—정오에 버스 정류장 앞에 서 있을게요. 잊지 마세요.

샤워를 하기 위해 옷을 벗을 때, 지난밤 그녀와 했던 약속이 문득 되살아났다. 약속이 아니라 말무리반도라는 곳, 그녀가 나에게 꼭 보여 주고 싶다던 장소가 은근히 궁금해지기 시작한 것이었다. 내가 살아온 내력을 듣고 나서 문득, 그녀가 무슨 이유 때문에 그곳을 아느냐고 나에게 물었는지 모를 일이었다. 서른일곱 해를 살아오며 나는 단 한 번도 이 방면으로 와본 적이 없었고, 그랬기 때문에 말무리반도라는 지명에 대해서는 선입견 같은 것도 지니고 있질 않았다. 하지만 내가 모르는 게 어디 그것뿐이랴. 나에 관한 얘기는 지난밤에 원 없이 풀어 냈지만, 그녀에 관해 내가 알게 된 건 스물일곱이라는 나이와 이주희라는 이름이 고작일 뿐이었다. 그럼에도 불구하고 이 아침, 또 다른 나의 하루가 그녀에 대한 강렬한 존재감에서 출발하고 있다는 사실이 그저 놀라울 따름이었다.

눈부신 정오의 세계.

내가 버스 정류장에 당도했을 때 그녀는 구조물 안쪽의 목제 장의자에 앉아서 나를 기다리고 있었다. 밝게 물이 바랜 청바지와 질고 산뜻한 남빛의 반팔 남방을 입고 다소곳하게 앉아 있다가 팔짝, 뛰듯이 그녀는 조수석 문을 열고 안으로 들어왔다. 버스를 기다리는 사람은 아무도 없었지만, 그래도 동네라서 그런 모양이라고 생각하며 나는 그녀에게 빙그레 웃음을 지어 보였다. 그러자 그녀가 고개를 갸웃하며 나에게 물었다.

"나, 차림새가 이상해요?"

"아뇨. 그래서 웃은 게 아니에요. 그냥 멋쩍고 반가워서요."

우측으로 핸들을 꺾고 나는 제법 빠른 속도로 달리기 시작했다.

"반가운 건 이해하겠는데……멋쩍다는 건 뭐예요?"

"지난밤 혹시 실수라도 하지 않았나, 그런 게 걱정돼서요."

나의 말을 듣고 나서야 비로소 안심이 된다는 듯 그녀는 등받이에다 편안하게 등을 기댔다. 46번 도로로 진입했다가 곧이어 7번 국도로 진입, 그녀가 일러주는 대로 검문소에서 직진하자 바다를 끼고 달리는 시원스런 도로가 이어지기 시작했다. 뿐만 아니라 오 분이나 십 분 간격으로 한 번씩 해수욕장임을 알리는 안내 표지가 도로 우측으로 심심찮게 나타나곤 했다. 반암, 거진, 송지호, 화진포, 현내를 지나치는 동안 나는 눈앞에 펼쳐지는 가슴 저린 풍경의 세계를 보고 연해 탄성을 내질렀고, 그것이 신기하기라도 한 듯 그녀는 그 일대에 대해 자신이 알고 있는 다양한 얘기를 내게 들려주었다. 그 일대가 고성군이지만 진짜 고성읍은 북한에 있다는 이야기, 휴전선에 가까운 지역이라서 북한이 고향인 실향민이 전체 인구의 반 이상이나 된다는 이야기, 화진호 주변에 무리지어 피어나는 해당화와 이승만, 김일성의 별장 이야기, 그리고 북쪽에서 불어 오는 세차고 건조한 '금강내기'라는 바람에 관한 이야기 등등.

아무렇든 좌우로 펼쳐지는 눈부신 풍경의 세계에 매료당해 나는 정신을 차릴 수 없을 지경이었다. 하지만 그런 와중에서도 목적지가 어디냐고, 말무리반도라는 게 대체 어디에 있는 것이냐고, 퀴즈의 정답을 한시라도 빨리 알고 싶어하는 학동처럼 나는 그녀에게 묻지 않을 수 없었다. 그러자 아주 짧게, 담담한 표정으로 전방을 내다보며 그녀는 이렇게 대답했다.

"이 길이 끝나는 곳, 그러니까 더 이상 길이 없는 곳까지 가야 해요."

사십 분 정도를 달리고 나서야 나는 비로소 그녀의 목적지가 어디인지를 알아차릴 수 있었다. 통일전망대로 가는 길이라는 안내 표지판이 중간 중간 세워져 있었지만, 출입증을 발급하는 통제 구역 안으로 들어서고 나서도 나는 그녀가 목적한 곳이 통일전망대 같은 곳은 아닐 거라는 기대감을 좀체 떨쳐 버리지 못하고 있었다. 하지만 출입증을 차량의 전면 유리에다 부착하고 민간인 통제 구역 안으로 들어서고 난 뒤로는 될 대로 되라, 하는 심정으로 가속 페달을 밟아 버렸다.

전시를 위한 도로 차단용 구조물을 지나 언덕길을 내려가자 우측으로 짙은 녹청의 바다와 코발트빛 하늘이 터지듯 펼쳐지기 시작했다. 하지만 완만한 해안선을 따라 이어진 백사장과 키 작은 해송의 도열, 그리고 한가로운 몸짓으로 비상하거나 하강하는 몇 마리의 갈매기가 조성해 내는 평화로운 풍경에도 불구하고, 왠지 모르게 그 일대의 날빛은 지나치게 투명해서 오히려 냉랭하게 보이는 것 같았다. 대상과 주체 사이의 불순물을 완전히 제거한 뒤에 드러나는 까발려진 풍경의 세계, 혹은 섬뜩한 날것의 잔혹한 아름다움 같은 것.

길이 끝나는 지점이 목적지라는 말을 하고 난 뒤부터 그녀는 더 이상 입을 열지 않았다. 경사진 커브길을 올라가자 곧이어 전망대 주차장이 나타났고, 지금까지 이어지던 도로는 그 넓은 공지에서 고스란히 끝나 버리고 말았다. 하지만 길은 아직 끝나지 않았다, 하는 걸 침묵으로 암시하듯 그녀는 차에서 내려 가팔진 계단을 올라가는 동안에도 계속 입을 열지 않았다. 계단을 올라가는 동안 그녀가 몹시 힘들어하는 것 같아 중간쯤에서 잠시 쉬어 가자는 말을 했지만 막무가내, 그녀는 들은 척도 하지 않고 끈덕지게 경사진 계단을 올라갔다. 불편한 다리를 이끌고, 바로 그 불편한 다리 때문에 걸어서 하늘까지 오르려는 사람처럼.

힘들게 계단을 올라가자 비로소 흰빛으로 도장된 전망대 건물이 나타났다. 좌측에는 기념품 판매장과 음료수, 핫도그, 햄버거 따위를 파는 매점이 있었지만 그녀는 주변으로 전혀 시선을 주지 않고 곧장 전망대 건물로 들어갔다. 이층으로 된 전망대 건물 아래층에는 북한관이 마련되어 있었지만 마찬가지, 그곳도 거치지 않고 그녀는 내처 이층으로 올라가 버렸다.

거기에 올라서자 비로소 북쪽, 금강산에서 흘러내린 산세가 짙푸른 동해로까지 흘러내린 장엄한 풍광을 한눈에 볼 수 있었다. 좌측의 금강산은 가마푸르레한 기운에 휩싸여 별다른 감흥을 불러일으키지 않았지만, 우측으로 펼쳐진 바다는 전혀 다른 감동으로 나에게 깊은 충격을 가하는 듯했다. 둥글게 궁글려진 듯한 해원(海原)은 세상 밖으로 무한 확장되고 있었고, 그 위세를 감내하기 어려운 듯 하늘은 세상 바깥쪽에서 다만 부드럽게 해면을 어루만지고 있을 뿐이었다. 또한 거기에는 무수한 빛의 입자가 파종되어 각양각색으로 명멸하며 순간적인 결실을 과시하고 있었다.

내가 바다 쪽으로 돌아서 있는 동안 그녀는 그늘진 안내관 안으로 들어가 객석 중간쯤에 홀로 앉아 있었다. 평일이라서인가, 전망대로 올라온 사람들은 십여 명도 채 안 되는 것 같았다. 그리고 그 중의 예닐곱은 수녀들이라서 주변은 대체로 조용한 편이었다. 그녀는 객석 중간쯤에 앉아 아주 먼 곳, 그러니까 안내관 창유리를 통해 북쪽의 어느 지점인가에 시선을 붙박고 있는 것 같았다.

안내관에는 유리관에 담긴 금강산 모형도가 설치돼 있었고, 앞쪽으로는 전망대에서 바라보이는 북쪽 풍경을 그대로 그려 놓은 듯한 지형도가 세워져 있었다. 얼핏 그녀의 시선이 가 닿은 곳, 지형도에 나타난 그림, 안내관 창 너머로 펼쳐진 전방의 풍경이 그대로 일치하는 것 같다는 생각이 들어 나는 지형도 앞으로 다가갔다. 바다를 끼고 오른쪽으로 둥글게 이어져 나간 백사장, 좌측에서 바다 쪽으로 흘러내린 금강산 자락, 그리고 자잘하게 바다 위에 떠 있는 몇 개의 섬이 실제 풍경 그대로 그림 속에 담겨 있었다. 구선봉, 감호, 송도, 현중암, 복선암, 부처바위, 사공바위, 위추도, 해만물상……그리고 말무리반도!

그 순간, 나는 반사적으로 등을 돌리고 그녀를 보았다. 그녀의 시선이 가 닿은 곳, 그곳이 말무리반도일 거라는 생각이 번개처럼 뇌리를 스쳐 간 때문이었다. 해원을 향한 염원을 반영하듯, 금강산 일만이천봉이 바다로 흘러내린 마지막 지점에 말무리반도가 희미하게 떠올라 있었기 때문이었다. 하지만 그녀가 나에게 그곳을 보여 주고 싶어한 이유, 그리고 말무리반도에 어떤 의미가 담겨 있는지를 알아차릴 수 없어서 나는 잠시 묵묵한 눈빛으로 전방을 내다보았다.

길이 끊긴 전망대 아래쪽에서부터 시작된 철책은 군사 분계선 앞까지 뻗어 나가 있었지만, 바다로부터 오는 파도는 말무리반도가 있는 곳으로부터 전망대 밑까지 무심하게 들락거리고 있었다. 그때 등뒤에서 그녀의 목소리가 들렸다.

"나가서 망원경으로 보세요. 그러면 이렇게 보는 것과 다른 뭔가가 보일 거예요."

나는 그녀를 따라 안내관 밖으로 나가 대형 관망경들이 일렬로 세워진 차양막 아래로 들어갔다. 그러고는 그녀가 시키는 대로 오백 원짜리 주화를 넣고 좌측에서 우측으로 관망경을 움직여 나가기 시작했다. 지형도에 그려진 그림이나 육안으로 보던 것과는 비교도 할 수 없을 정도로 사실적인 풍경이 밀려들자 왠지 모르게 가슴이 선뜩해지는 것 같았다. 모든 산은 바다로 뻗어 나가고 싶어한다!—좌측의 즐비한 봉우리에서 구선봉까지 훑어내리고, 이윽고 금강산 자락이 바닷속으로 빠져들기 시작하면서부터는 일종의 확신 같은 것 때문에 나도 모르게 심장의 박동이 빨라지는 것 같았다. 그리고 말무리반도에 이르렀을 때, 더 이상 거칠 것 없는 해원을 향해 아우성치듯 달려나가고 싶어하는 속 깊은 산 울음소리가 귓전으로 밀려드는 것 같았다.

"말무리반도, 무슨 뜻인지 아시겠어요?"

전망대에서 내려와 다시 가팔진 계단을 내려갈 때 비로소 그녀가 내게 물었다. 하지만 모르겠다고, 고개를 가로저으며 다소 멍한 눈빛으로 나는 그녀를 보았다. 그러자 그녀가 다시 입을 열었다.

"그건 말이 무리지어 달리는 형상을 하고 있다고 해서 붙여진 이름이에요. 보면서 그런 생각 안 들었어요?"

"말이……무리지어 달리는 형상?"

이마를 세차게 얻어맞은 듯한 충격감을 느끼며 나는 중얼거렸다. 뜻풀이를 통해서가 아니라 느낌으로 그런 걸 분명히 감지했었다는 생각이 들자 속 깊은 산 울음소리가 되살아나고, 그것이 곧이어 세찬 말 울음소리로 변하는 것 같았다. 푸른 해원을 향해 갈기를 휘날리며 달리는 말무리……해면을 짓이기는 우렁찬 말발굽과 거기서 튀어오르는 희디흰 포말을 떠올리자 왠지 모르게 혈관이 불끈거리는 것 같았다. 그리고 지금 이 순간, 내 주변을 에워싼 모든 것이 정지해 말무리반도에 관한 인상이 영원히 뇌리에 각인될 것 같다는 생각이 들었다.

돌아오는 차 안에서 몇 가지, 그녀는 말무리반도 주변의 섬과 산과 호(湖)에 얽힌 전설을 내게 들려주었다. 금강산 줄기가 바다로 접어드는 지점에 있는 구선봉은 일만이천봉의 동쪽 끝 봉우리인데 거기에는 아홉 신선이 바둑을 두었다는 전설이 얽혀 있다는 이야기, 구선봉 아래쪽으로 물이 고인 감호는 저 유명한 〈나무꾼과 선녀〉의 전설을 잉태한 곳이라는 이야기, 현중암은 인도의 어떤 스님이 금강산 유점사에다 불상을 모시기 위해 바다를 건너오다가 배가 뒤집혀서 생긴 섬으로, 주변의 복선암은 배가 뒤집힌 형상, 부처바위는 배에 싣고 있던 불상의 형상, 사공바위는 노 젓던 사공의 형상을 하고 있다고 해서 붙여진 이름이라는 이야기를 하고 나서 마지막으로 한 가지, 혹시 금강산 옥녀봉에 얽힌 전설을 아느냐고 그녀는 나에게 물었다. 그래서 옥녀봉에 얽힌 전설은커녕, 옥녀라는 이름을 지닌 여자도 만나 본 적이 없다고 나는 고개를 가로저었다. 그러자 금강산의 아름다움에 매료된 옥녀라는 선녀가 자신의 왼쪽 젖가슴을 떼어내 만든 게 바로 옥녀봉이래요, 하고 말하고 나서 그녀는 다소 머쓱한 표정으로 나를 보았다.

"그렇게 중요한 걸 아무 곳에다 떼어놓다니……정말 한심한 선녀로군."

그녀와 나는 반암 해수욕장이라는 안내 표지가 붙어 있는 마을로 접어들어 점심 식사를 했다. 그녀는 회덮밥을 먹고, 나는 그녀가 권해 주는 대로 시원하고 얼큰한 오징어 물회를 한 그릇 먹었다. 식사를 끝내고 바다 쪽으로 나가자 꽤 먼 지점까지 바닥이 들여다보이는 수심 낮은 바다가 부드러운 옥빛으로 펼쳐져 있었다. 아직 비철이라서 사람은 아무도 없었지만, 밀려왔다 밀려나가는 파도를 보자 문득 맨발로 백사장을 걷고 싶다는 생각이 들었다. 하지만 신발을 벗고 그냥 바닷가에 앉아 있고 싶다고 그녀가 말했으므로 나는 그녀의 의사를 존중해 주었다.

"내가 왜 말무리만도를 보여 드리고 싶어했는지 아세요?"

발등을 넘어온 파도가 슬그머니 발가락 사이로 빠져 나가는 걸 내려다보며 그녀가 물었다.

"글쎄, 막막하기가 바다와 같은 궁금증이라서……."

"특별한 이유라고 할 수는 없겠지만, 지난밤에 꿈 얘기를 듣고 문득 그런 생각을 떠올린 거예요. 십 년 동안이나 자신이 그리고 싶어하는 그림을 그리지 못했다는 거……엉뚱한 얘기처럼 들릴지 모르겠지만, 우리 아버지도 실향민이에요. 고향이 통천인데, 거기도 원래는 고성군이래요."

"그러니까 말무리반도는 아버지가……."

뭔가 맥락이 잡히는 것 같아 나는 그녀를 돌아보았다. 하지만 그녀는 힘없는 표정으로 고개를 가로저었다.

"아니에요. 아버지는 말무리반도하고 아무런 상관도 없어요. 내가 국민학교 오학년 때 이곳으로 이사 오기 전까지, 우리는 삼척에서 살았어요. 그리고 내가 태어난 건 포항이고, 아버지와 엄마가 결혼을 한 곳은 부산이래요. 거꾸로 거슬러 올라와 보면 아버지는 부산에서 시작해 포항과 삼척을 거쳐 마지막으로 이곳에 정착을 한 거예요. 부산에서 여기까지 올라오는 데 꼬박 삼십 년 세월이 걸린 셈이지만……지금도 아버지는 꿈을 포기하지 않고 있어요. 포기하지 않았기 때문에 깊은 침묵으로, 마치 세상에 등을 돌린 것 같은 표정으로 나날을 보내고 있는 거예요. 모진 세월 속에서도 꿈의 끝자락을 끝끝내 놓지 않으려는 걸 보면, 사람의 꿈은 정말 끈질긴 건가 봐요."

"그럼 말무리반도는 뭐죠?"

햇살에 찔려 눈을 가늘게 뜨고 나는 그녀를 보았다.

"그건……아버지 꿈이 아니고 제 꿈이에요. 고등학교를 졸업하던 해부터 지금까지 내 꿈은 줄곧 말무리반도에 머물고 있어요. 아니 머무는 게 아니라 내 꿈이 자라는 방향으로 그것은 뻗어 나가고 있어요. 내가 바다 건너를 꿈꾸면 말무리반도는 거기까지 뻗어 나가고, 내가 실의에 빠져 있으면 말무리반도는 신음 소리를 내요. 또 다른 내 몸처럼……말무리반도는 나와 같이 숨쉬고, 나와 같이 아파하고, 나와 같이 꿈을 꾸는 것 같아요. 난 그걸 느낄 수 있거든요."

말을 하고 나서 왜일까, 그녀는 갑작스럽게 밝은 표정이 되어 자리에서 일어났다. 그러고는 이제 그만 가요, 하고 나를 내려다보았다. 그래서 자리에서 일어나 엉덩이를 털며, 그것이 가장 궁금하다는 표정으로 나는 이렇게 물었다.

"그럼 말무리반도는 지금 어떤 꿈을 꾸고 있죠?"

"아, 그거요? 그건 말할 수 없어요. 왜냐하면 비밀이니까요."

반암에서 바다윗말까지는 십 분 정도의 거리였지만, 그 짧은 동안에 그녀와 나는 제법 많은 말을 주고받았다. 지난밤 모닥불 옆에 앉아 있던 나의 모습이 만화 영화의 주인공을 떠올리게 했다거나, 다시마 튀김의 맛이 어땠는지 솔직히 말해 달라거나, 자신이 가장 잘 만드는 음식은 산채비빔밥이라거나, 금강산 건봉사까지 가서 불이문(不二門)은 못 보고 나무만 훔쳐 왔으니 부처님이 노하셨을 거라는 이야기 등등. 아무렇든 그녀는 기분이 무척 좋아진 것 같았고, 나로서도 그것을 나쁘게 받아들여야 할 이유가 없어 자연스럽게 마음을 열어 버린 것이었다. 이 세상에서 가장 아름다운 것, 그것이 자연스러운 것이라는 게 나의 주관이었으니 어색할 게 전혀 없었던 것이다.

"별장에 소주 다 떨어졌죠?"

바다윗말로 접어들자마자 그녀가 물었다.

"그렇잖아도 은근히 걱정을 하고 있었는데……아직 시간이 많으니까 버스 정류장 앞에다 주희 씨 내려 주고 나 혼자 간성읍에 다녀오죠 뭐."

염려할 것 없다는 표정으로 나는 말했다. 그러자 단박, 그럴 줄 알았다는 듯이 그녀가 나의 생각을 수정하게 만들었다.

"아뇨. 그러지 말고 그냥 별장으로 가세요. 술은 제가 밤에 가져 갈게요. 아셨죠?"

뭔가를 정리해야 할 필요가 있는 것 같았지만, 별장으로 돌아온 직후부터 나는 아무것도 하지 않고 조용히 소파에 몸을 묻고 앉아 있었다. 말무리반도라거나 그녀 아버지의 꿈, 혹은 그녀에 대한 나의 감정 같은 것도 광선의 변화와 같아서 일정 기간은 내적 부화의 시간이 필요할 것 같다는 생각이 들어서였다. 하지만 한 가지, 그녀의 인상을 내 안에다 각인시키고 싶다는 순연한 욕망만은 유보하고 싶지 않았다. 그래서 잠잠한 눈빛으로 하오의 풍경을 내다보며 한 인물의 형태를 결정하는 유일한 선(線)을 찾기 위해 정신을 집중해 보았다. 그것은 특별한 한순간, 인물이 취하는 정지된 동작에서 뜻밖의 세계성을 얻어내기 위한 정신적 탐찰과 같은 것이었다.

하지만 아침과 달리 그녀에 대한 인상은 깊은 모호함 속으로 가라앉아 있었다. 프리즘의 분광에 휩싸인 듯한 강렬한 인상은 되살아나지 않았고, 그것을 부각시키기 위해 보색으로 병치된 배경의 세계도 떠오르지 않았다. 무슨 이유 때문인가, 그녀를 향한 감정의 파장에도 불구하고 나를 에워싸는 깊은 모호함이 버거워 나는 우울한 심사가 되어 버리고 말았다. 순간적으로 명멸하는 반사광과 자연의 무상(無常)한 양상을 암시해 주는 유연한 터치, 그런 것으로 화폭을 휩쓸어 버리고 싶다던 아침의 열정은 얼마나 부질없는 것이었던가.

뉘앙스가 사라진 세계.

어둠이 내린 직후에 나는 마당으로 나가 차 트렁크를 열어 보았다. 그리고 오던 날부터 그곳에 처박혀 있던 화구 상자를 물끄러미 들여다보았다. 일종의 망설임이 손을 근질거리게 만들었으나, 그것이 위태로운 도발 심리에 불과하다는 생각이 들자 나도 모르게 깊은 한숨이 밀려나왔다. 하지만 그 순간, 내 등뒤의 어느 시공에선가 아련한 울음소리가 들리는 것 같아 나는 재빨리 뒤를 돌아보았다. 아직 붉은 기운이 남아 있는 서쪽 하늘 너머에서, 아니면 이미 먹빛으로 물들어 버린 북쪽 하늘 너머에서, 속으로 깊이깊이 삼키는 듯한 미묘한 울음소리가 들려 오는 것 같았다. 한동안, 그것을 온몸으로 감지하며 나는 얼어붙은 듯이 서 있었다. 그것이 환영이나 환청으로 다가오는 말무리반도라는 것, 그것이 그녀에 대한 나의 인상을 깊은 모호함 속으로 가라앉게 만든 결정적인 근거라는 자각에 사로잡힌 때문이었다.

—너, 윤곽선이 녹아 버린 세계의 비극이 뭔지 아느냐?

바다 쪽에서 밀려온 먹장구름과 보름달이 숨바꼭질을 하는 밤 열시경에 그녀는 별장으로 건너왔다. 그때 나는 불을 밝히지 않고 어둠 속에 앉아 묵묵히 창 밖을 내다보고 있었다. 안에 불이 꺼져서인가, 마당 한가운데 걸음을 멈추고 서서 그녀는 말없이 창유리 쪽을 주시했다. 창유리 안쪽에 앉아 있는 내가 보이지 않는 모양이라고 생각하며 나는 움직임 없이 그녀를 지켜보았다. 하지만 다음 순간, 내가 보이지 않는다면 어째서 꼼짝을 않고 서 있는 걸까, 하는 의구심이 뇌리를 스쳐 갔다. 그때 먹장구름에 가리웠던 달이 모습을 드러내며 그녀의 전신이 푸른 월광 속으로 떠올랐다. 나의 모습도 충분히 식별할 만한 상황이 된 셈인데, 그럼에도 불구하고 여전히 창유리를 주시하며 그녀는 몸을 움직이지 않았다. 안 되겠다 싶어 나는 소파에서 일어나 출입문을 열고 마당으로 나갔다.

"내 모습이 보이지 않던가요?"

서늘한 냉기 속에 스민 젖은 바람을 느끼며 나는 그녀 앞으로 다가갔다.

"아뇨. 처음부터 거기 앉아 계신 걸 알고 있었어요."

고개를 들고 그녀는 물끄러미 나를 쳐다보았다.

"그런데 왜 가만히 있었죠?"

"그건……왠지 모르게 나를 가만히 있게 만든다는 걸 느꼈기 때문이에요."

"아, 순간적으로 둘이 교감을 했었나 보군요. 그게 맞다면, 정말 신기한 일이네요."

무슨 화장수인가, 그녀에게서 밀려나오는 라일락 향내를 맡으며 나는 고개를 갸웃했다.

"가끔은요, 내가 사람의 마음을 참 잘 읽는 것 같다는 생각이 들 때가 있어요. 나를 가르친 어떤 선생님은 내가 책을 너무 많이 읽어서 상상력이 비현실적으로 변한 것 같다는 말을 했지만, 책을 많이 안 읽었으면 사람의 마음을 훤씬 더 잘 읽게 되었을 거예요. 책에서 얻은 지식이 상상력을 방해할 때가 훨씬 많으니까요."

"그래요? 그럼 주희 씨 앞에서는 생각을 함부로 하지 말아야겠군요."

멋쩍게 웃어 보이고 나서 나는 그녀에게 들어가자는 말을 했다. 안으로 들어가 내가 불을 밝히려 하자 그냥요, 그냥 두세요, 하고 그녀는 소파 앞에서 다급한 목소리로 나를 제지했다. 알았다고 대답하고 나서 나는 싱크대에서 종이컵 두 개를 가져와 그녀 앞에 마주앉았다.

"불을 켜지 말라고 해서 이상하게 생각하셨나요?"

그녀가 비닐봉지에 담아 온 소주를 꺼내 마개를 열고, 그것을 두 개의 종이컵에 따를 때 그녀가 조심스런 목소리로 물었다. 비닐봉지에는 구운 오징어 두 마리가 들어 있었다.

"벌써 내 마음을 읽은 모양이죠?"

"그냥, 어둠 속에 앉아 있는 게 훨씬 편하게 느껴질 때가 있어요. 그리고 이 동네 사람들은 어둠에 아주 익숙해요. 집도 몇 채 없고,

젊은 사람들도 별로 없고……그래서 해만 저물면 다들 잠자리에 들어 버리거든요."

혼자말을 하듯 그녀는 종이컵을 만지작거리며 중얼거렸다.

"정말 이상한 동화의 나라 같네요. 사람도 별로 없고, 마을이 항상 깊은 정적 속에 가라앉아 깊은 잠을 자는 것 같으니……신기해요."

"잠을 자는 것 같긴 하지만 동화의 나라는 아니에요. 겉으론 자는 척해도 속으론 아무도 맘 편히 잠들지 못하니까요."

말을 하고 나서 술잔을 비우고, 술잔을 비우고 나서 그녀는 창 밖을 내다보았다.

"주희 씨도 그런가요?"

"……."

먹보랏빛으로 변한 바깥으로 시선을 돌린 채 그녀는 나의 물음에 아무런 대답도 하지 않았다. 그러다가 문득, 내 쪽으로 시선을 돌리고 그녀는 물었다.

"스물일곱은 무엇을 할 수 있는 나이죠?"

"글쎄요, 무엇을 할 수 있다거나 무엇을 해야 한다고 정해져 있는 건 아니니까……그냥 원하는 일을 하면 되겠죠."

"원하는 일을 할 수 없을 때는요?"

"……."

"원하는 일을 할 수 없을 땐, 그땐 삶을 포기해야 하는 건가요?"

"그런 질문을……왜 하는 거죠?"

"……."

"괜찮아요. 말해 봐요."

"겁이 나서 그래요. 스물일곱에 우물에 몸을 던진 언니 생각도 나고……."

잠깐 모습을 드러냈던 달이 다시 구름에 가리워지고, 어둠 속에서 그녀가 술을 마시는 소리가 들렸다. 언니가 왜 우물에 몸을 던졌냐는 질문이 목구멍을 간지럽혔지만, 그보다도 먼저 내가 본 으깨진 우물이 바로 그것이었던가 싶어 나는 입 밖으로 말을 꺼낼 용기가 나지 않았다. 그리고 밤에 그곳으로 건너와 가끔 술을 마시곤 한다는 그녀의 얘기가 되살아나 섬뜩하다는 느낌마저 들었다. 무슨 생각으로 그녀는 사람이 빠져 죽은 우물가에 홀로 앉아 술을 마시곤 한 것일까.

"우리 언니는 스물일곱 되던 해 여름에 우물에 몸을 던졌어요. 스물일곱이 될 때까지 우리 언니는 서울 구경 한번 못하고……중학교 졸업한 뒤로 농사일만 거들다가 우물로 들어가 버린 거예요. 하지만 언니가 자살한 이유를 아는 사람은 오직 두 사람, 아버지와 나뿐이에요. 자기 꿈에 사로잡힌 사람의 무관심이 얼마나 끔찍스런 건지 아세요?"

"꿈 없는 자기 인생에 언니가 지레 지쳐 버린 거군요?"

가슴이 매캐해지는 것 같아 나는 단숨에 잔을 비워 버렸다.

"언니가 지친 게 아니라 아버지의 꿈이 너무 모질었던 거예요. 그래서 언니가 이유 없이 자살한 거라고 사람들은 말하지만……나는 언니가 아버지의 모진 무관심 속에서 제대로 피지도 못하고 말라죽었다는 걸 알아요. 아버지는 우리 자매가 아니라 북쪽에 두고 온 아들……그래요, 단 한 번도 내색을 하진 않았지만, 그 깊은 침묵 속에 무엇이 숨겨져 있는지를 나는 알고 있어요. 그래서 벙어리처럼 말을 잃고 살아가는 아버지가 날이 갈수록 점점 더 무서워져요. 내 다리가 이렇게 된 것도 죽을 테면 죽고 살 테면 살라고 방구석에 밀쳐 둔 아버지의 무관심 때문이었는데……이제 어느덧 내 나이가 스물일곱이 됐어요. 고등학교도 졸업하게 해주고, 언니처럼 농사일을 시키지는 않지만……내가 언니와 아무것도 다를 게 없는 인생을 살아가고 있다는 생각을 하면……그래요, 그런 생각이 드는 밤엔 우물 속에서 언니가 나를 부르는 것 같아서 소주병을 손에 듣고 나도 모르게 이쪽으로 건너오곤 해요."

그녀의 말을 듣는 동안 나는 내내 담배를 피웠다. 너무 가혹한 얘기를 들었기 때문인가, 술을 마셔도 도무지 취기가 오르지 않는 것 같았다. 바다 쪽에서 몰려온 먹장구름에 달은 완전히 파묻혀 버렸고, 주변의 숲들이 이리저리 바람에 휩쓸리는 소리가 한없이 공허하게 귓전으로 밀려들었다. 하지만 어둠 속에서도 그녀의 존재감은 뚜렷하게 살아올라 어떤 방식으로도 그녀를 위무하지 못하는 내 자신을 몹시 난처하게 만들었다. 꿈이 꿈을 고사시키고, 고사당한 꿈이 또 다른 꿈을 궁지로 몰아넣는 인생—그것에 관해 내가 무슨 말을 단정적으로 할 수 있으랴.

꿈에 짓눌린 기나긴 침묵의 시간.

자정 무렵에 나는 그녀를 건너편 버스 정류장 앞까지 데려다 주었다. 하지만 거기까지 가는 동안, 그녀와 나는 아무 말도 주고받지 않았다. 어둠 속에서 자칫 길이라도 헛디딜까 걱정스러웠지만, 몸에 익은 길이라서인지 그녀는 어둠의 일부처럼 자연스럽게 앞을 헤아려 나갔다. 그리고 버스 정류장 앞에서, 아무런 약속도 주고받지 않은 채 그녀와 나는 묵묵히 헤어졌다. 뿐만 아니라 그녀를 배웅하고 다시 별장으로 돌아오는 길, 폐가를 지나칠 무렵에 나는 고의적으로 그쪽으로 고개를 돌리지 않았다. 그러는 내 자신을 잔약하기 짝이 없는 인간이라고 속으로 힐난하면서도 마찬가지, 고사당한 타인의 꿈을 동정하거나 연민하며 가던 길을 멈출 만한 용기는 도무지 생겨나질 않았다.

별장으로 돌아와 나는 처음으로 거실 바닥에다 이부자리를 깔고 누웠다. 방에다 잠자리를 마련하려 했지만, 창에 닿아 흔들리는 나뭇잎이 온몸에 소름을 돋게 하는 것 같아 할 수 없이 넓은 거실로 나온 것이었다.

옷을 벗고 이부자리에 누웠지만 좀체 잠이 올 것 같지 않았다. 그래서 다시 일어나 그녀가 가져왔던 세 병의 소주 중 남은 한 병을 마저 마시기 시작했다. 잔에 따를 것도 없이 병째 마시기 시작했는데, 짧은 동안에 반 병쯤을 비우자 비로소 마음이 누그러지는 것 같았다. 하지만 왠지 모르게, 그때부터 내가 그녀에게 큰 실수를 한 것 같다는 생각이 들기 시작했다. 소파에 앉아 소리 죽여 흐느끼던 그녀에게 위로의 말을 건네지 못해서가 아니라, 그녀가 만약 나였다면 나를 그냥 가게 내버려뒀을까, 하는 생각이 든 때문이었다. 달리 말해 응당 감지했어야 할 어떤 기미를 내가 놓쳤는지도 모르겠다는 생각이 때늦은 후회로 되살아나기 시작한 것이었다.

"……는 건가요?"

한순간에 온몸에 소름이 돋는 걸 느끼며 나는 화들짝 놀라 자리에서 일어났다. 바람 소리 속에서 어떤 분절음이 튀어오르고, 이어 안쪽으로 닫아걸고 커튼까지 내려 버린 거실 창유리를 두들기는 소리가 났다. 누구인가, 나는 단걸음에 창유리 앞으로 다가갔지만 선뜻 그것을 열지 못하고 커튼 사이로 조심스럽게 밖을 내다보았다. 누구인가, 창유리 밖에 서서 오도카니 위를 올려다보는 사람이 있었다.

오, 하느님 맙소사!

나는 안쪽으로 닫아걸었던 잠금쇠를 풀고 정신없이 유리문을 열었다. 그러고는 재빨리 팔을 뻗어 그녀의 손을 기다렸다. 그러자 망설이지 않고 그녀는 자신의 손을 들어 내게 건넸다. 그것을 잡아당긴 뒤에 나는 허리를 굽히고, 그녀의 양쪽 겨드랑이에다 손을 집어넣었다. 어깨와 팔에 동시에 힘을 주자 번쩍, 그녀가 창틀 위로 거뿐하게 들어올려졌다. 그녀를 소파에 앉힌 뒤에 창문을 걸고, 그런 뒤에 다시 그녀를 옆으로 안아들고 나는 거실 한가운데로 갔다. 아무 말도 하지 않고 그녀를 거기 눕히고, 아무 말도 하지 않고 나는 그녀의 옷을 벗기기 시작했다. 이제 또다시 어떤 기미를 놓쳐서는 안 된다는 조바심, 그리고 윤곽선이 지워진 세계가 너무 절박하게 느껴진 때문이었다.

4

아침에 눈을 떴을 때 그녀는 내 옆에 누워 있지 않았다. 그녀 대신 그녀의 존재감을 부정하기라도 하듯, 세찬 빗소리가 연해 귓전으로 밀려들 뿐이었다. 무슨 일이 일어났던 것일까, 잠시 멍한 눈빛으로 나는 허공을 올려다보았다. 꿈처럼 믿기 어려운 일이 일어났음에도 불구하고, 기억은 놀랍도록 생생한 현실감을 지니고 있었다. 하지만 그 생생한 현실감이 지난밤, 그녀와 내가 맺은 육체적 관계에서 비롯된 게 아니라는 걸 알아차리고 나서 나는 현실에 등을 돌리고 싶어하는 사람처럼 슬그머니 모로 돌아누웠다. 그녀의 마지막 말이 뇌리에서 되살아나 세찬 빗소리처럼 지상을 쉼없이 두들겨대는 것 같다는 생각이 들었기 때문이었다.

—제발, 여길 떠날 때 날 데려가 주세요. 난 언니처럼 우물 속으로 들어가고 싶지 않아요. 당신이 내 아버지처럼 자신의 꿈을 어금니에 악다물고 사는 사람이 아니라면, 어떤 일이 있어도 난 당신에게 방해가 되지 않을게요.

내 가슴에 얼굴을 묻고, 깊고 깊은 어둠 속에서 그녀는 절박한 어조로 말했었다. 그리고 지금 당장 대답을 들려주진 않아도 된다고, 마음에 결정이 내려지면 자신을 찾아와 달라는 말을 그녀는 덧붙였었다. 그리고 어느 순간인가 나는 잠이 들었을 것이고, 그 뒤의 어느 순간인가 그녀는 집으로 돌아갔을 터였다. 언니를 우물 속으로 들어가게 만든 예전 집을 지나, 이제 다시 자신을 우물 속으로 들어가게 만들지도 모를 지금의 집을 향해, 어쨌거나 그녀는 불안정한 걸음걸이로 깊은 어둠을 헤치고 갔을 게 뻔했다. 꿈을 잃고 살아온 인간에게 자신의 꿈을 의탁하려는 의지, 그것이 죽음과 맞먹는 용기라는 걸 어찌 부정할 수 있으랴.

굼뜨게 자리에서 일어나 커튼을 걷고 밖을 내다보니 세상은 잿빛이었다. 무수한 사선을 그리며 쏟아져 내리는 빗줄기에 어제까지 밝게 빛나던 녹음이 난타당하고, 그것을 에워싸고 있던 공간은 원근을 가릴 것 없이 전체적으로 희뿜하게 지워지고 있었다. 어떤 사물도 제 모습을 드러내지 못한 채 윤곽선이 지워진 세계. 하지만 윤곽선을 찾기 위해서는 윤곽선이 지워진 세계로 들어가야 한다는 생각을 하며 나는 오래오래 창 밖을 내다보았다. 더 이상 나에게는 뒤로 물러설 수 있는 여지가 남아 있질 않았던 것이다.

—제발, 여길 떠날 때 날 데려가 주세요!

오전 열한 시경, 앞을 분간하기 어려울 정도로 세찬 폭우가 쏟아지는 세상으로 나는 차를 몰고 나갔다. 와이퍼를 최대한 빠르게 작동시켜도 빗물은 순식간에 전면 유리를 덮어 버리고, 차체를 두들겨대는 빗소리만으로도 정신이 멍멍해질 지경이었다. 하지만 무심한 표정으로 나는 46번 도로를 벗어나 7번 국도를 타고 속초 방면으로 무작정 달리기 시작했다. 공현, 송지호, 아야진, 삼포, 죽왕, 송암을 거쳐 백도에 이르렀을 때 나는 7번 국도를 버리고 갑작스럽게 우측의 산길로 접어들었다. 그리고 십오 분쯤 뒤에 466번 도로로 접어들어 내처 가파른 산세를 타고 올라 미시령 휴게소에까지 이르렀다.

—난 언니처럼 우물 속으로 들어가고 싶지 않아요!

미시령 휴게소에서 커피를 마시며 십오 분쯤 머무른 뒤에 나는 다시 차에 올라 오던 길을 되돌아가기 시작했다. 그리고 학사평, 이목, 척산 온천을 거친 뒤에 462번 도로로 접어들어 설악산 국립공원 입구까지 갔다. 거기서 차를 세우고 매점으로 들어가 담배 한 갑을 사고 라면 한 그릇을 주문해 먹었다. 비는 그때까지도 여전히 지랄스럽게 내리고 있었고, 가마스름한 날빛은 이를 데 없이 암울

한 분위기를 조장하고 있었다. 라면을 먹고 담배를 피운 뒤에 곧바로 출발, 462번 도로를 타고 물치까지 나와 다시 7번 국도로 진입했다. 그리고 그곳에서부터 계속 북상, 속초를 지나고 청간정을 지나 다시금 간성 방면으로 달리기 시작했다.

—당신이 내 아버지처럼 자신의 꿈을 어금니에 악다물고 살아가는 사람이 아니라면, 어떤 일이 있어도 난 당신에게 방해가 되지 않을게요.

간성읍을 지나고 삼거리 검문소에서 우측으로 진입, 나는 어제 낮에 그녀와 함께 간 길을 다시 달리기 시작했다. 어제가 아니라 까마득한 기억 속의 어느 순간, 마치 수세기 전의 다른 생애로 거슬러 올라가는 듯한 심정으로 나는 반암, 거진, 화진포, 현내를 지나 통일안보공원으로 진입했다. 그리고 그곳에서 출입증을 발급받아 다시 통일전망대로 올라갔다. 하지만 말무리반도, 그것은 쏟아지는 빗줄기가 아니라 자욱한 해무에 지워져 흔적도 찾아볼 수 없었다. 어제, 눈부신 햇살 속에서 내가 봤던 것들이 거대한 환영이었던가? 이미 젖을 대로 젖은 몸으로 나는 몸부림치듯 사방을 둘러보았다. 하지만 그 어느 곳에서도 푸른 해원을 향해 말이 무리지어 달리는 듯한 반도의 모습은 찾아볼 수 없었다.

길은 어디로 열려 있는가.

날 저물 무렵, 나는 하루 전에 그녀와 함께 점심 식사를 한 반암 해수욕장으로 접어들었다. 그리고 바로 그 횟집, 그녀와 내가 마주 앉아 식사를 하던 자리에서 혼자 바다를 내다보며 소주를 마시기 시작했다. 부드러운 옥빛으로 빛나던 바다는 검푸른 빛으로 굼실거리고 있었고, 그녀의 발등을 간지럽히던 파도는 성난 기세로 세차게 몸을 뒤틀어대고 있었다. 길 없는 길을 헤맨 뒤끝처럼 모든 게 허랑하게 여겨져 나는 쓰디쓴 소주를 거푸 입 안으로 털어넣었다. 이 세상 어디에 꿈이 있고, 이 세상 어느 누가 아직도 꿈으로 길을 열려 하는가.

—제발, 여길 떠날 때 나를 데려가 주세요!

—제발, 여길 떠날 때 나를 데려가 주세요!

그녀의 꿈이 아니라 나의 꿈이 미친 듯 요동질치는 걸 느끼며 나는 깊고 어두운 자조의 심연으로 빠져 들어갔다. 그리고 그곳에서 나의 꿈이 그녀의 꿈을 비웃는 소리를 들었다. 어쩌면 그녀의 꿈이 나의 꿈을 힐난하는 소리를 들은 것 같기도 했다. 술을 좀더 마신 뒤에는 그녀 아버지의 꿈과 그녀 언니의 꿈이 서로의 꿈에 비수를 지르는 은밀하고 사박스런 소리를 들은 것 같기도 했다. 그리고 지상의 모든 꿈이 끔찍스럽게 뒤엉겨 거대한 해일을 만들어 내는 것 같다는 환각의 중심에서 나는 다시 한 번 나의 꿈과 조우할 수 있었다. 모든 회화(繪畵)의 적은 회색이다, 라는 말 한마디에 여지없이 고사당할 수밖에 없는 가련한 꿈.

—제발, 제발, 제발!

별장으로 돌아오자마자 나는 거실에다 자리를 펴고 누웠다. 그리고 삶에 대한 모든 기대감을 파도에 실려 보낸 사람처럼 허전한 눈빛으로 허공을 올려다보았다. 그러자 지난밤, 온전히 젖은 몸으로 나를 받아들이던 그녀의 체온이 내 몸에서 고스란히 되살아나는 것 같았다. 안으로 연소하기 위해 몸부림치던 나와 달리, 밖으로 끊임없이 자신을 내치고 싶어하던 그녀의 몸부림은 얼마나 치열하고 격렬했던가. 그녀의 몸 안에서 나는 흐르는 듯한 대기, 반사하는 빛, 신기루처럼 분산되는 강렬한 빛을 느낄 수 있었다. 그리고 그것만으로도 내 절박한 정신의 여백에서 그녀가 해바라기꽃처럼 강렬하게 피어날 수 있을 거라는 확신을 가질 수 있었다. 그녀 육신의 불구와 내 마음의 불구, 그것에 대한 유사성만으로도 나는 한껏 깊이 그녀에게 빨려 들어갈 수 있었던 것이다.

오, 자연스런 사실주의는 얼마나 아름다운가!

자연은 서로 난폭하게 대립하는 색깔들로 넘쳐 흐르지만, 끝끝내 그 조화를 잃지 않는다는 생각을 하며 나는 조용히 눈을 감았다. 그리고 부는 바람 소리에 행여 다른 소리가 섞여 있지나 않을까, 예사롭지 않은 소리가 들릴 때마다 신경을 곤두세우곤 했다. 하지만 자신의 말을 지키기나 하려는 듯 그녀는 자정이 지날 때까지 끝내 별장으로 건너오지 않았다. 그래서 아주 오래 전부터 화두처럼 마음에 품어온 생각 한 가지를 떠올리고, 그녀에 대한 갈망으로 더욱 허허로워진 정신의 여백을 내 스스로 메워 나가기 시작했다.

—색(色)으로서의 색과 빛으로서의 색을 조화롭게 수용할 수 있는 방법은 무엇인가.

5

끝간 데 없이 푸르게 뻗어 나간 해원을 향해, 아름답고 오묘한 산세를 등지고 나는 고개를 들었다. 장엄한 풍화와 침식의 세월이 나의 배경이 되고, 남북으로 뻗은 대단층선(大斷層線)의 기복이 수직과 수평을 잠재우는 곳으로 지상의 모든 태양 광선이 집중되는 것 같았다. 삶의 기복을 암시하듯 천태만상의 기복을 드러내던 기봉(奇峰)과 암주(岩柱)와 암대(岩臺)와 단애(斷崖)가 해양으로 잦아들자 비로소 변화무쌍하고 조밀하던 풍화와 침식의 세월이 고단했던 세상사의 대미를 장식하는 것 같았다.

태양 광선의 스펙트럼에 휩싸인 눈부신 대양을 내다보며 나는 크게 심호흡을 했다. 빨강과 노랑과 파랑의 원색적인 마찰이 눈을 아리게 했지만, 거기서 다시 초록과 보라와 주황이 잉태되는 과정은 참으로 신비로웠다. 꿈으로 색이 잉태되고 또한 색이 꿈을 잉태하듯, 원색의 주변으로 찬연한 보색이 떠오르고 있었다. 그리고 거기서 휘황한 색상의 화관(花冠)이 떠오르고, 그것에서 다시 분산되는 빛의 신기루를 볼 수 있었다. 그리하여 집약적인 빛의 세계 속으로 찬연하게 떠오르는 말은 오직 한 가지, 원시적인 인상에 끈질기게 집착하려는 인간의 의지를 부추기는 말일 뿐이었다. 꿈꾸는 세상을 위하여, 세상은 언제나 꿈꾸는 자의 것이라는 말.

해풍이 감미롭게 이마를 감싸올 때 나는 고개를 돌리고 그녀를 보았다. 긴 머릿결을 바람에 휘날리는 그녀의 얼굴은 선연한 빛으로 물들어 있었고, 그녀의 온몸은 날카로운 반사광의 명멸에 의해 은빛 비늘처럼 번뜩이고 있었다. 하지만 꿈에 의해 꿈이 고사당하고, 꿈에 의해 꿈이 궁지로 몰리는 세계에 안녕을 고하기 직전의 정적 속에는 깊은 긴장감이 배어 있는 것 같았다. 이윽고 전방에서 세찬 말울음소리가 들리고, 곧이어 흰 갈기를 늘어뜨린 백마의 머리가 부력을 받은 듯 허공으로 치솟아 올랐다. 그리고 미처 그녀의 손을 잡을 겨를도 없이 파파팍, 세차게 수면을 박차며 거대한 말무리가 해원으로 달려나가기 시작했다. 오직 두 사람, 그녀와 내가 말잔등에 실려 끝간 데 없는 대양으로 달려나가기 시작한 것이었다.

—눈을 떠!

눈을 뜨고 있으라고, 엄청난 말발굽의 굉음을 들으며 나는 다급한 목소리로 그녀에게 소리쳤다. 하지만 안타깝게도 나의 말은 그녀에게 전해지지 않았고, 수평이 기우는 듯한 극심한 현기 때문에 나는 더 이상 그녀에게 신경을 쓸 수 없었다. 엄청난 가속력에 온몸이 실려 한순간이라도 중심을 잃으면 그대로 말발굽에 짓이겨질 것 같았기 때문이었다. 그래서 그저 앞만 보고 달려야 한다고, 이제는 그녀가 아니라 내 자신의 중심을 유지하기 위해 나는 안간힘을 다하지 않을 수 없었다. 엄청난 가속력 때문에 찬연하던 빛의 변화가 스러지고, 길이 열리는 공간에서는 오직 검붉은 기류만 찰나처럼 명멸할 뿐이었다.

누가 이 말무리를 멈출 수 있으랴.

아슬아슬한 위기감을 느끼며 눈을 뜨자 공허, 아무 소리도 들리지 않는 깊은 적막감이 나를 에워싸고 있었다. 별난 꿈이로군, 하고 중얼거리며 자리에서 일어나 나는 세차게 머리를 뒤흔들었다. 하지만 어제와 달리 기분이 많이 안정돼 있는 것 같다는 생각을 하며 나는 창가로 가 커튼을 열어 보았다. 세차게 쏟아지던 빗줄기는 눈에 띄게 가늘어졌지만, 지난밤을 휩쓸고 간 비바람의 광포를 말해 주듯 마당은 난장처럼 어지럽혀져 있었다. 폭압에 시달리다 떼죽음을 당한 무리처럼, 마당 이곳 저곳에 적잖은 나뭇잎과 잔가지들이 뒤엉겨 있었던 것이다.

"그래, 어쩌면 내가 찾던 윤곽선이 저런 것인지도 모르지."

어느 순간인가, 창 밖을 내다보던 나의 입에서 나도 모를 말들이 흘러 나왔다. 시선과 의식이 분리된 게 아니라 그것이 자연스럽게 일치하는 지점에서 의외의 현실감이 되살아나기 시작한 것이었다. 버려야 할 것은 꿈이 아니라 내 인생의 윤곽선, 그것이 빛의 세계에 내재돼 있을 거라는 터무니없는 믿음이었는지도 모를 일이었다. 그래서 빛이 없는 세계를 비관하고, 그래서 빛이 없는 세계에서 나는 절망했었는지도 모를 일이었다. 절망적인 상황에 내가 던져져 있었던 게 아니라, 내 스스로 절망의 주체가 되어 빛과 무관한 삶을 끈덕지게 고수했었는지도 모를 일이었던 것이다.

무엇을 망설이는가.

다소 초조한 마음이 되어 나는 실내를 서성거리기 시작했다. 그녀를 처음 만나던 순간부터 내가 의도적으로 그녀의 인상을 조작했던 건 아닐까, 하고 생각하자 비로소 자기 꿈의 소박한 실현을 위해 현실을 벗어나려는 한 여자의 가냘픈 몸부림이 인간적인 문제로 부각되는 것 같았다. 그리고 그녀와 내가 서로를 향해 안타깝게 손짓하는 과정으로 지난 며칠이 지나갔다는 걸 그제서야 솔직하게 시인할 수 있을 것 같았다. 그러니까 어제의 극심했던 갈등과 망설임, 그리고 선택에 대한 중압감은 그녀에게서 비롯된 게 아니라 내 자신의 내부에서 일어난 처절한 욕망의 난투극 이외에 다른 아무것도 아닐 터였다.

빛을 향한, 빛에 의한, 빛의 욕망.

비가 그친 오후 세 시경, 나는 마음을 정리하고 조용히 별장을 나섰다. 폐가를 지나고 농로를 건너고, 버스 정류장에서 위쪽으로 접어들어 그녀의 집이 있는 방면으로 올라가는 동안 나는 중심을 잃고 자주 휘청거렸다. 하루 동안의 세찬 비에 비포장 도로의 곳곳이 패어 나가고, 가장자리로 진흙이 떠밀려 검붉은 흙탕물을 머금고 있었기 때문이었다. 하지만 멀고 가까운 산색은 맑은 날과는 또 다른 빛으로 새뜻하게 떠오르며 흰빛으로 뭉실거리는 골안개와 극적인 대비를 이루고 있었다.

구멍가게 유리문을 밀고 안으로 들어서자 퀴퀴한 곰팡내가 끼치듯 후각으로 밀려들었다. 그녀가 벗어나고 싶어하는 공간이라서인가, 그녀를 처음 만나던 날과 같은 정감은 어느 구석에서도 느껴지지 않았다. 다만 끈덕지고 모진 꿈이 또아리를 틀고 앉은 곳, 그래서 가녀린 꿈이 고사당하고 별다른 이유도 없이 궁지로 내몰리는 끔찍스런 악연의 터전으로 그곳이 나에게는 받아들여진 것이었다. 그럼에도 불구하고 나는 오직 그녀에 대한 기대감만으로 입구에 서서 차분하게 방문이 열리길 기다렸다.

하지만 나의 기대감과 달리, 막상 방문이 열리고 거기서 얼굴을 내민 사람은 그녀가 아니었다. 얼굴이 검게 그을고 양미간에 깊은 골이 패인 칠순의 노인이 힐긋한 눈빛으로 나를 올려다보며 여지없이 기대감을 무산시켜 버린 것이었다. 그래서 당황스런 표정으로 나는 주머니를 뒤지기 시작했고, 간신히 지폐 한 장을 꺼내 들고는 얼결에 담배 한 갑을 달라는 말을 건넸다. 가타부타 말 한마디 없이, 사뭇 고집스런 표정으로 영감은 방 입구에 쌓여 있던 몇 종류의 담배들 중에 내가 찾는 것을 슬그머니 집어내 깡마른 손과 함께 내게 내밀었다. 그러고는 나무로 만든 돈통을 열고 거스름돈을 헤아리기 시작했는데, 그 순간에 나는 재빨리 방 안을 훑어보았다. 어둑신한 방 안은 그리 넓어 보이지 않았지만, 부엌이 붙어 있는지 맞은편 벽쪽으로 미닫이문이 하나 더 달려 있었다. 그리고 그녀인가, 미닫이문 바깥쪽에서 간간이 그릇을 맞부딪는 소리가 들려 왔다.

"이쪽으로는 하루에 몇 번이나 버스가 오갑니까?"

달리 방도가 없겠다는 생각이 들어 나는 제법 큰 목소리로 영감에게 물었다. 의도적으로, 그러니까 그녀가 부엌에 있다고 해도 충분히 들을 수 있을 만한 목소리로 말을 한 것이었다. 하지만 영감은 아무 말 없이, 마치 귀머거리 같은 표정으로 슬그머니 문을 닫아 버렸다. 어이없는 반응에 놀라 잠시 서 있다가, 이럴 수도 저럴 수도 없는 심정이 되어 나는 한껏 상심한 표정으로 가게를 빠져 나왔다. 그러고는 허청허청, 온몸이 맥진해지는 걸 느끼며 오던 길을 되돌아가기 시작했다. 하지만 이삼 미터쯤 걸어갔을 때, 뒤쪽에서 가게문 열리는 소리가 들려 나는 재빨리 등을 돌렸다.

아.

얼굴이 붉게 상기된 그녀가 이제 막 유리문 밖으로 나서 다급한 표정으로 내 쪽으로 걸어오고 있었다. 하지만 이마 위로 흘러내린 머리카락을 걷어올리지도 못한 채 내 앞으로 다가왔을 때, 그녀의 두 눈에는 어느 새 눈물이 그렁그렁하게 고여 있었다. 일순 그녀를 와락 부둥켜안고 싶다는 생각이 들기도 했지만, 지나치게 긴장한 탓인지 준비해 두었던 말까지 나도 모르게 냉랭하게 튀어나가고 말았다.

"자정에 떠날 거요. 준비하고 버스 정류장 앞으로 나와요."

그녀에게 말을 건네고 별장으로 돌아온 직후부터 밤 열한 시가 될 때까지, 나는 풍경의 구석구석에서 모락모락 안개의 입자가 밀려나오는 걸 지켜보았다. 땅에서 피어 오르는 것 같아 시선을 고정시키면 슬그머니 허공에서 내려앉는 것 같고, 허공에서 내려앉는 것 같아 고개를 들면 숲이나 산에서 밀려나오는 것 같고, 숲이나 산에서 밀려나오는 것 같아 주변을 두리번거리면 바다 쪽에서 치밀어오르는 것 같은 미묘한 입자들의 움직임—그것을 지켜보며 나는 어둠을 맞았고, 어둠이 내린 뒤로는 그것들의 움직임에 규모감이 생겨나는 것 같아 턱없이 마음이 조급해지기 시작했다. 그래서 정신없이 가방을 챙기고, 그것을 트렁크에다 던져 넣고는 서둘러 별장을 빠져 나와 버렸다. 이럴 때, 무엇인가를 관망한다는 것은 얼마나 고통스런 일인가.

전조등을 밝히고 밖으로 나오자 세상은 어느덧 짙은 농무의 점령지로 변해 있었다. 하지만 한 치 앞도 분간하기 어려운 길을 사뭇 초조한 심정으로 서행하며 버스 정류장 앞에 당도했을 때, 어이없게도 시간은 열한 시 십 분밖에 되어 있지 않았다. 답답한 심정으로 그녀가 걸어오게 될 방향을 내다보며 담배를 피우고, 차를 몰고 내가 빠져 나가야 할 운전 방향을 내다보며 다시 한 대의 담배를 피웠다. 하지만 시간은 안개 속에서 흐름을 잃어버리기라도 한 듯 한껏 더디 흐르며 나를 숨막히게 만들었다.

열한 시 삼십 분.

더 이상 견딜 수 없는 심정이 되어 나는 운전석 문을 열고 안개 자옥한 바깥으로 나섰다. 산과 바다와 지상에서 다투어 피어 오른 안개가 지상의 모든 윤곽선을 지워 버린 그 공간에 서자 문득, 내가 깊고 깊은 환상 속에 갇혀 있는 것 같다는 생각이 들었다. 뿐만 아니라 지난 며칠 동안 내가 경험한 모든 일들이 말짱 허구의 세계에서 일어난 일인 것 같다는 생각까지 들었다. 사물의 윤곽선뿐 아니라 현실과 환상의 경계까지 고스란히 무너져 버린 세상—그녀와 만나기로 약속한 그 지점이 바로 환상의 핵을 이루는 공간인 것 같다는 자각이 아뜩하게 뇌리를 스쳐 간 것이었다. 그녀가 아니라 오랫동안 갈망해 오던 본래의 나를 만나야 하는 장소, 거기가 바로 여기가 아닐까?

원점.

그래, 거기가 바로 원점이라는 생각을 하며 나는 조용히 마음을 가다듬고 다시 차에 올랐다. 그리고 시동을 걸고, 전조등을 밝히며 아주 먼 밤길을 떠날 준비를 했다. 다시 한 번 나를 찾아가는 길, 그것이 짙은 안개에 가려져 있다고 해도 이제 더 이상 빛에 대한 갈망으로 중심을 잃을 필요는 없을 터였다. 길을 헤쳐 나가다 보면 어느 지점에선가 어둠과 안개가 걷히고, 어느 지점에선가 다시금 돋을볕을 볼 수 있게 될 터였다. 그리고 시간이 되면 내가 경험했던 모든 것, 그것들에 뚜렷한 윤곽선이 생겨 붓을 쥔 손에 나도 모르게 힘이 들어갈 터였다. 그러면 그때 그리리라, 빛 속에서 찬란하게 명멸하던 꿈의 뉘앙스!—짙은 농무 속으로 힘차게 떠오르는 무엇인가에 초점을 고정시키고, 그것이 마치 길라잡이라도 되는 양 나는 조심스럽게 바다윗말을 빠져 나가기 시작했다.

오, 아름다운 말무리반도!

추·천·우·수·작

색칠하는 여자

엄 창 석

1961년 경북 영덕 출생.

영남대 독문과를 졸업하고,

1990년 《동아일보》 신춘문예에

중편소설 〈화살과 구도〉가 당선되어 등단했다.

소설집으로 《슬픈 열대》,

장편소설로 《태를 기른 형제들》이 있다.

색칠하는 여자

에로티시즘은 모두의 교차로이다.
—조르주 바타유

제판용 필름을 집개로 집어 나란히 줄에 걸어 놓고 문 밖으로 나왔다. 찌는 듯한 더위였다. 가파른 소방도로를 기어오르는 승용차들이 매연 섞인 열기를 꽁무니로 펑펑 내뿜고 어깨를 다닥다닥 붙이고 앉은 가게들도 문 앞에다 에어컨 팬을 내놓아 더운 바람을 보태고 있었다. 매연과 후텁텁한 공기는 뇌신경을 교란시키는 것 같았다. 교란된 신경은 아예 마비의 편리한 길을 택하고 몸의 관절 마디마다 나른한 권태에 빠뜨렸다. 어디 찬물을 덮어쓰고 낮잠이나 자둘까 하는데, 소방도로가 꺾이는 호프집 옆으로 아이들 소리가 들렸다. 조그마한 공터에서 네댓 명이 어울려 더위에도 아랑곳 않고 농구를 하고 있었다.

중학생들인가. 변성기에 접어든 컬컬한 고함질이 연홍색 농구공을 다급히 좇아다녔다. 웃통을 벗어젖힌 검은 살갗 위로 햇살이 마구 튀는 듯하였다. 클럽과 영화 광고들이 빽빽히 들어차 있는 공용 공고판 위쪽 담벽에다 누군가 간이 농구 바스켓을 달아 놓았었다. 무희나 여배우들의 육감적인 포즈를 배경으로 사내아이들이 거리 농구 경기를 벌이곤 하는 것이 심심찮게 목격되었다. 바스켓 아래로 모였다 흩어지며 공을 다루는 녀석들의 동작엔 현란한 기교가 넘쳐났다. 외곽에서 한 녀석이 쏜살같이 공을 튀기며 뛰어들자 제 편과 남의 편 아이들이 바스켓 아래로 몰려들어 공 잡은 아이를 사이에 두고 한바탕 공 다툼이 펼쳐졌다. 마치 댄스 그룹 가수들이 조명 아래서 춤을 추듯 민첩하고 정교한 동작이었다.

그때 공이 아이들 손을 벗어나는가 싶더니, 개중 드러나게 키 큰 녀석 하나가 후미에서 공을 나꿔챘다. 녀석은 바닥에 한 번 공을 튕기면서 공중으로 솟구쳤다. 어, 내 입에서 탄성이 났다. 녀석의 몸이 공중에서 휘청거리는 듯했다. 녀석은 바스켓 앞으로 활처럼 몸을 꺾으며 공을 억세게 내리쳤다. 공이 링에 부딪치며 안으로 들어가는 순간, 녀석의 검은 몸이 아래로 툭 떨어졌다. 바스켓 그물이 출렁였다. 네댓 발짝 떨어진 건너편 슈퍼마켓 파라솔 아래에 앉아 있던 여자 중학생들이 발딱 일어서서 비명처럼 환호를 질렀다.

이번엔 꽤 멀리서 던진 한 애의 슛이 다시금 링 안으로 빨려들었다. 링에 달린 그물이 빨려드는 공을 탄력처럼 살몃 죄었다가 풀어놓았다. 공이 떨어지면서 그물이 찰랑찰랑 흔들렸다. 여학생들 손에 들려 있는 아이스크림의 뾰족한 끝이 녹아 내렸다.

붉은색 농구공이 둥근 링 안으로 내리꽂히던 광경이 눈에 선했다. 공이 거칠게 링에 부딪치는 순간, 검게 그을린 사내애의 팔뚝 사이로 광고판에 붙은 누워 있는 알몸 하나가 꿈틀거리는 걸 본 듯한 착각이 일었었다. 때마침 여자아이들의 환호가 비명처럼 터져 나왔기 때문인지 몰랐다. 정말이지 여자아이들의 환호는 흡사 링에 감지 장치가 된 벨 같았다.

나는 왠지 코끝이 시큰거리는 것 같았다. 더위에 교란되었던 머리가 돌연 정돈되면서 이상스런 에너지 같은 것이 눈썹 위로 스치는 듯도 하였다. 건너편 인쇄소 앞에 세워진 트럭에서 인쇄용 종이 뭉치를 나르고 있던 홍 양이 나를 보고 싱긋 웃었다. 홍 양이 신고 있는 끈 달린 샌들 앞쪽으로 빨간 매니큐어가 칠해진 발톱이 빼꼼이 머리를 내밀고 있었다. 나는 마른침을 꿀꺽 삼키곤 실내로 들어왔다. 냉장고에서 꺼낸 콜라병을 입에 물고 벌컥벌컥 들이켰다. 언뜻 며칠 전 책 뒷표지에 갈겨쓴 글귀 하나가 떠올랐다. '우산을 위로 치켜들기만 해도 성기의 상징이 된다.'

의자에 앉아 전화기를 끌어당겼다. 늦어도 전날 저녁까지 보내주기로 되어 있는 《픽업》지의 필름 원고가 아직 도착하질 않아 일을 못하고 있었다. 나는 잠시 망설이다 《픽업》지를 내고 있는 키키(Key Key) 출판사로 전화를 넣었다.

"정이림 차장 좀 부탁합시다……. 예, 여긴 제판소(製版所)입니다."

수화기 저편에서 부산스럽게 주고받는 말소리가 조그맣게 들렸다. 곧 전화를 바꾼 것은 출판사 사장이었다. 사장은 정이림 씨가 오늘 출근하지 않았다고 했다.

"그럼 이번 호 제판은 어떻게 되나요? 인쇄 일정도 차질이 생길텐데……"

"아 예. 정 차장이 행불이어서……골치 아파. 내일 한 번 더 통화합시다."

짜증스런 기분을 감추는 듯한 사장의 말투였다. 이번 달 잡지의 제판 일정은 그저께부터 이날까지 삼 일 간 잡혀 있었다. 일 주일 전에 정이림 씨한테서 연락이 있었지만, 아직까지 필름이 도착하질 않아 초조해지는 것이었다. 만일 거래처를 옮겼다면 귀띔이나마 해

줄 거라 여겨 왔다. 사장은 정이림 씨와 갑작스럽게 연락이 두절되어 조금 차질이 생겼을 뿐이라고 했다. 사실 나는 거래의 도의적인 측면보다 그 잡지를 맡지 않게 될까 저으기 염려스러웠다. 그 잡지의 내용이 갈수록 관심을 끌었기 때문이었다.

키키출판사는 《픽업》지 외에 두 개의 잡지를 더 발간했다. 물론 잡지들은 이른바 남성용 잡지였다. 대체로 조악한 편집에다 온통 벌거벗은 여자들이 화보를 채우고 있었다. 세 개의 잡지를 내는 것은 검열에 대처하기 위해서였는데, 하나가 폐간되어도 두 개가 남아 있고, 설령 출판사가 징계를 먹은들 그 인력으로 냉큼 상호만 바꿔 계속 출간할 수 있기 때문이었다. 책들은 독특한 점조직 방식의 일종의 총판들이, 리어카 상으로 혹은 지방 터미널로 배포하여 판매하고 있었다. 유통망에 잡음이 생기면 제꺽 책들은 수거되어 제지 공장으로 운반되거나 때론 공개된 장소에서 카메라 세례를 받으며 불에 태워지는 사태까지 벌어지는 것이었다. 요즘 들어와 키키출판사의 잡지들이 시중의 일반 서점에도 보란 듯이 깔릴 수 있게 된 것은 경찰력의 손발이 제대로 작동되지 않는 혼란스런 시국 덕분이었다. 그런 우왕좌왕하는 형편 속에서도 그 출판사의 《픽업》지는 벌써 삼 년째 장수 출간되고 있었다. 정이림 씨가 혼자서 편집하는 잡지였다.

나는 책꽂이에서 《픽업》지 한 권을 뽑아 내었다. 몇 달 전 것이 손에 잡혔다. 아무렇게나 펼쳐 보아도 역시 누드 화보였다. 붉은빛 섞인 긴 생머리카락을 늘어뜨린 서양 여자가 양 팔을 엉덩이 뒤쪽으로 바닥을 짚고 상체를 조금 뒤로 젖힌 채 앉아 있었다. 시신경을 자극하기 위해 한쪽 다리가 세워져 있고 남은 다리는 소파에 걸쳐진 모습이었다. 젖망울이 탱탱하게 부풀어 있는 풍성한 가슴 아래로 날쑥한 허리를 타고 배꼽이 보이고 그 아래 허벅지 깊숙한 곳에, 하모니카가 놓여 있었다.

"하모니카군."

나는 중얼거렸다. 《펜트하우스》나 《플레이보이》 혹은 일본 도색 잡지 따위에 실린 사진을 복사해서 편집하는 게 그녀의 작업이었다. 물론 이런 따위의 옐로 잡지들은 사회 분위기에 따라 얕은 논두의 올챙이처럼 생겨났다 사라지곤 하는 법이었다. 얼핏 보면 그녀의 잡지는 여느 옐로 잡지와 구별이 되지 않았다. 굳이 차이를 들자면 지금껏 음부가 직접 드러난 적이 없었다는 정도인데 물론 검열 때문은 아닐 터였다. 그 출판사의 유통망은 검열을 따돌리는 데 능숙한 기량을 갖추고 있을 뿐만 아니라, 오히려 검열반의 캄캄한 꽁무니를 쫓아다니며 반사 이익을 챙기는 수완을 보여 주었다.

몇 장의 화보들을 훑어보았다. 색소폰이 성기 앞에 놓여 있는 화보가 보였다. 나팔꽃 같은 색소폰의 주둥이 위로 마치 악기 소리가 나듯이 몇 가닥의 검은 털이 솔솔 피어 올라와 있었다. 또 다른 화보엔 만년필이 놓여 있는가 하면 그로테스크하게 변형된 한 정치가의 얼굴이 놓여 있기도 했다. 성기 안팎에 이상한 장치들을 해놓았음에도 누드의 고혹적인 자태가 그다지 훼손되질 않았다. 분위기에 어울리도록 연출한 까닭인데, 정이림 씨가 가장 신경 쓰는 부분이기도 했다.

물론 내가 처음부터 화보에 별다른 관심을 둔 것은 아니었다. 내용물에 대한 지나친 관심은 직업인으로선 어리석은 행위일 뿐인 것이다. 잡지 제판을 맡고 수개월이 지났을 때였다. 어느 날 친구 김이 헐레벌떡 뛰어왔다. 소설가를 지망한다고 했지만 손으로 쓰질 않고 머릿속에만 잔뜩 구상해 다니는 녀석이었다.

"야, 이거 맞긴 맞구만. 바로 너네 공장에서 이 일을 하다니!"

"뭘 가지고 그래?"

"어제 청량리에서 술을 마시다 꽃집 골목을 돌아다녔지. 그러다 가판대에서 잡지 한 권을 샀거든. 집에 와 살펴보다 어쩐지 낯이

익었다 했는데 너네 집이 출생지였구만. 왜 전에 한 번 다녀갔잖아?"

"창피해? 돈 주고 사서 골방으로 가져가는 네 놈은 어떻고?"

하며 빈정대는데 녀석은 가방 지퍼를 열고 눈에 익은 잡지를 꺼냈다.

"나 이런 거 첨 봤어. 정말 묘해. 단순히 성기를 가리고 있는 게 아니라 성기 안에서 빠져 나온 것 같기도 하고 어떤 것은 성기 속으로 막 들어가려는 듯도 하단 말야. 그리고 이건 성기 자체가 변형을 일으켰잖아……이것 봐!"

거울을 보고 있는 한 여자의 알몸 사진이었다. 그건 다섯 장이 한 세트를 이루고 있었다. 의사당 건물에서 나오는 장면(계단을 내려오는 많은 사람들 사이에 붉은 블라우스를 입은 여자가 보였다), 차를 타고 집에 도착하는 장면이 연속 스냅으로 작은 사진에 담겨 있고, 사진 크기가 확대되면서 옷을 벗고 화장대 앞에 서 있는 장면으로 연결되었다. 실낱 하나 걸려 있지 않은 늘씬한 뒷모습과 함께 여자의 앞모습은 거울 속에서 고스란히 드러났다. 마지막 사진—여자가 오른쪽 다리를 둥근 의자에 올리자 허벅지 안쪽 라인과 히프가 만나는 부위가 거울에 비치는데 성기가 있는 자리에 뱀의 머리가 보였다. 거울에 비친 모습이 너무나 생생해 그녀의 성기의 형태가 정말 뱀일 거라는 착각을 일으키게 하였다. 여자는 자위 행위를 하듯 손가락으로 뱀의 머리를 더듬으면서 고개를 젖히고 흥분에 젖어 있었다.

문학도 김은 그녀가 편집한 잡지를 들추며 경악스런 표정을 지었다. 사실 편집은 아주 정교했다. 접합된 부위나 변형된 형태는 원래의 모습인 양 천연덕스러웠다.

"너, 누드 볼라니 창피하구 해서 온갖 장식을 붙여서 기웃거리려는 거 아냐?"

나는 그의 말뜻을 어느 정도 알아들으면서도 여전히 비꼬는 어투를 풀지 않았다.

"천만에. 얼핏 외설 잡지나 다름없어 보이지만 자세히 뜯어보면 성을 둘러싼 온갖 장치들이 설정되어 있어. 성기 속으로 함몰되기도 하구, 반사되기도 하는가 하면 은유와 왜곡이 그 자체에서 이루어지고 있구……. 희한한 일이야. 이런 잡지가 청량리에 깔려 있다니!"

나는 남은 콜라를 마저 입 안에 털어넣고 작업대로 가서 앉았다. 원래 내일까지 《픽업》지를 마쳐 놓고 제판에 들어가로 했던 《ㄱ성당 70년사》의 사진을 꺼냈다. 크고 작은 사진들이 색 바랜 것들도 있는가 하면 제각각 블루 계통의 정도가 달라 고르게 색을 맞춰서 스캐너하기가 상당히 까다로웠을 것 같았다. 사진 필름들만 도합 일흔 장에 육박했다. 사백 페이지 분량의 전체 제판을 마치려면 밤을 새워도 꼬박 열흘은 걸릴 성싶었다. 나는 작업대 위에서 스캐너 필름을 살펴보면서 고바리(필름과 문자를 합성하는 일)를 해버릴까 망설였다. 하지만 오늘 밤 늦게라도 정이림 씨의 필름이 도착할지 모를 일이었다. 내가 이맘쯤이면 일거리가 폭주해 제판소 내실에서 숙식을 하며 새벽 한두 시까지 작업대에 붙어 있는 사정을 그녀는 누구보다 잘 알고 있었다. 게다가 지난 이 년여를 거래했지만 제판 일정을 거의 흐트리지 않았던 그녀였다.

혹 경찰에 소환된 게 아닐까. 그렇다면 출판사에서 그 사실을 숨겼을지 모를 일이었다. 제판소나 인쇄소 등에서 께름칙하게 여길까 싶을 터였다. 하지만 이런 잡지 따위에 영장 심사나 하고 있을 판사가 있을까, 이보다 훨씬 심한 외설물들이 우후죽순처럼 돋아나고 있는 판국이 아니던가……. 모를 일이야, 고개를 갸우뚱거리며 알루미늄판을 꺼냈다.

인쇄소 경리 미스 홍이 문을 밀치고 들어온 것은 내가 알루미늄판을 닦고 있을 때였다.

"아이 기절하겠어. 인쇄소 짐꾼 노릇을 하고 있다니 이게 무슨 꼴이야."

홍 양은 들고 온 비닐봉지를 안쪽 탁자 위에 올려놓고는 소파에 털썩 엉덩이를 던졌다. 줄무늬 스커트가 허벅지 위로 한 뼘이나 당겨졌다. 내가 멀뚱한 얼굴로 보자,

"아까 아트지 나르다 인쇄기에 다리가 긁혔단 말이에요. 이러단 몸매 다 망치겠어. 종이 나르라질 않나, 엎드려 기름 닦으라질 않나."

"그게 왜 몸을 망쳐? 운동되고 좋지."

"무거운 거 들면 허리 굵어지고, 쪼그려서 일하면 뱃살 나온다구요. 다음주에 오디션이 있잖아요. 참, 언니 아직 안 오셨나요?"

홍 양은 키키출판사에서 모델을 모집한다는 것을 알고 난 뒤 요즘 들어 부쩍 이쪽 출입이 잦았다. 특히 어제 오늘 사이엔 정이림 씨가 필름 원고를 가지고 오는 날이라 틈만 나면 여길 기웃거렸다. 모델을 모집하는 곳은《픽업》지가 아닌 다른 남성용 잡지《폴로》였는데 같은 출판사의 차장 위치에 있는 정이림 씨에게 심사를 받기 전에 미리 수작을 붙여 놓겠다는 계산인 듯 적잖이 화장까지 했지만 내가 보기엔 그런 잡지에선 없어 못 구할 게 모델인 듯싶었다.

"사장님이 납품 가면서 바로 퇴근한대요. 나더런 지업사에서 올 전화를 한 통 받고 집에 가래요, 기가 막혀."

무선전화기를 탁자 위에 올려놓고, 비닐봉지에서 맥주병을 꺼냈다. 냉장되어 있던 맥주병 표면에 물방울이 송송 맺혔다. 땀을 흘리는 듯한 미끈한 맥주병 목을 손으로 덥석 말아 잡고는 흥겨운 목소리를 내질렀다.

"오빠, 관두고 한잔 해요. 모델로 나서면 언제 오빠가 나랑 술을 마시겠어요?"

깔깔 웃으며 홍 양이 맥주병 머리에다 오프너를 걸었다. 뚜껑이

따지자 흔들고 와서인지 긴 맥주병 목을 타고 부연 거품이 순식간에 솟아올랐다. 어어, 홍 양이 황급히 손으로 틀어막았다. 새빨간 매니큐어가 칠해진 손톱 위로 부연 거품이 타고 흘렀다. 좀전의 문구가 다시금 내 머리를 때렸다. '우산을 위로 치켜들기만 해도 성기의 상징이 된다.'

란제리처럼 엷은 웃옷을 걸치고 홍 양은 좁은 실내를 돌아다녔다. 치즈와 과자 안주가 탁자 위에 놓여 있고 탁자 아래론 빈 맥주병들이 즐비했다. 홍 양이 상체를 움직일 때마다 끈 달린 웃옷 안으로 도드라진 젖가슴의 윤곽이 따라 움씰거렸다. 잔을 입에 가져갈 때면 털이 말끔히 깎인 겨드랑이가 시선을 끌어당겼다.

텔레비전에서는 아홉 시 뉴스가 흘러 나오고 있었다. 정이림 씨한테서는 아직도 소식이 없었다. 그 동안 홍 양은 지업사에서 온 전화를 받고 나가더니 한 시간 전쯤 돌아와 아예 본격적으로 술판을 벌이고 있었다. 나는 이따금씩 일어나 필름도 살피고 작업 준비를 체크하는 시늉을 떨었지만 고작 일곱 살 아래인 홍 양의 몸이 자꾸 내 망막을 어지럽혔다.

"너, 그 잡지에서 필요로 하는 게 화장품이나 패션 모델이 아닌 거 알어?"

"알아요. 누드 모델이잖아요."

홍 양은 스스럼없었다. 내가 실소했다. 넌 내가 좋으냐 물었을 때, 오빠가 좋은 게 아니라 오빠 눈썹하고 살짝 말려 올라간 윗입술이 좋아요. 눈썹은 구본성 닮았구, 입술은 차인수 마크가 찍힌 것 같잖아요. 한 번 만져 봐도 돼요? 그런 식이었다. 어이가 없었다. 그런데 알 수 없는 것은 백치 같아 보이는 그녀의 행동이었지만 말들이 탄력 있고 때론 송곳으로 찌르는 듯이 날카로웠다. 음험한 수작을 붙이기가 어쩐지 두려운 그런 애였다.

"너 다음주에 오디션을 본다면서 연습을 해야 되는 거 아냐? 워킹 같은 거 말야."

"워킹이니 뭐니는 필요 없어요. 오빠, 가장 뇌쇄적인 포즈가 다음 중 몇 번째예요?"

홍 양은 팔을 추켜들고 손가락을 머리카락에 집어 넣는가 하면 다리를 조금 들어올리고 앉았다가 소파에 비스듬히 누워 허리와 엉덩이의 곡선을 강조해 보였다.

"잘 봐둬요. 실물을 볼 수 있는 마지막 기회라구요."

"넌 도대체 어떻게 생겨먹은 아이냐?"

"오빤 도대체 어떻게 생겼어요?"

내 벨트 아래로 시선을 던지며 까르르 웃었다.

"성폭행해 달라구 보채는 광고두 있는데, 성폭행 한 번 당했다구 사람까지 죽이다니, 참 우스워."

조금 전 TV에서 아홉 시 뉴스 말미에 지난해 김모 여자가 남자 친구와 더불어 어린 시절 자신을 성폭행한 초로(初老)의 남자를 살해한 이후, 그 후일담을 보도한 걸 가리킨 듯 홍 양이 키득키득 웃으며 하는 말이었다. 홍 양은 소파에서 벌떡 일어나 다리를 꼬고 앉아 담배를 손가락에 끼웠다. 영화 〈원초적 본능〉에서 샤론 스톤이 겉옷만 걸치고 알몸으로 의자에 앉아 있었다는 그 유명한 신이 이번엔 우리 나라 휘발유 광고에 쓰여서 요즘 한창 방영되고 있었다. 샤론 스톤이 스포츠카에 앉아 운전석 옆으로 발을 내린 채 하는 광고 멘트가 같은 포즈를 흉내내고 있는 홍 양의 입에서 금방 튀어나올 것 같았다. '강한 걸로 넣어 주세요.'

"오빠, 제가 성폭행을 당했을 때는 어땠는지 알아요? ……전 말예요."

갑작스런 말에 나는 맥주잔을 들이켜다 홍 양을 바라보았다.

"중학교 삼학년 때였어요. 야간학습 마치고 남아 뒷정리를 하던 중에 도덕 선생님이 절 따먹으셨어요. 가슴이랑 엉덩이에 꽤 볼륨이 좋았지만 그때까진 얌전한 애였어요. 처음엔 엄청 충격을 받았지요. 눈물을 질질 흘리며 캄캄한 운동장을 가로지르며 걸어 나오는데, 느닷없이 화가 치밀더라구요. 무엇에 대해선지 몰라도 가슴 속에 불이 활활 타는 것 같았어요. 도덕 선생님이 벗긴 교복 치마와 팬티를 걸레처럼 좍좍 찢어서 정문 학교 마크에다 걸어 놓았죠. 그 자리에서 체육복을 입고 도로로 나오는데 뒤늦게 쫓아온 선생님이 학교 마크에 걸린 내 옷을 황급히 가방에 감추고 내게로 뛰어왔어요. 대머리에 나이 오십이나 된 선생님은 내 앞에서 무릎이라도 꿇겠다는 시늉으로 안절부절못하셨어요. 감히 내 손도 못 잡은 채요. 그런데, 놀라운 일이 그 순간 벌어진 거예요. 뒤통수가 훤히 밝아지는 것 같더니……(나중에 알았지만) 갑자기 해방이 돼버린 거예요. 성이란 굴레에서 말예요. 불교에서 돈오(頓悟)한다는 말, 오빠 알아요? 나도 단번에 해탈이 돼버린 거예요. 성모상이나 성자상들 보면 머리 뒤에 둥근 후광(後光)을 표시해 놓았죠? 전 그걸 볼 때마다 그것이 성에서 해방됐다는, 성을 깨달았다는 표시로 읽혀요."

"성(性)이 아니라 거룩하다는 뜻의 성(聖) 자야."

"참 오빠도 유치하긴. 하여튼 성에서 해방되지 않으면 거룩할 수도 없는 거예요."

내가 멍청하니 있자 홍 양은 담배에 불을 붙인 뒤 제 콧등 위로 연기를 길게 내뿜었다.

"그 뒤로 선생님은 내게 꼼짝을 못 하셨어요. 군것질하라구 용돈도 챙겨 주고 도덕 점수는 물론 가장 친한 영어 선생 방을 염탐해 중간 고사 문제 같은 것도 빼오더라구요. 선생님이 불쌍했지만 어쩌겠어요. 해방되지 못한 벌인 걸요."

언젠가 들은 적이 있긴 했다. 아버지의 외도와 거기에 못 이겨 자살한 어머니가 있었다는 사실이 그녀의 심리 형성에 관계가 있는지 몰랐다. 엄마가 왜 바람을 피지 않고 자살의 길을 택했는지 이해할 수 없어. 치마 입고 사거리 과일 가판대에서 바나나를 골라 흥정할 정도의 용기만 지니면 될 텐데. 전혀 엉뚱해 보이는 비교를 아주 적절하다고 여긴 듯 진지하게 되뇌던 그녀였다.

"너 꼭 선생님 선생님, 그러는구나?"

되바라진 그녀의 성격답잖아서 그렇게 물었다.

"절 벗어나게 해주고 자신은 포로가 된 불쌍한 분이잖아요? 도덕 선생님을 위해서 우리 한잔 해요."

갑자기 침통한 표정을 지으며 내게 빈 잔을 건넸다. 내 손에 들린 잔에 맥주가 부연 거품이 일며 채워지는 걸 보고 있자니 까닭 모르게 꿈틀꿈틀 성욕이 돋는 게 느껴졌다. 성폭행 당한 게 성 해방의 계기가 될 수 있다니. 나는 좀더 과감한 영상을 눈앞에 그렸다.

"넌 왜 누드 모델을 하려고 하니?"

"전 그때 성기 안에 엄청난 권력이 숨어 있다는 걸 알았어요."

"……."

나는 뜻밖의 대답에 아연해하는 기색을 감추며 들고 있는 맥주잔을 벌컥벌컥 들이켰다. 그리곤 아무렇지도 않다는 듯 일어나 작업대에 쌓여 있는 ㄱ성당의 사진들을 건성으로 살폈다. 초창기 성당 건립을 하고 있는 흑백 사진. 상투를 쓴 어른, 기운 옷을 입은 아이, 치마 두른 부녀자들이 줄을 지어 벽돌을 나르고 있다. 수백 명의 인파들이 손을 흔들고 한복판에 완공된 성당 첨탑이 우람하게 솟아 있다. 그 첨탑을 등지고 신부 복장을 한 서양 사람 하나가 연설을 하고 있다.

"내 누드는 사내들을 노예로 만들어 버릴 거예요. 정말 그들은 몸 검사 당하는 노예처럼 심각한 얼굴로 내 누드 앞에서 옷을 벗을 테고, 빼앗긴 애인의 면상을 내 얼굴에 붙여 놓은 뒤 환상을 구걸하며……수음을 하고, 실물 크기로 확대된 유방과 배꼽 아래를 애무하며 혼을 바치듯이 정액을 바치겠죠. 만 부를 찍을 경우 적어도 일 퍼센트는 그 역할을 충실히 해낼 거예요. 상상만 해도 유쾌해요."

취기가 담겨 있었으나 또랑또랑한 말투였다. 성적인 느낌이 아니라 섬뜩한 느낌이 들었다. 겁탈을 당했다고 학교 정문 마크에다 팬티를 걸 만큼 저돌적인 성격이 감춰진 애가 아닌가.

내가 아무런 대꾸를 않자 홍 양은 소파에 비스듬히 누워 혼자말처럼 무어라 홍얼거렸다. 말려 올라간 스커트는 조금만 몸부림을 쳐도 사타구니를 드러낼 듯했다. 이미 한쪽엔 스커트가 말려 올라가 팬티 한 장만이 겨우 맨살을 가렸다. 더운 날씨에 갑자기 마신 술이 취기를 앞당겼을 테지만 스물한두 살의 여자치곤 턱없는 배포가 아닐 수 없었다. 얼마 안 있어 간간이 코까지 고는 홍 양을 보자 다시금 성욕이 맹렬하게 솟아올랐다. 아니 이번엔 성욕이라기보다 잔혹한 가학 욕구 같은 것이었다. 스커트를 찢어 버릴 듯이 벗겨내고 유방에다 얼굴을 묻은 채 물어뜯고 싶은 충동이 꿈틀거렸다. 그리곤 팬티로 가린 자리에다 손을 넣어—숨어 있는 권력이라 했던가—그 무엇을 뽑아내 버리고 싶었다. 나는 홍 양 앞에 놓은 맥주잔을 단숨에 들이켰다.

홍 양이 피우다 재떨이에 얹어 놓은 담배를 비벼끈 뒤 그녀를 내려다보았다. 아직 선잠에 머물러 있는지 코를 골다 홍얼거리기도 하고 홍얼거리다 코를 골기도 했다. 나는 머뭇머뭇대다가 전화기가 있는 탁자로 걸어갔다.

소설가 지망생 김은 집에 있지 않은 모양이었다. 발신음만 가고 전화를 받지 않았다. 이동 전화에다 메시지를 넣었다. 홍 양의 자세가 정이림 씨가 편집한 누드지 화보를 연상시켜서일까, 엉뚱한 말이 튀어나왔다.

"너 빨리 와라. 지금 《픽업》지를 제판하는 중인데, 이번 달 화보는 정말 놀라울 정도야. 네 상상력을 송두리째 삼킬 만큼 충격적이다. 정이림 씨가 널 보고 싶대."

수화기를 내려놓고 나는 책꽂이에서 《픽업》지를 뒤적이기 시작했다. 성과 권력 관계를 표현한 화보가 기억나서였다.

석 달 전이었다. 인쇄소에 넘기기 전 마지막 과정인, 알루미늄판을 현상액에 담그고 있던 중에 정이림 씨가 달려왔다. 화보를 교체할 게 있다는 것이었다. 새로 가지고 온 화보는 한 처녀의 섹스 장면에 이어 몇 장의 사진이 이야기처럼 전개되고 있었다. '한 처녀가 섹스를 한다. 판도라 상자의 뚜껑처럼 처녀막이 따진 뒤, 집에 돌아온 여자는 자신의 아랫도리를 보고 깜짝 놀란다. 성기의 갈라진 틈에서 무언가 삐죽이 나와 있는데, 그것은 어이없게도 혀였다.' 나로서는 이해가 되지 않았다. 그녀의 화보들은 대체로 스토리를 깔고 있거나 그 달의 사건을 연상시키게끔 편집되어 있어 큰 무리 없이 이해가 되었지만, 그래도 도통 요령부득인 경우가 가끔 있었다. 처녀막을 잃으면 혀를 얻게 된다? 혀라면 언어를 만들어 내는 기관이 아닌가.

"왜 혀지요?"

내가 물었다.

"언어가 만들어지는 곳은 입이 아니라 성기가 되었지요."

성기 쪽만 들여다보아 몰랐었는데, 자세히 보니 여자의 입엔 혀가 없었다. 물고기처럼. 지독한 풍자였다. 물론 그땐 그 말의 수위를 제대로 가늠할 수가 없었다. 언어가 욕구와 거짓, 혹은 권력을 담아 나르는 그릇이라고 그녀가 설명을 했지만 아무래도 비약이 심하다고 판단했다.

그런데 좀전에 소파에 누운 홍 양의 입에서 흥얼대며 나온 말이 어떤 절묘한 암시를 던지는 것도 같았다.

"오빠, 이상하게 생각할 거 없어요. 섹스는 성기와 성기간의 대화잖아요. 나는 오래 전부터 거리로 쏟아져 나온 많은 가련한 이들과 황홀한 대화를 나누고 싶었어요. 이제 내 누드가 나를 대신해서 그 일을 해줄 거라구요. 가슴에 묻힌 말처럼 억눌린 정액을 토해 낸 저들은 비로소 깃털처럼 가벼워질 거예요. 자유를 찾는다 말예요……. 아, 노예요? 그게 노예죠 뭐. 끊임없이 정액을 바쳐야 가벼워질 수 있으니……."

갑자기 피로가 온몸에 몰려왔다. 홍 양을 깨울까도 했지만 그대로 두었다. 김가 녀석이 온다면 어떻게든 처리가 될 것이었다. 어차피 자정까지는 문을 열어 두어야 하는 것이다. 정이림 씨한테서 다급한 연락이 있을 것 같다는 생각은 여전히 지울 수가 없었다. 무슨 사정이 있을망정 적어도 거래처를 옮기지 않았으리란 믿음이 내게 있었다. 그녀는 소규모 업체임에도 이곳이 편하다고 하였고 지난 이태 동안 거래하면서(창간부터 내가 맡은 건 아니었다) 여러 가지 곡절도 많았다. 그런 게 친밀감으로 작용할 것이었다. 나는 홍 양 맞은편 소파에 앉아 등을 기대고 눈을 감았다.

처음으로 그녀와 거래 외적인 대화를 나눈 건 종로 공원에서였다. 거래를 트고 수개월 지나서였는데, 나는 우선 그녀의 작업 태도부터가 궁금했다.

"참 묘하네요? 벗기는 것도 아니고 입히는 것도 아니고. 검열 때문인가요?"

"처음엔 벗기는 쪽을 택했어요. 오히려 음란물 검열 때문이었죠. 왜 볼 수 있는 권리를 막느냐고 항거한 셈이죠. 색칠을 시작한 건 물론 대대적인 단속에 대처하기 위해서였어요."

맥주 캔 뚜껑이 그녀의 손에서 따지는 것을 묵묵히 바라보았다. 나는 그녀가 크레용이나 볼펜으로 음부에다 삐뚜름한 역삼각형을 그려 넣었던, 그녀와 거래하기 전인 초기 화보를 기억했다. 그건 누가 보아도 항거고 비아냥거림이었다. 성급한 크레용이나 볼펜 칠 사이로 음모가 비쳐 보이고 혹은 지나친 덧칠로 생긴 조잡한 느낌은 고의성을 드러내었다. 간단한 색칠 하나로 《플레이보이》지가 그대로 옮겨질 수 있다는 것은 검열이 그만큼 허위적임을 입증하는 격이었다.

"하지만 그땐 몰랐어요. 나와 숨바꼭질을 하고 있는 검열이란, 여러 층계의 검열 중 단지 하나에 불과하다는 것을요. 그것도 가장 밑바닥 층계의 검열과 다투고 있었으면서도. 권력과 제도의 산물인 만큼 여러 층계가 있는 게 당연한 일일 텐데……. 아 참, 색칠하는 얘길 하고 있었지요? 단속을 비웃으려고 색칠을 했다고 그랬잖아요. 근데 색칠을 하다 보니 뜻밖의 재미가 붙더군요. 그 후 단속망이 대부분 거두어졌을 때조차도 제 자신이 색칠에 몰두하고 있었다니까요."

"왜요?"

"글쎄요……."

그녀는 맥주잔을 들이켠 뒤 소곤거리는 목소리로 입을 열었다.

"전 스물일곱 살 때까지 남자의 성기를 본 적이 없었어요. 어린아이의 고추는 믿을 수 없어요. 튀어나온 목젖이나 겨드랑이 털처럼 성인의 성기도 어린아이의 것과 다를 거라고 생각했죠. 꿈을 꾸면 남자의 성기는 매번 다른 모습이었어요. 바나나처럼 보이기도 하고 주전자의 주둥이, 피리, 하모니카 등으로 나타나기도 했죠. 그것이 내 몸에 들어와 물을 뿌리기도 하는가 하면 피리를 불기도, 때론 내 몸에서 나는 하모니카 선율을 들으며 새벽잠을 깨기도 했지요."

"……."

"황홀한 꿈들이었어요. 그런데 어느 날 건달 하나에 붙들려……. 그 이후로 이상하게 하모니카 소리를 들을 수 없었어요. 끔찍한 실체만 자리하더군요. 마치 돼지 다리처럼 털이 부숭부숭하고 숯검정이 묻은 듯한……전 그때 알았어요. 감춤은 은폐만을 뜻하는 것이 아니라 꿈을 뜻한다는 사실을요. 그 기억이 저에게 비꼬는 듯한 색칠이 아니라 썩 예술적인—하하—색칠을 시켰다고나 할까?"

"너무 가여운 색칠 같은데?"

그녀는 입귀로 가볍게 웃음을 흘렸다. 내 말은 그런 의도의 색칠이라면 얼마 못 가 한계에 부닥칠 수밖에 없다는 뜻이었으나 그녀는 전혀 동조하지 않는다는 표정이었다.

이 무렵 그녀의 화보는 상당히 환상적인 분위기를 자아내고 있었다. 꿈속에서 보였다는 주전자의 주둥이나 피리, 하모니카 등이 여성의 성기를 다소곳이 가렸다. 키 큰 해바라기 밭고랑에 알몸으로 누워 있는 여인(해바라기 밭에 물을 주는 남자의 모습이 옆 장에 실루엣처럼 처리되어 있다), 양떼를 몰다가 나무 밑에 쉬고 있는 여인(누군가가 피리를 불고 있다), 황금빛 태양이 창문으로 막 들어올 듯한 해변의 방갈로에서 아침을 맞는 여인이 그것의 주인이었다. 이때가 가장 많은 판매 부수를 기록하기도 했다지만 내 제판 작업에도 상당히 흥이 넘쳤다. 온종일 〈사운드 오브 뮤직〉이나 〈로망스〉 같은 음악이 제판실을 흘러다녔다. 필름을 구운 뒤 알루미늄판을 현상액으로 씻어 낼 때, 액체 속에 잠긴 푸른 판 위로 서서히 나타나던 환상적인 그림은 수년 간 제판을 해오면서 가장 기억에 남는 일이었던 것이다.

한 가지 부연할 것은 지금도 그때의 흥겨움이 스스로도 잘 납득되지 않는다는 점이었다. 굳이 설명하자면 어머니를 일찍 여의어서 아버지와 다섯 남자 형제만 집안에 가득했던 관계로 어릴 때부터 성에 대한, 특히 여성기에 대한 지나친 집착이 있긴 했다. 대체로 호기심으로 나타났지만 때론 어머니의 한 부분이라는, 모성의 대체물이라는 편집증적인 측면도 내 마음속에 깃들여 있었는지 모를 일이었다. 그 때문일까, 작업을 하는 동안 그녀도, 그녀의 화보도 그렇게 정겨울 수가 없었다.

하지만 불길한 내 예상처럼 그런 매혹적인 화보는 오래 가질 못했다. 조금씩 환상적인 부분들이 떨어져 나가더니 지난 연말 이후론 피리가 부러지고 하모니카가 음률을 만드는 칸막이가 뜯긴 채 성기에 박혀 있는 화보까지 등장하곤 하였다. 나는 긴 겨울밤 늦은 작업을 하면서 그녀의 황홀한 꿈들이 상처를 입고 있구나, 탄식을 하곤 하였다. 나는 짐작만 할 뿐 그녀와 만나면서도 그 상처의 배경을 물을 수 없었다. 물을 필요가 없는 건지도 몰랐다.

내가 더 이상 일관된 침묵을 유지할 수 없었던 것은 지난 사월의 화보에서였다. 성기의 직접적인 변형이 시작되고 있었던 것이다. 하모니카 같은 아름다운 은유도 아니었고, 속이 일그러지거나 부식된 하모니카처럼 절망스런 상징도 아니었다. 독사의 아가리 모양으로 탐욕스럽게 벌어진 허공, 난잡한 섹스 뒤에 흘러내린(사진의 설명) 검붉은 자궁 따위가 성기의 본 모습인 양 조작되고 있었다.

"어떻게 이런 변화가!"

"말하지 않았던가요? 스무 살 전후에 이런 적이 있었어요. 전에 말한 남성의 예쁜 상징들이 느닷없이 대포, 붓, 리모컨 따위들로 바뀌더군요. 잠을 깨선 왜 그렇게 변했을까 궁금했어요."

그녀는 잠시 멈췄다가 말을 이었다.

"모르긴 해도, 남성적 폭력성이 압축된 게 아닐까요? 마찬가지로 여성적 폭력성도 있지요. 남녀 문제가 아니라 폭력성의 문제예요. 요즘의 폭력성이 성을 둘러싸고 일어난 야만에서 비롯됐다면 차라리 성기를 왜곡시키는 편이 타당하질 않나요?"

화보—섹스 뒤에 흘러내린 검붉은 자궁 따위—는 여느 때처럼 그 달의 사건들을 연상시키게끔 편집되었겠지만 그녀가 말한 야만이란 무엇을 가리키는지 뚜렷이 알 수가 없었다.

그 뒤로도 그녀의 변화는 가파르게 이어졌다. 지난 늦봄, 섹스숍과 만화, 문학 작품 등에 대대적인 검열 열풍이 일어났을 때, 소극적으로 색칠만 하던 예전의 자세에서 완연히 벗어나 적극적으로 치닫고 있었다. 가위로 남성의 성기를 잘랐는데 가위 끝에 잘려 있는 것은 꽃이었고, 검열 당국의 청사는 새로운 섹스숍으로 장치되어 있더라는 식이었다. 이러한 공격적인 풍자는 불안한 변화를 지켜보던 나를 저으기 안심시켜 주었다. 문학도인 김과 가까운 친구 몇몇은 나에게까지 격려 전화를 해댔다.

그런데 정말 알 수 없는 일은 몇 달 뒤에 일어났다. 공교롭게도 유사한 검열 상황이 다시 벌어졌는데 이번에도 《픽업》지가 얼마만한 풍자를 보여 줄 것이냐가 전번 검열 사태 이후로 부쩍 늘어난 팬 녀석들의 관심사였다. 하지만 결과는 어안이벙벙할 만큼 뜻밖의 화보로 제시되었던 것이었다. '소설가의 방'이란 화보는 모두 여섯 장이었다. '원고지를 메우다 만년필 잉크가 떨어진 작가는 면도기를 충전기에 올려놓듯, 만년필을 자신의 성기에 꽂는다. 비디오방으로, 홍등가로 뛰어다니자 만년필처럼 보이는 성기에 잉크가 채워지면서 발기가 된다……그의 책이 간행되어 서점에 깔린다. 서점은 새로운 섹스숍이다.'

"어? 뭐야 이게. 이 여자 눈알이 거꾸로 박힌 거 아냐? 피해자 쪽을 희롱하다니. 그리고 전번엔 검열 당국이 섹스숍이랬다가 이번엔 서점이라구?"

몇몇 친구들은 불쾌하기 그지없다는 반응이었고 기껏 옐로물을 뒤적거리는 여자한테 뭔가를 기대한 우리가 잘못이라며 홍소하는 녀석들도 있었다. 내가 그런 비난을 넌지시 알려 주자 그녀는 여느 때와 달리 완강한 자세를 취했다.

"드러내려는 성과 억누르려는 권력은 항상 대치 상태에 있는 게 아니에요. 오히려 대치 상태에 있다고 믿게 하는 게 검열(권력)의

이데올로기적인 조작이지요. 때에 따라 둘은 상호 의존적이죠. 야누스처럼 외면한 두 얼굴이 한 몸에 붙어 있어요."

"작가의 손목에 수갑이 채워진 걸 보고도 의존적이라고 해요!"

내가 조금 성난 목소리로 불퉁스레 내질렀다.

"수갑요? 저의 눈엔 예쁜 팔찌로 보이던데?"

그녀의 빈정거림은 다음달 '서점과 검열 청사의 내부 비교', '작가와 검열관의 성기 비교'라는 화보에서 더 뚜렷하게 드러났다. '서점은 검열의 칼자국을 예술품처럼 장식한 책들을 진열대에 깔았고, 검열은 서점의 민첩한 주문을 받아 리스트를 작성한다…….' 대체로 포괄적인 입장을 취하고 있는 그녀의 태도를 염두에 둔다면 '서점'과 '검열'도 어떤 상징성을 지닌 표현으로 이해해야 될지 몰랐다. 검열에도 여러 층계가 있다고 언젠가 그녀가 말하지 않았던가. 하여간 소설가 지망생 김이 제판실로 찾아와 그녀를 만난 것도 바로 이때였다. 녀석의 끈질긴 부탁으로 그녀가 와 있다는 것을 알려 주었던 것이었다. 둘은 그날 꽤나 길게 논쟁을 벌였다. 인상을 찌푸리기도 하고 빈정거리기도 하고 침묵을 주고받기도 했지만 그만한 지식도 없는 나로서는 대충 끝나기를 바랄 뿐이었다. 무엇보다 그녀는 내 고객이 아닌가. 하지만 내가 화해조로 마련해 준 술판에까지 둘은 논쟁을 짊어지고 다녔다.

김은 금기(禁忌)에 의문을 품고 인간의 영역을 확장시키려는 젊은 작가들의 시도는 위대하다고까지 주장했고, 그녀는 그들은 단지 일탈(逸脫)에만 관심이 있을 뿐 정황을 바로 보고자 고민하는 번뇌가 없다고 대들었다.

"그 일탈이라는 것도 저들이 근래 새로 포장해 놓은 샛길일 따름이라구요. 아주 상투적이고 아늑한 길이죠. 길의 속성을 간파하지 못하는 것은 그 눈에 번뇌가 없기 때문이에요."

"당신은 인간이 얼마나 오랫동안 욕망을 감시받고 살아왔다는 걸 몰라서 그런 식으로 말하는 거야."

그녀는 가만 있다 고개를 절레절레 흔들며 말했다. 그러나 얼핏 들으면 비슷한 내용 같았다.

"욕망요? 저들의 적(敵)도 욕망이에요. 욕망은 존재를 퍼올리는 두레박 같은 거죠. 욕망은 끊임없이 존재를 향해 돌진하는 습성이 있어서 둘 사이를 떼어 놓을 방도가 없어요. 두레박을 깨뜨리듯이 욕망을 거세시키는 수밖에."

"왜 둘을 떼어 놓아야 하죠?"

김의 물음에 빈정거림이 실려 있었다.

"둘이 결합을 하면 자신들의 권력망을 이탈하려는 힘이 생기죠. 저들은 그걸 잘 알아요. 이탈이 시작되면 저들은 속수무책이에요…… 둘이 결합된, 한마디로 말해 실존에 닿아 있는 욕망이라면 유행을 좇아다니겠어요? 유행은 현대 권력의 가장 근원적인 생산 기지(生産基地)가 아니겠어요?"

그래서 욕망의 거세를 위해 일탈의 길을 조성하고 욕망의 모형을 만든다는 것이 그녀의 논지였다.

"모형은 편리한 거예요. 애드벌룬처럼 공중에 띄우기도 쉽고, 함부로 충격을 가할 수도 있고……마치 기구(氣球)를 높이 띄우려고 가열하는 열처럼 모형을 부풀리게 하기 위한 모험적인 충격이 바로 검열이란 거예요."

"말이 안 통해. 언어의 뿌리가 너무 달라."

김이 그렇게 투덜거리자 내가 불쑥 끼여들었다.

"임마, 니 혀가 성기에 붙어 있어서 그래."

눈을 번쩍 떴다. 깜빡 졸았던가. 시계를 보니 열두 시 이십 분 전이었다. 삼십 분 정도가 기억이 차단된 시간인 듯했다.

홍 양은 소파에서 깊은 잠에 빠져 있었다. 팔걸이를 베개삼고 허리와 엉덩이를 소파에 붙이고 비스듬히 누워 있어 자연 두 다리는 조금 벌어졌다. 샌들을 신은 발뒤꿈치가 바닥에 닿고 샌들 끈 앞쪽으로 매니큐어가 칠해진 빨간 발톱이 천장을 응시하고 있었다.

종아리의 부드러운 곡선은 오금의 어둠 속으로 잠겨들고 무릎이 예쁜 미인은 없다는 말이 틀렸다는 듯 작은 무릎종개가 둔각을 이룬 다리 한가운데 어렴풋한 기억처럼 가만히 놓여 있었다. 허벅지 위를 겨우 덮고 있는 스커트는 그녀가 몸을 틀 때마다 조금씩 당기거나 흐트러졌다. 왼쪽 허벅지 옆으로 스커트가 팽팽히 당겨 있어 오른쪽 허벅지 위에는 주름이 져 좁고 긴 공간이 생겨나 있었다. 그녀의 몸 중심에서부터 십 센티미터 정도 떨어진 곳에 생긴 주름진 공간은, 마치 신비로운 터널처럼 어둠이 모락모락 새어나오는 듯했다. 눈부신 어둠 같다는 생각이 들었다. 조심스럽게 다가가 소파 앞에 쪼그리고 앉아 그 어둠 속으로 시선을 가느다랗게 집어 넣었다.

내가 손을 길게 말듯이 움츠려 스커트 틈서리 속으로 살며시 넣어 보았는데도 홍 양은 알아채는 기색이 없었다. 나는 비밀 문서를 헤집듯이 스커트를 조금씩 헤쳤다. 밤의 속살 같은 속치마가 손에 닿자 가슴속에 잔잔한 파문 같은 출렁임이 일어났다. 보랏빛이 감도는 속치마를 헤치자 분홍색 팬티가 모습을 드러냈다. 나는 숨을 죽이곤 가랑이 쪽으로 손가락을 넣어 섬세한 레이스가 달린 팬티를 들추었다. 작고 도톰한 성기가 입을 다물고 내 눈앞에 얌전히 놓여 있었다. 알 수 없는 일이었다. 가슴속의 출렁임이 잔잔해지면서 가늘고 이상스런 자극이 누선(淚腺)을 찌르는 것 같았다. 나는 입을 움직여 단어 하나를 발성해 보았다. 내 성대는 아마 지금껏 처음으로 그 단어를 만들어 냈을 것이다. 보오지. 정이림이 남자의 성기에 그랬듯 내게도 그것은 오랫동안 비밀이고 꿈이고 슬픔이었던 단어였다. 홍 양의 성기를 물끄러미 바라보는 내게 지난달 정이림이

가지고 온 필름의 연상이 불현듯 아른거렸다.

그날 밤 열 시쯤 되었을까. 그녀가 아무런 연락도 없이 제판실 문을 밀고 들어왔다. 그날따라 그녀는 조금은 떨리는 음성으로 필름을 하나 수정할 게 있다고 했다. 알루미늄 제판 작업중에 그녀가 필름을 수정하는 일이 더러 있었다. 단순히 미안해서 그런 줄 알았던 나는 짐짓 컬컬 웃으며 제판을 보류시켰다. 형광불빛이 아래에서 강하게 쏘아대는 유리 작업대에 필름을 올려놓았다. 나는 그녀가 보는 앞에서 누드 화보의 필름 한 부분을 오려 냈다. 물론 성기 부위였다. 비스듬히 누워 있는 여자의 성기는 2.5센티미터의 크기였다. 그리고 그 뜯겨 나간 성기 자리에 그녀가 가지고 온 필름으로 메웠다. ―그건 투탕카멘 미라의 눈이었다. 욕망이 거세되고 있음을 얘기하더니 이제 성에 죽음이 찾아왔단 뜻이구나. 내가 한숨 쉬듯 입술을 달싹였다.

"죽음을 선언하는군요."

"……아니에요, 염원이에요. 눈을 뜨리라는."

그녀가 등을 슬며시 돌리면서 말했다. 열아홉 살에 죽은 젊은 왕에겐 눈을 뜨리라는 염원이 있지 않은가요. 촉촉히 눈물을 흘릴 줄 알고, 맑은 눈동자가 초롱초롱하는……네에? 지나친 도식이 아닌가요? 하지만 나는 그렇게 나무랄 수가 없었다. 지난 십수 개월 동안 힘들여 쌓아 오는 그녀의 입장에서는 어떤 절박성을 나타냄일 것이었다. 그런데 묘한 일이었다. 그 화보가 도식적이라고 내심 비꼬았지만 나는 그 뒤로 이상스러운 시선 하나를 가지게 되었다. 길을 가다 소녀처럼 해맑은 표정을 짓고 있는 여자들을 보면 그 치마 속에 맑은 눈동자 같은 성기가 있을지 모른다는 착각이 들었고, 무슨 일로 슬픔을 못 이겨 하는 처녀애들의 치마 속에서는 촉촉히 젖어 있는 눈이 그려지는 것이었다.

홍 양의 치마 속을 들여다보는데 그때의 화보가 왜 떠올랐을까.

메마르고 까칠까칠한 죽은 사람의 눈이. 나는 분홍색 팬티를 펴서 그녀의 성기를 가렸다. 보드라운 속치마로 다시 그 위를 덮었다. 이때껏 잠잠하던 그녀가 몸을 조금 비틀었다. 나는 얼른 한 걸음 물러앉았다가 잠시 뒤 무릎걸음으로 다시 다가갔다. 허리춤까지 말려 올라간 그녀의 스커트 자락을 손끝으로 조심스레 집어 들었다. 그리고 주름진 부분을 두 손으로 펴서 양쪽 허벅지 위에 살며시 내려놓을 때 나도 모르게 눈물이 핑 돌았다. 홍 양의 허벅지 사이로 흘러내릴 듯 붙어 있는 죽은 사람의 눈 하나가 보이는 것 같았다.

나는 홍 양 맞은편 소파에 몸을 파묻고 연거푸 잔을 들이켰다. 김가는 어디서 취재를 핑계대고 술을 마시고 있는지 호출을 넣은 지가 언젠데 아직도 소식이 없었다. 정이림은 끝내 필름 원고를 들고 나타나지 않을 모양이었다. 내일 오전까지 기다려도 연락이 안 되면 일정상 어쩔 수 없이 《ㄱ성당 70년사》를 제판에 걸어야 될 것 같았다. 그런 따위의 생각을 하다가 벌떡 일어나 다시 시계를 보았다. 자정을 넘어서고 있었다.

황급히 펜치와 드라이버를 찾았다. 펜치는 서랍 속에 있었고 드라이버는 차 트렁크에서 꺼냈다. 왜 그 생각을 못했을까. 틀림없이 출판은 예정되었을 것이었다. 죽은 자의 눈을 거기다 붙여 놓고 그만둘 여자는 도무지 아니질 않은가. 게다가 일 주일 전에 제판 일정을 확인해 주었었다. 그녀가 출근하지 않았다거나 행방이 묘연하다는 사장의 말은 도무지 이치에 맞지가 않았다. 설령 아무리 위급한 사정이 있대도 출판사엔 연락을 취했을 것이었다. 그렇다고 사장이 출판을 저지시켰을 것 같지는 않았다. 단지 판매고에만 관심 있는 그로서는 수요가 줄지 않은 잡지를 폐간시켰을 리는 없을 것이었다. 단속반원들이 개입된 것도 아닐 터였다. 요즈음 화보는 도색 잡지로서는 후퇴를 하고 있는 셈이 아닌가. 출판을 가로막는 무슨 뚜렷한 장애가 있는 것이 틀림없었다. 나는 서둘러 공구를 가방에 챙겨 넣었다. 가늘고 긴 철사도 접어 함께 넣었다. 출판사 문을 따고 들어가 원고를 꺼내 볼 작정인 것이다. 술 탓이 결코 아니었다. 출간을 방해하는 곡절도 무엇인지 의문스러운데다, 무엇보다 죽은 자의 눈을 거기에 붙인 뒤에 내보일 그녀의 작업이 궁금해서 견딜 수가 없었다.

도시의 여름밤은 갑자기 수문을 열어 놓은 댐의 아랫마을처럼 부산하기 이를 데 없었다. 아무도 지켜보지 않는 빌딩 꼭대기에도 광고판은 요란스럽게 불을 번쩍이고 다급히 질주하는 차량들을 막느라 사거리마다 신호등이 피로에 떨고 있었다. 그리고 어디쯤엔 발통이 떨어져 나간 채 짓부서진 폭주족의 오토바이가 사람들에게 별미처럼 구경거리를 제공할 테고, 빌딩마다 하나씩 뒷짐지듯 가지고 있는 은밀한 어둠 속에는 새로 시작된 긴장감들이 터질 듯이 팽팽할 것이었다.

언젠가 출판사에 함께 가던 택시 안에서 정이림이 하던 말이 떠올랐다. 사람들이 거품으로 부풀은 욕망에 거닐고 또 거기에서 자신의 해방을 노래할 때, 저들은 음흉한 미소를 흘리고 있지요.

생각보다 훨씬 공격적인 성격을 가졌군요. 내가 그렇게 대꾸했던가. 나도 모르겠어요. 처음에는 아르바이트로 잡지일을 시작해 놓곤 왜 이리 삐딱한 걸 계속 고집하는지. 사생아 기질이 남아 있나 보죠. 사생아요? 내가 놀라는 목소리를 내었다. 하하, 그냥 거품이나 욕망의 모형들에 의해서 나 같은 게 생겨났다는 뜻이에요. 그녀의 웃음소리가 어쩐지 텅 빈 울림 같았었다.

전에 와본 적이 있는 용상빌딩 4층으로 곧장 올라갔다. 드라이버와 펜치로 문을 열 궁리를 하며 계단을 올라갔지만 출판사는 뜻밖에 불이 켜져 있었다. 나는 돌아나가 공중전화를 걸까 망설이다가 문 손잡이를 돌려 보았다. 잠겨 있었다. 혹시나 싶어 몇 차례 두드리자 안에서 누구세요? 하는 여자 목소리가 들렸다.

"아, 예. 저 제판소에서 왔습니다만. 잠시……."

문을 열어 준 이는 다행히 전에 왔을 때 안면이 트인 편집기자였다.

"웬일이세요?"

"지나다 불이 켜져 있길래 들렀습니다만, 혹시 정이림 씨가 편집을 덜 끝내고 아직도 야간 작업을 하고 있나 싶어서요……. 실은 그저께까지 필름을 가져오기로 되어 있었거든요."

여자는 피싯, 웃었다.

"차장님은 오늘 그만두었어요."

그녀는 정이림 씨가 갑자기 그만두게 되어서 자신이 《픽업》지의 편집을 마저 하느라 야간 작업을 하고 있다고 대답했다. 무슨 일인가 싶었던지 안쪽 책상에 앉아 있던 좀더 나이 든 여자가 이리로 다가왔다.

"그럴 리가……."

내가 고개를 갸우뚱거리자 금세 상황을 알아챈 뒤쪽에 있던 여자가 내쏘듯 말했다.

"그만둔 게 아니라 해고됐어요. 잡지가 점점 이상하게 돼서 몇 달 전부터 사장님의 질책을 받았죠. 판매 부수를 용케 까먹질 않아 겨우 버텨 냈지만 더 이상은 안 돼요."

"아니 왜요?"

"참 이 아저씬. 제판소에서 일한다면서 화보도 안 봤어요? 낼 모레면 모델까지 모집하는 출판사인데 그런 지저분한 잡지로 어쩌잔 말예요."

"……."

내 몸에 힘이 수수 빠지는 것이 느껴졌다. 나는 안면 있는 여자에게 정이림 씨가 덜 끝낸 그 화보를 좀 보여 줄 수 있겠느냐고 다시 물었다. 그녀는 아예 새로 편집하고 있다고 고쳐 말했다. 여자가 앉아 있던 책상 위에 도색 잡지들이 수북이 쌓여 있었다. 도색 잡지에서 빠져 나온 알몸 사진들이 잔뜩 흩어져 있는 것도 눈에 들어왔다. 여자는 어색하게 책상 앞쪽으로 힐끔거리는 내 시선을 몸으로 막았다.

"오늘 정 차장 해고되면서 원고도 폐기 처분됐어요. 지금쯤 야간 청소차에 실려 가고 있을 거예요. 우리 지금 바쁘니까 그만 나가 주세요……. 징그럽게시리, 지가 무슨 모델이라구 몸뚱이까지 내 보이다니."

나이 든 여자는 야간에 침입한 남자에게 조금도 빈틈을 보이지 않겠다는 듯 쌀쌀맞게 말했다. 혼자말처럼 중얼거리는 뒷말을 잘 알아들을 수가 없었지만 나로서는 더 이상 할 말은 없었다. 정이림 씨가 해고됐다면 이 출판사와의 거래도 끊어진 것은 뻔했다. 나는 여자를 밀치고 들어가 서랍을 뒤져 보고 싶은 충동을 억누르며 계단을 내려왔다.

오늘 해고됐다면 당장 원고가 버려졌다는 것은 거짓말이 분명했다. 출판사 생리상 못 쓰는 원고라도 무턱대고 버리진 않을 터였다. 새벽 네 시쯤 다시 와서 문을 따고 들어오겠다는 결의를 세우며 제판소로 돌아왔다.

제판소에서는 뜻밖의 소식이 기다리고 있었다. 소파에는 홍 양이 보이질 않고 소설가 지망생 김이 혼자 앉아 있었다. 내가 들어가자 김이 봉투를 하나 들고 벌떡 일어났다.

"야, 어디 갔다 왔냐? 정이림 씨가 다녀갔다."

"뭐? 언제?"

"들어오다 못 봤냐? 조금 전에 나갔는데. 아직 택시를 못 잡았을지도 몰라……나 원, 택시를 잡아 주겠다 해도 막무가내더라니까."

큰 도로로 달려갔다. 사거리에 택시들이 띄엄띄엄 도착했고 합승을 요구하는 사람들이 도로가에 나서서 조금 벌어진 택시 유리창에 다 대고 목적지를 외치고 있었다.

그녀를 찾는 데는 그리 오래 걸리지 않았다. 그녀는 이십사 시간 편의점 앞에 쪼그리고 앉아 있었다. 반가운 느낌이 와락 달려들었다. 그녀는 발치 아래로 고개를 떨구고 있었다. 귀밑머리에 가는 머리카락이 흩날리는 것이 보일 만큼 가까이 다가가다 내 걸음이 멈춰졌다. 그녀의 엷게 화장이 된 뺨 위로 눈물 줄기가 불빛에 비치는 것 같아서였다. 사람들의 발걸음들이 그녀 앞을 부산스레 오가고 있었지만 그녀는 미동도 않았다. 어깨를 두드릴까 이름을 부를까 하면서도 그냥 두어 발짝 떨어진 곳에서 못박힌 듯이 서 있었다. 이상스럽게도 그녀의 감정이 내 속으로 스며드는 것 같았다. 그때 그녀는 부스스 몸을 일으켰다. 내가 뭐라 하려는데 나와 반대쪽으로 걸음을 옮겼다. 나는 그녀가 사람들과 어깨를 스치며 멀어지는 것을 그냥 보고만 있었다. 입 안이 바싹 마르는 것 같았다. 차량의 불빛들이 서로 교차되어 비춰지는 사거리 신호등까지 그녀가 걸어가는 것을 보고 나는 잠자코 돌아섰다. 수일 내 가라앉은 감정으로 다시 만날 수 있을 것이었다.

제판소에 들어가자 김은 테이블에 놓인 잡지 하나를 뒤적이고 있었다. 잡지가 아니라 묶어 놓은 화보였다. 직감적으로 그녀가 가지고 온 화보임을 알 수 있었다. 갈피를 넘기는데 손가락 끝에 땀이 느껴졌다. 무역센터에서 내려다보는 시가지 정경에 손이 멎었다. 한 장 가득 들어 차 있는 빌딩군. 빌딩들이 껍질을 벗기 시작하고, 콘크리트들이 녹아 내린다. 창문과 층들의 경계가 사라지자 빌딩은 짐승들의 거대한 성기로 변한다. 한 장 가득 들어 차 있는 짐승들의 성기들. 맨 뒷장의 화보는 난지도 같은 쓰레기 더미를 찍은 사진이었다. 부서진 텔레비전, 깡통, 깨진 주전자, 날개 찢어진 잠자리……잡초들까지 뒤섞여 있는 온갖 쓰레기 틈 사이에서 언젠가 보았던 뱀이 또아릴 틀고 있고, 흘러내린 자궁이 살바도르 달리의 휘어진 시계 위에 걸려 있었다.

"어, 이게 뭐야?"

옆에서 함께 화보를 살펴보던 김이 소리쳤다. 나는 김의 손가락을 좇아 오른쪽 아래편을 보았다.

잡초에 섞여 언뜻 눈에 띄진 않았지만 성기를 가운데 두고 한 뼘 정도 횡으로 잘라 놓은 여자의 몸이었다. 다리가 한껏 벌어진 모양이었는데도 닫혀 있는 음부와 마른 풀섶 같은 음모 때문인지 인체의 한 부분 같은 느낌이 없었다. 한 번도 직접 음부를 드러낸 적이 없었잖아, 출간할 수 없는 마지막 원고인 줄 모르고 김이 중얼거렸다.

나는 그녀가 따로 봉투에 넣어 온 필름을 꺼냈다. 이미 원색 분해까지 마쳐 놓은 상태였다. 제판소에 넘어오기 직전에 제지를 당했던가 보다. 나는 그 필름들을 간추려서 제판실로 옮겼다.

얼마 후면 현상액 속에 잠긴 가로 칠십팔 센티 세로 오십사 센티나 되는 큼직한 알루미늄판에 검열당한 마지막 화보가 떠오를 것이다. 죽은 사람의 눈처럼 메말라 있는 성기도 함께 어룽거리며.

추·천·우·수·작

노래하는 여자
노래하지 않는 여자

이혜경

1960년 충남 보령 출생.

경희대 국문과를 졸업하고,

1982년 《세계의 문학》에 중편소설 〈우리들의 떨켜〉로 등단했다.

1995년 《길 위의 집》으로 오늘의 작가상을 수상했으며,

제21회 이상문학상 추천우수작에 선정된 바 있다.

노래하는 여자 노래하지 않는 여자

검은 구름 하늘 가리고 이별의 날은 왔도다 다시 만날 날 기약하며 서로 작별하여 떠나가리.

또 시작이다. 는적는적, 세상에 바쁠 일 뭐 있냐는 듯 늘어지는 경미 언니의 저 노래. 오뉴월 엿가락 같은 노래 아래 몸 뉜 손님이 있어서 빽, 터져 나오려는 소리를 참고 있지만, 이별의 날은 왔도다에서 이미 내 속은 부글부글 끓고 있다. 타일 바닥에 닿는 물 소리. 아이들 우는 소리가 산란한데도 노랫소리가 귀에 쏙쏙 들어오는 건 이미 내 신경이 곤두설 대로 곤두섰다는 증거다.

경미 언니가 노래만 시작하면 신경이 가닥가닥 곤두서지만, 나는 최소한 공정하다. 박자가 형편없이 늘어져서 그렇지 결코 못 부르는 노래는 아니다. 솔직히 말하자면, 어떤 땐 그 깊은 울림으로 내 마른 가슴을 적시기까지 한다. 한때 성우를 꿈꾸었다는 게 영판 생뚱한 일만은 아닌 것 같다.

레퍼토리도 다양하기 짝이 없다. 님께서 가신 길은 영광의 길이었기에라는 고전부터, 초등학생 아들에게 배운 것이 분명한 김건모의 노래까지 자유자재로 넘나든다. 그래도 그렇지, 제아무리 빠른 노래라도 느릿느릿하게 편곡해 버리는 저 노래를 일 년 넘게 듣는다면 어느 귀가 덤덤할 수 있으랴.

호수 목욕탕으로 옮긴 첫날, 애저녁에 알아보고 대책을 강구했어야 했는데 나 박미정, 최근 들어 가장 큰 실수다. 엄마 장례 치른 뒤끝이라서 그 후유증으로 조금 멍청했던 모양이다. 목욕탕을 옮긴 것도 그 후유증의 하나이긴 하다. 암으로 돌아가신 엄마의 병원비를 치르느라, 전에 일하던 목 좋은 곳의 보증금을 빼내야 했으니까. 그래도 크게 후회는 없다. 나는 그걸, 몽몽하기 짝이 없는 엄마가 나를 키운 대가라고, 그걸로 나를 이 세상에 태어나게 해준 빚은 갚았다고 치부해 버렸다. 그렇다고 내가 세상에 태어난 걸 고마워하는 건 아니다. 따지고 보면, 엄마처럼 몽몽한 여자가 이 험한 세상에서 나를 낳고 키웠으니 그것만으로도 대견한 일이고, 그 대견함을 보상해 줄 사람은 나밖에 없었으므로 그랬을 뿐이다. 나는 똑떨어지는 걸 좋아한다. 세상에 가장 쓸모 없는 사람들이 미적지근한 사람이라는 게 내 평소의 생각이다. 이거면 이거고 저거면 저거지. 이럴 수도 있고 저럴 수도 있다는 흐리멍덩한 태도를 보면 속이 부글거린다.

따지고 보면 내가 태어난 것도 그 흐릿함 때문이다. 돈 많은 유부남과 연애하고 그 결과 덜컥 들어선 나를 어쩔까 망설이는 동안에 뱃속에서 키워 버린 내 엄마는, 아이가 수술하기 어려울 만큼 커버린 걸 자기의 우유부단함의 결과라고 생각하지 않고 아이를 세상에 내보내라는 하늘의 뜻으로 덥석 받아들였다. 세상을 뜨기 전, 혈혈단신으로 남을 나를 위해 엄마가 생각이랍시고 곰곰 한 끝에 그 결과를 내어 놓던 저녁을 떠올리면, 엄마의 뼛가루가 어느 생선의 뱃속에 들어 있는지 모를 지금까지도 어처구니없어진다.

"얘, 미정아. 넌 진정한 사랑이 무언지 아니?"

전기 고데기를 든 손에서 맥이 탁 풀린다. 고데기가 힘없이 처지면서 머리 밑이 당기는지 엄마는 고개를 기웃한다. 머리 가닥이 워낙 적어서, 오래 감고 있어도 고데기를 떼고 나면 힘없이 처진다. 그나마 남아 있는 걸 고마워해야 할 판이다. 정수리 쪽은 늦가을 풀밭처럼 듬성듬성하다. 그런 머리를 내 손에 맡긴 채 거울과 텔레비전을 번갈아 들여다보던 엄마의 목소리는 낭창낭창, 연둣빛 순을 달고 봄바람에 휘날리는 버들 저리 가라다.

"엄마는. 뜬금없이 웬 사랑 타령이래. 고개나 좀 숙여 봐. 머리카락이 잡혀야 말이지."

나는 엄마의 고개를 좀 우악스럽게 민다. 제발 주제 파악 좀 하시라는 듯이. 환갑을 코앞에 둔 나이에, 자궁을 들어내고 항암 치료를 받느라 빠진 머리를 가발로 가리고 점당 백 원짜리 고스톱을 치기 위해 밤외출하면서, 가발 밑으로 비어져 나온 생머리 몇 오라기를 끝내 못 보아내 고데기로 말아 달라고 디민 채 둥둥 뜬 목소리로 사랑 타령이라니. 내가 무슨 천사표라고 상냥할 수 있으랴.

"난 네가 누구하고든 사랑에 빠지는 것 좀 보았으면 좋겠다. 나 저 노래 참 좋더라."

어제는, 울었지만, 오늘은, 당신 땜에, 내일은, 행복할 거야……. 심수봉의 간드러진 목소리가, 절망과 희망이 가닥가닥 교차하듯 마디마디 탄력 있게 울린다.

"사랑이란, 그런 거란다. 아름다운 풍경이 있으면 그 사람과 같이 보고 싶고, 찻집에서 그 사람을 기다리는 동안 자주 화장을 고치고, 그 사람이 오면 이를 안 드러내고 곱게 웃는 거, 그게 사랑이란다."

"그래, 그런 사랑 해보니 어떻수?"

그 사랑의 여파로 세상에 내던져진 내 물음은 곱지 않다. 하지만 이미 추억에 오롯이 잠겨 눈매가 아른아른해진 엄마에겐 내 빈정거림이 닿지 않는다.

"어떻긴. 너처럼 예쁜 딸이 생겼지."

거울로 내 얼굴을 들여다보며 엄마는 입귀를 당기며 웃는다. 그렇게 예쁜 딸을 낳은 당신이 대견스럽기 그지없다는 미소다. 이가 안 드러나는 고운 미소. 얼마나 열심히 연습했으면 몇십 년이 지나도 안 바뀔까 싶은 그 미소가 지워지더니 갑자기 표정이 골똘해진다. 아이들의 집중 같은 골몰함이다. 나는 경계한다. 아니나다를까.

"얘, 미정아. 내가 엄마로서 할 말은 아니지만……."

또 시작이다. 내가 엄마로서 할 말은 아니지만. 엄마가 무언가 심각하고 진지한 말을 할 때 전주곡처럼 앞세우는 말이다. 그걸 보면 엄마는 엄마 노릇 해야 한다는 것에 어지간히 부담을 느끼고 있는 모양이다. 엄마가 부담스러워하면서 전제를 다느니만큼 그 소리만 들으면 나는 긴장한다. 지난번에 엄마가 이 말을 앞세웠을 땐 내가 엄마 친구인 영자 이모의 성화에 못 이겨 선을 보러 나가던 날이었다. 나서려는 내 매무시를 고쳐 가며 엄마는 말했다. 얘, 미정아. 내가 엄마로서 할 말은 아니다만, 그 남자가 가자고 하면 어디든 따라가거라. 너야 이제 어린 나이도 아니고, 한 번 실패한 것도 그쪽에서 다 아니 흠이 되지 않을 거다. 고개를 끄덕이고 나섰던 나는 길가의 여관 간판을 보는 순간 깨달았다. 차만 마시고 휑하니 바람 일으키며 일어날 게 아니라 밥도 먹고 술도 마시라는 말로만 알았는데 그게 아니었다. 엄마가 가라고 한 어디는, 남녀가 교합하는 장소를 뜻한 거였다. 정말이지, 엄마로서 할 말이 아닌 것만은 분명했다.

"너 정말 결혼 안 하고 살려면 아이라도 하나 있어야 하지 않겠니? 네가 누구하고든 사랑에 빠진다면 더 바랄 게 없겠지만 그게 정 어렵다면 거 뭐라나, 요즘엔 인공 수정이라는 것도 있다더라. 남편 없으면 아이라도 있어야 그걸 끈삼아 네가 살지. 이러다 나 떠나면 끈 떨어진 뒤웅박처럼 너 혼자 어찌 살래?"

아아, 고데기가 뎅강 흔들리며 엄마의 머리카락을 축 늘어뜨린다. 여섯 살과 예순 살 사이를 오락가락하는 엄마. 아마 당신 없는 세상에 홀로 남을 딸의 장래를 근심하느라 밤을 밝히며 궁리했으리라. 아비 없이 태어날 외손주가 살아갈 세상에까지 생각이 미치기를 바라는 건 무리였다.

끈이라니. 엄마에겐 내가 끈이었는지 모르지만, 자식은 끈이 아니라 혹일 뿐이다. 무엇보다도, 나는 자식이 있어야 살아갈 힘을 얻을 만큼 나약하지 않다. 혼자라는 것, 나 한 몸뿐이라는 걸 생각하면 나는 힘이 솟는다. 그런데 거기에 혹을 붙여?

"엄마는, 내가 이 모양으로 사는 게 그렇게 보기 좋아? 거기다 아비 없는 자식까지 낳아야겠어?"

아비 없는 자식이라니. 엄마로서뿐 아니라 딸로서도 가려야 할 말은 있는 법이다. 급한 성질 때문에 엎지른 말이 방바닥에 어른거리고 엄마는 이내 풀이 죽어 슬몃, 시선을 비껴 텔레비전에 눈을 준다. 사랑밖에 난 몰라. 심수봉이 지그시 눈을 감는다.

사랑밖에 모르고 살았던 여인, 엄마의 장례를 치르고 보증금이 헐한 이곳으로 옮길 때 나는 조금 방심했다. 도심지에서 변두리로 옮겨 간 사람이 왠지 동네 사람들을 낮추보는 그런 심사였을 것이다. 게다가 밍근한 맹물처럼 순해 보이기만 하는 경미 언니의 인상에 마음을 놓았던 것임에 틀림없다. 경미 언니가 남편을 여읜 여자라는 것도 작용했다. 이상한 일이지만, 남편 없는 여자라는 건 여자인 내게조차 어딘지 아무집 개나 드나들어도 되는 허물어진 울바자처럼 보인다. 나 또한 남들 눈엔 삭은 싸리울이나 다름없는 홀몸이지만. 하지만 싸리울이라고 다 같은 건 아니다. 싸리울 안쪽에 나는 철조망을 촘촘히 둘러쳐 놓았다. 자칫 넘보다간 바짓가랑이 찢기기 십상이다. 아무렴, 나를 지킬 사람은 나밖에 없다. 내게 인생의 기본이 되는 지침을 가르쳐 준 사람은 큰언니이다.

허리 뒤편에서 리본을 묶은 원피스를 입고 나풀거리던 어린 시절, 나는 고운 엄마 밑에서 곱게 자라던 무남독녀 외동딸이었다. 당연히, 내게 형제가 있을 리 없었다. 부재 기간을 벌충하듯 레이스가 고운 옷을 입은 인형이며 장난감을 들고 이따금 집에 들르는 아빠는 엄마 말로는 늘 출장중이었다.

"글쎄, 이번에 가신 나라는 어디인지. 아마도 펭귄이 있다는 나라 아닌가 모르겠구나. 추운 나라로 가신댔으니."

머리 밑에 손가락을 넣어 쓸어 주는 엄마의 목소리는 바다 위에 뜬 빙산처럼 둥둥 떠 있었다. 툭, 마당에 핀 함박꽃잎이 떨어지는 소리가 들리는 적요 속에, 엄마가 그려 내는 환상의 세계가 밀려왔다. 해를 바라고 화사하게 피어 올랐던 분홍 꽃잎은 땅을 향해 내려오면서 끝동이 누렇게 말랐지만, 그조차도 엄마의 목소리를 누추하게 만들진 못했다. 엄마의 가는 손가락이 머리 밑을 쓸어 내릴 때마다 공기 속에 수면제가 한 움큼 뿌려지는 것 같았다. 아버지를 기다리며 일력을 뜯어 내는 소리가 그 혼곤함을 이따금 찢어 내곤 했다.

어느 날, 나는 묵은 달력장 뜯기듯 달랑, 엄마에게서 뜯겨 나와 아버지의 차에 실렸다. 서울에서 공부하기 위해서라는 명목이었지만, 그때 초등학교 오학년이었던 나는 이미 빙산의 물에 잠긴 부분을 어렴풋이 알고 있었다. 엄마가 가망 없는 사랑을 그만두고 결혼하려 한다는 것까지도. 그 빙산의 아랫부분은 내 예상보다 더 크다는 게 서울에 도착한 첫날에 드러났다. 엄마보다도 어려 보이는 여자가 어머니라고 불리던 그 집에는 고등학생인 큰언니 아래 사남매가 있었다. 입 안에서 구르는 된 밥알처럼 겉돌던 식구들. 그 사남매 가운데 두 사람만 엄마가 같다는 걸 알게 된 건 뒷날의 일이다.

사각사각, 낯선 집에 도착한 첫날밤은 가위 소리로 가득 찼다. 가위질 소리가, 낯선 곳에 온 두려움에 설핏 든 잠을 베어 냈다. 부신 불빛 아래, 큰언니라고 소개받은 여고생이 내 머리맡에서 가위질을 하고 있었다. 단발머리가 흘러내려 반쯤 가려진 옆얼굴. 벽에 붙어 있던 달력이 바닥에 내려와 있고, 달력이 붙어 있던 자리에는 때 올라 누래진 벽지에 직사각형 그림자만 하얗게 남았다. 금박 화려하게 먹인 한복, 봉황이 요란스럽게 수놓인 한복을 입은 문희와 윤정희, 남정임이 배경에서 빠져 나와 방바닥에 널린 채 웃고 있었다. 맨 위에 놓인 문희의 슬픈 눈은 어지러운 가윗밥 속에서 웃는 입매와 달리 촉촉했다. 꽉 다문 입매가 인상적이던 큰언니의 그림자가 불빛에 기괴하게 일렁였다. 나는 이를 악물고 눈을 질끈 감았다. 꿈이야, 이건 꿈이야.

꿈결 같던 그 여인들을 다시 만난 건 중학교에 들어가던 해였다. 어느 날 나는 계단에서 큰언니와 엇갈렸다. 큰언니는 올라오고 나는 내려가던 참이었다. 일층 마룻바닥을 몇 칸 남겨 두고 엇갈리다가 어깨가 부딪치며 큰언니를 밀치게 되었다. 넘어질 듯 뒤뚱거리던 큰언니는 용케 균형을 잡아 마룻바닥에 내려섰다. 큰언니가 굴러 떨어지는 순간 덜컥 놀랐던 나는 황급히 내려가 큰언니를 일으키며 사과했다. 미안해, 언니. 미안해? 큰언니는 마지막 층계참을 딛는 나를 막아섰다. 미안할 거 없어. 아까 나 있던 자리에 가서 서. 어쩌자고 그렇게 조숙했던 것일까. 큰언니가 말하는 순간에 나는 대번에 언니의 의도를 알아챘다. 그러면서도 설마 하는 마음이 있었던 걸까. 나를 비껴 오른 언니가 나를 확 밀쳐 아래층 마루에서 나동그라지는 순간, 눈이 확 뜨이는 느낌이었던 걸 보면. 세상은 이런 곳이었다. 왼뺨을 맞으면 오른손을 들어 상대방의 왼뺨을 쳐야 하는 그런 곳.

그날부터 나는 말문을 잃었다. 무서워서, 입만 열면 목젖을 꽉 막고 있는 커다란 손이 허물어지면서 이 집이 무섭다는 말이 거품처럼 쏟아져 나올 것 같아서 입을 꼭 다물고 지냈다. 얼마나 오래 입을 다물었던가. 어느 날, 큰언니가 손을 내밀었다. 큰언니는 서랍장 맨 아래 칸을 열어 묵은 옷가지 바닥에 깔린 신문지를 들추더니 무언가를 꺼내 내 앞에 내던졌다. 그 여자들이었다. 나프탈렌 냄새에 숨막혀 하던 달력 속의 그 여자들. 종잇장에선 손 닿는 곳마다 습기를 빨아들일 듯한 나프탈렌 냄새가 났다. 내가 왜 이걸 오려 두었는지 아니? 나중에 한복 기술을 배워서라도 이 집에서 혼자 나가려고 그랬어. 너도 정신차려 이것아. 그깟 일로 마음 상해서 어떻게 살아갈래? 말꼬리가 이상해서 돌아보니 그 단단하던 큰언니의 눈가가 얼룩져 있었다.

신발장에서 내 신발만 골라 내고, 옷장에서 내 옷을 고르고, 결혼할 때 사온 은수저에서 내 것만 골라 가며 짐을 꾸리다가 허리를 혹 꺾었던 내가 전화를 건 곳은 엄마에게가 아니라, 결혼한 뒤에 신학 대학에 진학해 전도사가 되어 있던 큰언니한테였다.

그 여자의 향기가 아직도 내 몸에 감도는 것 같다.

그런 구절이 쓰인 수첩을 화장대에 올려놓음으로써 남편은 다른 여자가 생겼음을 알려 왔다. 남이 쓴 거라면 감동적이었을 연애의 단편이, 날이 갈수록 더 크게 번져 가는 마음의 물이랑이 수첩 갈피에서 만져졌다. 화장대는 수첩이 올라가 있을 자리가 아니었고 남편에게 지워지지 않는 향기를 묻힌 그 여자는 나도 쉬 떠올릴 수 있는 남편의 직장 동료였다. 남편은 내가 알아보아 주기를 바란 것이다.

꼭이 몰랐던 것만은 아니었다. 열린 베란다 문을 닫으려 거실 문을 열었을 때 펄럭이며 나를 덮쳐 오는 커튼에서도, 남편이 오는 시간에 맞춰 불을 올리다가 끝내 졸아붙은 된장찌개 뚝배기에서도,

무언가 퍼석이는 균열이 느껴졌다. 시장을 보아 들어왔을 때 집 안에 갇혀 묵중해진 공기 속에서 나를 짓누르는 무엇은 남편의 얼굴에 느닷없이 돋아난 생기를 두드러지게 했다. 무서운 것 앞에서 손으로 눈을 가린 아이, 눈 가린 손가락이 조금씩 틈을 벌리며 손가락과 손가락 사이의 틈으로 어렴풋이 보이는 풍경은 남편이 더 이상 이 집에 머무르고 싶어하지 않는다는 것이었다.

"그 여자는 내가 살아 있다는 걸 느끼게 해줘. 당신처럼 정숙한 척하는 여자완 달라. 그 여자와 새로 시작하고 싶어."

퇴근한 뒤, 식탁 위에 놓인 수첩을 본 남편은 묻기도 전에 말했다. 수첩을 본 순간부터 귓전이 웅웅거리던 내게, 남편의 말은 동굴 속에서 울려 오는 메아리처럼 음습하고 위협적이었다. 정숙한 척하다, 척하다, 라는 말이 갈퀴처럼 손을 뻗쳐 가슴을 쥐었다. 살아 있다는 건 무엇일까. 그건 그 여자의 향기를 맡으면 그의 성기가 빳빳하게 되살아난다는 걸 뜻하는 것일까. 웨딩드레스 안에서 뜨끔거리던 핀처럼, 남편의 말이 명치에 걸려 뜨끔거렸다.

아버지의 손을 어색하게 잡고 들어서는 순간부터 등뒤 어딘가를 찌르기 시작한 핀 때문에 온 신경이 등허리에 가 있던 나는 맞절하라는 순간을 놓칠 뻔했다. 웨딩드레스의 허리가 내게 너무 커서, 핀을 꽂아 줄인 예식장 아가씨의 실수였다. 사진 촬영 전에야 겨우 뽑아 낸 그 핀처럼, 채 마무리지 않은 옷을 입었을 때 같은 결혼이었다. 아버지의 집에서 나오겠다는 마음을 앞세운 결혼은 예정된 파국으로 치닫고 있었다. 덫에서 빠져 나와 발을 딛는 순간 덜컥, 발목을 파고드는 덫을 느끼는. 결혼의 덫은, 결혼 전에는 그런 게 문제가 되리라고 꿈에도 생각 못했던 잠자리였다. 첫날밤에도 기를 쓰고 다리를 오므렸던 나는 나무토막이었다. 남편을 싫어한 건 아니었다. 그런데도 내 의식 어딘가에 박힌 짐승 같은 짓이라는 느낌은 지워지지 않았다. 남편의 손이 내 발을 붙잡고 벌릴 때마다 아버지의 와이셔츠 아래로 드러난 새엄마들의 맨다리가 떠올랐다. 세 번쯤 바뀐 새엄마가 한결같이 목욕탕에서 그런 차림으로 나온 걸로 보아 그건 아버지의 취향이었을 것이다. 아버지의 방에서 들려 오던 수상한 소리들, 발가벗은 것보다 더 야한 느낌이던, 가늘고 여려서 오히려 불결한 느낌이던 다리들. 내 육체의 눈은 몸 위에서 씩씩대는 남편의 행위를 말똥말똥한 눈으로 바라볼 뿐, 거기에 동참하지 못했다. 그걸 의식한 남편은 언제인가부터 레이스가 고운 잠옷을 벗기지도 않은 채 가슴팍까지 걷어올렸고 나는 더 건조해졌다. 남편은 그걸 정숙한 척한다고 말하는 중이었다.

수첩을 보여 주고 난 뒤, 남편은 다른 방으로 잠자리를 옮겼다. 잠에서 깨어나며 남편의 혼곤한 호흡을 못 느낀 지 한 달쯤 된 밤, 술에 취한 남편은 냉동실 구석에서 묵은 떡처럼 마르고 딱딱한 몸으로 잠든 내 방으로 들어왔다. 잠결에 누군가 들어서는 바람에 내 심장은 금방이라도 떨어져 나갈 듯이 거세게 뛰었다. 그게 남편이라는 걸 알고 난 뒤에 고동은 더 커졌다. 남편은 옷을 벗어 던지고 있었다. 옷을 벗는다기보다는 답답한 거죽을 쥐어뜯는 동작이었다. 거칠어진 날숨이 술 냄새를 뿜어 내고 있었다. 옷을 벗은 남편은 내 가슴을 우악살스럽게 쥐었다. 남편의 몸이 내 몸 위에 실렸다. 어디 되나 안 되나 너랑 해볼까, 봐 안 되잖아. 우린 안 돼. 그렇게 말한 남편이 법정에서까지 잠자리 이야기를 서슴없이 꺼낼 거라는 확신만 없었어도, 그렇게 쉽게 도장을 찍고 짐을 꾸리지는 않았을 것이다. 맨몸으로 나온 건 내 최후의 자존심이었다.

기도드리자. 큰언니가 가방 속에서 성경을 꺼내더니 내 손을 맞잡았다. 채 풀지 않은 이삿짐이 널브러진 방이었다. 하나님 아버지, 우리를 시험에서 견디게 하여 주시옵소서. 이 시련이 미정이가 이를 디딤돌삼아 더 큰 광영을 맞게 하려는 것인 줄 아옵니다. 큰언니는 기도를 마치고 찬송을 했다. 고음인 큰언니의 목소리가 허공에 치솟고 내 몸 안에선 쓰디쓴 독액이 솟아났다. 그 독액이 핏줄을 타고 도는지 온몸이 저미듯 아파 왔다. 언니 그만 가줄래? 그 말을 못한 채 나는 스름스름 벽에 몸을 기대며 허물어졌다. 몸 따라 허물어지려는 의식 한구석에서 오래 전의 기억이 디딤돌처럼 불쑥 떠올랐다.

아버지의 집에 살던 그때, 다른 남자와 재혼해 남쪽의 항구 도시로 가버린 엄마를 만나러 갈 때면 밤열차를 탔다. 엄마의 집에서 잘 수 없어서 밤열차를 타고 가 내리면 새벽이었다. 항구 도시의 새벽은 푸르스름한 이내에 섞인 갯내로 내 몸을 감아 왔다. 무언가가 쓸고 지나간 것처럼 빈 거리, 새벽 일 나가는 사람들이 드문드문 보이는 거리. 밤새 뚱뚱 부어오른 다리로 골목을 걸으며 나는 이집 저집 기웃거렸다. 어느 집에서는 밥 냄새가 나기도 했고, 어느 집에서는 두런두런 말소리가 담을 타고 넘어오기도 했다. 그렇게 새벽 거리를 걷다가 엄마의 남편이 출근하고 그 남자의 아이들이 학교에 갔을 시간쯤에 엄마에게 전화를 걸곤 했다.

어느 날이던가. 하릴없이 새벽 길을 거닐 때 짐 자전거를 끌고 가던 아저씨가 나를 불렀다. 학생, 이리 좀 와봐. 나는 비어 있는 짐칸에 무언가를 실으려는 줄 알았다. 몇 발짝 떨어져 아저씨 뒤를 쫓다 보니, 골목 어귀에 그 아저씨가 우뚝 서 있었다. 허공을 바라보는 시선이 이상했다. 손이 아래로 가 있었다. 그 손 안에 든 검붉은 성기를 보는 순간 나는 몸을 돌려 뛰었다. 금방이라도 등뒤에서 쫓아올 것만 같았다. 큰 길가엔 드문드문 사람들이 오가고 있었다. 조금 기세를 늦춘 내가 들어간 곳은 목욕탕이었다. 군데군데 쪽이 떨어져 나간 욕탕 바닥에, 어디서 기어 올라왔는지 외롭게 꿈틀거리는 실지렁이. 그 실지렁이의 빛깔이, 조금 전에 보았던 성기 빛깔로 보였다. 그대로 나와서 옷을 입고 쓰러져 잠들었다. 그때부터, 새벽 거리 대신에 눅진한 냄새가 가라앉은 목욕탕에서 귀전을 흔드는 소리에 깜짝깜짝 놀라며 아침이 되기를 기다렸다.

짐을 정리하고, 먹고 산다는 문제 앞에 맞닥뜨리게 되었을 때, 왜 그랬는지 내 마음속에 확고하게 떠오른 곳은 목욕탕이었다. 나는 동네 목욕탕에 가서 말했다. 아줌마, 저 이 일 좀 하게 해주세요. 낯선 여자. 그것도 마르디마른 여자를 받아 주는 사람은 없었지만 내 끈기는 그들의 거절보다 더 집요했다. 제법 이력이 붙어 보증금이 높은 곳으로 옮겨 갔을 무렵, 다시 홀로 된 엄마가 때맞춘 듯 병든 몸으로 나타났다.

"그래도, 위자료 준다 할 때 받지 그랬어. 그래야 그 쪽도 마음 편했을 텐데."

제법 친해져서 이혼할 무렵, 그 뒤에 고생한 이야기를 쏟아 냈을 때, 경미 언니는 그렇게 말했다. 도대체 아군인지 적군인지, 한껏 안타깝고 안쓰러운 표정을 지어 가며 이야기를 듣고 난 뒤의 경미 언니의 반응이라니. 이럴 때, 나는 경미 언니한테 속았다는 기분이 든다.

노래만 해도 그렇다. 경미 언니가 저렇게 끈질긴 데가 있는 여자라는 게 첫인상에서 조금이라도 드러났다면, 노래 따위 들을 만큼 한가하지 못한 나는 처음 노래를 듣던 순간에 대번에 잘라 말해 입을 막아 놓았을 것이다. 난 시끄러운 걸 제일 싫어해요, 라고. 따지고 보면 내 탓만은 아니다. 경미 언니가 그만큼 교묘하다는 이야기도 된다.

곰곰 되짚어 보면 첫날부터 조짐이 썩 좋진 않았다. 첫 손님이 애를 먹였다. 아프다는 둥, 그전 아줌마는 뜨거운 물 찜질까지 해주는데 아줌마는 왜 안 그러냐는 둥 말이 많았다. 성질 같아선 그전 아줌마 간 데 찾아가서 때 밀라고 등 떠밀고 싶었지만 참았다. 미운 강아지 멍석에 똥 누더라고, 거기에다가 살결까지 거칠었다. 부드럽게 도르르 밀리는 때가 아니라 때밀이 수건에 거칫하게 묻어

나오는 때였다. 팔이 안 나가니 헛힘만 주어졌다. 이럭저럭 손님 몇을 치르고 나니 저녁이었다. 잔뜩 구겨진 마음으로 탈의실에 나앉았다가 청소하러 들어간 나, 조금 과장하자면 귀신이 나온 줄 알았다. 손님이 빠져 나가자마자 음산해진 목욕탕에 낮게 쳐진 그물처럼 깔리는 목소리. 경미 언니가 욕조 안에 들어가 욕조를 닦으며 노래를 부르는 거였다. 초록빛 바닷물에 두 손을 담그면, 초록빛 바닷물에 두 손을 담그면……. 내가 어이없어 바라보는 것도 모르고 닦는 데 열중한 경미 언니는 초록빛 여울물에 초록빛, 두 손을 담그면 담그면, 형편없이 느린 박자로 간주까지 넣고 있었다. 욕조 바닥을 훑으며 막 빠져 나가는 물이 꾸르륵 숨넘어가는 소리를 내는데, 틀어올린 머리카락이 핀에서 빠져 나와 늘어지는 것도 모르는 채 수세미질을 하는 경미 언니를 보며 왠지 저물녘 공기처럼 희푸스름한 이내가 내 속에 끼였다. 내 유일한 동료인 경미 언니가 첫보기만큼 만만치 않으리라는 불길한 예감이 들었던 것일까.

경미 언니, 척척 늘어지는 충청도 말씨에 걸핏하면 '오죽하면 여북하겄어' 라며 제 품을 다 내어 주는 것처럼 굴지만, 결코 만만치 않은 여자다. 늦가을 씨받이 옥수수알처럼 영근 저 옥니에, 파마가 잘 나와서 위층 미장원 영혜의 사랑을 받는 반 곱슬머리만 보아도 알 수 있다. 성만 최가라면 끝날 뻔했다. 억양 세기로 유명한 마산으로 시집가서 칠 년을 살았다는데도 경상도 억양이라고는 콩가루만큼도 묻어나지 않고 태생 그대로인 말투도 대단하거니와, 손끝에 박박 힘주어 마사지하면서 노래는 늘쩍지근하게 한다는 게 보통 머리로 되는 일인지, 내 말이 믿기지 않는다면 한번 해보라. 내기라도 걸 수 있다.

내 속이야 곯든 말든, 경미 언니를 단발머리 시절 음악 시간으로 되돌려 보낸 장본인 수현 엄마의 귀엔 그 노래가 꽃목걸이 건 하와이 여자들의 부드럽게 출렁이는 엉덩이의 리듬으로 느껴지는 모양이다. 막 다녀온 하와이의 따사로운 볕 아래 놓인 것처럼 마사지 받는 근육이 부드럽게 풀려 있다. 그을은 피부에 오일을 발라 살갗이 청동처럼 단단하게 빛난다. 저녁 준비는 일하는 사람에게 맡기고 다 저녁 때 와서 마사지 받는 그 윤기가, 서방 잘 만나 남부러울 것 없는 여자임을 과시하는 것 같아 은근히 속이 뒤틀리는데 거기다 무슨 큰 부조할 일 났다고 알로하오에람. 굳이 학교에서 배운 노래가 부르고 싶었다면 차라리, 어려운 시절이 닥쳐 오리니 잘 쉬어라 켄터키 옛집, 이 자기 처지에 백 번 어울리지.

"그래, 다음엔 서방님이 어디 데려다 주겠대?"

점입가경이다. 속이 있는 건지 없는 건지. 남편 사랑 듬뿍 받고 사는 수현 엄마의 무릎을 꺾어 발바닥을 툭툭 두드리며 묻는 경미 언니의 등판은 말라서, 척추뼈부터 갈비뼈를 타고 흘러내리는 그 흔하디흔한 나잇살조차 느껴지지 않는다. 그렇게 마른 경미 언니에게 몸을 맡긴, 막 터져날 듯 부푼 수현 엄마의 탱탱한 살피듬에 비하면 청승맞기 짝이 없다. 내가 손님이라면 미안해서라도 때 밀어 달란 말 못하겠다. 다른 때 같으면 그 비리비리한 등판이 안쓰럽게 보일 텐데, 오늘은 그것도 거슬린다. 세상 사는 게 자기 말처럼 그렇게 속 편하면 왜 살이 안 찌는가 말이다. 이렇게 아등바등, 숨이 턱에 차도록 사는 나도 아랫배가 처졌는데. 생각할수록 속에서 열불이 치밀어, 바가지로 물을 떠서 애꿎은 내 눈앞의 등판에 쫙 끼얹고 만다.

"앗, 차가워. 아줌마, 누구 동태 만들 일 있어요?"

실수다. 찬물을 틀어 놓고 잊고 있었다. 나는 황급히 사과한다. 욕탕 바닥으로 흘러내리며 다리를 스친 물은 내가 생각해도 차갑다. 얼른 더운물을 튼다. 경미 언니가 그런 나를 보고 피식 웃는다. 어느 종로에서 뺨 맞았는지 모르지만 왜 한강가에서 눈 흘기냐는 듯이. 내 뺨을 때린 게 자기라는 걸 꿈에도 생각지 못한다는 저 천연덕스러운 얼굴이라니.

사각사각, 아삭거리는 소리만큼 향긋하게 오이 냄새가 번진다. 막 아이에서 여자로 넘어가려는 소녀의 몸처럼 비릿한 향기, 젖가슴에 생긴 멍울이 낮은 구릉 같은 젖가슴 표면을 팽팽하게 만들고 그 아래의 배는 채 꺼지지 않아 밋밋한 소녀의 몸에서 나는 아련하고 슬픈 향기. 강판 위에서 제 몸을 허물며 오이는 제 몸에 간직했던 향기를 번지게 한다. 습기와 열기, 옷갈피에서 떨어진 비듬 따위로 눅진하고 퀴퀴한 탈의실에 바람결이 쓸고 지나가는 것처럼 잠깐 시원해진다.

그러나 화요일 밤의 오이 냄새는 비릿하다. 화요일 밤이면 강판은 유난히 경쾌한 소리를 낸다. 손님을 위해서가 아니라 자신을 위한 것이다. 일이 워낙 고되니만치 보약을 달고 살아야 하는데 거기에 무슨 기력이 남아도는지. 목욕탕이 쉬는 수요일은 경미 언니가 일식집의 잘 나가는 주방장이자 두 아이의 아버지인 성실한 가장과 데이트를 하는 날이다.

수요일, 그들은 남한산성 같은 근교에서 부부가 아니라는 걸 남들이 알아차릴 만큼의 친밀감과 어색함을 드러내며 밥을 먹고, 흔하디흔한 러브 호텔에 들어간다. 따뜻한 건 다 좋지만 그래도 가장 좋은 건 사람 체온이다, 라는 게 경미 언니의 말이다.

"왜 어린 강아지들이 어미 앞에서 몬닥몬닥 모여서 젖 먹잖아. 그러고 나서 엉기면서 서로 어르고 핥고 그러잖아. 그런 기분이야. 사람이 다르면 다를 수 있다니까."

어거지로 벌려야 했던 다리, 빽빽한 몸에 밀고 들어와 배설하고 돌아눕던 남편, 이런 것을 먼저 떠올리는 내게, 경미 언니는 다른 남자와 자보라고 제법 아기자기한 표현을 섞어 권한다. 약 먹는 셈 치고 자보라는 것이다. 나쁜 기억을 씻어 내는 세제인 셈이다. 이따금 잠결에 희끄무레하게 드러나는 내 허벅지를 보면서 쓸쓸해질 때도 있지만 그런다고 내가 그 말에 따를 리 없다. 경미 언니가 그렇게 탐하는 걸 보면 남자 여자가 어우러지는 일이 무언가 내가 아는 것과는 다른 데가 있을지 모른다고 생각하면서도.

"그렇게 그게 좋으면 그냥 아무 남자나 만나서 가버려. 준호가 지금 초등학교 사학년이잖아. 어느 세월에. 나중에 준호가 어이구, 우리 엄마, 그 긴긴밤 독수공방하면서 나 키우느라 혼자 애쓰셨수, 이러고 효도할 것 같아?"

한적한 곳에서 처음으로 팔짱도 껴봤다고 경미 언니가 말할 때, 내 마음속엔 가시가 돋고 말에도 뾰족하니 드러난다. 남이 안 보는 곳에선 맨몸으로 엉기면서 팔짱조차 마음놓고 끼지 못하다니, 그래봤자 여벌에 지나지 않는 거 아닌가. 세상엔 질서라는 게 있는 법이다. 질서 바깥에서 태어난 나는 질서가 지닌 힘을 안다.

"효도는 무슨. 그래도 내 마음이 아직은 안 되니까 그렇지. 가뜩이나 예민한 아인데 지금 그래 봐."

홀로 된 지 오 년이 넘은 경미 언니가 그 따뜻한 체온을 밤마다 떳떳하게 누릴 수 없는 건 오로지 혹처럼 달린 아들 때문이다. 그것도 사내 꼭지랍시고 제 엄마 화장이 조금 짙어져도 눈초리가 사나워진다는 아들 준호, 그 잘난 아들이 사춘기를 넘길 때까지는 혼자 늙을 수밖에 없다는 게 경미 언니의 현실적인 판단이다. 눈가가 발갛게 짓무르고 여름이면 시도 때도 없이 벅벅 긁어대는 바람에 몇 해 전인가, 십 개월 할부로 에어컨을 사는 사치를 누리게 한 그 아들의 아토피성 피부염이 사춘기를 넘기면 낫는다는 게 피부과 의사의 진단이니, 경미 언니, 이래저래 아들이 빨리 자라기를, 남편 무덤 뗏장 마르라고 부채질하는 심정으로 기다린다.

"그렇게 자주 만나다 들키면 어쩌려고 그래? 요즘 여자들, 아이 키워 놓고 여자 쪽에서 이혼 청구하는 거 유행이라던데? 그 집 파탄나면 책임질 거야?"

경미 언니가 나를 똑바로 본다. 이제야, 속으로 뜨끔하면서도 스물스물 기대가 인다. 누구든 숨겨 둔 발톱은 있게 마련이다. 말이야 바른 말이지, 이 험한 세상에서 혼자 산 걸 보면 경미 언니의 발톱도 만만치 않을 것이다. 한 번만 그 발톱을 드러낸다면, 나는 경미 언니에게 좀더 너그러워질 수 있을 것 같다. 그러나, 꿈에서 막 깨어난 것처럼 투명하게 얼비치는 경미 언니의 눈을 스치는 건 노여움이 아니라 피곤함이다.

"그 사람, 그런다고 집 버릴 사람 아니야. 그러기를 바란 적도 없고."

"그걸 어떻게 알아. 그 사람이야 그렇다 치고, 그 사람 부인이 알면 어쩔 거야."

"내가 어쩌겠어. 머리채 휘어잡히거나 어떻게 하는지 기다릴 수밖에. 그 부인 마음이지, 뭐."

저러고 싶을까. 머리채 휘어잡히는 게 밥 먹은 뒤 물 마시는 일만큼이나 아무렇지도 않아진다.

화요일인 그저께 밤에도 경미 언니는 언제 휘어잡힐지 모르는 머리채를 수건으로 넘기고 얼굴에 오이를 발랐다. 오이에서 흘러 나온 뽀얀 물이 가느다란 목덜미로 흘러내리다 반짝, 형광등 빛을 되쏘았다. 여름밤 빛을 탐해 방충망 틈서리로 어찌어찌 들어온 나방의 날개에서 보이는 반짝임. 불 끈 방 안에서 밤내 퍼덕이던 나방은 제풀에 지쳐 방바닥에 널브러져 있곤 했다. 불길을 향하는 맹목으로 제 인생을 맡기는 어리석음. 철책도 없는 높은 곳에서 아래를 내려다볼 때, 발끝이 저릿한 느낌. 아차 하면 자기도 모르는 새에 몸을 날릴 것 같은 위기감. 게다가 오늘 아침처럼, '때 미는 아줌마'를 찾아서 받으면 말없이 끊는 전화가 오면 신경이 날카로워진다. 나야 꿀릴 데가 없으니 분명히 경미 언니를 찾는 전화였던 것 같은데. 나름대로 노련한 일식집 주방장이 꼬리를 밟혔는지도 모르겠다. 그런 일에 관심을 쏟고, 남의 일에 괜히 마음이 쓰여 조마조마하다는 사실이 나를 화나게 한다. 내가 나도 모르게 물러진 거 아닌가 싶다.

마지막 손님이 나갔는데도 경미 언니는 어제의 데이트에 대해 말이 없다. 묻는 듯한 내 눈길을 빤히 보면서도 모르쇠다. 나도 더 묻지 않는다. 청소나 하려고 한증탕으로 들어간다. 나무 냄새가 내 헝클어진 마음에 감겨든다. 벽에 걸어 놓은 쑥단을 가지런히 하고 함지 바깥으로 넘쳐 나온 소금을 쓸어담는다. 쑥과 마늘만 먹어서 호랑이가 사람이 되었다 쳐도, 그 성질로는 남자밖에 못 되었을 거라는 생각이 잠깐 스친다. 속없이 시간 가는 줄도 모르고 견뎠으니 곰은 여자가 되었지. 잘빠진 여자의 몸통처럼 아래위가 불룩한 모래시계는 십오 분짜리다. 모래시계는 위쪽이 텅 비어 있다. 연분홍색으로 물들인 모래는 여자의 엉덩이처럼 펑퍼짐한 아랫부분에 소복이 쌓여 있다. 그걸 뒤집어 본다. 사르르, 좁은 틈으로 고운 모래가 흘러내린다. 소리도 없이 아래위로 오르내리는 모래. 그 안에 갇혀서 영원히 오르내리는 시간. 그런 걸 생각하면 문득 온몸이 모래로 가득 찬 듯 서걱거린다. 모래시계를 욕탕의 타일 바닥에 동댕이치고 싶어진다. 갇혀 있던 모래알이 좍 흩어지리라. 하지만 그래봤자 내게 남는 거라고는 모래시계를 사러 시장에 돌아다니는 일뿐. 나는 모래시계를 얌전히 내려놓고 나온다.

굵다란 호스에서 거침없이 뿜어 나오는 물줄기로 욕탕을 훑어 내리는 경미 언니는 소방관 같다. 언제 어디서건 흘러 나오는 노래처럼 그 호스를 거침없이 휘둘러댄다. 호스 끝에서 쏟아져 나온 물줄기는 욕조 안에 있던 물이다. 사람들의 몸에서 불은 때가 동동 뜬 욕조의 물. 하지만 호스 안에서 뿜어져 나온 저 물은 제법 청결해 보인다. 오늘은 수현 엄마가 경미 언니에게 영감을 준 것 같다. 저녁부터 이어지는 노래는 물을 주제로 한 것들이다. 물 위에 떠 있는 황혼의 종이배……. 휘둘러대는 손길과는 박자가 동떨어진 노래를 흥얼거린다. 경미 언니의 질펀한 노랫가락에 내 몸이 젖어 버린다. 어쩌면 아무 남자하고나 일을 벌여 보는 것도 괜찮으리라는 생각이 든다. 한번 그래 봐? 갑자기 마음이 급해진다. 남자를 껴안는 일에 내 인생이 걸려 있는 것처럼. 올해엔 꼭 남자하고 자고 말 거야. 나는 터무니없이 결연하게 다짐한다. 그 다짐에 내 앞날이 걸려 있는 것처럼. 그런데 내 마음속에 떠오른 생각이 왠지 내 것 같지 않고 생소하다. 시키지도 않았는데 텔레비전이 때맞춰 궁금증을 풀어 준다. 음 치토스, 언젠가는 먹고 말 거야. 번번이 허탕을 치는 동물이 나와서 결연하게 다짐하고 있다. 이런 제길, 나는 맥이 풀린다. 다짐 하나도 온전히 내 것일 수 없다니. 그 순간, 나는 생소한 노랫소리를 듣는다. 믿을 수 없는 일이지만, 믿고 싶지 않은 일이지만, 그 노래는 내 입에서 나오는 것 같다.

추 · 천 · 우 · 수 · 작

환(幻)과 멸(滅)

전경린

1962년 경남 함안 출생.

경남대 독문과를 졸업하고,

1995년 《동아일보》 신춘문예에

중편소설 〈사막의 달〉이 당선되어 등단했다.

소설집으로 《염소를 모는 여자》,

장편소설로 《아무 곳에도 없는 남자》가 있다.

한국일보문학상 · 문학동네소설상을 수상했다.

환(幻)과 멸(滅)

나에게 아름다운 여동생이 하나 있습니다. 그 여동생은 밀이 익어 가는 황금 들판 끝 외딴집에 살고 있어요. 노란 색종이를 접어 만든 것 같은 동생의 집은 울타리도 대문도 없이 바람에 출렁이는 황금 밀밭을 향해 서 있습니다. 나의 여동생은 이제 막 긴 머리를 감고, 밀이 익어 가는 벌판을 향해 사슴처럼 걸어 나갑니다. 들판에는 구멍이 숭숭 뚫린 검고 따뜻한 바위들이 여기저기 놓여 있고 동생은 유적 같은 바위에 등을 기대고 노래하며 머리를 오래오래 빗습니다. 사슴같이 무구하고 여린 눈을 깜박이는 여동생의 허리께엔 흐르는 물결 같고 풀리는 실타래 같은 황금빛 노을이 걸려 있습니다.

내 아들은 곁에 쪼그리고 앉아 타박타박한 삶은 감자를 먹고 나는 부엌칼로 감자 껍질을 벗깁니다. 이따금 나는 고개를 들고 열린 문 밖으로 바람에 머리카락을 날리는 여동생을 바라봅니다. 내 입에서는 저절로 탄식이 흘러 나왔습니다. 저 아이는 어쩌자고 저리도 예쁜가……우리의 남편들은 어디로 갔는지 생각나지 않습니다. 우리를 들판 끝집에 남겨 두고, 멀리 장을 보러 나갔는지, 어쩌면 전쟁에 끌려나가 죽었는지, 혹은 소 판 돈으로 어디서 노름을 하고 있는지, 아무 생각도 나지 않습니다. 어쩌면 둘 다 결혼하지 않은 처녀인지도 모릅니다. 다만 생시의 습관이 남아 나는 아들을 데리고 있는지도요.

지금은 저녁 무렵이고, 나는 어린 아들에게 타박 감자를 먹이는데, 밀밭과 검은 바위 사이를 거니는 여동생이 너무 아름다워 가슴속에 알 수 없는 근심이 차오릅니다. 그때 한 남자가 들판 끝에 나타났습니다. 그 남자는, 우리가 밤의 좁다란 골목을 혼자 걸어갈 때, 맞은편에서 걸어오며 공기를 긴장시키는 그런 떠돌이 사내입니다. 그는 우리에게 다가오는 짧은 순간 수작을 쳐볼까, 말까, 잠시 궁리를 합니다. 남자가 우리 곁을 스쳐 갈 때 공기는 강철처럼 힘겹게 휘어지고 어떤 예기치 못한 섬뜩한 힘에 귀를 베일 듯합니다. 그런 남자가 들판 끝에서 다가옵니다. 여동생은 머리카락을 펄럭이며 부엌으로 뛰어듭니다. 아름다운 여동생은 너무 서둔 나머지 불붙은 아궁이에 살갗을 데입니다. 여동생은 비명도 지르지 않습니다. 사내는 집 앞에 버티고 서서 여동생을 부릅니다. 여동생은 자신의 두 팔로 얼굴을 틀어안고 고개를 젓습니다. 사내가 히죽 웃으며 부엌을 향해 다가옵니다. 나는 감자를 놓고 벌떡 일어섭니다. 내가 나갈 차례입니다. 아들의 울음소리가 들립니다…….

어젯밤에 나는 갑자기 파일 하나를 새로 만들었다. 그것은 며칠 전에 꾼 꿈 때문이었다. 꿈에 나는 동생을 구하기 위해 한 남자를 칼로 찌른 것 같다. 그러나 모든 것이 모호하다. 온통 금빛이 나던 벌판과 밀밭과 석양과 명주실 같은 동생의 긴긴 머리카락, 칼에 묻은 피마저도 황금빛이었던 것 같은 꿈이었다. 나는 무턱대고 꿈속의 일을 적기 시작했다. 그러나 악몽 속처럼 아무 팔다리를 저어 달려도 제자리인 것 같은 불가능함을 느낀다. 꿈속이란 흡사 간질병 환자의 발작 같다. 그것은 한 인간의 시작과 끝의 비밀에 닿아 있어서 뿌리뽑혀지지가 않으며, 글자와는 불화하는 그 무엇 같다. 연기나 타버린 재가 이룬 형상처럼 손끝으로 건드리면 툭툭 무너진다. 꿈을 적다가 꿈의 뒷부분을 결국 기억에서 놓쳐 버리고 만다. 꿈은 균열이 난 작은 굴처럼 간신히 지탱하다가 그만 푸석 무너져 버린다.

글쓰기를 단념하고 꿈은 꿈대로 흘려 보내자고 자리에서 일어서려는데 전화벨이 울렸다. 전화 속의 남자는 흐트러진 숨을 몇 번 내쉬었다.

"안녕하십니까?"

낯선 음성이었다. 그는 자신의 이름을 댔다. 나는 여전히 알 수가 없었다. 그러자 남자는 망설이며 진의 이름을 말했다. 진……나는 수화기를 귀에 댄 채 가만히 있다. 내 호흡은 의지대로 쉽게 흐트러지지 않는다. 지난밤 나는 여동생의 꿈을 꾸었다. 현실 속의 내게는 동생이 단 하나가 아니라 셋이다. 그리고 꿈에 나타난 동생은 그중 누구와도 닮지 않았다. 그러나 나는 그녀를 진이라 여긴다.

"목걸이를 돌려드리고 싶어요. 저는 더 이상……간직하기 벅찹니다. 의, 의미도 없고요. 곧, 결혼하게 될 것 같습니다."

지난달 엄마에게 전화를 걸어 울었던 사람은 바로 이이였구나. 새벽 두 시였다. 한 남자가 어머니, 저 힘들어서 더 못 견디겠어요 하고는 그저 흐흐흐 흐느껴 울기만 하다가 전화를 끊었다고 했다. 처음엔 여보세요 하자 전화가 딸깍 끊겼다가 다시 신호음이 울렸다. 그러니 잘못 온 전화일 리도 없다는 것이었다. 엄마는 자기를 어머니라고 부를 남자들 중에서 음성을 가려 내려고 애를 썼는데, 나의 남편은 아니고 수의 남편도 아니고 그렇다고 오빠도 아니고,

그러니 미의 전남편인 남 서방일 거라고 했었다. 꼭 치통 앓듯 어금니를 벌리고 우는 소리였지만 틀림없이 남 서방 음성이었다고. 엄마는 진의 남자를 까마득히 잊어버린 것일까. 아니면 차마 기억하기 싫었던 것일까. 무엇보다 진은 이곳에 없으니……그날 엄마도 나도 진의 남자에 관해서는 금기이기라도 한 듯 입에 올리지 않았다.

"여보세요?"

남자가 갑자기 다급하게 부른다.

"……네."

내 음성이 풍금의 아주 낮은 도 음처럼 몸 안에서 무겁게 울린다.

"미안합니다. 내일 만나 주셨으면 합니다."

"그 목걸이는……."

나는 입을 다물고 만다. 그 목걸이는 진의 것이 아니라, 나의 결혼 목걸이였다. 진은 자신의 일기장을 그에게 전해 주기를 원했다. 그러나 우리 가족은 모두 반대했다. 그것은 산 사람에게 전하기엔 지나친 유품이었기 때문이었다. 진의 일기장은 마치 비에 젖었다가 마른 종잇장들처럼 죽음의 얼룩으로 빳빳하게 굳어 있었다. 흡사 생물학과의 특수한 전공 과목 노트처럼 죽음의 온갖 종류와 방법을 일목요연하게 정리했고, 일 년 전부터 상습적으로 수면제를 복용했으며, 그녀의 마지막 갈등은 동맥을 끊는 것과 독약을 먹는 것과 기차에 뛰어드는 것 중 어느 것이 덜 부담스러운가였다. 스물다섯 살 먹은 여자애에게 계획이라고는 죽음에 관한 것 외에는 정말 아무것도 없었던 것이다.

그날 저녁에 쓴 것으로 보이는 일기장의 마지막 구절은 '언제 내 앞에 금이 그일지는 아무도 모르는 일이다. 행운이 그렇게 왔다면 불운도 그럴 것이다' 라는 어느 책에서 뽑아 낸 글귀였다.

나는 일기장 대신 나의 목걸이를 풀어서 보냈다. 진의 유품이라고……그때는 그것이 현명해 보였다. 그러나 역시 잘못이었다. 목걸이를 준 것조차. 이렇게 오랜 뒤에 다시, 아니 그 가느다란 금목걸이가 그렇게 오랫동안 한 남자에게 뭔가를 감당하게 했다니, 우리가 잊고 살았던 시간들조차.

나는 그와 상의하며 약속 장소와 시간을 정한다. 그리고 무슨 말을 더 해야 할지 몰라 머뭇거린다. 남자도 말이 없다. 잠시 침묵이 흐르다가, 저쪽에서 그럼……하더니 전화는 갑자기 끊어진다. 나는 단 한 번도 그를 원망한 적이 없었다. 더구나 그의 탓이라고 생각해 본 적도 없었다. 그리고 나는 진에게 닥친 일을 이해하고 싶었으나 이해할 수도 없었다.

키가 크고 야윈 남자였다. 얼굴은 창백했지만 표정이 밝고 전체적으로 청결하고 산뜻하고 예의바른 느낌을 주는 남자. 백화점 홍보 파트에 근무한다고 했다. 진은 그때, 백화점 근처의 인쇄소에서 타이피스트로 일하고 있었다. 어느 땐, 일이 많아서 며칠씩 밤을 새울 때도 있었지만, 어느 땐 이틀 내내 전화 한 통도 받지 않는 때도 있다고 했다. 그가 왜 좋니, 라고 내가 묻자 진은 말했다. "그는 나를 감탄해. 나 같은 여잔 이 세상에 하나뿐이라고 생각해."

나는 점심 시간에 백화점 앞에서 우연히 그를 보았었다. 꼭 한 번. 키가 작은 진은 남자의 팔에 매달려 걸어왔다. 운동회의 백군처럼 새하얀 머리띠를 맨 진은 사자의 갈기처럼 억세고 긴 머리카락을 흔들며 떠들고 남자는 잔잔하게 웃었다. 조그만 몸이지만 탄탄한 다리와 앙팡진 가슴, 가무스름한 피부……나는 진이 저렇게 예뻤던가 하며 어리둥절하게 서 있었다. 진은 멈추어 서서 저를 보고 있는 나를 그냥 스쳐가 몇 걸음을 옮긴 뒤에야 갑자기 뒤돌아보았다. 그리고 제 가슴에 손가락 권총을 빵 쏘고는 비명을 지르며 팔짝 뛰어올라 내 얼굴을 두 손으로 안았다.

"큰언니야!"

진은 미나 현수와 달리 꼭 큰언니야라고 나를 불렀다. 그 어조에는 낙지처럼 틀어안고 놓지 않으려 하는 절박함이 느껴진다. 그애가 어릴 때, 큰언니야라고 부르며 엉겨붙던 작은 몸을 나는 얼마나 자주 떼어 놓았던가. 열 손가락을 하나하나 풀며 곧 돌아온다 거짓말을 하고는 멀리 달아나 그 아이의 눈 밖으로 나가 버렸었다. 나는 일곱 살이나 더 어린 그 아이와 손을 잡고 길을 걸은 적도 산수 숙제를 도와 준 일도 없고, 가게에서 무언가를 사준 일도 없으며, 등을 씻어 준 일도 없고 머리를 빗어 준 일도 없고 눈물을 닦아 준 일도 없다. 나는 세 번째 여동생인 그녀에게 성실한 언니가 못 되었다. 나는 그런 식으로 그 아이의 불행에 일조를 한 셈이다. 그애가 살아 있었던 동안 나는 얼마나 먼 타인이었나…….

노트북을 켜놓은 채 작업실 뒷문을 열고 나간다. 바람이 몰아쳐 이내 머리카락이 뒤엉킨다. 내가 문을 열기 전에도 바람이 불고 있었다. 한여름의 저녁 바람답게 바람 속에 표류하는 배의 거대한 돛이 펄럭이는 소리가 들린다. 아주 많은 배의 아주 많은 돛들…….

"목걸이를 돌려드리고 싶어요."

오래도록 죄책감에 사로잡혀 살아온 남자의 음성이 바람 속에 날려 온다. 서쪽 하늘가에는 먹구름과 선연한 주홍빛 노을이 격렬하게 다툰다. 물결과 풀과 나뭇가지들이 구부러진 못처럼 일제히 한 방향으로 휘어지고, 비를 막기 위해 슬레이트 지붕 위에 얹은 양철판이 뜰뜰 소리를 낸다. 이 집의 마당 끝은 바로 저수지이다. 마당 가장자리엔 오래 묵은 다섯 그루 실버들이 바람에 긴 머리카락을 날린다. 물가엔 고기잡이 배 두 척이 버드나무 둥치에 묶여 서로 부딪는 소리를 내고 그 가지에 그네 하나가 길게 묶여 홀로 흔들린다.

나는 슬리퍼를 벗고 그네에 올라앉는다. 그저 한 줄에 등을 대고 한 줄은 쥐고 앉아 있으면 어느 결엔가 앞뒤로 흔들리기 시작한다. 물결처럼……누가 시간을 흐른다고 비유했을까. 흐르는 건 바람일 뿐이다. 삶이란 고인 시간 속에서, 단지 이쪽 기슭에서 떠나 저쪽 기슭에 닿으려 하는 그런 하릴없는 몸부림이 아닐까. 한 치도 더 밖으로 나가지는 못하는 제 속에 고여 있음. 고인 물처럼 이리저리 흔들리는 것이 시간이라고 생각하면 삶도 조금은 평화로워진다. 바람이 물풀들을 모았다가 가르는 좁은 길처럼, 그뿐인 것처럼…….

어스름에 사냥을 나온 것인가? 노회한 재두루미 한 쌍이 앞마당까지 와서 사다리 같은 두 다리로 어슬렁거린다. 그네를 멈추고 가만히 보니, 낚시꾼이 내버려두고 간 어망을 부리로 당긴다. 고기들이 갇혔던 어망에서 그립고 낯익은 사냥감의 냄새를 맡은 모양이다.

물까마귀는 물 위에 뜬 흰 스티로폼 조각 위에 앉아 물 속을 지그시 바라본다. 고단한 수면 위엔 그래도 이따금 앉아 쉴 곳이 있다. 물 위에 뜬 플라스틱 물통, 나무둥치, 널빤지……큰 날개를 가지고 오래 한자리에 앉아 있는 새들……명상하는 요가승 같은 자세. 수면 위를 구르듯이 나는 작은 새들, 오래 씻긴 조개껍질들의 흰색을 떠올리게 하는 희디흰 새끼 백로들……못가 갈대 풀숲에 앉았던 백로들이 일제히 날개를 펴고 올라 앞산으로 날아간다. 백로들이 보금자리로 삼은 앞산은 삶은 빨래를 넌 듯 희다. 백로가 앉은 소나무들은 노랗게 죽는다고 한다. 배설물이 너무 독해서거나 혹은 너무 시달려서일 것이다.

"총각이 세 사람이 있더구나. 한 사람은 학벌이 좋더라. 박사 과정을 했고 한 사람은 은행원이었다는데, 나이가 그중 많아. 한 사람은 택시 기사였다는데, 사람이 착했다고 하고……그런데 박사 과정 한 사람은 익사한 뒤, 한참 만에야 건져져서 많이 상했고, 두 사람도 교통 사고여서, 아무래도 많이 망가졌을 거 같다. 막상 정하려니, 진이가 마음에 들어할지, 마음에 들지 않는 사람을 맺어서 더 괴로움을 안기게 되지나 않을지……진이가 나타나서 얼굴을 보여 주면 좋겠는데, 그 후론 통 날 찾아오지 않아."

엄마가 꿈속에서 진을 본 것은 꼭 일 년 전이었다. 염천에 아버지를 묻고 탈진한 엄마는 마음속으로 진에게 가버리고 싶어했는지 모른다. 엄마는 먹는 대로 토해 내고 누워 있다가 잠시 실신을 했다. 그리고 꿈에서 진을 만났다. 꿈속에서 엄마는 나무 한 그루 없고, 풀포기 하나 없는 회색 돌산에서 진을 기다리고 있었다. 겨울도 아닌데, 그곳엔 풀 한 포기 없었다. 엄마는 믿을 수 없도록 황폐한 풍경 속에서 진을 기다리는데, 멀리서 막대기 치는 소리가 산뿌리를 흔들며 다가왔다. 회색 돌산이 흔들려 꼭 머리 위로 무너져 덮어버릴 것만 같았다. 그리고 진이 나타났다. 진은 수국꽃빛 같은 엷은 보랏빛 원피스를 입고, 긴 막대기를 짚고, 아주 먼 데서 온 것처럼 지친 모습이었다.

"오, 내 새끼. 이런 곳에서, 이런 곳에서 어떻게 사니!"

꿈속에서 엄마가 슬퍼하자, 진은 말했다.

"괜찮아요, 나 괜찮아요. 때가 되면 가끔씩 엄마께 들를 테니, 이제 엄마가 나를 찾아오지는 말아요. 다시는 이곳에 오지 말아요."

지난해 아버지가 돌아가시자, 엄마는 이제 때가 왔다는 듯 진의 결혼식을 서둘렀다. 귀신은 일 년에 한 번 얻어먹고 지낸다는데, 자신이 죽고 난 뒤에도 제사를 떳떳하게, 제대로 받게 해주고 싶다는 것이다. 올 한 해 동안 엄마는 이런저런 사연으로 죽은 총각들의 사진을 나에게 보여 주었다. 교통 사고가 가장 많았다. 누구나 망가져서야 죽음에 이르는데도 엄마는 더 고운 사람을 기다려 왔다. 그러나 이제는 마음이 다급한 모양이다. 올 가을엔 꼭 결혼을 시켜 주겠다고 한다. 그 남자집에서 드러내 놓고 제사상을 받도록…….

진은 미와 이란성 쌍둥이로 태어났다. 그애들이 태어났을 때 위로 이미 언니가 둘이나 있었다.

어른들은 애타게 아들을 바라다가 딸 쌍둥이를 받게 되자 한 아이를 남자애로 키우기로 했다. 어른들은 딸애에게 남자애 이름을 붙여 부르거나, 남자애 모양으로 키우면 터를 고추밭에 팔아 다음에 남동생을 본다고 믿었다. 하필이면 진이 그 역할을 맞게 된 건 우연이었다. 무슨 이유 같은 건 있을 수가 없었다. 그애들은 쌍둥이답게 아기 때는 정말 비슷하게 생겼었기 때문이었다. 열흘 만에 할머니가 산모방에 들어섰을 때, 더 앞쪽에 뉘어진 아이가 진이었거나, 그나마 할머니 눈에 조금 더 총명해 보인 아이가 진이었을 것이다. 진은 어릴 적 내내 머리카락이 귀밑에 닿은 적이 한 번도 없었다. 남자애 같은 스포츠머리에 앞뒤 짱구였다. 진은 남자애 옷을 입었고, 남자애처럼 등을 곧게 펴고 책상다리를 했으며 남자애들과 싸움박질을 해서 이기고 남자애들보다 더 짓궂고 개구져야 사탕을 받고 대견스럽다는 칭찬을 받았다. 이웃 사람들은 물론이고 낯선 이들까지도 어른들의 의도대로 진을 어김없는 남자애라고 감탄했다. 그러나 진 아래로 더 이상 아이는 태어나지 않았다. 그로 인해 진이 남장을 한 세월은 더 길어졌다. 외로운 아이는 남을 웃기려 한다던가. 진은 초등학교에 들어가자 자신의 몸을 내던지거나 얼굴을 구기거나 팔다리를 휘어 원숭이춤, 병신춤 따위를 추어서 아이들을 웃겼다.

열두 살이 되었을 때, 미는 검고 긴 머리카락을 가진 희고 부드럽고 앙큼한 여자애로 자라 있었고, 진은 여전히 짧은 머리에 햇볕에 탄 피부, 자그마한 키에 다부지게 살이 붙어서 남자애와 여자애의 중간쯤, 그러니까 아무것도 아닌 것쯤으로 자라 있었다. 그즈음 진은 엉뚱한 고집을 부리기 시작했고, 설탕과 쌀을 훔쳐먹었으며 언니들에게 자주 대들었고, 아버지를 노골적으로 적대시했고 세상을 비웃기 시작했다.

진이 아버지에게 매를 맞던 기억이 난다. 무슨 이유였는지는 잊어버렸다. 대나무 회초리였고 일요일이거나 방학 때였는지 온 가족이 둘러서 있었다. 우리는 모두 진이 입을 벌리고 말하기를 기다렸다. "잘못했어요." 이제 회초리를 내려치는 아버지께서 바라는 것도 그것뿐이었다. 잘못했다고 내뱉기만 하면, 사소한 심판으로 시작된 그 잔혹극은 막을 내릴 것이었다. 그런데도 진은 입을 꾹 다물고 회초리를 감당하며 버티고 있었다. 마침내 종아리가 터지고 회초리에 피가 묻자 아버지는 대나무 회초리를 마당으로 내던졌다.

그리고 진의 몸을 확 밀쳐 마당으로 넘어뜨리고 대문 밖으로 나가 버렸다. 아버지가 진 것이었다.

"독한 년, 애비 잡아먹을 년이구나."

엄마가 진의 등을 두드려 일으키며 중얼거렸다. 그런데 어쩐지 엄마는 그 말끝에 진을 향해 희뜩 웃었다. 진과 엄마 사이에 아무도 모를 감정의 내통이 있는 것 같은 모습이었다. 그런 때면 진은 엄마에게 엄살을 떨었다. 엄마가 진의 어리광을 받아 주는 유일한 때이기도 했다. 엄마는 진을 방에 누이고 찜질을 하고 약을 바르고 붕대를 맸다. 그리고 포도나 솥에서 찐 빵, 혹은 박하사탕 따위를 입에 넣어 주었다.

진은 엄마를 사랑했다. 진이 엄마를 사랑하는 태도는 특이한 것이었다. 흡사 사내아이가 무자비한 의부로부터 가련한 엄마를 보호하려는 듯한 기이하고 슬픈 느낌의 사랑이었다. 내가 보기에 엄마는 아버지보다 한결 더 독단적이고, 그악스럽고, 감정적이고, 무엇보다 편협했다. 그런데도 진의 사랑은 장님처럼 일방적이고 지극했으며 죽을 때까지 계속되었다. 미와 엄마……그러나 미와 엄마는 진을 특별히 사랑하지는 않았다. 두 사람은 오히려 진에게 무심했던 편이다. 엄마는 예쁜 미와 똑똑하게 자랐던 수와 장녀였던 나에게 마음을 다 뺏기고 있었다. 말하자면 진은 엄마에 관한 한 고단

한 짝사랑을 했던 셈이다. 특별한 재주도 없고, 예쁘지도 않았던 진이 엄마의 관심을 자신에게 돌리기란 쉬운 일이 아니었다. 진은 자주 아버지의 매를 맞았다. 그리고 엄마에게 엄살을 부렸고, 그럴 때에 엄마는, 흡사 원수와 대적하고 돌아온 다친 아들을 맞듯 진을 보살피고 대견해했다.

미 역시 진을 사랑하지 않았다. 진은 미의 방패막이였을 뿐이었다. 미는 크고 작은 모든 문젯거리나 자신이 저지른 실수나 잘못을 진에게 미루고 대신 벌받게 만들었다. 그에 비하면 진은 쌍둥이 언니인 미에게 짧은 인생 동안 반해 있었다. 미를 위해서라면 진은 무엇이든 할 준비가 되어 있었다. 그랬다, 무엇이든……진은 둘이 동시에 입학할 경우 부담이 큰 대학을 미리 포기하고 타이피스트를 양성하는 학원에 다녀 미가 대학생이 된 해에 동시에 워드프로세스 자격증을 따 타이피스트가 되었다. 그리고 쌍둥이 언니의 학비와 용돈을 지원했다.

그 일이 일어났을 때 나는 자동차로 세 시간쯤 떨어진 소도시에 살고 있었다. 결혼 육 년째였고 두 번째 아이의 해산 예정일을 세는 만삭의 임산부였다. 나는 거의 팔 개월여 동안 친정 나들이를 못했다. 결혼한 뒤로 그랬다. 나는 식구들로부터 벗어나 완전히 딴 식구처럼 살아가고 있었다. 흔히 신혼의 주부가 그렇듯, 나는 친정으로부터 김치나 된장, 간장 따위를 가져다 먹지도 않았다. 나는 결혼하자마자 김치를 내 손으로 담기 시작했고, 간장과 된장도 메주를 사와 직접 담갔다. 물론 오랫동안 수없이 여러 번 엉터리 김치를 담아 버리거나 혹은 억지로 먹거나 했다. 그러나 나에게는 설명할 수 없는 의지가 있었다. 그것이 내가 결혼 적령기에 서둘러 결혼한 이유였으며 일종의 꿈이었는지도 모른다. 나는 친정 식구들을 뒤돌아보지 않았고 더 이상 어떤 부분에서도 의존하지 않았다.

그러나 진은 자주 보았다. 진은 조카에게 먹일 케이크나 깜짝 놀라게 할 장난감 하나를 손에 쥐고 느닷없이 우리 집 초인종을 누르곤 했다. 진이 마지막으로 온 날은 그 일이 있기 열흘 전이었다.

진은 남자의 시골집에 갔다 오는 길이라고 했다. 진은 이틀마다 편지를 띄웠으나 군대에 간 남자에게서는 답장이 오지 않아, 혹시 집에는 무슨 연락이라도 있을까 하는 한 가닥 기대를 품고 갔는데, 그 남자는 휴가를 받아 왔다가 바로 전날 돌아간 뒤였다. 진은 엷은, 아주 엷은 보라색 원피스를 입고 있어서 더욱 수척해 보였다. 나는 부른 배 때문에 밤잠을 못 이룰 때라 깊은 오수에 빠져 있다가 진을 맞이했었다. 진은 환영처럼 들어왔다가는 주스 한 잔도 마시지 않고 또 환영처럼 갔다.

"큰언니야, 얼굴도 발도 많이 부었구나. 난 갈래. 들어가서 더 자."

진은 그렇게 작별 인사를 했다. 나는 진을 위로할 수 있는 단 한 마디의 말도 하지 못한 채 부푼 배를 안고 현관 앞에 서 있었다. 진이 가고 난 뒤 나는 다시 베개와 쿠션들을 등에 고이고 침대에 반쯤 누웠다. 그때는 반듯하게 누우면 배가 무거워 숨이 막히고 현기증이 났다. 엎드릴 수도 없고 모로 누울 수도 없었다. 왜 그랬는지 모르지만 그날 나는 그런 불편함 속에서 애써 진의 나이를 세어 보았다. 그러나 정확하게 알 수가 없었다. 스물넷 같기도 하고 스물다섯 같기도 했다.

예정일을 오 일 앞둔 날, 나는 아침 설거지를 마치자 베란다를 씻어 내고 현관 바닥을 닦아 내고 허둥지둥 장롱 정리를 하고 있었다. 아침에 눈을 뜨자 아이를 낳다가 죽을 수도 있다는 생각이 들었다. 그 생각이 들자 다시 못 돌아올 사람처럼 집 안 구석구석이 눈에 밟혔다. 전날 지방 뉴스에서 아기를 낳던 산모가 사망해 가족들이 병원을 고발한 사건이 보도되었지만 그보다는 간밤의 꿈 때문이었다. 그날 밤엔 남해안에 태풍이 비켜 가느라 밤새도록 천둥번개가 치고 폭풍이 불고 비가 퍼부었었다.

꿈에 나는 아이를 갖지 않은 몸이었고, 열두 살이거나 스무 살 혹은 스물다섯 살 정도의 처녀처럼 어렸다. 나는 복잡한 시장 길을 걷고 있었다. 거리는 환했다. 그러나 더운 태양빛이 아니라 형광등을 켠 듯한 그런 기묘한 환함이었다. 처음에는 천천히 걷다가 빠르게 걷기 시작했다. 마치 달리는 차창가의 풍경처럼 주변이 휙휙 지나갔다. 나는 시장을 빠져 나와 낯선 주택가의 골목으로 들어갔다. 그리고 골목 끝에서 손에 커다란 돌을 든 남자를 정면으로 마주쳤다. 돌은 꼭 나의 머리만한 크기였다. 야위고 비루한 남자는 무서움에 질린 듯한 파란 얼굴로 기묘하게 웃었다. 내장이 싸늘해지는 웃음이었다.

남자는 갑자기 두 손으로 돌을 번쩍 들어 나의 머리를 조준했다. 나는 달리기 시작했다. 꿈속이어선지 발자국 소리도 나지 않았다. 고요한 골목에는 나와 남자 외에는 아무도 없었다. 나는 미로를 달리는 쥐처럼 골목에서 다른 골목으로 또 다른 골목으로 내달렸다. 그러자 갑자기 그 복잡한 시장이 다시 나왔다. 나는 여자들이 많이 붙어 서 있는 생선전에 끼여들었다. 모든 생선은 썩어 있었다. 내 눈은 그것을 알고 있었다. 그러나 여자들은 부지런히 생선을 고르고 있었다. 생선 장수가 나를 노려보았다. 어디선가 본 얼굴이었다. 그는 커다란 칼로 생선의 배를 갈라 내장을 꺼낸 뒤 칼을 번쩍 들고 도마 위의 썩은 생선을 토막냈다.

내 눈엔 갑자기 남자가 골목을 달리는 것이 보였다. 남자는 여전히 골목에서 빙빙 돌고 있었다. 그때 머리가 긴 소녀 하나가 초록색 대문을 밀고 나왔다. 내 머리 크기만한 돌을 들고 달리던 남자는 그녀를 발견하고 멈추어 섰다. 소녀의 눈이 커다랗게 벌어지고 남자를 향해 손을 내저었다. 남자는 무서움에 질린 듯 파란 얼굴로 그 비루하고 싸늘한 웃음을 지었다. 그리고 돌을 번쩍 들어 소녀의 머리를 향해 던졌다. 소녀의 머리가 토마토처럼 터졌다. 붉은 피가 내 얼굴에까지 튀었다.

정신을 차려 보니 생선 장수가 칼을 번쩍 든 채 나를 향해 싱긋 웃었다. 무서움에 파랗게 질린 기묘한 웃음, 돌을 들고 달려왔던 바로 그 남자였다. 그는 손을 천천히 얼굴로 가져가더니 돌연 자신의 얼굴 피부를 확 벗겼다. 그제야 나는 분명하게 그를 알아보았다. 그 남자는 악몽 속에 늘 나타나는 나의 추적자였다. 꿈속에서 그는 보통 뒷모습으로 서 있다. 나는 언제나 방심한 채 평범한 호기심을 느끼며, 다가간다. 어느 순간 그가 뒤돌아선다. 그는 히죽 웃으며 자신의 손으로 얼굴의 피부를 벗긴다. 그러면 이미 부패해서 뼈를 봉합할 수 없는, 구멍난 걸레 같은 너덜너덜한 검은 살점이 목 아래로 떨어져 흔들린다. 그는 그런 얼굴로 클클 웃으며 나를 쫓아오는 것이다.

꿈에서 그 남자를 보고 나면 나는 의식적으로 많이 먹고 수첩이 가득 차도록 새로운 계획을 세우고, 혼자 있기 두려운 나머지 뜸했던 사람들에게 전화를 걸어 약속을 정하고 충동적으로 여행을 떠난다. 조증 환자처럼, 살아야겠다는, 몸이 떨리는 두려움과 같은 광적인 의욕이 나를 휘감는다.

장롱 정리를 하고 있을 때, 회사에 나갔던 남편이 다시 돌아와 이박 삼 일 출장을 가야 한다고 말했다. 그리고 남편은 초상집에 갈 때 입는 검은 양복을 갈아입었다. 폭우가 내린 뒷날 같지 않게 늦여름 더위가 찌는 듯이 뜨거운 날이었다. 왜 그 옷을 입느냐고 묻자 남편은 나와 눈을 마주치지 않고 얼굴을 숙이고 있더니, 말했다.

"출장을 겸해서, 부장님 모친상에도 참석할 거야. 어제 부장님이 모친상을 당했어. 출장지에서 가까우니까."

회사를 옮긴 후 이 년 만에 첫 출장이었다. 출장이란 말도 낯선데다가 부장님 고향이라면 남해안의 작은 섬이어서 배를 타야 하기 때문에 어디에서도 결코 가깝다고 느낄 수 없는 곳이었다. 그러나 남편은 더 이상 설명하지 않고 검은색 양복만 입은 채 빈손으로 떠났다. 나는 베란다에 서서 남편이 차를 타고 떠나는 것을 보았다. 차가 그의 관처럼 느껴졌다. 죽음을 의식하기 시작하자 죽음은 숨은그림찾기놀이 속의 엉거주춤하게 숨어 있는 사물들처럼 도처에서 보였다. 나뭇잎 중의 한 잎이, 행인들 중의 한 사람의 행인이, 달리는 차 중의 차 한 대가, 숟가락 중의 한 개의 숟가락이……모든 것이 내게 죽음의 암시를 보냈다. 더구나 남편이 입은 검은 양복은 소름끼치도록 불쾌했다.

그날 밤에 나는 또 꿈을 꾸었다. 이번에는 내가 친정집에 가 있었다. 집에는 아무도 없었다. 나는 진과 우두커니 앉아 있다가 집에 가겠다고 나섰다. 그런데 현관에 벗어 두었던 신발이 없었다. 메마른 현관은 오래도록 비어 있었던 집처럼 신발이라곤 한 켤레도 없었다.

"진아, 신발이 없어."

진에게 말하자 진이 쓸쓸하게 웃었다.

"네 신발도 없어. 어떻게 된 거니?"

"난 신발 필요 없어."

진은 그렇게 말하고 잔잔하게 웃었다. 꿈에서 나는 저 애가 언제부터 저렇게 도통한 듯 창백하고 도도하고 무심했나, 하는 생각을 했다. 그녀의 가슴에 두 개의 은색 종모양 장식이 달려 있었다.

"그게 무슨 말이니?"

"난 이제 신발이 필요 없어."

나는 이상해하며 아무 신발이나 끌고 나갈 생각으로 신발장 문을 열었다. 신발장 속엔 메마른 먼지가 덮여 있었다. 꿈속에서도 몸 안의 내장이 텅 비는 듯이 두려웠다. 가족들의 사계절 신으로 문이 잘 닫히지 않을 지경으로 늘 빼곡하게 차 있던 신발장이었다. 나는 모골이 송연해져서 뒤돌아보았다. 진이 웃었다. 파랗고, 싸늘한 웃음이었다. 진은 골목길의 그 소녀처럼 긴 머리를 풀고 있었다. 머리카락 사이에서 천천히 붉은 피가 흘러내렸다.

꿈에서 깬 나는 엎질러진 물같이 수습이 되지 않는 몸을 간신히 일으켜 부들부들 떨며 냄비에 물을 올리고 라면을 끓였다. 그리고 무서워서 울면서 뜨거운 라면 국물을 마셨다. 몸에서 땀이 나는데도 손은 계속해서 떨렸다. 남편은 출장중이고 조그만 아이는 깊은 잠에 빠졌고, 나는 만삭이었다. 시계를 보니 세 시였다. 다음날 이른 아침 전화를 걸자 집에는 아무도 받지 않았다. 빈집에 울리는 벨 소리를 쥔 손아귀로부터 쥐가 오르듯 공포와 엄청난 상실감이 엄습해 왔다. 아이가 뱃속에서 바위처럼 단단하게 뭉쳤다. 나는 무릎을 꿇고 엎드려 바닥에 배를 대고 아이에게 속삭였다.
"괜찮아, 괜찮아."

죽음이란 어떻게 하나의 몸에 깃들이며 어디로 들어오는 것일까? 무수한 예감과 불길한 꿈들과 크고 작은 경고를 앞세우고, 백한 가지의 이유와 백한 가지의 합의와 백한 가지의 공모가 한 점에서 만나 서로의 계산을 끝내는 그 순간, 마침내 나선형의 한가운데가 썩은 호박같이 푹 패이는 그것이 죽음이 아닐까.

죽음의 한가운데에 이를 동안 그는 천천히 죽음의 얼굴을, 냄새를, 소름끼치는 그림자를 알아볼까. 어쩌면 중력을 밀어내며 힘껏 튀어올라 탈선할 수도 있겠지만, 그러나 한번 나선형 레일에 갇힌 사람은 알면서도 그 운행에 실려 미끄러져 간다. 내 몸이 왜 이럴까, 내 마음이 왜 이럴까, 내가 지금 어디로 이렇게 미끄러져 가는 걸까, 이곳은 왜 이렇게 어두울까, 주위는 왜 이리도 적막하고, 나는 왜 혼자일까, 왜 누구에게도 구해 달라고 말할 수가 없을까…… 그리고 마침내 나선형의 끝, 썩은 호박같이 검은 우물에 이르면, 그는 한순간 죽음의 얼굴을 보게 되겠지. 어쩌면 마지막에 보게 되는 건 삶의 얼굴일까. 그 피할 수 없는 순간에 이르면, 발 밑엔 다리를 끌어당기는 아뜩한 검은 우물밖에는 아무것도 남아 있지 않겠지. 그것은 얼마나 빨리 다가올까, 아니면 얼마나 천천히 올까. 어쩌면 그의 태어남으로부터 이어진 삶 전부가 바로 죽음의 알리바이는 아닌지.

진은 이십오 년 동안 살아남은 우리와 함께 제 죽음의 완벽한 알리바이를 만들어 왔던 것이 아닌지……다음날 밤에야 미가 전화를 받았다. 미는 아무 일도 없다고 했다. 진과 엄마는 일찍 잠이 들어 바꾸어 줄 수 없다고 말했다. 미의 음성은 얼굴을 대면 비칠 것처럼 맑고 고요했다. 그날 밤늦게 남편도 돌아왔다. 검은 양복은 형편없이 구겨져 있었다. 몹시 지친 그는 일이 바빠서 문상을 못했다고 말했다. 그러나 그의 검은 양복을 받아들었을 때 나는 언뜻 향내를 맡았다. 양복 바짓가랑이에는 너무나 부주의하게도 흙이 묻어 있었고, 윗도리 단추 곁에도 음식물인 듯한 얼룩이 묻어 있었다. 남편은 간신히 씻는 흉내만 내더니, 손에 수건을 쥔 채 곯아떨어져 버렸다.

나는 남편의 밥을 차려 놓고 식탁에 앉아 있었다. 황막했다. 내 혼이 빠져 나가 맞은편에 앉아 있었다. 내가 영혼을 본 것은 아니었다. 그 영혼이 껍데기인 나를 마주보고 있었다. 그것은 거울 속에서 나를 보아온 것과는 달랐다. 나도 나의 영혼도 불구자처럼 연약한 것이었다. 나는 두려웠다. 그러나 아이는 태어나게 하고 싶었다. 나는 배를 끌어안았다. 그 순간에는 그런 느낌이 들었다. 아이를 낳는 것은 머리 위에 꽃을 피우는 것과 같다고……아니다. 결코 그게 아니었다. 그보다는 내가 다른 존재의 둥근 무덤으로 썩어 갈 수는 없다는 생각이 들었다. 그러니 죽어 가면서도 기어이 해야 할 일이란 아이 낳는 일이었다.

사위가 어두워졌다. 공기 속에 작은 날벌레가 가득하다. 눈앞의 사물을 거의 분간할 수가 없다. 물고기들의 숨쉬는 소리가 들린다. 흡사 비가 내리는 소리 같다. 물은 이제 약간 굳은 젤리 같다. 발을 딛으면 끈적끈적 달라붙을 것같이……저수지가 도로를 지나는 자동차의 불빛들이 검은 수면에 유황빛을 던지고 사라져 간다. 제 갈 길로 가는 것들의 아름다움……별도 달도 해도 사랑하는 사람의 운행도 실은 그런 것이겠지.

푸른 산에 깃들인 검은색, 물에 깃들인 검은색, 하늘에, 헛것 속에 깃들인 검은색……버드나무 속에 깃들인 검은색, 풀밭 위에 깃들인 검은색. 어둠은 사물들의 본질과는 섞이지 않고 그저 하룻밤 묵어 가는 길손처럼 사물들의 지붕 밑 방에 들었을 뿐이다.

그네에서 내려서려는데 어둠 속에서 누군가 다가온다. 오한이 등줄기를 파고든다. 나는 가능한 한 태연하게 서 있다. 그는 87년형 고물 트럭을 몰고 다니는 미꾸라지잡이 사내이다. 그는 마흔 후반이거나 쉰 초반으로 보인다. 매일 소주를 서너 병씩 마신다니, 생김새에 비해 나이는 더 적을지도 모른다. 그는 저수지 아래 마을에서 아흔 살에 접어든 노모와 사는데 땅 한 뙈기 없이 모심기 철이 끝나면 미꾸라지 잡는 일을 하고, 가을에는 농장을 돌며 감 따는 일을 하고, 겨울엔 하우스 일을 하고, 봄엔 약 치고 못자리 가는 일을 하며 일 년 내내 몸을 파는 노총각이다. 성이 송씨여서 마을 사람들은 송이라고 부른다.

송은 내가 이 집에 세들기 전부터 한여름엔 늘 이곳 저수지 마당에 와서 잠을 자온 사람이라 한다. 원래부터, 라고 하니까 그게 십 년인지, 이십 년인지, 삼십 년인지 알 수 없지만 긴 시간인 것 같다. 그는 이제 이곳에서 자면 안 된다는 것을 술 마시기 전에는 알아듣지만, 술에 취하면 결국 이곳으로 와서 뻗어 버린다. 송은 뚜껑 대신 잔을 뒤집어씌운 반쯤 남은 소주병을 들고 내 곁에 주저앉았다. 머리는 길어서 더벅하고, 가슴께는 좁고 길며 다리는 야위고 짧다. 그리고 눈 속은 붉고 코는 누군가에게 세게 얻어맞은 듯 이지러졌다. 그러나 그런대로 얌전한 편이고 여태껏 나를 귀찮게 한 적도 없으며 무례하지도 않았다. 나는 일어서려던 자세를 고쳐 그대로 그네에 앉아 있다. 송은 잔에다 소주를 따라 내게 건넸다. 나는 말없이 받아 마셨다. 송은 이미 술이 잔뜩 취해 있었다. 그는 낮이고 밤이고 늘 취한 상태여서 차 사고도 잦았다. 불과 얼마 전에도 사고를 내어 트럭의 차문짝을 갈아끼운 전과가 있었다.

"그렇게 늘 음주 운전을 하다가 죽으면 어떻게 해요? 늙으신 어머니는 아무것도 모르고 기다리실 텐데."

사고를 낸 날 내가 말하자 그는 싱글싱글 웃었다.

"명이 다되었으면 죽어야지요. 죽을 운이 들면 천하장사도 재벌도 대통령도 별수가 없어요. 그렇지만 운이 안 들면 저승사자라 해도 나 같은 놈 하나를 어떻게 못하죠. 하늘이 안 받아 주면 못 죽는다구요. 그러니 나야 술이나 마시는 것이고, 살고 죽는 건 하늘의 몫이지요."

서쪽 하늘엔 달이 도끼날처럼 날카롭게 박혀 있었다. 남자는 나머지 술을 병째로 벌컥벌컥 삼키고 그네 아래 풀밭에 그대로 드러누워 코를 곤다. 나는 횟집 남자를 깨워 그를 내쫓을까 하다가, 여러 차례 반복된 일이라 유난을 떠는 것 같아서 그만둔다. 대신 근처의 늙은 쑥을 뜯어 모깃불을 피워 주고 작업실 문을 연다. 문틈에 노래기가 잔뜩 끼여 있다가 수많은 발들을 놀려 수선스럽게 달아났다. 나는 남자를 돌아보다가 방문을 단단히 걸어 잠근다. 문짝에 거미 한 마리가 붙은 채로 들어왔다. 거미는 죽은 척 꼼짝도 하지 않는다.

가스 레인지에 찻물을 올리고 냉장고 속에서 먹을 만한 것을 모두 꺼내 테이블 위에 펼쳤다. 파인애플 통조림과 냉동 피자, 식빵과 버터, 아이스크림, 오렌지 한 알과 딸기잼 따위이다. 모든 것이 차갑고 축축하다. 테이블 위에 이내 물이 고인다. 나는 우두커니 앉아 있다가 찻물이 끓자 불을 꺼버린다. 아무것도, 갑자기 뜨거운 커피 한 모금조차 입 안에 넣고 싶지가 않았다. 나는 조금씩 물방울을 흘리는 먹을 것들을 다시 차례차례 냉장고 속에 집어 넣는다. 빈 테이블엔 물이 흥건하다.

"보살님 그만 우시오. 원래 가장 착한 자식이 가장 깊은 상처를 입히는 법이라오. 착한 자식은 전생에 가장 독한 악연이어서 어려서는 온갖 재롱을 떨고, 자라면서는 혀라도 빼줄 듯 살갑게 굴다가는 어느 날 갑자기 독사처럼 어디 맛 좀 봐라 하고는 뒤통수를 치는 법이라오. 원래 그러려고 태어난 목숨 제 뜻대로 갔으니 눈물로 붙잡지 말고 훌훌 떠나 보내시오. 눈물이 옷자락에 너무 맺히면 저승길 무거워서 질질 끌고 간다오."

사십구재 때 목탁을 두드리던 비구니 스님이 목이 찢어지도록 울어대는 엄마를 그렇게 달랬다. 그 말에 엄마는 무슨 생각이 떠오른 듯 잠시 울기를 잊고 고요해졌었다.

그 기억을 떠올리자 나는 오히려 좀 울고 싶어진다. 그것은 요의나 재채기와도 비슷하다. 나는 갑자기 두 손으로 얼굴을 덮고 울다가 물이 고인 테이블 위에 얼굴을 엎는다. 나는 두려웠다. 진이 왜 그랬는지 이해하고 싶었고, 또 진이 나를, 여전히 마른 땅을 딛으며 살아가고 있는 나의 인생을 이해해 주기를 바랐다. 그러나 진은 왜 그랬을까……나는 진을 여전히 이해하지 못하고 있고 그것이

나를 두렵게 한다.

돌이켜보면, 진은 보통의 사람보다 죽음을 더 가까이 느끼고 있었다. 진은 한여름 천지를 뒤덮은 짙푸른 초록도 죽음으로 보았다. 어느 해 여름, 아이의 유치원이 방학 기간이었던, 열흘 정도를 모처럼 친정에서 보냈다. 그 기간은 마침 아버지가 구 박 십 일 간의 외국 여행을 떠난 시기이기도 했다. 그 열흘 간 집에는 나의 딸까지, 여섯 명의 여자만 지냈다. 여자들은 저녁마다 감자와 미역줄기를 볶고 얼음 띄운 미역냉국을 만들고, 풋고추를 잔뜩 썰어 넣은 부추전을 구웠다. 그리고 밤늦도록 옥상에 모기향을 피우고 금세라도 떨어져서 눈에 박힐까 걱정될 정도로 커다란 별무리 아래서 노래하고 떠들고 여러 장을 잇대어 깐 돗자리 위에서 뒹굴었다. 밤늦도록 그렇게 떠들고도 여름의 잠은 짧아서 진과 나는 새벽마다 산책을 하곤 했다. 한여름 아직 해 뜨기 전의 시간, 그것은 빈집의 마루에 엎질러진 흰 우유 같은 평화로운 시간이었다. 우리는 새벽마다 슬리퍼를 끌며 차를 몰고 나가 긴 치마가 이슬에 젖어 무거워지도록 못가 길을 걸었다. 못가 깨밭엔 깨꽃들이 피었다가 떨어지고, 고추밭엔 푸르던 고추가 붉게 익어 갔고, 콩밭엔 콩넝쿨이 넘쳐나 길을 지나 못으로 뻗어 나왔다. 무덤가엔 삐삐풀과 괭이밥풀, 제비꽃 같은 여린 풀들이 잎사귀마다 예닐곱 개씩 이슬을 매달고 있었고……우리는 산딸기를 따먹으며 간간이 웃음을 터뜨렸다. 여름 그 긴 아침들. 진은 그런 어느 날 산과 들을 향해 문득 중얼거렸다.

"무서워. 저 초록이 무서워. 얼마나 많은 죽음을 삼킨 색인지…… 초록의 뿌리는 죽음이야. 죽음을 빨아들인다구. 이 여름은 죽음이 너무 무성해."

그 말을 하고 난 뒤 진은 내게 또 불쑥 말했다.

"언니, 내가 왜 이러지? 왜 초록이 무섭지? 이상하지 않아? 이렇게 환한 날에도 왜 이렇게 앞이 캄캄할까? 아침에 눈뜰 때마다 누군가 금을 긋는 것 같아. 내 머릿속에 더 이상 계획이 없어. 영화가 끝났을 때처럼……어떤 영화는 터무니없이 짧아."

때로는 죽음이 어느 날 사람을 덮치는 것이 아니라 사람이 한 발 한 발 아주 오랫동안 그곳으로 다가가는 것만 같다. 흡사 중독 현상처럼, 어쩌면 뇌에 입력된 프로그램처럼……어떤 사람은 끊임없이 도넛을 먹으면서 다가가고, 어떤 사람은 매일매일 술을 먹으면서 다가가고, 어떤 사람은 점점 더 짜게 먹으면서 다가가고, 어떤 사람은 조금씩조금씩 액셀러레이터를 밟으며 다가가고, 어떤 사람은 조금씩 더 과로한 짐을 지며 다가가고, 어떤 사람은 살금살금 교통 신호를 어기면서 다가가고, 어떤 사람은 조금씩 더 깊은 잠을 자며 다가가고, 어떤 사람은 더 먼 바다로 나아가며, 어떤 사람은 더 험한 계곡을 오른다. 그리고 어떤 사람은 하루하루 그냥 여기까지라고 느낀다. 날마다 치사량의 독을 먹으며 생이 중독이든, 죽음이 중독이든 상관없이 그냥 끝이라고, 여기까지라고. 더 이상 아무런 계획도 없는 것이다. 그리고 정말로 끝이 온다.

천둥과 번개가 치고 비가 폭포처럼 퍼부었던 밤이었다. 마루에는 밭에서 딴 붉은 고추가 가득히 널려 있었고 고추를 말리기 위해 불을 넣어 집은 후텁지근했고 축축한 매운내가 자욱했다. 그날 미는 밤이 깊도록 집에 돌아오지 않았다. 미에게는 아버지가 알면 당장 다리를 부러뜨리려고 들 비밀스러운 연인이 있었다. 미의 고등학교 수학 선생님이었던 남자였다. 그는 당시 상처한 지 사오 년 되었고, 열한 살 난 딸과 여덟 살 난 아들이 있었다. 미는 그 남자를 사랑하고 있었다. 미의 나이 스물다섯 살, 그 남자 나이 서른아홉 살이었다. 그날따라 아버지는 일찍 들어오셔서 꼿꼿하게 앉아 미를 기다렸다 한다. 그 바람에 엄마와 진은 퍼붓는 비를 맞으며 대문간을 오락가락했다. 밤이 깊을수록 더 자주 천둥번개가 쳤다. 새벽

한 시가 되도록 미가 들어오지 않자 아버지는 엄마 탓을 하며 화풀이를 했다. 그리고 벽에 등을 대고 깜박 잠든 진을 깨워 미가 있는 곳을 추궁했다.

진은 으레히 그랬듯이 말없이 버텼다. 아버지는 입을 다문 그 표정에서 진이 미 있는 곳을 알고 있다는 것을 확신했다. 아버지와 진의 그 지독한 대결이 또 시작되었다. 이번엔 엄마마저 고통을 느꼈다. 시간이 새벽 두 시쯤 되었을 때 아버지는 진의 따귀를 때렸다. 진은 두 눈을 똑바로 뜨고 아버지를 노려보며 진실을 가혹하도록 그대로 말했다.

"지금 미는 어떤 남자와 있어요. 그래요. 둘이 한 방에서 자고 있을 거예요. 그 남자는 미의 고등학교 때 수학 선생님이었어요. 성은 남씨이고 나이는 서른아홉 살이에요. 부인은 돌아가셨고, 아이가 둘 있어요."

그 말이 끝나기도 전에 아버지는 흡사 눈앞의 아이가 미이기라도 한 듯 진의 따귀를 서너 번 더 후려쳤다. 진은 아버지를 똑바로 노려보며 소리질렀다.

"미는 그 사람을 사랑하고 있어요. 미가 그 사람과 결혼할 수 있도록 허락해 주세요. 아버지 제 말을 꼭 들어주세요. 미를 그 사람과 결혼시키세요. 어차피 내일 아침에 눈을 뜨시면 아버지는 모든 것을, 모든 것을 후회하게 될 거예요. 아버지가 옳다고 지키며 살아온 그 인생 전부를요."

아버지는 지금 당장 미를 찾아오라며, 진을 현관 밖으로 끌어내었다. 진은 마당에서 퍼붓는 비를 맞으며 고집스럽게 그대로 앉아 있었다. 엄마는 아버지와 진 사이를 오락가락하다가 지쳐 마루에서 잠이 들어 버렸다. 비는 계속 퍼부었고 천둥번개가 쳤다.

진은 그날 밤 네 시, 집에서 삼 킬로미터쯤 떨어진 국도에서, 빗길에 달려오는 자동차를 향해 들어갔다. 진은 품속에 핏물에 젖은 유서를 간직하고 있었고 운전하신 분께 미안하다고 써놓았다. 덕분에 애인을 태운 이십대 초반의 남자애는 결백을 입증받았다.

유서에 쓰인 내용은 저 세상에서 미가 그 남자와 결혼하는 것을 보겠다는 것. 침대 밑에 있는 자신의 일기장을 군대에 가 있는 남자에게 보내 달라는 것. 그리고 미와 엄마를 자기 목숨보다 사랑한다는 말, 그것이었다. 미는 다음해 봄에 그 남자와 결혼을 했다. 그러나 결혼 생활은 불행했던 것 같다. 어느 날 술에 취한 미가 팔을 휘두르며 진에게 욕을 퍼부었다.

"귀신 같은 년, 네가 뭔데 남의 운명을 결정짓니? 네가 내 행복에 대해 뭘 알아? 나쁜 계집애……네가 날 망쳐 놨어. 언제나 넌 내 인생을 지배했어. 아무도 안 믿겠지만, 그 계집앤 내 인생을 좌지우지하는 데에 제 목숨을 건 거야. 어릴 때부터 그랬어. 아주 어릴 때부터 내 인생을 조종해 왔어. 교묘하게, 아무도 알아채지 못하게, 나 자신조차도 모르게. 그 계집앤 결국 나를 저로 착각하고 제 실연당한 괴로움을 나에게 푼 거야. 그 남자가 받아 주지 않으니까, 그 남자 가슴에 뛰어내리지 못하고 내 속으로 곤두박질한 거야. 내 가슴에 못이 되어 꽝꽝 박혀서 영원히 존재하려고……단 하룻밤 내가 그 남자 방에서 지냈다고 해서 나를 구덩이에 내던져 영원히 벌을 받도록 한 거야."

미는 결혼한 지 일 년 만에 이혼을 했다. 진이 없는 미의 생활은 방향이 없는 듯 갈팡질팡했고 흡사 절름발이가 걷는 듯 위태롭게 삐걱거렸다. 미는 이혼 후 속셈 학원 교사, 양품점 점원, 학습지 지도교사 등을 전전했고, 그때마다 변변찮은 남자를 만나 나중에는 헤어지기 위해 끔찍한 수난을 겪었으며, 요즘은 속셈 학원 교사로 일하는데 알코올 중독 증상까지 보이고 있었다. 미는 진을 미워하고, 자신을 저주한다. 엄마가 진의 영혼을 결혼시키려는 이유도 어쩌면 살아 있는 미 때문일 것이다. 엄마는 진이 미의 영혼을 놓아 주지 않고 산 채로 나락에 빠뜨렸다고 느낀다.

진을 잃은 뒤에도 간혹 거리에서 진을 본 적이 있었다. 버스 정류장에서, 백화점의 저편 에스컬레이터에서, 사람들에게 둘러싸여 걷는 번화한 거리에서 커다란 빵가게에서, 공중 목욕탕, 팬시점, 지하도 계단, 워드프로세서 자격증 학원 입구에서……몸에 붙는 바지나 아주 짧은 스커트를 입은 여자애들. 그제야 나는 느꼈다. 진의 표정이 항상 어두웠다는 것을. 자그마한 키, 통통한 다리, 길고 억센 머리카락, 가무스름한 얼굴, 약간 추운 듯이 보이는 어두운 표정. 진처럼 아주 작은 사무실의 타이피스트 같은 그애들……나는 그녀들을 세워 말을 걸고 싶었다. 가령, 직장은 어디냐? 꿈이 무어냐? 남자 친구는 있느냐? 어떤 남자를 만나고 싶으냐? 무엇을 배우고 싶으냐? 좋아하는 색깔은 무엇이냐? 좋아하는 가수는? 가고 싶은 곳은 어디냐? 갖고 싶은 것은……그렇다. 진에게 그런 것을 물어 보았어야 했다. 나보다 일곱 살이나 어린 나의 여동생에게. 나는 내 곁의 한 존재가 느껴야 했을 행복에 무관심했다. 큰언니야, 부르던 음성과 낙지 같은 열 개의 손가락이 이렇게도 살을 파고드는데, 나는 그 아이 이름을 커다란 소리로 불러 본 기억조차 없다. 손을 내밀면 허공중에 만져질 듯 파르르 떨리는 두 눈, 따뜻하고 촉촉하고 자그마한 두 손, 남몰래 상처를 받았을 고집스러운 얼굴. 조심하지 않고 터뜨리던 귀를 쟁쟁거리던 웃음소리……서로가 영사막에 스쳐 지나는 환(幻)에 불과한 이 삶에서 한 존재가 정말로 사라졌다는 것을 받아들이기는 영영 불가능한 일이 아닐까. 우리들 존재란 만날 때는 허술하게 비켜 가고, 잔상을 통해 오히려 마음속에 각인되고, 죽음을 통해 하나의 존재로 완성되는 까닭에.

엄마는 요즘 진을 부른다. 전엔 세상이 다 무너질 것만 같아, 차마 입에 올리지 못한 이름이지만, 이제는 한밤중에 깨어서 진아,

하고 불러 본다고 한다. 그냥 옆방에 자는 아이 부르듯이, 한낮에 도 햇볕이 쏟아지는 바깥을 향해 진아, 불러 본다 한다. 사무실에서 일하고 있는 듯이 생각하면서. 저녁에도 진아, 하고 부른다고 한다. 밥때가 되었는데 너는 바깥으로 싸돌아만 다니는구나, 하면서……그러면 부름 속에 한움큼 따스함이 그애에게로 가는 게 느껴지고, 또 그 따스함이 엄마에게로 되돌아온다고 한다. 그래서 요즘은 낯 두껍게도 진이 그냥 살아서 돌아다닌다고 생각한단다. 이상하게도 그래도 이젠 큰 차이가 없다고, 삶이 그렇게 허술하더라고, 정말 못 고칠 것은 죽음밖에는 없다고…….

우윳빛 물안개가 아직 자욱한데 벌써 파라솔을 편 낚시꾼들이 저수지가에 드문드문 보이고 희디흰 새들이 저수지가의 갈대숲에 떼지어 앉아 있다. 안개는 아침빛을 받아 도로 물 속으로 가라앉는 듯하다. 송씨는 여전히 그네 아래에서 자고 있다. 나는 쌀을 씻다가 멈추고 우두커니 송씨를 쳐다보았다. 그의 몸이 어딘가 이상하게 보인다. 송씨는 엎어진 자세로 풀숲 속에 얼굴을 박고 있었다. 고춧독에 빠졌다 나온 듯 몸이 붉은 잠자리 두 마리가 어깨와 머리카락 위에 앉았지만 얼어붙은 것 같은 빈약한 몸뚱이는 미동도 하지 않는다. 밤새 모기에게 뜯겨 뒤척이다가 아침녘에야 잠들었는지도 모른다. 나는 쌀을 씻어 밥을 안치고, 양말과 걸레를 씻어 아침볕에 널었다. 그리고 작업실 안에 수북하게 쌓인 죽은 날벌레들을 쓸어 내고 바닥을 닦고 밥을 먹고, 설거지를 하고 양치질과 세수를 하고 외출 준비를 하는 동안 틈틈이 일을 멈추고 그를 살펴보았다. 그는 한결같은 자세로 엎드려 꼼짝도 하지 않는다. 그의 몸 아래 차가운 정적이 느껴진다.

나는 습관대로 오전 독서를 두어 시간 하고 서둘러 외출 준비를 하고 나오다가 그네 아래를 힐긋 쳐다보았다. 그는 아직도 풀숲에 얼굴을 처박은 상태로 엎어져 있었다. 자물쇠를 잠그는 손이 떨렸다. 나는 급하게 몸을 돌려 몇 걸음 걷다가 발을 멈추고 뒤돌아보았다. 역시 잠든 남자의 발 부분이 풀숲 사이에 들려 있다. 나는 그네 아래에 누운 남자에게 천천히 다가갔다. 남자가 숨을 쉬고 있는지 살피기 위해 눈을 커다랗게 떴으나 그의 엎드린 자세 때문에 확인이 되지 않는다.

"여보세요……여보세요……."

그는 꼼짝도 하지 않는다. 나는 허리를 굽히고 그의 등을 손가락으로 찔렀다. 냉기가 바늘처럼 손가락을 되찌른다. 밀랍처럼 살이 들어가지 않는다. 그 순간 나는 그의 몸이 굳었다는 것을 안다. 걸음을 옮기는데 다리가 휘청거린다. 나는 몇 걸음 걷다가 달리기 시작한다. 횟집의 부엌문을 열고 나는 그대로 서 있다. 장어 배를 가르던 아주머니가 칼을 든 채 돌아본다. 나는 입을 열지 못한다.

"…… 왜 그러고 섰어요?"

나는 내가 달려나온 곳을 향해 손짓을 한다. 그리고 입을 연다. 입이 비틀어지는 것 같다.

"사람이 죽었어요. 송씨가요……."

아주머니는 눈을 동그랗게 뜬 채 마주보더니, 뒤늦게야 말을 해독한 듯 부엌에서 나온다. 아주머니는 그럴 리가 없다고 여기는 듯 슬리퍼를 직직 끌며 예사롭게 걸어갔다. 흡사 며칠 전 술 취해 쓰러진 송씨를 깨우러 갈 때와 똑같은 걸음이었다. 나는 아주머니가 그네 쪽으로 다가가는 것을 보고는 넝쿨나무 아래 평상에 주저앉는다. 귓속에 이명 현상이 일어나 윙윙거렸다. 감각이 평행을 잃은 것 같다. 평상 위 넝쿨나무 지붕이 빙빙 돈다. 그리고 눈앞이 하얗게 가려진다. 나는 귓속에 손가락을 넣어 휘저었다가 손가락으로 두 눈두덩을 눌렀지만 여전히 눈앞은 두꺼운 안개가 낀 듯 흐릿하다. 몸에서 식은땀이 빗물처럼 흐르고 뭔가 몹시 뜨거운 것을 먹고 싶다. 추웠다. 나는 몸을 떨었고 호흡 곤란을 느꼈다. 그리고 토할 것만 같았다. 흐릿한 시야 너머로 아주머니가 뭐라고 외치며 달려오는 것이 보였다. 아주머니가 바로 앞에 와서 서자, 나는 앉은자리에서 뒤로 꽈당 넘어져 버린다.

아주머니가 내 옷들을 풀고 몸을 주무른다.

"주단이야. 주단!"

아주머니는 둘러선 가족들에게 소리를 질렀다. 나는 정신을 놓친 채 캄캄하고 차가운 어둠의 홀로 맹렬하게 빨려 들어간다. 내 몸 안에 비누 거품이 일어나는 것 같았다. 바늘을 가져오라는 아주머니의 음성이 아득히 먼 곳에서 들렸다. 그리고 나뭇가지같이 딱딱하고 큰 손가락이 입 안에 들어와 목구멍을 휘저었다. 지독한 이물감이다. 나는 거부하고 싶지만 비명을 지르지도 못한다. 아주머니는 구급차를 부르라고 소리치며 나의 열 손가락을 바늘로 찌른다. 짐승의 머리 같은 것은 좁은 뱃속을 확 잡아당기며 목구멍으로 쑥 올라온다. 나는 울컥울컥 토해 냈다. 두려움과 불쾌감이 가시고 차츰 편안해지더니, 몸이 깃털처럼 가벼워지면서 몸이 열리는 듯한 황홀감이 몰려 왔다. 그때 느닷없이 잊고 있었던 꿈의 뒷부분이 떠올랐다. 어쩌면 그것은 떠올린 것이 아니라, 내가 꿈속으로 아득히 들어갔던 것인지도 모른다.

내 손에는 감자 껍질을 벗기던 커다란 부엌칼이 쥐어져 있습니다. 노을에 젖어 얼굴이 황금빛인 남자가 부엌문 앞에 서 있습니다. 아들의 울음소리가 들립니다. 나는 앞으로 다가가고 사내는 천천히 뒷걸음질 칩니다. 그 불길한 사내의 얼굴은 희미하게 웃습니다. 나는 그 얼굴을 기억해 냅니다.

그는 지난밤 그네 아래서 잠자다가 밤 사이에 죽은 사내입니다. 그는 돌을 들고 나를 뒤쫓았던 남자이며, 머리카락이 긴 소녀의 머리를 돌로 부수뜨린 남자이며, 칼을 높이 들어 생선을 토막내던 남자입니다. 그리고 내 악몽 속에서 뒷모습으로 서 있는 남자입니다. 그 남자도 나를 기억하는 듯합니다. 남자가 히죽 웃습니다. 나의 손이 떨립니다. 남자는 뒤로 물러나다가 어느 사이 방향을 바꿉니다.

시간은 전혀 흐르지 않습니다. 여전히 황혼녘입니다. 아름다운 황금빛 들판과 키 큰 밀밭이 휘청 흔들립니다. 그는 이제 집을 향해 한 걸음씩 뒤로 물러납니다. 나는 그렇게 하고 싶지 않습니다. 그러나 어떻게 남자의 방향을 바꿀 수 있는지 알지 못하기에 그를 집으로 계속 몰고 갑니다. 그의 손아귀에는 돌이 쥐어져 있습니다. 언제 주워 올렸는지 혹은 어디서 꺼냈는지 알 수가 없습니다. 그 돌은, 감자알만한 내 아들의 머리 크기와 같습니다. 나는 경악합니다. 어디선가 많은 처녀들이 나타나 남자와 나를 둘러쌉니다. 그러나 그들은 모두 바라만 볼 뿐입니다. 황금빛 머리카락을 가진 나의 아름다운 여동생도 그 속에 있습니다.

그녀는 눈물을 흘리지만, 나를 도울 수는 없는 모양입니다. 나는 마비된 듯 방관하는 세계 속에서 남자를 향해 칼을 겨눕니다. 남자는 나를 두려워하지 않습니다. 그는 농담을 거는 야바위꾼처럼 웃고 있습니다. 남자는 이제 부엌문의 손잡이를 잡습니다. 그때 나의 여동생이 무서운 얼굴로 남자와 나 사이로 들어섭니다. 그러자 다른 아가씨가 여동생의 허리를 잡고 또 다른 아가씨가 다른 아가씨의 허리를 잡습니다. 길다란 띠처럼 허리를 잡은 아가씨들이 남자를 가운데로 넣고 윤무를 춥니다.

이제 남자는 보이지 않습니다. 나는 눈을 커다랗게 뜨고 빙빙 도는 원을 노려봅니다. 희미한 비명 소리가 들립니다. 그리고 남자가 보입니다. 그는 여동생의 허리를 잡고 원을 돌고 있습니다. 여동생이 무서운 얼굴로 가느다란 비명을 지릅니다. 비명 소리가 계속해서 들립니다. 나는 칼을 높이 쳐듭니다. 사내의 흰 목이 내 눈앞에 커다랗게 멈춥니다. 나는 사내의 목에 부엌칼을 꽂습니다. 사내의 목이 도화지처럼 찢어집니다. 피는 한 방울도 나지 않습니다.

나는 현실과 꿈의 좁은 틈에서 안도감을 느끼며 키 큰 밀이 익어가는 아름다운 황금빛 들판을 잠시 바라봅니다. 머리가 감자알만한 내 아들은 여전히 부엌에서 타박 감자를 먹고 있습니다. 나는 꼭 내 머리만한 돌을 들고 나의 그림자를 추적하는 죽음의 얼굴을 압니다. 그것은 바로 내 몸 안에 있고, 아직은 레일처럼 평행선을 가고 있지만 어느 날엔가는 나도 나의 여동생처럼 그에게 지게 될 것입니다. 그러면 그 어둡고 좁은 골목에서 한 남자가 나의 길을 가로막고, 그리고 누구도 알지 못하는 그런 일이 일어나겠지요.

매미

최 수 철

1958년 강원도 춘천 출생.
서울대 불문과 및 동 대학원을 졸업하고,
1981년 《조선일보》 신춘문예에 〈맹점〉이 당선되어 등단했다.
작품집으로 《공중누각》·《화두, 기록, 화석》
《고래 뱃속에서》·《어느 무정부주의자의 사랑》
《벽화 그리는 남자》·《배경과 윤곽》 등이 있다.
제17회 이상문학상·윤동주문학상을 수상했다.

매미

1

나는 이곳이 어딘지 모른다. 세상은 어둡다. 조금 전에 지나쳐 온 가로등의 희미한 불빛이 어슴푸레 사위를 밝히고 있을 뿐이다. 아까부터 내 오른쪽에서 사람 키 높이의 담장이 줄곧 나와 동행을 하고 있다. 내가 걷고 있는 길의 바닥은 포장이 되어 있고, 담 안쪽으로 키 큰 나무 여러 그루가 나뭇잎 무성한 가지를 길 쪽으로 내뻗고 있다. 그러나 나는 이곳이 어딘지 모른다. 얼마 전부터 나는 내가 있는 곳이 어딘지도 모르는 채 살고 있었다. 그리고 나는 어딘지도 모르는 채 그 장소에 익숙해져 왔다. 어쩔 수 없이 아마 이번에도 그러할 것이다.

바람이 불어 오고 있었던 모양이었다. 바닥에 떨어진 낙엽들이 이리저리 쓸리고 있었다. 그런데 아직 한여름이 채 끝나지 않은 시기에 낙엽이라니. 게다가 대기 중에는 바람 한 점 없었다. 습기를 잔뜩 머금은 찌는 듯한 더위는 아무런 방해도 받고 있지 않았다. 그러고 보니 이상한 점이 몇 가지 더 있었다. 그 낙엽들이, 아니 내가 낙엽이라고 여겼던 것들이 그냥 되는 대로 나뒹굴고 있는 것이 아니라, 내 발길이 가까워질 때마다 살아 있는 생물처럼 소스라치듯 놀라서 부르르 몸을 떨며 빙글빙글 도는 것이었다. 눈앞에서 벌어지는 상황을 두 눈으로 보면서도 믿을 수 없었던 나는 발끝에 힘을 주어 조심스레 앞으로 내디뎠다. 그러나 사정은 달라지지 않았다. 내가 움직일 때마다 여기저기에서 그 낙엽 같은 것들이 단말마의 고통에 사로잡힌 작은 곤충처럼 필사적으로 날갯짓을 하며 맴을 돌았다.

오오, 나는 걸음을 멈추었다. 잠시 후 내 발 주변의 그 격한 소란도 차츰 가라앉았다. 그리고 그때 나는 그것들, 그 작은 프로펠러 같은 것들은 살아 있는 생물, 다름아닌 매미들임을 깨달았다. 낮 동안에 나뭇가지에 매달려 그토록 모질게 울어대던 매미들이 어찌된 일인지 풀 한 포기 없는 이 딱딱한 바닥에 집단으로 떨어져 내려 마지막 숨을 몰아쉬고 있다가, 예기치 못한 인간의 발길에 놀라 파닥거리는 것이었다. 그 순간 나는 두 발이 얼어붙는 것을 느꼈다. 이 조용하고 어두운 곳에서 나는 낯선 존재들이 그리는 작은 원들에 의해 포위되고 그 원들의 함정에 빠졌으며, 이제 비로소 나는 내가 어느 곳에 있는지 알 수 있었다.

2

나는 기억 상실자이다. 기억 상실증 환자라는 말도 있기는 하지만, 애초에 나는 기억 상실증 그 자체는 병이 아니라고 생각했다. 이를테면 인간의 뇌와 관련된 하나의 물리적인 현상으로 간주했던 것이다. 컴퓨터의 시스템에 일시적으로 에러가 발생하여 데이터의 일부가 날아가 버린 경우처럼 말이다. 그러나 달리 생각할 여지가 있기는 하다. 인간의 뇌가 현재의 컴퓨터보다 훨씬 정교하고 복잡하다는 점을 감안한다면, 좀더 근본적으로 그러한 시스템상의 에러는 분명 지금 나의 뇌 속에서 진행중인 이름 모를 질환의 한 증상일 수도 있는 것이다. 하지만 그럼에도 나는 내가 종전의 나와 크게 달라졌다고는 생각하지 않는다. 단지 내가 잠깐 동안 나 자신으로부터 비켜나서 그 옆에 서 있다고 믿고 있는 것이다. 내가 기억상실증 환자라는 말보다는 기억 상실자라는 말을 고집하는 것도 그런 뜻에서이다.

여하튼 내가 과거의 나와 결별하고 지금 이 상태의 나로서 다시 태어난 것은 바로 오늘 아침의 일이다. 잠의 바다에서 꿈의 풍랑에 이리저리 밀리며 표류를 하다가, 문득 눈을 떴을 때 처음 내 감각을 깨워 놓은 것은 매미 울음소리였다. 그 소리는 아주 가까이에서 들려 오는 듯 너무도 생생해서 이제 막 잠의 자궁을 벗어난 태아나 다름없는 나를 단번에 휘감아 버렸다. 나는 반사적으로 사지를 움직여 보았으나 도저히 그 소리로부터 벗어날 수가 없었다. 조금씩 나는 마치 살충제에 노출된 벌레처럼 마취가 되어가고 있었다.

그 때문이었는지 차츰 나는 배영의 자세로 사지를 쭉 펴고서 물에 떠 있는 듯한 느낌 속으로 빠져들었다. 그 자세는 조금이라도 물결이 일렁이면 무너질 수밖에 없게 마련이지만, 그런 일만 생기지 않는다면 그보다 더 편안함을 느낄 수 있는 경우도 드문 것이다. 한동안 나는 매미 울음소리로부터 부력을 받으며 현실의 수면 위에 아슬아슬하게 떠 있었다. 그러나 그 편안함도 그리 오래 가지 않았다. 이윽고 수면이 흔들리면서 점점 더 높아지더니 바로 그 매미 울음소리가 갑작스럽게 공격성을 드러내며 내 코와 귓속으로 쏟아져 들어오기 시작한 것이다.

나는 입과 코로 푸아 숨을 내쉬며 자리에서 벌떡 일어나 앉았다.

오랫동안 발이 바닥에 닿지 않아 허공에서 버둥거리다가 이제 마침내 디딜 곳을 찾게 된 것이었다. 나는 내가 속옷 차림인 것을 확인하고서 눈을 크게 뜨고 주위를 돌아보았다. 그러나 나로서는 내가 있는 곳이 어딘지 알 수 없었다. 나는 머릿속이 딱딱하게 굳어 버린 것 같은 거북함을 느끼며 다시 자리에 드러누웠다. 눈에 들어오는 실내의 풍경을 찬찬히 더듬어 보니 그곳은 여관방인 것 같았다. 활짝 열린 창문을 통해 환한 햇살과 더불어 매미 울음소리가 온전히 밀려 들어오는 것으로 미루어 보아 아마도 도시 근교의 모텔에 들어와 있는 것으로 생각해야 타당할 듯했다. 세상은 너무도 환했고 날씨는 찌는 듯이 더웠다. 그러나 나는 그다지 땀을 흘리고 있지 않았다. 마치 오랫동안 신진대사를 멈추고 시체처럼 누워 있었던 것 같은 기분이었다.

시간이 지나도 내가 어디에 있는지 알 수 없는 막막함은 가시지 않았다. 그러나 사실 그런 막막함은 내게 그리 낯선 것이 아니었다. 예전에도 나는 밤중에 자다가 눈을 떴을 때 주변이 조금이라도 낯설게 느껴지면 그곳이 어딘지 잊어버리고서 놀라고 당황했던 기억이 많았다.

지난번 언제였던가, 산행을 했을 때 새벽이 멀지 않은 깊은 밤에 비가 억수같이 내렸고 정전이 되었으며, 아마도 산장이었던 것 같았는데, 바람마저 어찌나 센지 기둥이 흔들리고 천장이 들썩거릴 지경이었다. 내가 잠에서 깨어났을 때, 이미 다른 사람들은 모두 일어나 앉아 촛불을 켜놓고 둘러앉아 두런두런 이야기를 나누고 있었다. 그 순간 미처 영문을 알 수 없었던 나는, 곳곳에서 타오르고 있는 불꽃과 벽에 걸려 있는 크고 작은 그림자들과 진하고 연한 실루엣 등등, 실내의 그 기괴한 광경에 놀라 허둥거리며 밖으로 뛰어나갔다. 세상은 온통 캄캄했다. 세상은 암흑의 덩어리 그 자체였다. 그 속에서 나는 더 이상 어디로도 나아갈 수 없었다. 내가 정신을 차린 것은 떨어져 내리는 굵은 빗줄기에 맞아서 얼굴이 아프도록 얼얼해졌을 때였다. 그러고 보면 그때 내 귓전을 울리던 빗소리도 지금의 매미 우는 소리와 거의 흡사했다.

이번에도 나는 단지 그런 증세가 좀더 심해졌을 뿐이라고 생각했다. 그리고 좀더 시간이 지나면 모든 기억이 원래의 자리를 되찾으리라고 믿었다. 나는 다분히 의식적으로 여유 있는 미소를 입가에 떠올렸다. 그러나 나는 사실은 그와는 정반대로 점점 더 깊은 수렁에 빠져들고 있음을 알고 있었다. 나는 어떤 생각도 제대로 진척시켜 나갈 수가 없었다. 그저 매미 우는 소리에 귀청이 얼얼해진 채, 그 소리에 수동적이고 맹목적으로 공격을 받고 있을 뿐이었다.

그때 문득 나는 방금 머리에 떠올렸던 지난번 산행이 언제 누구와 어디로 갔었던 것인지 전혀 기억할 수 없다는 것을 깨달았다. 그날 새벽에 있었던 일과 아침에 수도까지 끊겨서 빗물로 세수를 하고 식수로 이를 닦던 일 등등은 장면마다 선명하게 머리에 각인이 되어 있는데, 아무리 애를 써도 그 앞과 뒤는 백지처럼 깨끗이 지워져 있었다.

어느 새 나는 깊은 물 속에 잠겨 있었다. 나는 나도 모르는 사이에 내가 알지도 못하고 원하지도 않는 곳으로 잠수를 하여 들어와 있었다. 점점 더 가슴이 무거운 것에 내리눌리는 것 같고 호흡이 가빠지는 것은 분명 수압 때문이었다. 그리고 그 답답함과 거북함 속에서 그 동안 줄곧 머릿속에 눌러 놓고 있던 두려움이 천천히 고개를 쳐들기 시작했다.

지금까지 살아오면서 나는 한 번도 내가 누구인가 하는 질문을 나 자신에게 해본 적이 없었다. 그런 질문을 하지 않아도 되었다거나 그러고 싶지 않았기 때문이 아니었다. 그보다는 그런 질문의 행위 자체를 두려워했기 때문이었다. 당연히 메아리가 돌아오리라고 기대하고서 외쳤다가 아무런 소리도 들려 오지 않는다면 어쩔 것인

가. 내가 누구인지 물었다가 아무런 대답도 돌아오지 않는다면 어떻게 한다는 말인가. 그렇다면 괜스레 그런 상황을 자초할 필요는 없지 않겠는가. 요컨대 나는 내가 누구인지 내게 물었다가 영영 내가 누구인지 모르게 될까 봐 두려워했던 것이다.

그러나 이번에는 그 질문을 피할 수가 없었다. 결국 나는 집요하게 나를 가로막는 위기감을 밀쳐 버리고서 조심스럽게 내게 물었다. 나는 누구인가. 내가 소리내어 발음한 그 말이 잠시 매미 울음소리에 섞여서 내 귓가를 떠돌았다. 그러나 그뿐, 우려했던 대로 아무런 대답도 들려 오지 않았다. 메아리조차 돌아오지 않았다. 남아 있는 것은 온통 매미 우는 소리뿐이었다. 다시 주위를 둘러보니 전화기가 눈에 띄었다. 그러나 내가 내게 전화를 건다 해도 아무도 받지 않을 것이었다. 나는 내가 누구인지 기억할 수 없었다. 결국 그렇게 되고 말았다. 그 동안 줄곧 두려워하던 일이 현실로 닥친 것이었다. 나는 기억 상실자였다.

3

매미들은 실로 극성스럽게 울어대고 있었다. 그 소리는 내 청각을 지배하고 있었을 뿐만 아니라 멋대로 내 안을 드나들고 있었다. 처음에 그 소리는 절규처럼 들렸다. 삶의 환경이 척박해지고 주변의 소음이 높은 데시벨을 기록하게 되자 매미도 점점 더 악을 쓰듯 울어대고 있다는 것은 어제 오늘의 일이 아니었다. 언젠가 한 번은 매미가 방충망에 매달려 날개를 비벼대던 것을 본 기억이 있었다. 어렸을 적에 키 큰 나무 밑에 서서 목을 뒤로 꺾고 아무리 올려다보아도 보이지 않던 매미가 더구나 아랫배를 내게 고스란히 드러내고 있는 모습을 가까이서 들여다보고 있자니 실로 격세지감을 느끼지 않을 수 없었다. 그런데 기억이라니. 나는 기억 상실자가 아닌

가. 그 생각이 들자 다시금 머릿속에 구멍이 뻥 뚫리면서 눈앞의 사물들이 하얗게 바래어 갔다.

나는 힘들여 자리에서 일어났다. 머리가 어질어질했고 두통도 느껴졌다. 도무지 내가 입고 다녔던 것으로 여겨지지 않는 바지를 들고서 주머니를 뒤지니 지갑이 나왔다. 그 안에는 주민등록증과 신용카드가 들어 있었다. 그제서야 나는 안도의 숨을 내쉬었다. 비록 기억을 상실한 것이 사실이라 하더라도 내가 누구인지 알아낼 수 있는 확실한 단서는 남아 있는 셈이었다. 잃어버린 기억만 되찾으면 되는 것이고, 내 현실은 전혀 훼손되지 않은 채 온전히 유지되어 있다고도 말할 수 있었다.

그러나 그로 인해 한편으로는 적잖이 맥이 빠지기도 했다. 이야기 속의 주인공처럼 기억뿐만 아니라 자기가 가진 모든 것을 잃고서 정처없이 헤매다가, 길모퉁이를 돌면 담배 가게가 있다는 사실을 자기도 모르게 본능적으로 상기해 내거나 주머니에 들어 있는 열쇠와 꼭 맞는 자물쇠와 우연히 마주치거나 하여 천천히 망각의 미로를 빠져 나오는 극적인 일이 내게는 일어나지 않을 것이기 때문이었다. 그런 낭만적인 행로 대신에 내 앞에는 내 소유의 것으로 짐작되는 몇 가지 물건을 증거물처럼 손에 들고서 그것들이 원래 속해 있던 자리를 하나하나 찾아 나가는, 이를테면 극사실주의적인 과정이 놓여 있는 것이었다.

당연한 말이지만, 지금 나로서는 내가 누구인지 모르는 것은 물론이고, 내가 어떤 부류의 인간인지도 알 수 없었다. 지갑과 신용카드, 그리고 주민등록증에 기재된 사항들도 모두 내게 낯설기만 했다. 최모라는 내 이름도 내게 조금도 익숙한 느낌을 불러일으키지 않았다. 그러나 사진만은 나의 것임을 알아볼 수 있었다. 어렴풋하긴 했어도 다행히 나는 그런대로 내 얼굴을 기억하고 있어서 일부러 거울을 찾을 필요는 없었다.

나는 반가움을 느끼며 한동안 그 사진을 들여다보았다. 그러다가 문득 나는 사각형 모양으로 생긴 구멍 안을 들여다보고 있는 듯한 느낌을 받았다. 그리고 그 구멍 안에서는 누군가의 눈이 나를 빤히 바라보고 있었다. 나도 그 눈을 정확히 응시했다. 그때 나는 그것이 또 다른 나의 눈임을 깨달았다. 그 다른 나의 눈이 나를 들여다보고 있는 것이었다. 나는 깜짝 놀라 구멍에서 눈을 뗐다. 그러고는 눈을 지려감았다가 다시 떴지만, 놀람의 여운은 섬찍함으로 남아서 계속하여 온몸으로 찌르르 번져 나갔다.

나는 허둥거리고 있었다. 낯설다는 느낌도 이제는 거의 새삼스러운 것이었고, 그렇듯 낯설어하는 나 자신도 내게는 낯설었다. 아니, 낯설음의 단계는 이미 넘어서서 어색함과 거북함에 가까이 다가서 있었다. 그렇다면 이제 나는 지금의 나 자신을 지켜보아야 했다. 나는 내가 세상에 대해 어떤 반응을 보이는가를 유심히 살피고 그 반응의 성격을 따져 봄으로써 나라는 존재가 누구인지, 어떤 인간인지 알아내야 했다. 열쇠는 내 속에, 오직 내 속에만 들어 있는 것이었다.

옷을 입고서 방을 나오기 전에 나는 탁자 위에 걸려 있는 거울로 내 외모를 슬쩍 훔쳐보았다. '훔쳐보다'라는 표현이 실로 적절한 것이었다. 방금 나는 알지도 못하는 타인을 빤히 바라보는 무례를 범하여 공연히 상대방의 기분을 상하게 하는 일이 없도록 각별히 조심한 것이었다. 그러고 보면 나는 제법 조심성을 갖춘 사람인 모양이었다. 예상했던 대로 내 외모는 내게 아무런 감흥도 불러일으키지 않았다. 사실을 말하자면 나는 약간 실망했다. 내게서는 어떤 특징적인 인상도 눈에 띄지 않았기 때문이었다.

주민등록증에 따르면 나는 나이가 서른다섯 살이었고, 주거지는 서울이었다. 아마도 아직 결혼은 하지 않은 것 같았는데, 확인해 보기 전까지는 알 수가 없는 일이기는 했다. 기혼과 미혼 중에 어느 쪽을 원하는가, 나는 내게 지나가는 투로 물어 보았으나, 긍정도 부정도 아닌 시큰둥한 반응만이 돌아왔다. 내가 만약 결혼을 하지 않았다면 바로 그런 면 때문이었을 것이며, 결혼을 했다 해도 같은 이유에서였을 것이다. 주머니 속에는 열쇠 뭉치와 더불어 호출기도 들어 있었다. 처음에 나는 그것이 무엇에 쓰이는 물건인지 알 수 없어서 한동안 손 안에 넣고 만지작거렸다. 그러나 대개의 경우 기억 상실은 기본적인 생활에 불편을 초래할 정도에까지 이르지는 않는다더니, 나의 경우도 마찬가지였다. 나는 이내 호출기의 사용법을 되살려 냈다. 호출기 안에는 세 개의 전화번호와 두 개의 음성 정보가 들어와 있었다. 나는 전화기를 바라보며 망설이다가 그냥 방을 나왔다. 아직 나는 준비가 되어 있지 않았다. 하기야 어떻게 해야 준비를 하는 것인지도 알 수 없는 노릇이었다.

4

문을 나서며 무심코 상의의 오른쪽 주머니에 손을 넣자 봉투 같은 것이 만져졌다. 꺼내 들고 보니 과연 봉투였고, 안에는 종이가 한 장 들어 있었는데, 거기에는 컴퓨터로 작성하여 프린터로 인쇄한 글귀가 적혀 있었다. 나는 문틀에 기대어 서서 그 글을 읽었다.

언젠가 너와 대화를 나누다가 문득 깨달은 사실이 있다. 우리 둘은 열심히 말을 주고받고 있었다. 그러나 우리는 서로가 상대방이 하는 말에 귀를 기울이고 있으면서 거기에 대답할 적당한 말을 찾는 것이 아니었다. 그 대신에 우리는 애초에 상대방이 말을 시작할 때부터 어떻게 하면 저 말에 좀더 그럴듯하게 대응할 수 있을까 하는 생각에만 골몰하고 있었던 것이다. 거기에 생각이 미친 순간, 나는 한동안 망연자실 말을 잃고 말았다. 너는 갑자기 내 표정이 변한 것을 보고서 왜 그러느냐고 물었다. 그리고 내가 방금 가졌던 생각을 털어놓자, 너도 또한 말을 잃었다. 우리는 대화를 한 것이 아니라, 이를테면 응수에 응수를 거듭하고만 있었을 뿐이었다.

따지고 보면, 이런 일은 우리들 사이에서 비일비재하게 일어나고 있다고 해도 과언이 아니다. 그리고 당연히 그런 경우에는 상대방이 무슨 말을 하든, 그리고 그 말에 내가 어떻게 대답하든 별로 중요하지 않게 된다. 그저 임기응변과 즉흥적인 말재주만이 관건이 되는 것이다. 게다가 대화가 이루어지는 동안에는 우리가 의식하든 의식하지 않든 간에 주도권의 다툼이 이루어지게 마련이다.

물론 지금 나는 다분히 과장되게, 그리고 지나치게 비관적으로 대화라는 행위에 접근하고 있는 것이 사실이다. 어찌 모든 대화가 그러하겠는가. 그러나 내가 정작 우려하는 바는 대화가 그런 식으로 끝나고 난 다음의 상황이다. 대화를 인간들이 맺는 관계의 꽃이라고 할 수 있겠지만, 자칫 방심하면 나비가 날아가고 그 자리에 남는 것은 그 나비가 벗어 놓은 허물뿐인 경우가 적지 않다. 그 허물마저 너무도 허약하여 약간의 바람에 땅으로 굴러떨어져 먼지처럼 스러진다. 이처럼 우리가 나비를 놓치고 단지 허물만을 붙든 채 구색 맞추기에 급급하는 일이 우리 사이에 흔치 않다고 어찌 말할 수 있을까. 그러니 우리의 대화가 핵심은 사라진 상태에서 헛되이 그 윤곽과 골격만으로 유지되는 경우를 어찌 경계하지 않을 수 있을까.

읽기를 마쳤을 때, 나는 눈앞이 아찔해지는 것을 느꼈다. 이 글 속에서 '나'가 나인가, 아니면 '너'가 나인가. 이 글은 누가 쓴 것인가. 누군가가 내게 보내는 메시지인가. 내가 누군가에게 보내려던 메시지인가. 혹시 내가 나 자신에게 보내는 메시지인 것은 아닐까. 나는 눈에 보이는 세상이 자꾸 쩍쩍 갈라지는 것을 목도하고 있었다. 그 동안 내가 세상의 말에도, 나 자신의 말에도 귀를 기울이지 않았음을 질책하며 어떤 미지의 인물이 일종의 경고를 보낸 것은 아닐까. 이 글이 나의 기억 상실과 어떤 관련이 있는 것은 아닐까.

그때 글을 읽느라고 잠시 잊고 있던 매미 울음소리가 다시 내 귓구멍을 점령했다. 그와 동시에 나는 글 속의 나비 대신에 매미들이 허물을 벗고서 하늘로 날아 올라가는 환영을 보았다. 내 주위에는 온통 그 허물들, 다리를 앞쪽으로 오므리고 등이 째진 허물들이 널려 있었다. 그리고 그 순간 나는 그것들이야말로 내 기억의 흔적임을 깨달았다. 내 기억의 실체들이 껍데기만 남겨 둔 채 나비처럼, 매미처럼 어디론가 날아가 버린 것이었다. 나는 떨리는 손으로 그 허물들을, 그 껍데기들을 하나씩 집어들고서 안을 살펴보았다. 그러나 그 많은 것들이 하나도 예외 없이 텅 비어 있었고, 내 손 안에서 어이없이 부서지고 있었다.

나는 봉투와 종이를 되는 대로 접어서 주머니에 쑤셔 넣고는 도망치듯 그곳을 떠났다. 붉은 양탄자가 깔린 통로를 지나 계단을 통해 일층으로 내려가는 동안 나는 조금씩 안정을 되찾을 수 있었다. 아마도 그 모텔의 너무도 진부한 실내 장식과 구조가 처음으로 내게 익숙함을 느끼게 했고, 그 덕분에 나는 좀더 빨리 현실감을 회복할 수 있었던 것 같았다.

프런트 앞에는 주인 사내가 서 있다가 마지막 계단을 내려서는 나를 물끄러미 바라보았다. 그의 눈에 탐색하는 듯한 심상치 않은 기색이 들어 있는 것으로 보아, 아마도 어젯밤 내가 이곳에 들어올 때 그의 시선을 끌 만한 어떤 유별난 행동을 한 것이 아닐까 싶었다. 하지만 그렇다고 간밤의 일을 그에게 물을 처지가 아니었다.

가까이 다가가서야 나는 러닝 셔츠를 걸치고 있는 주인 사내의 팔뚝과 어깨 여기저기에 문신이 새겨져 있는 것을 보았다. 바다색의 형상과 문자들이 그가 움직일 때마다 바람에 쓸리듯 흔들리고 있었다. 문신이라면 아마도 무엇인가를 잊지 않고 기억할 수 있는 가장 효과적인 방법일 것이었다. 이 자는 대체 과거의 무엇을 잊고 싶지 않아서 제 몸에 저렇듯 직접적으로 글자와 그림을 입력시켜 놓은 것일까. 그렇다면 이제 내게 필요한 것도 이런 문신 같은 것이 아닐까. 그리고 어쩌면 텅 빈 내 머릿속에도 문신처럼 지워지지 않고 남아 있는 무엇인가가 들어 있는 것이 아닐까. 나는 그러리라고 믿었다.

그는 내가 자신의 문신을 유심히 바라보고 있다는 것을 눈치채고서 자기 쪽에서도 눈동자를 굴리며 나를 훑어보았다. 나는 주머니에서 열쇠를 꺼내 들면서 혹시 어제 내가 자동차를 타고 왔느냐고 그에게 물었다. 그는 아무런 표정의 변화도 없이, 당신이라면 능히 그런 질문을 할 수 있는 사람이라고 말하는 듯이 고개를 끄덕이고는 대답 대신 손을 들어 현관 앞 주차장의 한쪽 구석을 가리켰다.

그때 프런트 맞은편 쪽에 있는 식당의 문이 열리면서 주인 사내의 아내인 듯한 중년 여인과 종업원이거나 아니면 부부의 딸일지도 모르는 젊은 여자가 걸어 나왔다. 두 사람은 주인 사내를 보고는 깜짝 놀라는 표정을 지었고, 사내는 짐짓 사납게 눈을 부라렸다. 그러자 어린 여자가 갑자기 악의에 찬 표정을 짓더니 두 손으로 주먹을 움켜쥐고는 주인 사내 쪽으로 불쑥 내밀었다. 그 자리에 있었던 사람들 중에 가장 많이 놀란 표정을 지은 것은 나이 든 여자였다. 그녀는 황급히 어린 여자의 두 주먹을 잡아당겨 자신의 가슴에 품고는 그녀의 등을 떠밀며 얼른 뒷문 쪽으로 종종걸음을 쳤다.

나로서는 전후 맥락을 전혀 알 수 없기는 했어도, 여하튼 그 광경은 다분히 희극적이었다. 그러나 대부분의 경우에 영문을 알 수 없는 희극은 그 속에 당사자들의 비극을 담고 있는 법이었다. 실제로 그때 나는 불현듯 내 속에서 뭔가 아주 뜨거운 듯하면서도 섬찍할 정도로 차갑게 느껴지는 덩어리 같은 것이 불쑥 생겨나는 것을 느꼈다. 뜨겁다고 느꼈던 것은 그것이 내 몸의 일부이기 때문이었고, 차갑다고 느꼈던 것은 그것이 내 몸의 일부였다가 이미 내게서 떨어져 나왔기 때문인 듯했다. 여하튼 그 덩어리는 곧 뭔가에 놀란 짐승처럼 내 속을 마구 헤집고 다니기 시작했다. 그리고 그 갑작스런 감각의 혼란에 떠밀린 나는 두 여자를 붙들고서, 저 남자가 당신들에게 무엇이냐고, 저 자는 왜 저런 표정을 짓고 있는 거냐고, 밤에 잠은 제대로 잤느냐고, 내가 이대로 떠나도 되겠느냐고, 나와 함께 가지 않겠느냐고, 아아 정말 산다는 게 참으로 힘들다고, 그러나 너무 낙심하지 말라고, 나는 기억을 잃었다고, 그런 나도 살아 있다고, 당신들은 잃은 게 없냐고, 당신들도 기억을 잃어서 이러는 게 아니냐고, 나는 괜찮다고, 걱정하지 말라고 등등 입에 담기는 대로 끝없이 묻고 말하고 싶은 충동에 사로잡혔다. 요컨대 나는 까닭 모를 불쾌감과 거북함의 늪에 빠져서 마구 떠벌림으로써 그 늪으로부터 벗어나려 하고 있었다.

나는 나 자신의 그런 반응에 흥미와 호기심을 동시에 느꼈다. 내가 생각하기에 나라는 존재는 엉뚱하고 충동적이며 공연히 조바심을 치는 면이 있는 모양이었다. 그러나 이미 두 여자는 사라진 뒤였다. 나는 새삼스레 아쉬움을 느꼈다. 어쩌면 방금 나는 나 자신에게 충격 요법을 가할 기회를 잃은 것인지도 모르기 때문이었다.

내가 그 자리에서 머뭇거리고 있자, 주인 사내가 얼떨결에 자존심을 손상당했음이 역력한 얼굴로 나를 노려보았다. 그러고는 뻣뻣한 목소리로 내게 말했다.

"그런데 댁은 언제부터 그렇게 되었수? 항상 그런 식이요?"

나는 거의 반사적으로 그의 말을 받았다.

"글쎄요, 그건 내가 나한테 묻고 싶은 말입니다만."

우리는 한동안 똑같이 멍한 눈빛으로 서로를 바라보았다. 나한테나 그한테나 그보다 더 좋은 대답은 따로이 없을 것이었다.

5

나는 자동차에 올라서 열쇠로 시동을 걸었다. 계기반에서부터 시작하여 모든 것이 생경하게만 여겨져서 한동안 얼떨떨하긴 했지만, 다행히 그런대로 운전을 할 수 있었다. 나는 주행 거리가 십만 킬로를 넘긴 낡은 차를 끌고 주차장을 벗어나서 오른쪽으로 방향을 잡았다. 그리고 교차로가 나올 때마다 계속하여 오른쪽 길로 접어들었다. 미로에 갇혔을 때 우왕좌왕하기보다는 한쪽으로만 계속 나아가는 것이 그 미로를 벗어나는 방법일 수 있다는 생각에서였다. 그러다가 이윽고 서울 쪽 방향을 알리는 이정표와 만났을 때 비로소 나는 오른쪽 방향을 버렸다.

산자락을 휘감아 돌고 있는 국도는 한산했다. 나는 어제 내가 이 길을 따라 망각의 세계로 들어섰듯이, 이제 다시 이 길을 따라 나 자신의 과거 속으로 천천히 들어서고 있음을 알았다. 내 앞에 놓여 있는 시간은 철저히 과거에 속해 있었다. 자동차가 신호등에 걸려서 있을 때, 문득 조수석 바닥에 수첩 하나가 떨어져 있는 것이 눈에 띄었다. 나는 가벼운 긴장감을 느끼며 그것을 집어 들고서 펴보았다.

수첩의 날개 안쪽 부분에는 명함들이 잔뜩 꽂혀 있었고, 각 장마다 약속에 대한 메모나 전화번호 같은 것들이 빽빽히 적혀 있었다. 분명 나 자신이 쓴 것이긴 하겠지만, 글씨체가 영 마음에 들지 않았다. 대부분 뭔가에 쫓기듯 급히 쓰여진 듯한 인상을 주었는데, 무엇보다도 글씨체가 전혀 일정치 않았다. 정신적으로 혼란스럽거나 정서가 불안한 사람의 필적처럼 매번 달라지는 심리 상태를 그대로 드러내고 있어서 같은 사람이 쓴 것이라고 생각하기가 어려울 지경이었다.

그때 나는 지극히 일상적인 메모들 사이에 군데군데 전혀 다른 종류의 글귀들이 끼여 있는 것을 발견했다. 나는 차를 달리면서 페이지를 넘기며 그런 것들을 찾아내어 하나씩 읽어 나가기 시작했다. 그중에 이런 것이 있었다. '그녀는 사계절이 뚜렷한 여자다.' 이건 대체 무슨 말인가. 사계절이 뚜렷한 여자라는 것이 무슨 뜻인가. 그건 그렇고 이런 글귀를 수첩에 적어 넣는 나는 과연 뭘 하는 자인가. 또 이런 것도 있었다. '너희들의 몸으로는 내 욕망에 턱없이 모자르다.' 그런가 하면 이런 것도 있었다. '잠 못 들어 배회하는 자, 잠들지 않기 위해 배회하는 자, 잠든 채 배회하는 자, 잠이라는 배회, 배회라는 잠, 세상은 배회와 잠으로 구성되어 있다.' 순간 나는 탄성을 내지르고 말았다. 그러나 그 탄성은 놀람이나 경탄에서가 아니라 바닥 모를 절망감에서 비롯된 것이었다. 그 말들이 가지는 섬뜩함이 내 속에 깊이 감춰져 있던, 나도 그 존재를 잘 모르고 있던 상처를 날카롭게 건드린 것이었다.

나는 지금 내가 대적하기에 여간 까다롭지 않은 상대와 마주하고 있음을 깨달았다. 나는 그 동안 막연히 짐작했던 것처럼 그리 만만한 인물이 아닌 모양이었다. 그러나 내게는 그 사실이 전혀 달갑지 않았다. 오히려 왜 하필 나는 엉뚱하게도 이런 글을 끄적이며 살아가는 인간인가 하는 억울함이 더 컸다. 그 글귀들은 분명 심정적으로 좌충우돌하며 도처에서 벽에 부딪치고 있는 상황에서 우러나온 것이었다. 사실이 그렇다면 내가 과거를 회복하는 데 성공하는 경우에 다시 그런 부류의 인간이 되어서 살아가야 하는 것이었다. 나는 어느 착잡한 존재의 비밀스런 고통으로 척척히 젖어 있는 동굴 안으로 들어서고 있는 중이었다.

그중에 특히 나로 하여금 혼란스러움을 느끼게 한 것은 이런 것이었다. '누가 나를 잃고서 나를 찾고 있는가—지독한 사랑.' 이 말은 지금 내가 나를 잃고서 나를 찾고 있는 상황을, 그러니까 내가 기억 상실증에 걸리리라는 것을 나 스스로 예고하고 있는 것이 아닐까. 그렇다면 이 글귀는 내가 기억을 잃어버리기 직전이나 직후에 쓰여진 것은 아닐까. 생각이 꼬리에 꼬리를 물고 일어났으나, 그래 봐야 줄 끊어진 연이나 다름없는 것들이었다.

다시금 버릇이 된 듯 숨이 가빠져 왔고, 이마에는 땀이 뱄다. 그 때문에 나는 몇 번이나 길을 잃고 헤매고 나서야 마침내 서울시 경계를 통과할 수 있었다. 도시는 여전했다. 여전하다는 느낌을 받았다는 사실이 나를 조금 느긋하게 했다. 잠시나마 마치 정상으로 돌아온 것 같은 생각이 들었기 때문이었다.

도시에는 길이 너무 많아서 내게는 길이 없었다. 나는 가급적 직선을 그리며 앞으로 나아갔다. 차도 위라서 매미 우는 소리는 들리지 않았다. 그러나 자동차들과 사람들이 매미떼처럼 부산히 움직이면서 요란한 소음을 만들고 있었고, 그 소음이 매미 소리가 되어 내 귓속을 파고들었다. 나는 매미들의 왕국에 발을 들여 놓은 것이었다.

이윽고 나는 자동차를 유료 주차장에 세워 놓고 거리로 나섰다. 사람들 사이에 섰을 때 간간이 불어 오는 바람을 등지고 걷는 쪽을 택했다. 바람에 실려 온갖 냄새가 풍겨 오는 것이 싫었기 때문이었다. 내게는 그런 내가 조금 어처구니없게 여겨졌지만, 개의치 않기로 했다.

우선 나는 은행을 찾아갔다. 돈이 필요했기 때문이었는데, 현금을 인출하기 위해서는 비밀번호를 알아야 했고, 당연히 나는 비밀번호를 알고 있지 못했다. 창구에서 번호를 확인하는 절차를 밟고 있던 중에 나는 약간 긴장했다. 아까부터 이유를 알 수 없는 고통의 기미가 조금씩 점점 더 강하게 감지되고 있었기 때문이었다. 문득 나는 내가 중산층일 것이라고 생각했다. 경제적으로 중산층일 뿐만 아니라, 모든 면에서 중간 계층에 속할 것이었다. 은행에 들어왔을 때부터 나를 누르고 있는 이 거북함, 그리고 이 약간의 안도감도 모두 그 때문일 것이 분명했다. 나는 중소 도시에서 태어났으며 모든 면에서 중간쯤 되는 위치에 있는 인간일 것이다. 그러나 어찌 보면 중간이라는 것은 존재하지 않는 것이나 다름없는 것이었다. 적어도 중간에는 있다고 다행스러워하는 것보다 유치한 노릇은 없었다. 중간은 양 끝을 위해 존재하는 완충 지대 같은 것일 수 있었다. 어쩌면 내가 기억을 잃어버린 것도 그 때문일 것이었다.

은행 안에서도 여전히 매미 우는 소리가 그치지 않고 들려 왔다. 그러나 일정한 공간 안에 갇힌 채 가만히 앉아서 생각해 보니 그 소리는 바깥에서가 아니라 바로 내 머릿속에서 들려 오는 것이었다. 일단 그렇게 생각하자 너무도 자명한 그 사실을 그 동안 미처 깨닫지 못하고 있었다는 것이 믿어지지 않을 정도였다. 머릿속이 비워지고 대신 그 자리에 매미가, 한 마리인지 여러 마리인지 잘 알 수가 없었으나 여하튼 매미가 들어앉아 있는 것이었다. 내 머릿속은 오랜 가뭄에 시달린 것처럼 바싹 말라붙어 있었기 때문에, 그 메마른 감각 세포에 감지되는 매미의 울음소리는 더욱더 자극적인 것이 되어 있었다. 그리고 줄곧 그 소리에 시달리고 있는 지금 나는 내 머릿속에 들어와 있는 것인지도 모르는 일이었다.

나는 중산층의 소시민답게 만 원권 지폐 십여 장으로 지갑을 채우고서 은행을 나왔다. 내게는 여전히 갈 곳이 없었다. 주민등록증에 기재되어 있는 나의 현주소로 찾아가 볼까 생각해 보기도 했지만, 그 생각만으로도 나는 당장 숨이 막혀 왔다. 적어도 지금으로서는 '집'이라고 부르는 곳으로 가는 것이 별 의미가 없을 것 같았다. 어차피 나는 내 머릿속에 생겨난 블랙홀 속에 들어와 있으므로, 이 상태에서는 집이라는 공간도 또 다른 블랙홀에 지나지 않을 것이었다.

6

나는 스스로 고행길에 나선 왕자처럼 모험을 감행하기로 했다. 그때 나의 눈에 신경정신과 간판이 들어왔다. 나는 망설이지 않고 그곳으로 찾아 들어갔다. 심한 운영난에 시달리고 있는지 병원 안은 한산하면서도 어수선했고, 이십대 초반쯤 되어 보이는 간호사의 얼굴에는 날개가 상한 나방이 한 마리 앉아서 퍼득거리고 있었다. 그러나 진찰실에 앉아서 나를 맞는 의사의 표정은 사뭇 달랐다. 그는 사십대 후반의 나이에도 불구하고 짓궂어 보이기까지 하는 호기심을 노골적으로 드러내고서 나를 바라보았다.

그와 마주앉을 때, 문득 머리를 스치는 생각이 있었다. 그와의 대면을 싸움이라고 생각한다면 그 싸움은 내게 유리한 것이 될 것이라는 예감이었다. 적어도 나는 미로 속에 있었고, 그는 미로 밖에 있었기 때문이었다. 나는 내가 기억 상실증에 걸렸다는 이야기를 할 때도 내 쪽에서 돈을 지불한다는 데서 오는 당당함을 유지했다. 의사는 간신히 웃음을 억누르는 듯한 묘한 표정으로 나를 유심히 살폈다.

그는 내게 계속 말을 시키면서 간간이 정감 어린 목소리로 질문을 던졌다. 그와의 대화에서는 아무런 문제도 없었다. 사람의 말이라는 게 어차피 주고받는 것이어서, 상대방의 말을 적당히 되치거나 받아넘기기만 하면 그런대로 적절한 대답이 되는 법인데, 이번처럼 피차 뜬구름 잡기 식의 경우에는 더더욱 그러한 법이었다. 한 가지 다소 특별한 점이 있었다면, 그나 나나 자기의 말이 너무 상투적인 것이 되지 않도록 하기 위하여 적잖이 애를 쓰고 있었다는 것이었다. 나는 매순간 그럴 필요가 전혀 없다는 것을 절감하면서도 마치 없는 사실을 지어 내서 상대방을 설득해야 하는 사람처럼 가급적 절실한 어법을 취하려 했고, 그는 가능한 한 내 말의 빈틈을 비집고 들어와서 그 속에 주인처럼 자리를 잡으려 하고 있었다. 그러나 나로서는 그 점만은 용납할 수 없었다.

그러다 보니 어떤 때는 그가 자못 근엄한 어조로 나의 뇌에 청진기를 가져다 대고서 직업적이고 전문적인 발언을 하고, 나는 공연히 일종의 죄의식을 느끼며 말을 얼버무렸다. 그리고 또 어떤 때는 그가 나를 간곡히 어르고 오히려 내 쪽에서 그에게 분석적으로 따지고 들고 그가 쩔쩔매며 변명조의 말을 늘어놓는 상황도 빚어졌다.

잠시 전장에서의 소강 상태처럼 침묵의 시간이 흐르고 났을 때, 그가 말했다.

"선생 같은 성격에다가 선생 같은 증상이라면 기억 상실이라 해도 그리 나쁠 것도 없겠군요. 과거를 다시 쓰면 되지요. 이혼을 하는 것과 비슷하게 생각할 수 있어요. 어차피 선생에게는 과거가 그다지 중요한 게 아닌 것 같으니까요. 그러니 같은 말을 반복하는 건 이제 피하도록 합시다. 지금 우리는 그림자밟기놀이를 하는 게 아니지 않습니까."

그는 짐짓 내게 깊은 관심을 가지고 있다는 듯 눈을 빛내며 때로 연민 어린 감동을 느끼는 사람처럼 고개를 주억거리기는 하고 있었지만, 내심 나의 태도에 불쾌감을 느끼고 있는 것이 분명했다. 방금 그가 한 말에서 마침내 공격적인 빛을 번득이는 숨은 비늘의 존재가 감지되었던 것이다. 그래서인지 나를 바라보는 그의 얼굴에 얼핏 후회의 기미가 어리는 것이 보였다.

그가 말을 바꾸어야 할 필요를 느낀 사람의 표정으로 다시 입을 열었다.

"그러니까 내가 하고자 하는 말은 이런 겁니다. 우리한테 어떤 기억들은 진통처럼, 그러니까 말하자면 산고처럼 다가옵니다. 하지만 그렇다고 결코 출산으로 이어지는 건 아니지요. 그저 우리의 일부가 되는 거예요. 그리고 오히려 그 편이 다행한 일인지도 모르지요. 아무리 고통스런 추억이나 기억이라 하더라도 어떤 미덕을 가진다면 그런 것이지요. 자연스럽게, 혹은 어쩔 수 없이 우리의 일부가 된다는 것 말입니다. 그런 식으로 우리는 살아남게 되어 있어요. 이건 자연의 법칙이자 생명의 법칙이지요."

그는 제법 노련한 의사답게 갑자기 말을 꺾어서 나를 어리둥절하게 만들었다. 나는 의식적으로 약간 다소곳해진 자세를 취하고서 물었다.

"그렇다면 아까 말했던 것처럼 나한테 매미라는 존재는 대체 뭘까요?"

"그건 그다지 우려할 일이 아닙니다. 정도의 차이가 있을 뿐, 그런 경험은 누구나 하는 것이지요. 어떻게 생각하면 이런 세상에서는 그런 일을 겪는 것이야말로 오히려 민감하게 깨어 있는 상태로 살아가는 것이 되는 셈이지요. 하기야 이런 식의 말은 선생에게 별로 도움이 되지 않을 겁니다. 그럼 내 경험을 하나 이야기할까요? 언젠가 나방 한 마리가 저 유리창에 앉아서 방 안의 불빛을 바라보고 있는 걸 우연히 발견한 적이 있어요. 제법 큼직한 놈이었는데, 어찌나 집중을 하고 있는지 그야말로 넋을 잃고서 탐욕스럽게 빛을 응시하고 있다는 게 여실히 느껴질 정도였지요. 그 후로 나는 나도 모르게 언뜻언뜻 그 모습을 눈앞에 떠올리곤 했지요. 그리고 그때마다 어김없이 넋을 잃고서 내 앞에 있는 것을 뚫어지게 바라보곤 했습니다. 주변의 사람들이 그런 나를 보고서 겁에 질릴 정도였답니다. 그런데 지금 생각해도 놀라운 것은 그때 내가 너무도 편안함을 느끼곤 했다는 겁니다. 나방을 빌어서 나를 잊을 수 있었던 거지요. 그래서 나는 지금도 어떻게 하면 그때 느꼈던 편안함을 다시 느낄 수 있을까 생각하기도 하지요."

"하지만 내 경우는 그보다 훨씬 심각합니다. 나는 벌써 몇 시간째 매미 울음소리에 갇혀 지내고 있습니다. 갇혀 있다는 말은 정확하지 않군요. 그 소리는 내 안과 밖에서 동시에 줄기차게 울리고 있으니까요. 그리고 더욱 우려되는 건 이제 와서는 나 자신이 그 소리가, 아니 그 소리마저 스러져 버리면 어떻게 하나 하는 두려움을 느끼고 있다는 사실입니다. 텅 빈 머릿속에 매미가 들어앉아서 울고 있으니, 그놈마저 날아가 버리면 내 머리는 그놈이 벗어 버린 허물에 불과한 게 되는 셈이지요. 그래서 하는 말인데, 지금 내게 유일한 현실은 바로 그 매미 우는 소리뿐입니다. 내 쪽에서 그 소리에 집착하게 되고 만 거예요. 그러다 보니 때로는 그 극성스런 소리에서 화음과 박자를 찾기까지 하기도 하고, 그런 나 자신이 어이가 없어서 망연자실하기도 하는 거지요."

대화의 국면이 자신에게 유리한 방향으로 나아가고 있음을 감지한 의사는 훨씬 여유로워진 표정으로 말을 받았다.

"사실 나는 기억 상실증이라는 것이 정도의 차이를 두고서 우리에게 상존해 있다고 생각해요. 그리고 현대에 이르러 더욱더 기억을 하는 행위 그 자체가 적잖이 위협받고 있다고도 생각하지요. 그동안 인류가 밟아 온 각 시대를 돌아보자면, 기억을 하는 방식에 있어서도 점차로 변화가, 이를테면 일종의 발전이 이루어져 왔다고 할 수 있어요. 인류 문화의 초기 단계에는 그때그때 실제적인 경험을 통해 과거의 기억이 다음 세대에 전달되고, 여기에 비의적인 전수도 한몫 거들었지요. 그러다가 언어를 통해, 그리고 다음 단계에는 좀더 정치한 형태인 문자를 통해 기억이 이어지고 축적되기에 이르렀어요. 그러면서 경험 그 자체가 언어와 문자로 점점 더 많이 대체되기 시작했지요. 그러다가 알다시피 현대에는 기억이 컴퓨터 따위의 과학적 기술에 크게 의존하게 된 것이구요. 이런 과정은 기억을 하는 데 있어서 경험의 정도가 엷어지고 비의적인 면이 사라지는 과정과 일치한다고 할 수 있어요. 그 결과 정보의 홍수라는 특징을 지니는 현대에는 기억의 질보다는 양이 우선되고, 그 양적인 팽창을 관리하는 방식 내지는 기술이 가장 중요시되지 않을 수 없는 거지요. 그러나 이를 두고 단순히 발전이 이루어진 것이라고 할 수 있는지는 의문이에요. 실체보다는 기술이 최우선의 문제이다 보니, 선생이 방금 말한 것처럼 지금 우리 각자가 지니고 있는 기억이라는 것도 매미가 변태를 하고서 남겨 놓은 허물처럼 우리 속에 자리잡게 되었으니까요. 그렇게 된 건 한마디로 거기에 우리의 땀이 배어 있지 않기 때문이에요. 땀처럼 끈적거리는 것이 전혀 없이 모든 게 너무 건조해요. 허물이라는 게 바로 그렇지요. 얼마나 바싹 말라붙어 있나요. 그러니 우리의 기억도 여차하면 당장이라도 그처럼 간단히 바스라지고 지워져 버릴 수 있는 것이지요."

그는 긴 이야기를 단숨에 끝냈다. 그러고는 자신의 장광설로 상대방을 제압했다는 만족감에 스스로 흡족한 미소를 지어 보였다. 그러나 그는 그 장광설도 한갓 곤충의 허물 같은 것일 수도 있다는 사실은 짐작조차 못하고 있는 것 같았다.

그는 내친김에 나를 완전히 손아귀에 넣겠다는 듯이 의기양양한 목소리로 말을 계속했다.

"그리고 어쩌면 때때로 곤충들이나 동물들이 그런 현대인에게 그동안 잊고 있던 바깥 세계와의 감응의 차원을 열어 주는 게 사실인지도 모르죠. 하지만 현대인에게 차츰 과장하는 버릇이 생겨나고 있는 것도 사실입니다. 개별적인 존재로 생활하는 시간이 상대적으로 많아지다 보니 방금 선생이 말한 대로 편집증적인 집착이랄까 강박관념이랄까 하는 것에 사로잡히게 되고, 그 결과 대외적으로는 더욱더 파행적이고 심지어 극단적인 행태로 빠져들게 되곤 하지요. 그럴 때 별 특별한 이유도 없이 반복적인 소리에 매달리는 경우가 의외로 많아요. 그래서 나는 자주 환자들, 아니 나를 찾아오는 사람들의 강박관념을 알아보기 위해 시계 초침 소리를 활용하곤 합니다. 선생 같은 분들에게 초침 소리를 주의 깊게 듣게 하는 거지요.

잠깐 귀를 기울여서 저 소리를 들어 보세요."

그는 손을 들어 출입문 옆의 벽에 걸려 있는 둥글고 커다란 시계를 가리켰다. 그러고 보니 초침 소리가 제법 크게 들려 왔다. 짐작컨대 일부러 그런 것으로 장만한 모양이었다.

"흔히들 저 소리를 째깍째깍거린다고 표현하지만, 그런 선입관을 버리고 가만히 들어 보면 사람에 따라, 그리고 같은 사람이라고 해도 그때 기분에 따라 전혀 다르게 들리는 겁니다. 강박적인 증상이 심했던 어떤 사람의 경우에는, 저 소리가 '아무튼 아무튼' 하는 소리로 들린다고 하더군요. 그 말을 듣고 보니 그 사람은 평소에 '아무튼'이라는 말을 수시로 사용하고 있었어요. 어떤 이야기를 하다가도 '아무튼' 하고서 다른 이야기로 넘어가고, 남이 하는 이야기를 조용히 듣고 있다가도 갑자기 '아무튼' 하면서 말을 끊고 자기 이야기를 늘어놓곤 하는 겁니다. 의학적으로 설명하자면 그 사람은 뭔가에 제대로 집중을 하지 못하면서도 자기만의 생각에서 벗어나지도 못하는 일종의 도착 증세를 보이는 거지요. 선생의 경우에는 어떻게 들립니까? 매미 소리에서 화음과 박자를 듣는다고 하니, 아마 이번에도 선생만이 들을 수 있는 소리가 있을 겁니다."

나는 그가 시키는 대로 했다. 그러나 갑자기 입을 다물고 가만히 앉아 있자니 아까부터 느끼고 있던 거북함이 점점 더 심해지기 시작했다. 지금 내가 벌이고 있는 일이 지극히 무의미하다는, 말하자면 개떡 같은 것에 불과하다는 생각에서였다. 게다가 내 귓속에서는 여전히 매미 울음소리만이 맴맴거리며 울리고 있었다. 매미 소리를 맴맴이라고 하지 않고 초침 소리를 째깍째깍이라고 하지 않는다면 달리 뭐라고 할 것이며, 설사 다르게 듣는다 하더라도 달라질 것이 무엇이 있을 것인가. 개떡 같은. 그 순간 놀랍게도 그가 장담한 대로 초침 소리가 지금까지와는 전혀 다르게 들려 왔다.

나는 나도 모르게 불쑥 말을 뱉었다.

"내 귀에는 '시루떡 시루떡' 하는 소리로 들리는군요."

나는 말을 마치자마자 소리내어 웃었고 의사도 거의 무의식적으로 나를 따라 웃음을 터뜨렸다. 난데없이 시루떡이라니. 아마도 '개떡'에서 비롯된 것인 듯했는데, 분명 개떡은 아니고 시루떡이었다. 나는 웃음을 멈출 수 없었다. 그러나 의사는 곧 정색을 하고서 약간 벌개진 얼굴로 나를 바라보았다. 어찌되었든 진찰중에 환자의 증상과 관련된 말을 듣고 웃음을 참지 못했으니 의사로서의 위신과 체면에 스스로 손상을 가한 셈이었다. 더욱이 그는 내 말에 다소 모욕을 받았다는 느낌도 가지고 있는 것 같았다. 방금 나는 그 동안 그가 장황하게 늘어놓은 말들이 내게는 '시루떡 시루떡' 하는 소리로 들렸을 뿐이라고 암시한 것일 수도 있기 때문이었다.

그가 호흡을 가다듬고서 말했다.

"재밌군요. 엉뚱하긴 해도 듣고 보니 그렇게 들리는 것 같기도 하네요. 여하튼 더 극단적인 경우도 많았어요. 환자들 중에 세상에 대한 피해 망상증과 공격성이 한데 뒤섞여 있는 이십대 초반의 남자가 있었는데, 저 소리가 '말이지 말이지'라고 들린다고 하더군요. 실제로 그 사람의 말투는 이런 식이었어요. '너희들 말이지, 계속 그랬다가는 말이지, 내가 말이지, 언젠가는 말이지.' 그 친구는 워낙 순진해서 그런지는 몰라도 그런 식으로 자기의 강박관념을 드러냈지요. 하지만 선생의 경우는 훨씬 복잡하군요."

그가 말을 하는 동안에 나는 계속하여 웃고 있었다. 그는 머쓱한 표정을 애써 감추며 말을 이었다.

"아무튼……조금 있다가 좀더 자세히 진찰을 해봐야 하겠지만, 머리 부위에 충격을 받거나 해서 생긴 외상도 전혀 없다고 하니, 일단 너무 걱정할 필요는 없을 것 같군요. 게다가 선생은 무척 명석한 분인 것 같으니, 기왕에 그렇게 된 것이라면 당분간은 차라리 자기 자신과 세상으로부터 자유로워졌다고 생각하세요. 조만간 기억은 돌아올 테고, 그렇게 되면 본인 스스로도 뭔가 새로워진 듯한 느낌도 받을 수 있게 될 겁니다."

나는 여전히 웃음을 멈출 수 없었다. 나는 웃음을 그치지 않은 채로 자리에서 일어나서 그에게 불쑥 손을 내밀었다. 막 간호사를 부르려 하던 그는 놀라서 얼떨결에 내 손을 잡았다. 그러나 곧 내가 떠나려 한다는 것을 눈치채고는 손을 놓고서 어린아이처럼 토라진 표정을 지으며 창 쪽으로 시선을 돌렸다.

나는 말없이 문을 향해 걸어갔다. 그때 문의 손잡이를 잡으려는데, 문득 뒤쪽에서 뭔가 이상한 기미가 느껴졌다. 나는 천천히 뒤를 돌아보았다. 책상 위의 서류를 정리하고 있던 그가 내 눈길을 의식했는지 고개를 들어서 뜨악한 얼굴로 나를 바라보았다. 그러나 그 얼굴에는 나와 보낸 시간의 흔적이 어느 새 깨끗이 지워지고 없었다. 나는 그가 이미 방금 전의 일을 모두 잊어버렸다는 것을 알았다.

나는 돈을 치르고 계단을 내려가며 중얼거렸다. 저 의사야말로 지독한 기억 상실증 환자구만. 저 자야말로 매순간 자기 과거를 잊어버리거나 잊고 싶어하는 거야. 하기야 기억 상실증 환자가 기억 상실증 환자를 치료한다는 것이 그리 크게 잘못된 건 아니지. 그러고 보면 지금의 내 상황도 애초에 돌이키고 자시고 할 수가 없는 건지도 몰라. 진실은 바로 그런 것일 테지. 순간 나는 깜짝 놀랐다. 방금 나는 진실을 말해 버린 것이었다.

7

나는 기억 상실자처럼 공연히 노심초사하는 심정으로 주위를 두리번거리며 길을 걸었다. 나는 내가 기억 상실자라는 사실을 잠시 잊고 있었다. 망각은 결코 망각 자체를 망각하지 않을 터인데, 이제 나는 망각과 각성의 경계를 무시로 넘나들고 있었다. 그렇다면 이제라도 어떤 일을 겪을 때마다 그 일마저 잊어버리게 되지 않을까 주의해야 하는 것이 아닐까. 하지만 내게는 더 잊어버릴 것도 없었다. 어차피 망각으로 인해 생겨난 세계 속에서 잠들고 깨어나는 일을 반복하고 있는 것이니까.

방금 전에 의사는 내게 자유로움을 느끼라고, 과거를 다시 쓰는 셈 치라고 말했다. 실제로 과거를 다시 쓸 수만 있다면 얼마나 대단한 풍요로움을 느낄 수 있을 것인가. 하지만 지금 나는 그와는 정반대로 철저한 불모의 상태에 들어와 있었고, 그로부터 도저히 벗어날 수가 없었다. 매미의 울음소리는 내게 그 사실을 집요하게 환기시키는 장치이자, 불모 그 자체의 상징이었다. 그러나 어찌 보면 풍요로움보다는 불모의 상태가 오히려 자유로움에 더욱 가깝다고 할 수 있을 터였다. 나는 고개를 번쩍 쳐들었다. 이제 비로소 나는 준비가 되었음을 느꼈다. 사람들과 만나고 내 과거의 편린들과 만나고, 그리하여 이 상태에 쉼표든 마침표든 아무 구두점이라도 찍을 마음의 자세가 갖추어진 것이었다. 구둣바닥이 뚜벅뚜벅 규칙적으로 보도를 울리는 소리가 시계 초침 소리처럼 내게 말을 건넸다. '서두르지 마라, 서두르지 마라.'

나는 호출기를 꺼내 들고서 공중전화를 찾았다. 음성 메시지를 듣기 위해서는 우선 내 호출기 번호와 아울러 고유번호를 알아야 했다. 이번에도 나는 은행에서와 비슷한 절차를 거쳐야 했다. 나는 우선 전화번호부를 뒤져서 이동 통신 회사의 전화번호를 알아냈다. 그러고는 오랫동안 전화기를 붙들고서 여자 안내원과 거의 실랑이에 가까운 대화를 주고받은 끝에야 겨우 원하는 번호를 알아낼 수 있었다. 나 자신의 고유한 번호가 도처에서 철조망처럼 나를 가로막고 있었다. 매번 나는 그 앞에서 무기력함에 빠져들었다. 더욱이 이렇게 부딪치는 비밀번호를 하나하나 알아낸다고 해도 가장 결정적이고 최종적인 번호에는 끝내 접근할 수 없을 것이었다.

사서함 속에 들어 있는 두 개의 음성 메시지 중에 첫 번째 것에는 여자의 목소리가 담겨 있었다.

"호출을 해도 응답이 없군요. 대체 어디에 있는 거예요. 언젠가 당신이 그랬지요, 나는 사계절이 뚜렷한 여자라고. 좋아요, 이제는 그 말을 받아들이겠어요. 물론 나는 당신이 무슨 뜻으로 그런 말을 했는지 잊지 않고 있어요. 내 감정이 기복이 심하고 주기적으로 변하는데다가 그때마다 당신에 대한 태도를 달리했으니까요. 그래요, 내 속에서는 계속 계절이 바뀌고 있었어요. 나는 그런 식으로 살아남았어요. 이런 세상에서 달라지지 않고 어떻게 버티겠어요. 나는 그런 나를 탓하지 않아요. 하지만 이제는 그 모든 계절의 변화로 떳떳하게 당신과 마주할 거예요. 그런데 이제는 당신이 달라졌군요. 사실 나는 당신이 얼마 전부터 전혀 다른 사람이 되어 버렸다는 걸 진작에 알고 있었어요. 나는 오히려 그렇게 변한 당신의 모습이 좋았어요. 아니, 당신이 다른 사람이 되어서 좋았다는 게 아니라, 여전히 당신이면서도 또한 당신이 아니어서 좋았던 거예요. 그러니 기왕에 그렇게 된 거라면 잠시 그렇게 머물러 있도록 해요. 당신은 언젠가 당신을 알아주는 건 여자들뿐이라고 말해서 나를 화나게 한 적이 있지요. 내게는 그 말이 너무도 무기력하고 심지어 파렴치한 변명처럼 들렸었어요. 하지만, 좋아요, 그 말도 받아들이지요. 그러니 그 모습 그대로 내게로 와요. 제발 모든 것을 다 잃었다거나 하는 생각은 하지 말아요. 요즘 당신이 하도 오락가락해서 하는 말인데, 내 사무실 전화번호는 3706688이에요. 전화 기다릴게요."

그녀는 내게 '당신'이라는 호칭을 썼다. 그러나 나는 그녀의 이름조차 모르고 있었다. 그래도 여하튼 내게 이 정도의 관심을 가지고 있는 사람이 있었다는 사실을 확인하고 보니 그리 기분이 나쁘지 않았다. 그러나 한편으로는 가까이 지내던 사람이 있었다는 것이 오히려 일종의 반작용처럼 더욱 마음을 무겁게 했다. 그 낯설면서도 친숙한 어떤 존재로 인해 지금 모든 면에서 나의 혼자 있음이 훨씬 버겁게 느껴졌던 것이다.

두 번째 메시지는 남자의 것이었다.

"대체 어디 있는 거야. 호출을 해도 응답조차 하지 않기야. 길게 말하지 않겠어. 내 말 들어 봐. 무거운 건 가볍게 풀고 가벼운 것에는 적당히 무게를 달아 줘야 하잖아. 그리고 기왕에 이렇게 된 마당에 적어도 부장 면전에 사표를 집어 던지는 쾌감은 누려야 하는 거 아니겠어? 그러니 어찌되었든 전화를 해. 잠깐만이라도 만나자구."

전화기를 들고 있는 동안 내 몸에는 후줄근히 땀이 배어 있었다. 그는 누구일까. 두 사람 모두 왜 '기왕에 이렇게 된 마당에'라는 표현을 쓰는 걸까. 단순히 우연의 일치일까. 그들은 내게 지금 내가 처한 상황에 대한 일말의 단서를 제공할 수 있는 것일까.

나는 망설이다가 여자 쪽으로 전화를 걸었다. 저쪽에서 전화를 받았을 때, 나는 한동안 아무 말도 할 수 없었다. 그녀의 이름을 모르니 실로 난감한 노릇이었다. 상대방이 사이를 두고 '누구세요'를 세 번 반복한 후에야 나는 내 호출기 번호를 대고서 내게 호출한 사람을 찾는다고 대답했다. 잠시 침묵이 흐른 끝에 '나예요'라는 말이 돌아왔다. 그녀의 목소리는 차갑게 가라앉아 있었다. 내가 그녀를 찾는 방식에 불쾌감을 느낀 모양이었다. 나는 아무 말도 하지 않았다. 만나지요. 그녀가 조금 초조해하는 목소리로 말했다. 그러고는 한 시간 후에 만날 장소를 내게 일러주었다.

나는 전화를 끊고서 갑작스레 냉혹해진 마음으로 다시 거리로 나섰다. 귓전에서는 여전히 매미 울음소리가 웅웅거리고 있었다. 그러나 오랫동안 전화기에 매달려 있었던 탓인지, 이제 그 소리는 기계음에 거의 흡사하게 변해 있었다. 그 날카로운 울림에 나는 몸이 오싹오싹해지는 것을 느끼고 있었다. 나는 긴장을 하고 있었다.

8

택시가 나를 제시간에 약속 장소로 데려다 주었다. 차에서 내렸을 때 거리에는 어느 새 엷은 어둠이 내려앉아 있었고, 조금씩 더 강하게 압박해 오는 어둠의 무게에 도시 전체가 인공의 불빛으로 저항을 시작하고 있었다. 나로서는 그녀를 알아볼 수 없었던 터라, 약속 시간을 십 분 넘긴 후에 카페 안으로 들어섰다.

나는 천천히 실내를 가로지르며 겉으로 드러나지 않게 주위를 살폈다. 각각의 탁자 위에는 투명한 플라스틱 재질로 만들어진 전화기들이 놓여 있었으며, 전화벨이 울릴 때마다 야광충처럼 번쩍거리며 빛을 발했다. 그 빛은 곤충들 사이라면 또 몰라도 인간들 사이의 만남에서는 오히려 그 아프도록 일상적이고 공허한 면모를 더욱 부각시키는 것이었다. 그때 구석 자리에서 한 여자가 손을 드는 모습이 보였다. 그녀의 맞은편에는 한 남자가 앉아 있었다.

나는 둥근 탁자에 두 사람과 마주하여 앉았다. 그들은 나를 기다리며 맥주를 마시고 있었다. 남자가 내게 맥주를 따라 주었다. 그는 이미 전작이 있는 것 같았다. 술을 보자 비로소 나는 내가 왜 줄곧 입이 마르고 심한 갈증을 느끼고 있었는지 알 것 같았다. 아침에 나를 괴롭혔던 두통도 전날의 숙취 때문인 것이 분명했다. 그런데도 다시금 그렇듯 갈증을 느끼고 입 안에 침이 도는 것으로 미루어 보아 나는 술꾼인 모양이었다. 그러나 나는 술잔에 손을 대지 않았다. 지금으로서는 내가 과거에 습관적으로 했던 행동을 어느 것도 반복할 수 없었다.

대신 나는 아무 말 없이 무표정한 얼굴로 여자의 얼굴을 뚫어지게 바라보았다. 그녀의 얼굴은 밉지 않았다. 자세히 살펴보면 사람을 끌어당기는 면도 지니고 있었다. 그 동안 나는 전에 나와 관련되었던 것들과 다시 만날 때, 나름대로 판단을 내리곤 했다. 최악은 아니다, 그런대로 쓸 만하다, 이건 아니다 등등 대충 그런 식이었다. 거울을 통해 내 몸을 살폈을 때, 내 소유의 자동차를 보았을 때, 그리고 은행에서 통장에 들어 있는 돈의 액수를 확인했을 때에도 나는 그런 판단으로 나 자신의 반응을 대신했다. 그리고 그녀로 말하자면, 나쁜 편은 아니었다.

그녀는 나의 생경한 태도로 인해 어쩔 수 없이 생겨나는 어색함을 애써 내리누르면서 이런저런 질문을 했다. 나는 그녀를 계속하여 뚫어지게 바라보면서 침묵을 지키거나 때로 아주 간단히 대답을 했다. 오래지 않아 나는 동석한 남자가 나의 직장 동료로서 내게 음성 메시지를 남긴 인물임을 알 수 있었다. 그녀가 나와 통화한 후에 그에게 전화를 걸어서 함께 나를 만나러 나온 것이었다. 그는 간간이 대화에 끼여들다가 나의 냉담한 반응에 결국 화가 나버린 모양이었다. 그는 뭐라고 말을 하려다가 그만두고는 고개를 설레설레 저으며 담배를 피워 물었다.

나는 두 사람에게 경어를 사용하는 쪽을 택했다. 내가 말을 할 때마다 그들이 짓는 표정으로 미루어 보아 잘한 결정은 아닌 것 같았다. 그러나 그들은 내가 달라졌다는 사실을 어쩔 수 없이 인정한 것인지 내 말투를 문제삼지는 않았다. 여전히 두 사람의 이름을 모르는 터라, 나는 그들을 부르거나 그들을 주어로 사용하는 말은 철저히 피했다. 그러다 보니 내 어투는 점점 딱딱해지고 차가워졌다. 그와 더불어 나는 그들을 뚫어지게 바라보는 것도 그만두지 않았다. 눈이나 귀가 멀면 다른 감각이 발달하듯이, 나는 기억을 잃어버린 대신 뭔가 얻은 것이 있을 것이라고 믿고 있었다. 아마도 그것은 과거에 대한 남다른 감각 같은 것일 터였다. 나는 거기에 기대를 걸고서 내 과거의 흔적이 묻어 있을 그들의 말과 표정을 탐색하고자 했다.

그들은 계속하여 내게 말을 걸었다. 그러나 그들은 내가 어디에 있는지 모르고 있었다. 그렇기 때문에 나는 그들이 하는 말에 별로 관심이 없었다. 그들도 내가 왜 기억을 상실하게 되었는지, 아니 내가 기억을 상실했다는 사실 자체를 모르고 있었기 때문에 내게 아무런 도움도 주지 못하고 있었던 것이다. 단지 몇 가지 그리 중요하지 않은 정보는 얻을 수 있었다. 남자의 말에 따르면 나는 잡지사에 근무하면서 매달 많은 양의 기사를 썼다고 했다. 그러나 나는 그것이 그다지 중요한 사항이 아니라는 것을 본능적으로 느낄 수 있었다. 그리고 또 그는 내가 이미 오래 전부터 환청을 듣는 증세에 심하게 시달려 왔고 그로 인해 직장에서 문제를 적잖이 일으키다가 결국 어제 사표를 냈다고 했다. 특히 나는 반복적이고 지속적으로 울리는 소리에 병적인 반응을 보여 왔다는 것이었다. 그랬던가. 매미 울음소리 같은 것에 고통을 받는 것이 기억을 잃기 전부터 있었던 일이었던가. 결과적으로 그의 말은 나를 더욱 혼란스럽게 했을 뿐이었다.

여자의 말 중에도 들어 둘 말이 있기는 했다.

"이러지 말아요. 지금까지 당신은 아무것에도 영혼을 싣지 않았어요. 아무것에도 운명을 걸지 않았다구요. 그건 당신도 잘 알고 있잖아요. 그러면서 왜 갑자기 이렇게 문제를 일으키는 건가요. 왜 쓸데없는 일로 고통을 감수하려 드는 건가요."

물론 나는 그 말에도 이렇다 할 반응을 보이지 않았다. 여하튼 그나마 그런 말들을 제외하고는 그들이 하는 모든 말이 내 머릿속을 점령하고 있는 매미의 울음소리와 전혀 다를 바가 없었다.

단 한 번 나는 그들에게 모든 것을 털어놓고 싶은 충동에 사로잡힌 적이 있었다. 나를 바라보는 그들의 얼굴에 절망감이 떠오르는 것을 보았을 때, 나는 내가 어떤 상황에 덜미가 잡혀 있는지 사실대로 말하고서 도움을 청하고 싶었던 것이다. 그러나 곧 나는 부질없는 짓으로 치부해 버렸다. 적어도 지금으로서는 나만이 알고 있는 사실로 덮어 둘 필요가 있었다. 더욱이 나는 그들을 시험에 들게 하고 싶지 않았다. 그래 봐야 공연히 그들을 당황하게 하고 나를 대하는 태도에서 갈피를 잡지 못하게 할 뿐일 것이며, 나 또한 그들과 더불어 점점 더 우왕좌왕하게 될 것이 분명했다. 어차피 내 비밀번호는 나만이 알고 있는 것이었다.

하지만 나도 그렇게 강한 인간인 것만은 아닌 모양이었다. 결국 거북스런 침묵의 순간이 이어지게 되었을 때, 나도 모르게 말 한마디가 입 밖으로 흘러 나왔다.

"나는 혼잔가요?"

나는 혼자인가. 나는 그것만은 그들의 입을 통해 알 수 있기를 간절히 바라고 있었다. 여자 쪽에서 어리둥절한 표정을 지으며 한동안 나를 바라보고 있더니, 미간을 좁히며 말했다.

"혼자냐구요? 무슨 말인지……부모님은 몇 년 전에 돌아가신 걸로 아는데……그게 아니라면……."

나는 아까부터 마치 잃어버린 가족의 생사 여부를 묻고 싶어하는 사람처럼 속으로 애를 태우고 있었다. 그런데 확인해 보니 나는 혼자였다. 새삼스레 나는 돌아가신 부모를 애도하는 심정으로 빠져들었다. 내게는 형제 자매도 없는 모양이었다. 나는 나 혼자 철저히 고립되어 있었다. 그때 나는 내 속에서 무엇인가가 꿈틀거리는 것을 느꼈다. 과거의 내가 지금의 내게 연민을, 일종의 친밀감을 구하고 있었던 것이다. 그러나 나는 단호히 고개를 저었다. 혼자라는 사실이 차라리 다행한 일이었다. 나는 여전히 냉혹했다. 섣불리 감정적인 여백 속으로 빠져들어서는 안 되는 것이었다. 나 자신에게 무자비함을 유지하다 보면 어떤 지극히 명징한 세계와 만날 수 있을 것이었다. 지금으로서는 그 외에 달리 도리가 없었다.

그때 내 앞의 남자가 방금 전까지 내가 그러했듯이 내 얼굴을 뚫어지게 바라보며 말했다.

"그러고 보니 자네가 마지막으로 썼던 그 글이 사표였던 셈이구만. 대화를 나눌 때, 우리는 서로가 상대방이 하는 말에 귀를 기울이면서 거기에 대답할 적당한 말을 찾는 게 아니라, 애초에 상대방이 말을 시작할 때부터 어떻게 하면 저 말에 좀더 그럴듯하게 대응할 수 있을까 하는 생각에만 골몰하는 법이라고 썼던 그 글 말이야. 그런 사표를 쓴 사람은 이 세상에서 자네 하나뿐일 거야. 그래, 그럴 수도 있지. 그래서 혼자 그토록 절망했나? 우리가 자네를 그렇게 절망시켰나? 그래서 이러는 거야?"

적어도 궁금증 하나는 풀린 셈이었다. 그의 말을 액면 그대로 받아들인다면, 내 주머니에 들어 있던 그 글은 직장을 그만두기로 작정을 하고서 내 심정을 밝힌 글이 되는 것이었다. 그리고 그것이 정말로 사표였다면, 나는 실로 엉뚱한 짓을 벌였던 셈이었다.

그가 시선으로 나를 잡아 흔들기라도 하려는 듯이 힘이 잔뜩 들어간 눈으로 나를 쏘아보며 말을 이었다.

"그런데 대체 언제까지 그렇게 아무것도 기억하지 못하겠다는 것 같은 표정만 짓고 있을 거야? 지금 우리를 바보로 만들고 있다는 걸 알기나 해? 이건 도대체가 기억 상실증에 걸린 사람과 앉아 있는 기분이네. 정말로 기억 상실증을 가장하고 있는 건 아니야?"

그가 내 앞에서 기억 상실증에 대해 말하고 있었다. 나는 나도 모르게 웃음이 나오려는 것을 꾹 눌러 참았다. 그러나 이제 그가 이렇듯 격앙된 태도를 보이는 이상 나로서도 더는 침묵을 지키고만 있을 수도 없는 노릇이었다.

"나는 지금 매미 울음소리를 듣고 있는 겁니다. 듣지 않으려 해도 소용이 없지요. 내 속뿐만 아니라, 온 세상이 그 소리로 가득 차 있으니까요."

그때 나는 그가 붉으락푸르락거리는 얼굴로 나를 노려보고 있는 것을 보았다. 말을 하는 동안에도 시종일관 싸늘한 표정으로 상대방을 뚫어지게 바라보는 나의 태도에 그는 질리다 못해 크게 상처를 입은 기색이 역력했다. 게다가 그는 내가 한 말을 오해한 것이 분명했다. 내가 난데없이 매미 운운하는 말로 딴전을 피우면서 그를 놀리고 있다고 생각한 것이었다.

"그게 무슨 뜻이지?"

그가 간신히 화를 억누르며 묻는 말에 나는 담담하게 대꾸했다.

"그건 나도 잘 모릅니다."

"우리가 하는 말이 매미 우는 소리처럼 들린다는 거야? 매미들이 점점 더 극성스럽게 울어대듯이, 요즘엔 사람들도 지금의 나처럼 자기를 드러내기 위해 점점 더 소란을 떨어대고 있다는 거지? 그리고 너는 그 꼴에 신물이 나서 참을 수가 없다는 거고. 그러니 어쩌라는 거야. 나 같은 인간은 멸종이라도 당하라는 거야?"

"그럴 수도 있겠지요."

나는 여전히 무표정한 얼굴로 그를 정면으로 응시하며 대답했다. 내 입가에는 사심 없는 미소도 조금은 어려 있었다. 그러자 그는 그만 자제력을 잃고 말았다. 그가 달려들어 내 멱살을 움켜쥔 것이었다. 여자가 달려와서 그를 밀어내기 위해 애쓰며 뭐라고 소리쳤다. 나를 욕하는 남자의 말과 그를 말리고 나를 달래는 여자의 말이 아우성처럼 한꺼번에 내 귓속으로 몰려 들어와서 소용돌이를 일으켰다. 그리고 그 순간 내 귀에서는 회오리 바람 같은 것이 일어나는 듯하더니, 그 동안 한순간도 떠나지 않던 매미 울음소리가 뚝 끊어졌다. 나는 완벽한 정적과 만났다. 그와 동시에 내 표정도 침묵했으며, 그들이 보기에 내 눈빛도 퀭하니 지워져 버렸을 것이었다.

소란이 가라앉고 난 후에도 나는 한동안 정적과 침묵 속에 들어 있었다. 나는 아무 소리도 들을 수 없었고, 아무 말도 할 수 없었다. 나는 천천히 몸을 일으켰다. 그러고는 그녀를 그에게 남겨 두고서 밖으로 나왔다. 건물 밖의 세상은 고요하고 안온했다.

9

나는 이곳이 어딘지 알 수 없었다. 세상은 어두웠다. 조금 전에 지나쳐 온 가로등의 희미한 불빛이 어슴푸레 사위를 밝히고 있을 뿐이었다. 아까부터 내 오른쪽에서 사람 키 높이의 담장이 줄곧 나와 동행을 하고 있었다. 내가 걷고 있는 길의 바닥은 포장이 되어 있고, 담 안쪽으로 키 큰 나무 여러 그루가 나뭇잎 무성한 가지를 길 쪽으로 내뻗고 있었다. 그러나 나는 이곳이 어딘지 알 수 없었다. 얼마 전부터 나는 내가 있는 곳이 어딘지도 모르는 채 살고 있었다. 그리고 나는 어딘지도 모르는 채 그 장소에 익숙해져 왔다. 어쩔 수 없이 아마 이번에도 그러할 것이었다.

바람이 불어 오고 있었던 모양이었다. 바닥에 떨어진 낙엽이 이리저리 쓸리고 있었다. 그런데 아직 한여름이 채 끝나지 않은 시기에 낙엽이라니. 게다가 대기 중에는 바람 한 점 없었다. 습기를 잔뜩 머금은 찌는 듯한 더위는 아무런 방해도 받지 않고 있었다. 그러고 보니 이상한 점이 몇 가지 더 있었다. 그 낙엽이, 아니 내가 낙엽이라고 여겼던 것들이 그냥 되는 대로 나뒹굴고 있는 것이 아니라, 내 발길이 다가갈 때마다 살아 있는 생물처럼 소스라치듯 놀라서 부르르 몸을 떨며 빙글빙글 도는 것이었다. 나는 눈앞에서 벌어지는 상황을 믿을 수 없어 발끝에 힘을 주어 조심스레 앞으로 내디뎠다. 그러나 사정은 달라지지 않았다. 내가 움직일 때마다 여기저기에서 그 낙엽 같은 것들이 단말마의 고통에 사로잡힌 작은 곤충처럼 필사적으로 날갯짓을 하며 맴을 돌았다.

오오, 나는 걸음을 멈추었다. 잠시 후 내 발 주변의 그 격한 소란도 차츰 가라앉았다. 그리고 그때 나는 그것들, 그 작은 프로펠러 같은 것들은 살아 있는 생물, 다름아닌 매미들임을 깨달았다. 낮 동안에 나뭇가지에 매달려 그토록 모질게 울어대던 매미들이 어찌 된 일인지 풀 한 포기 없는 이 딱딱한 바닥에 집단으로 떨어져 내려 마지막 숨을 몰아쉬고 있다가 예기치 못한 인간의 발길에 놀라 파닥거리는 것이었다. 그 순간 나는 두 발이 얼어붙는 것을 느꼈다. 이 조용하고 어두운 곳에서 나는 낯선 존재들이 그리는 작은 원들에 의해 포위되고 그 원들의 함정에 빠졌으며, 이제 비로소 나는 내가 어느 곳에 있는지 알 수 있었다.

그때 나는 내가 어젯밤에도 이곳에 있었다는 것을 깨달았다. 어제 나는 바로 이곳에서 까닭 모를 광란의 고통에 사로잡혔고, 그 순간 기억을 상실한 것이었다. 물론 반드시 이 장소, 이 시간인 것은 아니었을 것이다. 그러나 여하튼 나는 나도 모를 어떤 힘에 의해 밖으로 튕겨나갔다가 크게 원을 그리며 한 바퀴를 돌아와서 이제 다시금 출발의 자리에 선 것이었다. 그러나 그 외에는 여전히 아무것도 인식할 수도 기억할 수도 없었다. 광란의 고통이라는 것도 단지 막연한 예감처럼 남아 있을 뿐이었다.

나는 그 자리에 주저앉았다. 나는 터널 속에 들어와 있었다. 나는 텅 빈 노아의 방주에 타고 있었다. 세상의 노한 파도가 세차게 몰려와서 내 몸을 뒤덮고 있었다. 온몸이 저리고 으슬으슬 떨려 왔다. 그러나 나는 이제 비로소 세상의 물살과 만날 수 있을 것 같았다. 그 사실을 깨닫기 전에야말로 나는 기억 상실자였다. 하지만 사람들은 언제까지고 나를 기억 상실자로 기억할 것이고, 나는 그들의 판단을 그대로 받아들일 것이었다. 그리하여 앞으로도 나는 기억 상실자로 살아갈 것이었다. 그것이 내게 주어진 운명이었다.

은희경의 수상 소감과 문학적 자서전

● 수상 소감

진짜 작가로서의 길

내가 거울 속의 상(像)이 아닌 진짜 작가가
될 수 있을지는 모르겠습니다.
그러나 오늘의 기쁨 혹은 두려움이 나를
그 길로 가게 합니다. 불가능한 줄 알면서도
사랑을 원하는 것,
비록 그것과 같은 도정이라 해도…….

● 나의 문학적 자서전

쓸 수 있는 인생이라 행복하다

한때 나는 꿈을 연기(演技)했다.
그 이후엔 꿈이 다 저물고 말았다고 생각했었다.
그래도 꿈이란 지니는 편이 낫다.
꿈은 결코 죽지 않고 나를
지금의 지경에 데려다 놓았다.

진짜 작가로서의 길

내가 거울 속의 상(像)이 아닌 진짜 작가가 될 수 있을지는 모르겠습니다. 그러나 오늘의 기쁨 혹은 두려움이 나를 그 길로 가게 합니다. 불가능한 줄 알면서도 사랑을 원하는 것, 비록 그것과 같은 도정이라 해도…….

은 희 경

▶ 현자를 찾아 고통의 순례길을 나서며……

사흘째 앓고 있습니다.

뜻밖의 수상 소식을 실감하는 데에 너무 많은 기력을 써버렸나 봅니다. 자다 깨다 하면서 수없이 많은 꿈을 꾸었습니다. 모두 어딘가로 떠나려 하지만 헛되이 헤매기만 할 뿐 그 자리를 벗어나지 못하는 꿈이었습니다. 등에 밴 식은땀이 거북하여 열도 식힐 겸 창문을 열었습니다.

차가운 바람이 이마를 날카롭게 찌르며 지나갑니다.

이제부터 내가 맞서야 할 외기(外氣)의 발길질인 모양입니다.

수상 소감을 쓰기 위해 자리에서 일어납니다.

언젠가 말했었지요. 나는 끝내 작가는 되지 못하고 작가의 역할만 그럴듯하게 흉내내다 마는 게 아닌가 하고. 작가와 작가의 흉내 사이는 그리 먼 거리가 아닐지도 모릅니다. 실제 모습과 거울 속의 모습이 그리 다르지 않은 것처럼 말이지요. 하지만 모두를 속여도 자신만은 속일 수 없는 일입니다. 이 글을 쓰고 나면 나는 작가의 흉내에서 나아가 수상 작가의 흉내까지 내게 되는 셈입니다. 그러니 왜 꿈마다 도망치고 싶어하지 않았겠습니까.

발치에서 내 꿈을 지켜본 당신은 알 것입니다.

—왜 소설이 내게 그토록 중요한가.

—나는 변하지 않는 사랑을 원했지만 불가능하다는 것도 알고 있었습니다. 그러므로 소설 속에서 스스로 사랑을 만들어 가지는 것입니다. 소설을 쓰는 일은 언제나 내 말을 들어주는 불멸의 애인을 갖는 일 아니던가요.

—왜 소설을 쓰는가.

—그게 '나' 이니까요.

여기까지가 당신과 나눈 대화였습니다. 이제는 그렇지만은 못합니다.

이 상을 받음으로써 소설과 나, 그 사적인 관계에 무언가가 끼여든 느낌입니다. 이를테면 가야 할 길이나 방향이나 뭐 그런 무게들, 작용점, 파장……. 애인인 소설의 팔을 베고 누워서 하냥 내 속마음이나 털어놓던 것이 이제는 많은 이들의 질문을 등에 지고 현자를 찾아 고통의 순례를 해야 하나 봅니다.

그러나……감히 가겠습니다. 더듬거리며.

내게 소설은 여전히 '나' 이니까요.

▶거울 속의 상(像)이 아닌 진짜 작가의 길

시간을 두고 탄탄히 정진해 온 선배들, 그리고 재능과 열정에서 번번이 나를 위축시키던 동료들보다 먼저 상을 받게 되었습니다.

상에 관한 한 행운이 많은 편입니다. 행운에 현혹되어 내 삶을 이완시키지 않도록 경계하겠습니다.

당신이 묻는군요. 기쁘지 않냐구요?

그러고 보니 이 모든 두려움이 다 기쁨이 아니었던가도 싶어집니다. 논리적이고 강인한 아버지에게서 그보다 조금 처지는 오기를, 성실하고 감성적인 어머니에게서 그에 미치지 못하는 감당(堪當)을 본떠 왔을 뿐이지만 오늘의 수상이 두 분의 유산임은 말할 것도 없습니다. 언제나 내 편이 되어 주는 새남과 이룹, 동생들, 어제 태어난 둘째조카를 포함하여 가족 모두와 먼저 기쁨을 나눕니다. 나를 늘 아프게 하여 단련시키고 용서할 힘까지 만들어 내는 사랑하는 사람들, 사철 발벗은 술친구들, 나의 가혹한 첫 독자들, 모두 기뻐해 주겠지요.

부족한 글을 읽어 주신 심사위원 선생님, 〈문학사상사〉에도 깊은 감사를 전합니다.

내가 거울 속의 상(像)이 아닌 진짜 작가가 될 수 있을지는 모르겠습니다. 그러나 오늘의 기쁨 혹은 두려움이 나를 그 길로 가게 합니다. 불가능한 줄 알면서도 사랑을 원하는 것, 비록 그것과 같은 도정이라 해도…….

1998년 1월

쓸 수 있는 인생이라 행복하다

한때 나는 꿈을 연기(演技)했다. 그 이후엔 꿈이 다 저물고 말았다고 생각했었다. 그래도 꿈이란 지니는 편이 낫다. 꿈은 결코 죽지 않고 나를 지금의 지경에 데려다 놓았다.

은 희 경

▶꿈이라고 불려지던 숙명적인 비밀과 나의 어린 시절

지금도 생각난다. 멀리 봄 둔덕에는 아지랑이가 피어 오르고 아직 군데군데 살얼음이 남아 있는 제방 아래에서 동네 언니들이 나물을 뜯고 있었다. 탱자나무 울타리가 늘어선 화평동 큰집에서였던 것 같다. 그날 우리들은 학교에서 받은 육학년 교과서를 방 안에 팽개쳐 놓고 양지쪽을 찾아 올망졸망 모여 있었다.

그날따라 이상하게 다들 담벼락에 기대고 서서 말이 없었다. 초등학교의 마지막 학년이 된 우리들은 어쩐지 어른이 되어가고 있음을 느꼈는지도 모른다. 누군가가 먼저 입을 열었다. 야, 우리 십 년 후에는 다들 어떻게 되어 있을까. 얼마간의 침묵이 흐른 뒤 또 다른 누군가가 시들하게 얘기했다. 아버지처럼 쌀장사나 하겠지. 난 선생님이 될 거야. 난 간호사, 고등학교나 보내 줄지 모르지만.

지금도 생각난다. 그때 담벼락에 우울한 그림자를 드리우던 봄날의 짧은 볕, 그 볕처럼 유한하고 슬프게 느껴지던 어린 우리들의 멋모르는 인생. 누군가가 제법 어른스럽게 말했었다. 아무튼 오늘 여기 모인 우리는 다들 꼭 꿈을 이루도록 하자.

아아, 그 꿈이라고 불려지는 숙명적인 비밀, 그것이 내게는 무엇이었던가.

아파트 베란다에서 빨래를 널다가 문득 바라본 하늘—그래 참, 하늘이 바로 저런 색이었지, 라고 중얼거리는 순간. 초등학교 앞을 지나다가 운동장 구석의 빈 그네에서 내 어릴 적 깔깔대던 웃음소리를 들으며 이제 남은 생에 단 한 번이라도 그런 웃음이 남아 있을까 가슴 아파지는 순간. 그런 순간마다 아마 나는 꿈에 대해 생각했던 것 같다.

▶ 친구들을 의식한 일기 쓰기로 시작된 첫 소설쓰기

초등학교 삼학년 때 나는 첫 작문을 지었다. 〈내 동생〉이란 제목이었다. 선생님은 "여동생이 생긴 게 너무 기뻐서 나는 갓 태어난 아기를 내 가슴에 꼬옥 안아 보았다"란 대목만은 거짓말 같지만 썩 잘 쓴 글이라고 칭찬했다. 사실은 그 글 전체가 다 거짓말이었다. 나는 신이 나서 계속 거짓말을 궁리해 써내곤 했다.

사학년 때 담임이었던 박명래 선생님께 나는 이 지면을 빌려 제자된 외람됨을 자청하려 한다. 선생님은 무용반에서 '병아리의 나들이'란 춤을 어중어중 연습하고 있던 나를 문예반으로 데려가셨다. 그러고는 매일 방과후에 남아서 십육 절지 시험지 한 장에 뭔가를 채우고 돌아가도록 하셨다.

선생님은 '바람은 바람은 요술쟁이야', '햇님은 햇님은 심술쟁이야' 같은 상투적이고 안이한 글을 아주 싫어했다. '너만이 생각할 수 있는 것을 쓰라'고 강조하곤 했다. 훗날 내가 '새롭지 않은 것은 부도덕한 소설'이라는 쿤데라의 말을 처음 읽자마자 단번에 새겨들은 것이나, 어디선가 본 듯한 이야기를 무난한 방식으로 쓰지 않으려고 안간힘을 쓰는 것도 그 학습 덕분일 것이다.

나는 닥치는 대로 책을 읽어댔다. 하긴 '닥칠' 만큼 책이 많았던 것은 아니다. 이층 끝방이었던 학교 도서실과 철망 뒤에 나란히 서 있던 커다란 책장들. 그러나 거기에 책이 별로 없었다. 나는《어린이》《학원》등의 잡지와 동화책들, 왜 거기 있는지 모를 박계형의《머무르고 싶었던 순간들》을 탐독했다. 어린이 신문을 구독하기도 했지만 눈에 띄는 대로《새농민》과《선데이 서울》, 일간지의 사회면과 연재소설도 읽었다. 아버지 책상의《건설회보》와 설계도면까지 뒤적였다.

그때 가장 좋아했던 책은 여섯 권짜리《강소천 전집》으로 고동색의 표지가 나달나달해질 때까지 열 번 스무 번 읽은 것이〈꽃신〉과〈꿈을 찍는 사진관〉이다. 어머니가 계몽사에서 나온 오십 권짜리 세계 명작을 사주었을 때 그 자주색 책들을 밤새 한 권씩 뺐다 끼웠다 하던 그 밤을 어떻게 잊을까.

내 중요한 독서는 그 시절에서 거의 끝났다. 고등학생이 되어 비닐 커버가 있는 정음사의 전집이나 연두색 하드커버인 을유문고의 전집 따위를 지성껏 사곤 했지만 안 읽은 책이 훨씬 많았다. 나의 정신적 자양과 그것을 표현하는 은유적인 틀은 어린 시절의 독서 속에 자리잡고 있다. 내게 인간을 가르친 것은 철학책이나 시, 소설이 아니라 동화였다. 나는 진정으로 그것을 다행이라고 생각한다.

그 무렵 또 나는 친구들이 나 몰래 내 일기장을 재미있게 돌려본다는 것을 알았다. 내 일기는 달라졌다. 친구들이 볼 것을 염두에 두고는 일부러 이야기를 꾸며서 써놓기도 하고 평소 하고 싶었던 말을 은근히 적어 넣기도 했다. 아마 그것이 나의 첫 소설쓰기가 아니었나 싶다.

어쨌든 나는 학교에서 백일장 대표 선수가 되었다. 육학년 때 선생님의 주선으로 동급생 남자애와 2인 동시전을 열었던 것을 보면

상도 꽤 받았던 모양이다. 그 남자애의 글 중에 〈꽃신〉이란 동시가 있었다. "봄날 신집 앞에 아주머니 한 분/작은 꽃신 하나 들었다 놓았다/저 아줌마 예쁜 아기 있나 보다." 나는 이 동시를 아주 놀라워하면서 질투했다. 쉬우면서도 진실한 글이 감동을 준다는 것 정도는 알고 있었던 것이다. 그런데도 내가 쓴 글은 늘 겉멋과 그 나이에 얼토당토않은 현학 취미에서 쥐어짜 낸 것이었다. 나의 문학적 고민은 이미 그때부터 시작되었다.

먼저 장르의 문제에 부닥쳤다. 선생님은 일찍부터 나의 거짓말 재능을 알아보았으므로 산문 쓰기를 권했다. 겉멋이 잔뜩 든 나는 그때 이미 시가 더 멋있고 수준 높은 장르라는 걸 알았으므로 시만을 고집했다. 동시로 상을 받아 오면 선생님은 언제나 고개를 갸웃갸웃했다. 그 고민은 요즘도 마찬가지로 나를 괴롭힌다. 나는 아득한 아름다움을 소설로 쓰고 싶은데 쓰다 보면 한바탕 이야기 마당이 되고 만다. 내가 갖고 있는 자질과 취향 사이의 이 거리는 어쩌면 내 가슴속에 유난히 모순된 것들이 많이 공존하기 때문인지도 모른다.

▶ 부족한 존재들끼리의 부대낌에서 오는 온기를 그리워한 시절

어느 노래 가사에서처럼 내 속에는 참 내가 많다. 나는 그것들을 '탄력성'이라고 강변하곤 한다. 사실로도 나는 서로 다른 입장에서 생각해 보고 균형 잡는 것을 스스로의 장기라고 여겨 왔다. 소설 속에서도 주장을 담거나 설득을 하지 않으려고 애쓴다. 어떤 소설에서는 삼인칭 시점의 이동을 통해 모든 삼인칭이 결국 일인칭임을 보여 주려 한 적도 있다. 문주란이 일찍이 갈파했듯이 인간은 모두 타인이므로 각자 제 말밖에는 하지 못한다는 것이 내 생각이다.

나는 인간이란 그리 멋지고 훌륭한 존재만은 아니리라고 파악한 것은 아닐까. 그렇다고 무슨 페시미스트였다는 건 아니다. 나는 마

음 약하고 다정한 사람들을 좋아했다. 열 살 무렵부터 우리 가족은 그 동안 살던 외가를 떠나 아버지의 토건 회사와 붙어 있는 안집에서 살았다. 마당 한구석에는 모래자갈 더미가 산처럼 쌓여 있고 일꾼들이 커다란 망치로 철근을 자르거나 삽으로 거푸집의 시멘트를 벗겨 내고 있었다. 목수들이 일하는 창고에서는 늘 퀴퀴하고 간지러운 톱밥 냄새가 났다. '간조' 날 밤이면 주머니 속에 전표를 가진 일꾼들이 화톳불을 피워 쬐며 아버지를 기다렸다. 시간이 늦어지면 그들은 아버지를 사기꾼이라든가 개새끼라고 욕을 했는데 그러다가도 멀리서 아버지의 오토바이 소리가 들리면 머리를 조아리며 얌전히 줄을 섰다.

이른바 '노가다판' 인 아버지의 회사에서는 배신이라든가 싸움, 모략 같은 거친 일들이 눈앞에서 심심찮게 일어났고 그에 따른 사내들의 무용담도 끊이지 않았다. 식모와 경운기 기사가 눈이 맞아 도망친 일 따위는 늘 있는 일이었다. 내 눈에 비친 그런 풍경은 황폐하거나 궁색한 게 아니었다. 부족한 존재들끼리의 부대낌에서 오는 온기 같은 것이었다.

▶사소한 삶 속에서도 의미를 찾을 수 있다는 암묵적 동의와 90년대

중학교 일학년 때 아버지 회사에 부도가 나면서 비로소 나는 내 삶을 연기(演技)하게 만들던 온갖 관심으로부터 벗어났다. 부모님이 먹고 사는 궁리로 괴롭고 고달파진 바람에 나는 그 시선을 벗어나서 마음껏 철없는 사춘기를 구가했다. 그걸 핑계삼아 불량 학생이 되어 보고 싶을 정도였다. 책은 더 이상 읽지 않고 팔에 끼고 다니기만 했다. 수줍은 소녀의 역할이 너무나 성격에 맞았다.

갑자기 가난해진데다 도시로 전학 온 촌뜨기였던 나는 더 이상 주목받는 생이 아니었다. 백일장에 장원을 해서 학교 행사 때 시낭송자로 뽑혔지만 나는 "제목 코스모스, 순결이라는 이름을 가졌

기에 너는 더 슬프다"까지 해놓고 입술을 덜덜 떨다가 무대를 내려와 버렸던 것이다. 이미 초등학교 졸업식 때 슬픈 목소리로 답사를 읽어 강당 안을 온통 훌쩍거리게 하던 내가 아니었다. 나는 좀 성급하게 내성적이 되었다.

1977년 봄 나는 대학생이 되었다. 대학원을 마칠 때까지 80년대를 통과해 왔다. 그러나 국문과 학생으로나 군사 정권하의 젊은이로나 나는 제대로 청춘을 겪은 것 같지 않다. 어쩌면 어린 시절에 '인생의 과업'을 다 치러 내서 그런지도 모른다. 그나마 창작 모임을 만들어 시 몇 편을 쓰고 문집을 만들었던 것도 다 적극적인 친구들 덕분이었다. 그 친구들과 함께, 르네 웰렉이 웬 말이냐, 루카치를 봐라, 해가며 이른바 학습이란 것도 하고 열심히 카프를 뇌었으며 해금이 안 된 시인에 대해 졸업 논문을 썼다.

이쯤의 과거사를 되짚다 보면 나는 마땅히 이십대에 작가가 되거나 최소한 노력이라도 해야 옳았다. 그러나 나의 시는 연애편지의 뒷전이었다. 스스로 내 재능은 거기까지라고 정리해 버린 뒤였다. 대학생 때 일기장을 보면 갈피마다 '사랑한다, 문학아'라고 씌어 있다. 그때까지도 연기를 완전히 벗어 버리지 못한 점은 있다 하더라도 어쨌든 문학은 내게 어떤 당연한 명제이기는 했다. 하지만 내게는 사무치는 고통이 없었고 누구보다 그것을 잘 알았다. 문학이란 숭고한 것이어서 고통의 혈흔이거나 고양된 영혼의 기록이어야만 한다고 생각했던 나는 일찍 꿈을 포기해 버렸다. 지금도 같은 생각이라면 나는 소설 쓸 엄두를 내지 못할 것이다.

지금이 80년대였다면 나는 소설을 쓰지 못한다. 특이한 체험이나 역사적이든 개인사적이든 강렬한 고통이 없는 사람이, 인간이란 어떻게 살아야 하는지 이미 결정이 나 있는 세상에서 무엇을 말할 수 있겠는가. 나 같은 자의 사소한 삶 속에서도 인생의 의미를 찾을 수 있다는 암묵적 동의가 있는 90년대이기에 나는 쓰고 있는 것이다.

▶ 이제는 꿈 가운데 있다고 말하고 싶다

80년대에 나는 생활인으로만 성실했다. 고등학교, 출판사, 잡지사, 출판 컨설팅 등 여러 직장을 옮겨 다니며 주어진 일을 열심히 했다. 그러나 어쩐지 이게 다는 아닌 것 같았다. 이벤트 회사에서 일할 때 특히 심했다. 그때 나는 쇼 비즈니스도 했고, 전시회 기획도 했고, 영화 광고 카피도 썼고, 사진집과 골프책을 만들었고, 남의 이름으로 신문에 아프리카 종단기까지 연재했다. 나는 정녕 나를 알 수 없었다. 그 혼란과 곤혹을 잊을 수 없다. 사람에게는 무난하게 할 수 있는 일이 있고 특별히 잘할 수 있는 일이 따로 있다는 생각이 들었다. 내가 잘할 수 있고 그리하여 나 자신의 완전한 주소가 될 인생은 어떤 것일까.

1994년 가을, 다니던 출판사에 한 달 휴가를 내고 가방을 챙겼다. 노트북과 열 권 정도의 책, 지난 십 년 간의 일기장, 낡은 메모집, 그리고 시디 몇 장과 옷가방을 차 트렁크에 실으며 내 가슴은 얼마나 두려움에 떨었던가. 반 시간을 가도 차 한 대를 만날까 말까 한 처음 가보는 산길을 한밤중에 혼자 운전해 가며 나는 떨리는 목소리로 얼마나 소리 높여 노래를 불렀던가. 면벽 삼 일 만에 입냄새만 얻어서 되돌아오고 말 거라는 조롱의 음성들이 얼마나 내 시야를 가로막았던가. 아아, 차라리 그냥 무난하게 살고 말 것을!

나는 달력 속의 날짜를 지워 가듯 종일 구부린 자세로 키보드를 두드렸다. 저녁 때쯤 의자에서 일어나면 다리에 힘이 없어 자빠지곤 했다. 거기에서 나는 다섯 편의 단편을 썼고 서울로 돌아온 뒤 다시 중편을 한 편 썼다. 그 중편이 운좋게 신춘문예에 당선되었다.

도무지 원고가 써지지 않는 몇 달이 있었다. 첫 장편을 쓰던 절에 한두 달쯤 다시 가 있기로 마음먹었다. 동네방네 소문을 내고 비장한 신고식까지 했다. 내 깐에는 배수진을 친 셈이다. 떠나는 날 광화문 이층 찻집에서 마지막 배웅을 받았다. 그리고 계단을 걸어 내려오며 든 생각. 지금 여기에서 굴러 떨어져 버리면 안 가도 되지 않을까. 다리가 부러지면 안 써도 되지 않을까. 아니 그러려면 팔을 부러뜨려야 하나. 체위 잡기가 힘들겠는걸.

한 선배는 "그러게 내가 말했잖아. 소설가라는 직업은 다 좋은데 소설을 써야 하는 게 문제라구"라고 쓰는 사람의 고통을 돌려서 말해 준다. 그래도? 그래도 나는 쓸 수 있는 인생이라 행복하다.

한때 나는 꿈을 연기(演技)했다. 그 이후엔 꿈이 다 저물고 말았다고 생각했었다. 그래도 꿈이란 지니는 편이 낫다. 꿈은 결코 죽지 않고 나를 지금의 지경에 데려다 놓았다. 열두 살 때의 그 애들, 지금은 다 어디 있을까. 나 이제 꿈 가운데 있다고 말해 보고 싶은데.

그때나 지금이나 삶은 여전히 유한하고 슬프고, 그리고 멋모르는 것일지라도 말이다.

〈아내의 상자〉의 작품 세계와 작가 은희경

● 은희경의 〈아내의 상자〉와 그 작품 세계

현대적 삶의 숙명—희망과 절망의 정지된 변증법
—강상희

거짓된 화해를 버림으로써 진정한 화해의
가능성을 풀지 못한 과제로 남겨 두었다는 점에서
〈아내의 상자〉는 우리 삶의 두려움을 뛰어넘는
농밀한 진정성을 지닌 작품으로
우리 앞에 다가와 있다.

● 작가 은희경을 말한다

짐작과는 다른 말들
—김미현

그녀의 삶에 대한 농담은 그런 농담을 하게 만드는
세상의 진담을 끌어오기 위한 제의이다.
어쩌면 그녀가 진정으로 외우고 싶은 주문은
"살아가는 것은 진지한 일이다. 비록 모양틀 안에서
똑같은 얼음으로 얼려진다 해도 그렇다.
살아가는 것은 엄숙한 일이다"일 수도 있다.
그녀는 그런 진지함으로 소설을
애타게 부르고 있는 것은 아닐까.

현대적 삶의 숙명—희망과 절망의 정지된 변증법

—"사랑은 마치 모래 벌판 위로 내리는 눈과 같다"는 의미

거짓된 화해를 버림으로써 진정한 화해의 가능성을 풀지 못한 과제로 남겨 두었다는 점에서 〈아내의 상자〉는 우리 삶의 두려움을 뛰어넘는 농밀한 진정성을 지닌 작품으로 우리 앞에 다가와 있다.

강상희(문학평론가)

▶본원적인 자아를 발견해 가는 험난한 도정

사랑은 소외와 공허의 사막을 방황하는 현대인의 삶을 치유할 만능의 열쇠인가. 그것은 또한 적자생존·우승열패(優勝劣敗)의 논리가 지배하는 현대적 삶의 공포를 위무할 만한 권능을 가지고 있는가. 은희경의 소설이 줄곧 탐색해 온 주제 의식의 핵심은 이러한 물음에 맞닿아 있다. 하지만 그녀가 내놓은 소설적 응답은 그 물음에 관한 우리의 평균적인 이해 수준을 훨씬 넘어선 자리에 놓여 있다.

사랑은 마치 모래 벌판 위로 내리는 눈과 같다고 은희경은 말한다. 백색 설원의 일체감은 미혹일 뿐, 모래는 여전히 모래로서의 외로움을 감수해야 한다고 그녀는 말한다. 사랑은 타인이 나와 관계 맺기 위해 던져 놓은 영롱한 빛깔의 덫이며, 적자생존·우승열패라는 야수의 논리를 은폐하는 가면이라는 것이다. 이제 타인은 사랑의 이름으로 나에게 규격화된 삶을 받아들이라고 요구한다. 네가 느끼는 외로움과 무의미를 덜어 줄 여러 관계와 정체감을 부여하였으니, 너와 내가 함께 살아가야 할 네모꼴의 삶을 받아들이라고 강요한다. 피노키오가 온전한 사람이 되기 위해 맨 처음 해야 할 일이 학교에 가는 것이었듯이, 사랑의 숨결로 거듭난 너는 네모꼴의 삶이라는 학교로 가서 그곳의 규율을 내면화해야 한다고 강요한다.

은희경의 소설에 등장하는 여성 인물들은 대체로 그와 같은 갈등 상황에 빠져 있다. 사랑의 이름으로 부여된 네모꼴의 삶과 그것의 규율을 받아들여야 하는가, 그러할 때 휘몰아치는 삶의 모순과 자기 억압을 과연 견뎌 내야 할 것인가……. 그러나 은희경 소설의 여성 인물들은 이러한 갈등 상황에서 수세적인 위치로 자신을 내몰지 않는다. 위장된 화해로써 갈등을 은폐하기보다는 오히려 갈등의 근원으로 회귀하여 그곳에서 진정한 화해의 가능성을 모색한다. 이 회귀 과정은 여성 인물들이 자신에게 덧씌워진 아내 · 연인 · 어머니라는 정체성의 껍질들을 하나하나 벗어 버리고, 본원적인 자아를 발견해 가는 험난한 도정이다. 그 도정의 막다른 지점에서 은희경이 발견하게 되는 여성적 자아의 모습, 그것은 바로 소외와 공허에 신음하는 현대인의 일그러진 자화상에 다름아니다.

은희경의 소설은 그런 의미에서 페미니즘의 울타리 안에 머물지 않는, 현대인과 현대적 삶 전반에 대한 날카로운 통찰을 담고 있다고 말할 수 있다. 〈자기만의 방〉을 달라던 버지니아 울프의 외침이 여전히 남성성과 여성성의 이항 대립에 뿌리를 두고 있었다면, 은희경은 버지니아 울프로부터 더 멀리 나아가 이 이항 대립을 해체하고 있다. 이상문학상 수상 작품인 〈아내의 상자〉는 여성성과 남성성의 경계를 지우고 그 대립을 해체하여, 여성성의 문제를 현대인이 처한 숙명적 삶이라는 커다란 틀로 섬뜩하게 형상화한, 은희경 소설의 한 정점이라고 할 수 있다.

▶ 단편소설의 고전적인 미학 계승

〈아내의 상자〉는 의식의 집중을 기할 수 있는 회상이라는 소설적 장치를 사용하여 구성의 안정성을 확보하고 있다. 주제 의식과 관련 없는 디테일이 거의 없으며, 대부분의 묘사가 고도의 상징성을 지니고 있는 것은 이 회상의 장치 때문이라고 할 수 있다.

회상을 통한 역행적 시간 구성은 사건의 우연한 진행을 방치하는 소설에서는 도달하기 힘든 의미의 응축을 꾀할 수 있다. "마지막으로 아내의 방에 들어가 본다"는 소설 첫 문장처럼 주제 의식과 관련 없는 디테일을 삭제하고 곧바로 의미 탐색의 길로 들어서겠다는 작가의 서술 전략은 회상의 장치와 적절하게 호흡을 맞추고 있는 듯하다.

특히 회상의 임의성과 무방향성을 통제하는 저돌적인 서술 방식으로 인해 이 소설은 주제의 집중·인상의 통일이라는 단편소설의 고전적인 미학을 보기 좋게 계승하고 있다. 그러나 고전 미학적인 안정감에도 불구하고 〈아내의 상자〉가 폭발적이고도 낯선 힘을 내뿜고 있는 것은 무엇 때문일까.

우선 인물 설정 방식에서 그 힘의 한 원천을 발견할 수 있을 것이다. 〈아내의 상자〉에는 작중화자인 '나'와 아내가 주요 인물—기실 한 인물의 두 모습이지만—로 설정되어 있다. 나는 지극히 평범하고 상식적인 사람으로 일상의 평온을 즐기고, 규격화된 생활에 아무런 거부감을 갖지 않는 인물이다. TV 마감 뉴스를 보고서야 잠자리에 들고, 증권 시황에 큰 관심을 갖고 있으며, 시사 주간지를 탐독하는 전형적인 소시민형 인물이다. 그 반면에 화자의 회상과 관찰을 통해서만 접할 수 있는 아내의 모습은 불투명하기 그지없다. "시시하다고 할 만큼 평범한 사람"이라는 남편의 진술에 의해 드러나는 아내의 생의 이력은 대단히 피상적이다. 어머니가 있(었)다, 미술대학을 지망했지만 실패하고 전문대학 비서학과를 나와 조그만 오퍼상에 있었다, 적은 월급으로 적금을 붓는 평범한 생활을 했다, 두 명의 친구가 있다, 집안 정돈을 썩 잘한다는 사실들뿐이다. 무심한 관찰자의 조그만 관심으로도 포착할 수 있는 이러한 이력들이 문제적인 것은 이들이 부부 관계라는 점 때문이다. 화자는 "나는 아내를 사랑했다. 그녀에 대해서라면 모든 것을 알고 있다고 생각"하지만, 실상 화자가 알고 있는 것은 아내의 삶의 한 조각에 불과한 것이다. 아내의 생에 관해 생각을 모으는 순간에도 화자는 빈약한 목록만을 작성할 수 있을 뿐이다. 화자는 아내의 내면의 영토를 전혀 들여다볼 수 없으며, 그에게 그러한 의지가 있는지의 여부마저 불분명하다.

이 느슨한 결합의 부부 관계를 지탱해 주는 힘을 화자는 사랑이라고 부르고 있다. 화자는 그 결합의 힘을 '오해'하고 있고, 아내는 현대적 삶의 원자화에 비해 그 힘이 너무 미약하다는 사실을 '이해'하고 있다. 이 오해와 이해의 긴장이 생활의 수면 위로 솟아오를 때 그 폭발력과 낯섦은 그들의 삶을 위태롭게 만든다.

▶아내의 자발적(!) 불임—희망과 현실 순응 사이의 괴리

이들 부부 관계를 규정하는 또 하나의 사실은 아내의 불임이다. 소설, 연극, 영화 등의 서사물에서 아이를 낳아 기르는 일은 대개 훼손된 생에 동력을 불어넣고, 마모되거나 단절된 관계를 매끄럽게 이어 주는 기능을 한다. 그 일은 또한 갈등과 모순 해결의 상징이자, 희망의 현실화 가능성을 암시한다.

그러나 은희경의 〈아내의 상자〉에서 아이를 낳아 기르는 일은 그러한 상징과 암시의 기능을 갖고 있지 않다. 그것은 부부 관계를 이어 주는 끈이라든지, 소외와 공허를 채워 줄 충만한 의미도 아니다. "나는 아내가 아이를 원하는지 원치 않는지 한 번도 생각해 본 적이 없었다. 솔직히 말하면 그 질문을 나 자신에게조차 심각하게 해보지도 않았다. 나는 단지 인생은 필요한 것을 갖춰 나가며 사는 것이라고 생각하는 평범한 사람이었다"는 화자 진술처럼 이들에게

아이란 가구나 승용차 혹은 직장에서의 직급처럼 단지 일상적 삶이 갖추어야 할 하나의 사물 또는 자격에 불과한 것이다. 그렇다면 아내의 자발적(!) 불임은 일상적 현실 너머의 어떤 인간적 숙명—희망과 현실 순응의 엄청난 괴리와 같은—을 가리키기 위한 몸짓의 일종이라고 할 수 있다.

화자에 의해 회상된 아내의 말에서 그 몸짓의 의미를 추측해 볼 수 있다. 그녀는 자기 스스로를 적자생존 사회에서 도태될 열등한 종자라고 규정한다. 규격을 벗어난 삶을 살고 있다는 것, 바로 내면을 지니고 있다는 점 때문이다. 자기의 방을 가지게 되었을 때의 아내의 기쁨은, 자기의 방이란 곧 내면의 구체화된 대응물임을 직감한 데서 나온 것이다. 그러나 표면적인 현상의 우위와 일체의 사물화를 승인해야 하는 현대의 일상적 삶은 내면이라는 것 자체를 부적응의 증표로 간주한다.

신화 속 인물 율리시스가 선원들에게 일상적 현실 건너편에서 들려 오는 요정의 노래를 듣지 말라고 명령하여 내면의 생성을 원천봉쇄한 것처럼, 현대인의 삶은 내면을 무화시킴으로써 성립될 수 있는 것이다. 내면은 오직 예술과 종교의 몫일 뿐, 일상적 삶은 내면을 적자생존의 불리한 조건으로 간주한다. 현대인의 삶은 얼마나 피상적인가. 삶의 본원적 가치보다는 교환 가치와 기호 가치가 현대적 삶의 중심에 놓여 있지 않은가. 이러한 낯익은 탄식은 탄식일 뿐, 일상적 삶을 지배하는 것은 여전히 교환 가치와 기호 가치이다. 그러할 때 내면이란 일상적 삶의 대극점에 있는 인물, 즉 부적응자의 존재 코드가 된다.

▶ '아내의 상자'가 갖는 상징성

"아내에게 아직도 어떤 것이 더 필요한 것만은 느낄 수 있었"지만 아내와의 파국 이후에도 화자가 더듬을 수 있는 아내의 내면이란 어두컴컴한 항아리 속 같은 것이다. 은희경은, 일기나 고백록 등을 남겨 놓아 아내의 내면의 깊이를 드러내기보다는 그 깊이를 추정할 만한 몇 가지 단서들만을 독자에게 제시하고 있다.

우선 표제이기도 한 '아내의 상자'. 화자는 "지난 시간 동안 그녀를 스쳐 지나간 상처들이 담겨 있었다……그녀는 흉터를 지니듯이 방 귀퉁이에 상자를 쌓아 갔다"고 말하지만, 기실 그 상자 속을 채우고 있는 것은 십자수를 넣은 탁자보, 편지 뭉치, 배냇저고리, 조개껍질 목걸이 등속뿐이다. 제각각의 꼴을 갖추고 있는 이 사물들이 환기하는 것은 화자가 공유할 수 있는 기억의 조각들뿐이다. '주홍 글씨'를 새길 만한 일을 저지를 정도로 황폐화된 아내의 내면을 추적해 볼 만한 단서는 아무것도 없다.

작가는 여기에서 두 개의 암시를 던지고 있다. 지우개가 달린 노란 연필과 정신병원 또는 요양소로 짐작되는 곳으로 가던 날 아내가 받은 전화의 내용이다. 화자는 "아내가 그 연필로 무엇을 쓰는 것은 본 적이 없었다. 하지만 연필은 키가 아주 작아져 있었다"고 말한다. 아내가 연필의 키를 줄여 가면서 쓴 것은 무엇일까? 또한 긴장된 자세로 받았으면서도 장난 전화라며 눙쳐 버린 마지막 날 아침의 전화는 누구에게서 걸려 온, 무슨 내용의 전화일까? 작가는 이 물음에 대한 대답의 실마리를 전혀 남기지 않았다. 아내의 내면은 여전히 화자에게 그리고 독자에게 다가갈 수 없는 저 어두운 미지의 영역으로 남게 된다.

그렇다고 해서 화자가 아내의 삶에 명백한 가해자로 등장하는 것도 아니다. 그 역시 조직 사회의 일원으로서 규격에 맞춤꼴인 삶을 살고 있을 뿐이다. 다른 점이 있다면 아내는 그 규격화되고 텅 빈 일상적 삶에 의미들을 채워 넣고 싶어했다는 점이다. 어느 사회학자의 말처럼 일상이란 우리가 의미를 부여하고 싶어하는 무의미들의 덩어리에 불과할지도 모른다. 의미를 부여하려 애쓸수록 우리는 무의미의 심연으로 추락하고 만다. 이러할 때 생성되는 것이 내면의 영토이다.

그러나 내면이라는 종자는 적자생존의 사회, 소비자본주의 사회에는 어울리지 않는 이물질이다. 아내가 느끼는 열패감과 자기 모멸의 근원에는 이 이물질이 자리잡고 있다. 이웃집에서 키우는 볼품없는 강아지에 자신을 비유하는 아내의 말은 내면이라는 것이 보잘것없는 가치밖에 지니지 못한다는 자의식에서 연유한 것이다. 하이데거는 내면성이 인간 존재의 본래성과 동의어라고 말한 바 있지만, 그 말이 우리의 현대적 삶을 운용할 원리로 되기에는 지나치게 공허한 데가 있다.

이런 관점을 승인하는 자리에서 바라보면 '아내의 상자'란 독자의 평균적인 기대를 무너뜨리기 위한 작가의 고안물이라고 할 수 있다. 비의적인 내면의 진실이 담겨 있다고 서둘러 짐작하기 쉽지만 거기에는 아무것도 담겨 있지 않은 것이다. 그렇다면 은희경은 내면이란 그렇게 손쉽게 구상화될 수 있는 종류의 것이 아님을 말하고 싶어한 것일지도 모른다. 그 구상화의 욕망이 사실은 피상적인 관계를 진정한 것인 양 호도하려는 몸짓에 불과한 것임을 왜 모른 척하느냐고 질타하고 싶어한 것일지도 모른다.

▶ 소외되고 공허한 삶 앞에 놓여 있는 두 갈래의 길

'아내의 방' 역시 그러한 의미망에서 그리 멀리 떨어져 있지 않다. 자기만의 방이란 육체의 독립성과 의식의 절대성을 확인할 수 있는 공간이다. 신도시로 이사 오면서 자기의 방이 생겼다는 사실에 아내가 기뻐한 것은 당연한 일일 것이다. 외부로 향하는 눈길을 돌려 자기 자신을 응시할 가능성을 열어 주었기 때문이다. 아내는 그 방에서 책을 읽고, 잠을 잔다. 화자가 "유배지 같은 아내의 방"이라고 표현하고 있듯이 그곳은 일상적 현실에 등을 돌린 내면의

"유배지"인 것이다. 그러나 아내의 방에 무엇이 남아 있는가? "아내를 찾을 전화번호 하나 갖고 있지 않다는 사실"을 발견한 화자는 아내의 방에서도 그녀의 존재감과 내면성을 드러내 줄 별다른 징후들을 발견하지 못한다. 아내의 방은 단지 형식적인 자립의 표상일 따름이었던 셈이다. 아내의 내면은 그보다 더 멀고 깊숙한 곳에, 어쩌면 아내 자신조차 알지 못할 어떤 곳에 있는 것이다. 형식적인 자립의 단위 역시 근원적으로는 무의미하다는 것, 기껏해야 '집'과 '도시'라는 커다란 관계망 속의 작은 단위에 불과했던 것이다.

아내의 방을 채우고 있는 것은 생명력이 증발된 것들뿐이다. 상자들과 독일식 책상, 그리고 이웃집 여자에게서 선물 받은 포푸리 화환. 포푸리 화환은 특히 "영혼이 휘발돼 버린 뒤까지 살아 있을 때의 모습을 붙들고 있는 시간의 검은 그림자"이며 "꽃의 박제"일 뿐이다. 그 포푸리 화환은 그녀 자신이 아닐 때만 평온하게 보이곤 했던 아내의 모습이기도 하다.

독한 인공의 향기를 내뿜는 포푸리 화환은 내면과 일상적 삶의 엄청난 괴리를 느끼며 박제화되어 간, 하나의 사물이 되어 버린 아내의 표상인 것이다. 화자는 "집에 돌아와 보면 모든 것이 제자리에 준비되어 있었다. 아내까지도"라고 회상한다. 아내는 오랜 시간 동안 손때를 묻힌 서랍장처럼 편안하고 다정한 사물이다. 다만 아내의 내면은 서랍장의 서랍처럼 열어 볼 수가 없다.

화자의 분노와 절망은 서랍장과 아내의 차이를 분별했을 때 더욱 커진다. "이 집 안에 아내라는 여자의 내면을 알 만한 것은 전혀 없는 것이었다……대체 나는 무엇을 근거로 아내에 대해 모르는 것이 없다고 생각해 왔던 걸까"라고 화자는 자문한다. 평온한 일상의 수면 아래 "가물치가 꼬리를 바둥거리는 물새우를 반쯤 삼키고 있는" 아내의 내면은 불가지의 영역으로 사라져 버린다.

하나의 사물로서의 아내란, 현대 소설에 있어서 내면의 영토를 침식하기 시작한 사물들의 독특한 지위를 보여 준다. 초기의 현대 소설에서 우리는 낯설고 적대적인 세계를 헤쳐 나가는 주인공의 모험을 본 바 있으며, 그 뒤의 소설에서는 그러한 모험이 사라지면서 내면 의식만이 비대화된 인물의 모습을 발견할 수 있었다. 최근의 소설에서는 자립성을 얻은 사물들이 내면 의식의 자리를 차지하기 시작했다. 인물이 왜소화되는 대신에 사물들이 두툼한 묘사의 옷을 입고 소설의 주인공으로 나서기 시작한 것이다. 〈아내의 상자〉에서 아내는 화자의 의식 속에 하나의 사물로 각인되어 있었을 뿐이다. 이 소설이 심리적 깊이를 내보이지 않은 것은 이러한 태도를 지닌 인물을 화자로 설정했기 때문이라고 할 수 있다. 사물이 세상의 주인됨은 이웃집 여자의 경우에도 잘 드러나 있다. 집 안을 채우고 있는 온갖 사물들은 이웃집 여자를 바깥으로 몰아내고 새로운 주인이 된다.

그러나 사물로도 채울 수 없는 내면의 빈자리가 있다. 아내가 그 빈자리를 잠과 독서로 채웠다면 이웃집 여자는 은밀한 외출로 그곳을 채우려 한다. 아내가 이 은밀한 외출의 동반자가 되면서 아내의 삶은 파탄으로 내몰리게 된다. 일상적 삶의 공허와 권태를 못 이긴 중년 여성들의 도피 방법인 은밀한 외출 역시 궁극적으로 그 빈자리를 채우지는 못한다. 그 도피처에는 현대적 삶의 부패한 유혹만이 있을 뿐이다.

〈아내의 상자〉는 이 소외되고 공허한 삶의 자리에 두 갈래의 길을 마련해 놓고 있다. 하나는 신도시의 규격화된 길이고, 다른 하나는 "연녹색 산 속의 오솔길"이다. 신도시의 길은 아내를 더욱 강도 높은 질식 상태로 이끈다. "하늘도 언제 봐도 대충 그런 색의 지루한 안정의 빛이고 공기의 냄새마저 도식적"인 신도시의 길은 아내를 잠의 세계로 이끌 뿐이다. 두 대의 스포츠카가 갔던 "연녹색 산 속의 오솔길"은 아내가 "환상의 길"이라고 명명하며 가보고 싶어했던 길이다. 그러나 작품의 결말에서 화자의 눈에 포착되듯이 그 길의 종국은 "무덤으로 가득 뒤덮인 거대한 산"에 이어져 있다. 규격화된 일상적 삶으로부터 탈출하여 도달한 그곳은 비유적인 의미에서 "무덤"에 불과한 것이다.

"무덤만이 끝날 줄 모르고 이어져 있"는 그 길에서 벗어나 "늘씬한 포장 도로"를 발견하고 느끼는 안도감은 일상적 삶의 규격을 자기 맞춤으로 여기는 화자에게는 당연한 것일지 모른다. "주홍 글씨"를 새기고 싶은 아내의 탈선 이후에도 "새벽 헬스클럽과 외국어 학원의 야간 강좌에 등록"하는 화자가 갈 수 있는 유일한 길은 "늘씬한 포장 도로"밖에 없을 것이다. 그러나 화자가 느끼는 안도감은 표면적인 것에 불과할지도 모른다. 왜냐하면 아내와 화자가 가고 싶어하는 길들은 현대인 모두에게 각인되어 있는 두 갈래의 내적 충동이기 때문이다. 일상적 현실에 순응하면서 적자가 되고픈 욕망과 그곳으로부터 탈출하고픈 욕망 사이에서 우리는 끝없는 갈등을 겪고 있지 않는가. 〈아내의 상자〉는 아내와 남편으로 분열된 자아의 돌이키기 어려운 분리로써 결말을 삼고 있지만, 그것은 오히려 통합에의 열망이라는 역설로 읽혀야 할지도 모를 일이다.

▶〈날개〉를 훨씬 능가하는 소설적 통찰력

그렇다면 탈출로는 없는가. '잠'으로써 "자신을 상처 입힌 세상을 향해 빗장을 지"른 상태를 벗어나 은밀한 외출의 동반자가 되어 행한 아내의 자기 파괴가 하나의 탈출로가 될 수 있을까. 〈아내의 상자〉에서 또렷한 대답이 들려 오지는 않는다. 아내를 정신병원 혹은 요양소에 버리고 오면서 화자는 아내가 이제 "희망 따위를 볼모로 잡지 않"을 것이며, "헛된 희망을 갖는 일도 없을 것"이라고 생각한다. 체계화된 일상으로부터의 탈출이라는 희망은 이제 봉쇄되어 버린 것이다. 일상적 현실의 화신이라 할 수 있는 화자의 동의 없이는 그곳에서 한 발짝도 나갈 수 없게 되었기 때문이다.

〈아내의 상자〉는 이처럼 출구 없는 현대적 삶의 비극성을 날카로운 금속성 울림으로 들려주고 있다. 그런데 우리는 이러한 비극성의 한 자락을 일찍이 목도한 바가 있지 않은가. 바로 이상(李箱)의 소설 〈날개〉에서이다.

일상적 현실로부터 유폐되어 있는 '방'과 박제가 되어 버린 주인공, 아내와 남편이라는 분열된 자아의 두 표상, 현실적 관심을 지우기 위해 행하는 주인공의 끝없는 잠, 은밀한 외출을 통해 경험하는 내면 바깥의 현실, 그 연후의 환멸과 초월에의 욕망……. 〈아내의 상자〉는 이처럼 우리 소설의 백미라 할 수 있는 〈날개〉와 근친성을 갖고 있다.

그러나 은희경의 〈아내의 상자〉는 이상(李箱)이 관념적으로 도모한 현실 초월의 욕망이 현대적 삶의 네모꼴 체계 안에서는 무망한 것임을 간파했다는 점에서 〈날개〉를 훨씬 능가하는 소설적 통찰력을 보여 주고 있다. 특히 현대 여성이 처한 열악한 삶의 조건과 융합된, 현대적 삶의 탈출구 없음을 아프게 그렸다는 점에서 우리 소설이 도달한 하나의 진경(眞景)이라고 할 것이다.

그렇다면 이 출구 없는 삶에서 무엇을 호명하여 우리는 위로받을 수 있을까. 일찍이 사랑이 헛된 이름임을 말해 왔고, 〈아내의 상자〉에서 희망이라는 이름마저 자아의 내부에서 추방해 버린 은희경은 이제 '광기와 죽음' 그리고 "늘씬한 포장 도로"라는 새로운 메타포들을 호명하고 있다. 이 철저하게 분리된 메타포의 극단성은 우리를 두렵게 한다. 우리의 삶이 얼마나 불안한 인간적 기초 위에 서 있으며, 그것에 대한 불만이 우리를 어떠한 지경으로 인도하게 될지 두렵지 않을 수 없다. 그러나 거짓된 화해를 버림으로써 진정한 화해의 가능성을 풀지 못한 과제로 남겨 두었다는 점에서 〈아내의 상자〉는 그 두려움을 뛰어넘는 농밀한 진정성을 지닌 작품으로 우리 앞에 다가와 있다.

짐작과는 다른 말들

— '바라보는 그녀'와 '보여지는 그녀'

그녀의 삶에 대한 농담은 그런 농담을 하게 만드는 세상의 진담을 끌어오기 위한 제의이다. 어쩌면 그녀가 진정으로 외우고 싶은 주문은 "살아가는 것은, 진지한 일이다. 비록 모양틀 안에서 똑같은 얼음으로 얼려진다 해도 그렇다. 살아가는 것은 엄숙한 일이다"일 수도 있다. 그녀는 그런 진지함으로 소설을 애타게 부르고 있는 것은 아닐까.

김미현(문학평론가)

▶ 이상(李箱)의 선물

"걱정하지 말아요. 다리도 예쁘고, 그 다리만큼 마음 또한 예쁘다고 꼭 밝힐게요." 축하 전화 끝에 얼굴 예쁘다는 소리말고 다른 말도 써달라고 농담을 하는 그녀에게 나 또한 뒤질세라 농담을 가장한 진담을 한다. 수상 소식에 '짐작과는 달리' 다소 우울해하는 그녀에게 그녀 본래의 모습으로 돌아갈 수 있는 물꼬를 터주고 싶어서였을 것이다.

하지만 그 와중에서도 그녀의 본질은 다음 말에서처럼 여실히 드러난다. "확실히 다시 준다고 약속만 하면, 진짜로 잘 써서 몇 년 후에 받고 싶어." 재기발랄함이나 사고의 탄력성은 숨기기 힘든 본질이다. 단순하게 어느 한쪽의 감정만 나타내기에는 너무 복잡한 성격이라 '상을 받아 기쁘다'는 원초적 솔직함과 '아직은 때가 아니어서 부끄럽다'는 고차적 솔직함을 그녀는 이렇게 동시에 표현한다. "확실히 다시 준다고 약속만 하면"이라고 붙인 단서에서 나는 그녀의 위악과 절제를 느낀다. 물색 모르고 기뻐하는 '보여지는 그녀'를 이치에 밝은 '바라보는 그녀'가 용서치 못하는 형국일 터이다.

솔직히 밝히자면 나는 언제인지는 불확실하지만 이런 날이 오리라고 '짐작하고' 있었다. 어찌 이상(李箱)이 그녀를 알아보지 않을 수 있겠는가. 둘 다 '사랑'에 호되게 당할 줄 알았다. 그토록 사랑에 속아 주지 않다니—. "剝製(박제)가 되어 버린 天才(천재)를 아시오? 나는 愉快(유쾌)하오. 이런 때 戀愛(연애) '까지가' 愉快하오"라고 말하는 이상의 위트와 패러독스나, "술이 많이 취했을 때면 그가 그립다"고 하지 않고 "술이 어설프게 취했을 때나 그가 그립다"고 말하는 은희경의 독설과 냉소라니—.

사랑이 맨 마지막에나 겨우 사람을 유쾌하게 만들 수 있는 최대의 황무지임을 그들은 공히 인식했던 것이다. 그러면서도 그들은 "제일 싫어하는 飮食(음식)을 貪食(탐식)하는 아이러니"를 사랑을 통해 몸소 실천한 점에서 닮았고, 그때의 연애 감정을 일종의 '포즈'로 간주한다는 점까지도 너무 닮았다. 남들이 대단하게 여기는 것을 우습게 여기면서도 그 누구보다 애용하다니, 내가 '사랑'의 입장이었어도 그들에게 섭섭했을 것이다. 그래서 그들이 가장 싫어하는 방식으로 한데 묶여 복수했을 것이다. 그들은 모두 '무거운 진실'을 싫어한다. 상(賞)은 아주 진실된 것이며, 심지어 무거운 것이다.

▶특별하고도 위대한 작가

'나는 착하거나 진지하지 않다.' 이렇게 말하는 사람은 선한 사람인가 아니면 악한 사람인가. 은희경을 보면 혼란에 빠진다. 자신이 삶을 속이고 있는데 그런 속임수까지 알아봐 달라고 요구하는 고수가 바로 그녀이기 때문이다. 이토록 속을 투명하게 보여 주는 여우는 여우 같은 사슴인가 아니면 사슴 같은 여우인가. 자신이 여우짓하는 것을 굳이 숨기지 않는 여우를 어찌할 것인가. 이건 그녀가 다시 나에게 보내온 복수의 성격을 띤 무거운 농담이다. 자신이 공주임을 말하지 말라는 공주는 공주임이 분명한데—. 어려운 문제다. 그래서 비트겐슈타인 같은 언어철학자가 필요한가 보다.

최근 그녀에게서 들은 사적인 고백은 어떤 타인에 대해 80퍼센트만 알아야지 나머지 20퍼센트까지 알면 환멸이 생긴다는 것이었다. 입보다 귀가 큰 그녀는 아마 그 때문에 고충도 많나 보다. 그래서 사람과 사람 사이의 적당한 거리가 그리울 정도로 대인 관계에 지쳐 있나 보다고 생각했다.

하지만 나는 그녀에 대해 80퍼센트까지는 모른다. 그런데 설사 그렇더라도 나는 그녀의 나머지 부분에 대해서 알려고 하지 않을뿐더러 알 수 있다고도 생각하지 않는다. 그녀의 "안다는 것은 어차피 잘못 안다는 뜻"이라거나 "타인을 이해한다는 것은 결국 그에게 편견을 품게 되었다는 뜻"이라는 생각에 동의하기 때문이다. 그리고 나 또한 인간에 대한 예의를 지키고 싶은 사치심도 있고, 끝을 보기 전에 도망 나올 냉소와 지각도 갖추고 있는 편이다.

사실 그녀가 나에게 SOS를 친 것이지 나를 VIP로 이 자리에 초대한 것이 아님은 분명한 사실이다. 타의 추종을 불허하는 그녀의 탁월한 인간성으로 볼 때 그녀의 70~90퍼센트를 이해하는 사람들은 많을 것이다. 그런데도 그녀가 소설가나 시인이 아닌 나 같은 아메바급 평론가를 낙점한 것은 그들에게 선후배나 동료로서 미안하고 부끄러운 생각이 들었기 때문일 것이다. 그녀는 이토록 예민하고 사려 깊은 사람이다. 설마 "친절한 사람 같지 않아서", "거절당해도 상처받지 않을 것 같아서", "부탁을 들어준 뒤에 갖게 되는 어쩔 수 없는 정 같은 것을 나눠 주지 않을 만큼 차갑게 보여서", "뭐가 잘못되더라도 어쩐지 자기 잘못은 아닐 것 같아서" 나에게 이 글을 부탁하지는 않았을 것이다.

이런 그녀의 생각을 알 정도로는, 나도 그녀를 안다. 내가 알기로 그녀는 나의 나머지 20퍼센트만 보려고 노력할 정도로 불공평한 사람은 아니다.

불공평하기는커녕 그녀는 상냥하고 친절하다. 예의바르며 깔끔하다. 그리고 "이해 관계와는 상관없는 다감한 성격과 타인에 대한 성실함", 표나지 않게 상대방이 "회를 집으면 초고추장을, 고기를 집으면 기름소금을 옮겨 주는" 따뜻함도 지닌 사람이다. 전라도 사투리를 써서 한마디로 말하면 '쌈박한' 사람이라고나 할까. 그래서 보통 그녀의 소설만 읽고 그녀를 신랄하다, 가차없다, 얄밉도록 냉정하다 등으로 그녀의 성격을 추측하는 사람들을 놀라게 한다.

이에 대해 그녀가 마련한 답변은 호탕한 웃음을 동반한 "내가 농담을 좀 안다는 거, 그 사람들이 어떻게 알았지?"이다. 더불어 그 괴리에 의아해하는 나 같은 둔치들에게 이렇게 충고한다. "둘 다 나야. 아직도 나의 표면만 보면 어떻게 해. 나의 이면도 좀 보라구."

이렇게 흔히 오해받는 그녀의 위악성은 그녀가 지닌 연약함이나 외로움에서 온다. "정에 굶주린 사람처럼 굴 때가 가장 싫다"는 자존심이 그것을 강화시킨다. 무엇보다 자신의 착함을 믿어 달라고 이야기할 용기와 배짱이 그녀에게는 없는 것이다. 그녀는 예민해서 소심하고, 그 소심함 때문에 항상 긴장하면서 살아야 한다. 그런데도 그녀는 자신의 그런 소심함에조차도 성실하다. 그리고 그녀의 그런 소심함은 완벽주의 때문인 듯하다. 겉으로는 "난 욕먹는 게 좋아. 욕을 먹기 시작하면 못할 일이 없거든"이라고 당차게 말하면서도 그녀는 아주 작은 일에도 상처를 받는다. 엄청 진지한 사람이기 때문이다.

이런 예민함과 진지함으로 "적어도 운명적으로 소설을 쓸 수밖에 없다는 식의 있을 수 없는 경구로써 자신의 소설쓰기를 무책임하게 미화하려고 하지 않는다"는 점에서 그녀는 "특별하고도 위대한" 작가이다. 그녀는 자신이 작가라는 사실이 버거울 때마다 "소설가가 그 근처에서 가장 똑똑한 사람일 필요는 없다"라는 레이먼드 카버의 말에서 힘을 얻는다고 한다. 그리고 "만약 어떤 시대처럼 소설가가 지식인이고 스승이라면 나는 소설을 쓸 엄두조차 내지 못했을 것이다"라고 겸손해한다. 나는 그녀의 이런 자의식 혹은 자존심이 그녀를 더욱 특별하고도 위대하게 만든다고 믿는다. 진정한 자의식이나 자존심이란 자신의 한계가 무엇이고 언제 굽혀야 할지 아는 것을 의미하기 때문이다. 그녀는 자신이 특별하거나 위대하지 않다고 말함으로써 특별하고도 위대해진다. 그런 역설이 아무에게나 일어나는 것은 아니다. 왜 소설이 그녀를 선택했을까.

▶그녀의 세 번째 인생

그녀에게 삶은 애초부터 "선의"나 "호의"라고는 갖고 있지 않은 가혹한 것이었다. 오히려 "장난기"와 "악의"로 가득 차 있었다. 그래서 그녀는 "삶의 이면"에 관심을 갖게 된다. 바야흐로 "삶과 인간의 본성에 대한 위악적인 실험"이 시작된 것이다. 그녀는 "불행하다는 생각이 들면 오히려 힘이 나는" 특이 체질의 소유자이지 않은가. 고통이 시금치로 변하는 기이한 현상은 은희경 같은 뽀빠이에게만 일어난다.

그래서 그녀가 가장 경계하는 것은 세상을 서정적으로 보면서 서정적으로 행동하는 사람들이다. 그녀가 알기로 세상을 서정적으로 보는 사람은 상처받게 마련이다. "영원하고 유일한 사랑 따위가 존재한다고 생각하는 서정성 자체가 고통에 대한 면역을 빼앗아 가기 때문이다." 결국 그녀에게 서정성 · 서정적 인간 · 서정적 태도는 "삶을 위대하고 진지한 것, 아름다운 것으로만 보려는" 것과 관련되는 정신적 미성숙의 한 양상이다. 본인도 그런 "서정 시대"에서 완전히 벗어나지 못했지만 그래서 더욱 그녀가 원하는 것은 산문적 혹은 서사적 인생이다. 그녀는 쉽게 흥분하지 않거나 남의 시선을 똑바로 인식하면서 제대로 자신을 연기하는 삶을 살고 싶은 것이다.

때문에 그녀 자신의 분신이기보다는 파편들로 등장하는(그래서 아무리 합쳐도 온전한 그녀가 되지 않는) 그녀 소설 속의 인물들이 강하고 독하게 보이는 것에 대해 다음과 같은 참담한 고백이 마련되어 있다.

"언제나 잘못될 경우에 대비하여 자신을 완전히 던지지 않는 것을 강한 태도라고 할 수 있는가? 삶을 불신하기 때문에 늘 불행에 대한 예상을 하고 그 긴장을 잃지 않도록 거리를 유지하려고 애쓰는 것이 겉으로는 강하고 당당한 모습으로 나타날지 몰라도 실은 나의 가장 비겁한 면이다. 어떤 일에 자기의 전부를 바친다면 그것만으로 그의 삶은 광채를 얻는다. 하지만 나는 내 전부를 바친 일, 그 끝에 잠복하고 있을지도 모를 파탄을 감당할 자신이 없다."

그래서 그녀는 삶의 건조함을 증명하는 데에 최대의 정열을 바친다. 이런 때 보여지는 그녀의 정열은 차가운 정열이다. 정열이 소용없음을 보여 주는 데에 정열을 쏟기 때문이다. 그녀가 가장 열심히 하는 일은 삶 속에 숨어 있는 잘못된 심각성을 제거하는 일이다. 그래서 겉으로 보기에는 냉소적이고 허무적으로 보이지만 타인의 '짐작과는 다른' 방식으로 삶 자체에 대해 진지하고 적극적으로 반응하고 있는 것이다.

이런 반응의 최대치를 사랑에 대한 그녀의 반응에서 피부로 느낄 수 있다. 그녀의 소설이 거의 연애소설인 이유는 사랑 자체가 가장 무거우면서도 가볍게 잘못 취급되고 있음을 알고 있으므로 그런 어긋남에 관심을 기울이기 때문일 것이다. 그녀의 소설에서 사랑을 오히려 가벼운 농담으로 처리하는 이유 또한 여기에 있다. 이 세상에서 진지한 사랑이 이루어지기 힘들다는 사실을 통해 사랑의 진지성을 역반영하려는 것이다. 이것은 그녀가 진지함에 대한 반격으로 유희를 통해 진실을 인식시키려는 것과 동일한 전도법이다. 사랑을 하지 않는 것으로부터 자유롭기 위해 그녀는 사랑을 한다. 사람들이 흔히 사랑에 '타령'이라는 말을 덧붙여 신파로 몰기를 좋아하지만, 문학에서 사랑은 김치나 간장 같은 반찬이다. 특히 사정이 어려운 때는 그것만 가지고 밥을 먹지 않던가. 그런 의미에서 사랑은 '진수성찬'이라는 관념성과 허구성을 극복하게 해주고, '끼니' 자체에 대해 겸손하도록 만들어 준다는 점에서 작가 은희경에게는 아주 소중한 배반과 위반의 양식이다.

그런데 이런 애정을 가지고 접근한 사랑은 역시 알면 알수록 그 허상을 여실히 드러낸다. 그러나 만약 이 단계에서 우리가 고개를 돌린다면 사랑에 영원히 속을 수밖에 없음을 은희경은 너무 잘 안다. 그래서 그녀는 사랑을 똑바로 쳐다보면서 그것을 극복해야 함을 역설한다. 사랑의 허상을 확인한 사람만이 사랑과의 거리 조절을 통해 더 열심히 그리고 제대로 사랑을 할 수 있다는 것이다.

이런 응시를 원하면서 그녀가 그려 내는 사랑의 허상은 너무 지독해서 차라리 도망가고 싶을 정도이다. "손가락에 허연 휴지가 말라붙어 있었다. 손톱으로 긁어 보려 했지만 지난밤 사랑 없는 남자의 정액으로 접착된 그 휴지는 쉽게 떨어지지 않았다. 여자는 손가락을 입으로 가져가더니 휴지가 붙은 손가락을 옥수수를 먹듯이 이빨로 긁어대기 시작했다."

사랑이 아늑한 방이 아니라 더러운 시궁창에서 벌어지는 비루한 사건임을 이토록 처절하게 그릴 수 있는 작가는 흔치 않을 것이다. 나는 낙원상가 앞을 지날 때마다 그녀가 창조해 낸 이 인물이 무감각한 표정을 지닌 채 쭈그리고 앉아 있을 것만 같아 두렵다. 꿈이나 환상을 버린 채 오직 성실함과 통찰력으로 그려 낸 사랑의 쓸쓸하고 허무한 그녀의 정물화를 보면 지금도 소름이 돋기 때문이다.

이런 냉소와 허무까지를 겪은 후에야 비로소 그녀에게 제3의 길이 열리게 된다. 세상이 그녀에게 상처를 입힌다. 그러나 그런 세상을 바꿀 수는 없다. 냉소나 허무는 자폐증적인 히스테리일 뿐이다. 은희경은 이런 세상을 벗어나 제3의 인생을 사는 것은 그런 세상을 보는 자신의 시선을 바꾸는 길뿐이라고 생각한다. 이때 정(正)과 반(反)의 양 극단을 거쳐 그것들을 모두 감싸안는 합(合)의 경지를 추구하게 된다. 3은 완전수이기도 하고, 중용이기도 하며, 균형이나 달관과도 통한다. 그녀는 "반대쪽에 있는 것들의 화간(和姦) 속에서 비로소 삶이 제대로 모호해진다"고 생각한다. 그래서 그녀는 창녀에게서 신성성을 발견하고, 빈처(貧妻)를 부처〔佛陀〕로 만든다. 세상은 추한 것만은 아니다. 그렇다고 아름다운 것만도 아니다. 세상은 추하기도 하고, 아름답기도 한 것이다. 그녀는 그런 세 번째의 세상을 표현하기 위해 소설을 쓴다.

▶소설에게 말 걸기

은희경의 소설쓰기는 "이지적인 극기 훈련"의 과정이다. 진정한 자아는 '보여지는 그녀'가 아니라 '바라보는 그녀'이다. 이런 '바라보는 그녀'의 절제 능력과 거리 의식이 최대로 발휘되는 행위가 바로 소설쓰기이다. "건드려질 때마다 아픔을 느끼는 상처를 갖는다는 것이 삶에 대한 스스로의 조절 능력을 상실하는 것"을 알게 된 이상 그녀는 그것을 그대로 방치하지 못한다. 그래서 그녀는 삶이 그녀의 삶에 해를 끼치지 않도록 하기 위해 소설을 쓴다. 삶에 속지 않기 위해 당연히 행하는 이런 행위가 그녀의 삶을 두 배로 고달프게 만들지만 말이다. "행복하면 행복할수록 그것이 사라질 때의 상실감에 대비해야만" 한다는 강박관념을 갖게 하기 때문이다. 그녀는 행복할 때도 행복해하고 불행할 때도 행복해하는 최면술이나 낙천성을 불행하게도 지니지 못했다.

그렇기 때문에 그녀는 더욱 열심히 소설을 쓴다. "세상이 내게 훨씬 단순하고 너그러웠다면 나는 소설을 쓰지 않았을 것이고, 아마 인생에 대해서 알려고도 하지 않았을 것이다." 세상이나 인생이 먼저 그녀에게 말을 걸어온 것이다. 그것들은 은희경에 의해 발견되어 새로워진다. 아니, 그녀의 시선에 의해 본래의 모습을 가장 잘 보여 주게 된다. 은희경은 머리가 좋고 성실하므로 자신에게 주어진 임무를 완벽히 수행한다. "삶에서 어떤 한 부분을 포착하고 거기에 칼날을 대고 잘라 내서 단면을 본 다음, 다시 뒤집어서 이면을 보는 것, 그런 것이 소설쓰기"라는 생각으로 그녀는 소설을 쓴다. 그래서 남들이 삶을 '모자(帽子)'라고 생각할 때 그녀는 그것이 코끼리를 통째로 삼킨 '보아구렁이'임을 알아본다.

그녀의 그런 투시력은 열두 살 이후 성장할 필요가 없었다고 과장을 하는 아이의 겉으로 드러난 조숙함이 아닌 한때는 아이였을 어른들이 훼손되지 않은 유년기에 경험했던 순정성에서 연유하는 것이다. 아이들의 순정성을 자신들의 잣대에 의해 농담으로 취급하는 것 자체가 그리운 유년으로 온전히 돌아갈 수 없는 어른들이 삶에 대해 저지르는 폭력이기 때문이다.

그래서 이때 발생하는 그녀의 위악적인 농담은 삶이 무지갯빛이라는 환상을 심어 주기 위해서가 아니라 삶이 회색이라는 환멸을 인식시키기 위한 성인극의 대사가 된다. 그리고 그런 환멸이 "가장 강력한 구애의 형태"라는 점에서 진정한 연기술이나 위장술마저 요구하게 된다. 얼마나 좋아하는가가 아니라 얼마나 달아날 수 없는가를 통해 삶에 대한 사랑을 증명한다는 점에서 서글픈 블랙 유머인 것이다. 이런 까닭에 그녀의 소설 속에서 이루어지는 농담은 미소가 아닌 조소를 유발시킨다. 그리고 해방이 아닌 고뇌를 향해 있으며, 존재를 고양시키기 위한 연마술이 아니라 고통을 인내하기 위한 절제술에 더 가깝다. 공격 본능이 아닌 방어 본능에 의해 구성되는 '언어의 이면'인 것이다

이런 농담에 그녀는 삶의 이면을 담아 낸다. 그녀가 보는 삶의 이

면은 구린내와 악취가 풍기는 똥통이 아니다. 그것은 다른 작가들이 이미 보아 온, 어쩌면 흔한 삶의 살풍경이다. 그녀가 새롭게 바라보면서 처절하게 형상화하는 삶의 이면은 그런 똥통을 삶의 이면이라고 생각하는 인간들의 허위 의식 자체이다. 그런 이면이 따로 있지 않다는 사실이 그녀가 밝혀 낸 진짜 삶의 이면인 것이다. 삶은 겉과 속 모두 거대한 똥통이기에 다시 복원해야 할 깨끗한 삶의 본질이 있다고 생각하는 그 자체를 최대의 '미혹'이라고 가르쳐 준다는 점에서 그녀는 진정으로 완벽한 악동이다. 그녀는 자신을 불행하게 만드는 세상보다 삶이 행복할 수도 있다는 미련을 버리지 못하는 자신을 더 미워하는 것이다.

그런데 이처럼 "삶의 절단면을 보는 데서 그치지 않고 그것을 뒤집어 이면까지 보려고 하는 태도"를 사람들이 따뜻하지 않다고 단순하게 생각한다는 사실에 대해 그녀는 충격을 받는다. 그것은 그녀가 지닌 마음의 겉면만 본 것이기 때문이다.

그녀는 고통스런 삶이 지닌 표리일체성이 그녀의 소설이 강조하려는 의미임을 부인하지는 않는다. 그러나 그녀는 그런 목적이 "지독하게 파헤치는 것이 아니라 오히려 편안하도록 드러내는 것"에 있다고 말한다. 그녀는 왜 사람들이 "말귀는 그렇게 잘 알아들으면서 그 진의를 따지는 데는 그처럼 경솔하고 무성의한 것인지" 속상해한다. 사람들은 그녀가 내는 것이 신음 소리인지 울음소리인지는 잘 구분하면서도 그녀가 왜 울고 웃는지에 대해서는 무관심하다는 것이다. 웃고 있어도 눈물이 나는 경우도 많다.

그녀의 삶에 대한 농담은 그런 농담을 하게 만드는 세상의 진담을 끌어오기 위한 제의이다. 어쩌면 그녀가 진정으로 외우고 싶은 주문은 "살아가는 것은, 진지한 일이다. 비록 모양틀 안에서 똑같은 얼음으로 얼려진다 해도 그렇다. 살아가는 것은 엄숙한 일이다"일 수도 있다. 그녀는 그런 진지함으로 소설을 애타게 부르고 있는 것은 아닐까.

▶명백히 부도덕한 오해

은희경은 스스로 웃지는 않으면서 남에게 이처럼 거대한 농담을 건네는 불편한 작가이다. 자신의 연기에 독자들이 속기를 바라기 때문이다. 이런 그녀의 위악성은 자신이 그러하듯이 삶 자체가 독자들을 속이거나 골탕을 먹인다는 사실을 제발 알아 달라는 충정에서 나온 것이라는 데에 그 진정성이 있다.

그녀의 소설에 쓰이는 농담은 자신이 사랑하는 것을 비웃으면서 여전히 그것을 사랑하게 해주는 가역 반응을 일으키게 만든다. 이런 반응을 통해 진지함에 면역이 생기게 해줌으로써 그녀는 진지함이 약점으로 작용하는 것을 막아 준다. 그녀에게 가장 무서운 적은 무거움 혹은 연민이기 때문이다. 그래서 그녀의 농담은 삶의 무게를 들어올리는 지렛대가 되고 그 습기를 막는 방부제가 된다. 그녀의 소설에서 유발되는 웃음이 불행함이나 슬픔에 대한 모욕인 이유도 여기에 있다.

그러나 사람들은 그녀의 진의를 제대로 파악해 주지 않는다. 그동안 그녀가 너무 농담을 자주 그리고 훌륭하게 해왔기 때문이다. 그녀는 자신의 농담이 호랑이를 쫓아내는 곶감이 되기를 바랐지만, 거짓말쟁이인 양치기 소년의 늑대가 되어 버린 것이다. 이제 사람들은 그녀의 농담이 진담임을 믿으려 하지 않는다. 그래서 호랑이 같은 삶의 폭력성을 이기는 부드러운 무기로 존재하기 힘들게 되었다. 이것이 그녀의 소설이 지닌 최대의 비극이다.

하지만 그렇기 때문에 더더욱 그녀의 소설에서 쓸쓸함을 느끼지 않고 독기를 느끼거나 자유를 읽지 않고 도피를 읽는 독자처럼 "명백히 부도덕한" 오해에 빠진 사람은 없을 것이다. 사실 그녀가 자신의 소설을 읽는 독자들에게 진정으로 주고 싶은 선물은 삶이 '알

만하다'거나 어떤 때는 '알보다 더 크다'고 느끼는 착각을 통해 만만한 세상을 살아갈 수 있게 하는 힘이었을 수 있다. 때문에 그녀에게는 위악보다 위선이 오히려 부도덕한 일이 된다. 위선은 아무것도 괴롭히지조차 못하면서 그 어떤 것도 생산해 내지 못하기 때문이다.

이런 위대한 농담과 초라한 현실, 선보다 착한 위악과 악보다 못된 위선을 통해 은희경이 삶에서 건져 낸 비밀들로 소란스러운 것이 그녀의 소설이다. 힘들겠지만 이런 삶의 비밀을 계속 추적하라는 부탁의 뜻으로 그녀가 좋아하는 밀란 쿤데라의 말을 그녀에게 선물로 준다. "사람의 어리석음은 모든 것에 대한 해답을 갖는 데서 오고, 소설의 지혜는 모든 것에 대한 질문을 갖는 데서 온다." 역시 삶은 풀 수 없는 비밀이다. 은희경이 이 사실에 대해 기뻐하고 있다는 것은 비밀이 아니다.

*각 제목이나 본문에서 " "로 표시된 부분은 은희경의 소설이나 말을 인칭과 어미, 시제를 문맥에 맞게 고쳐서 인용한 것입니다. 작가 은희경의 의식은 소설의 몸에 해당하는 텍스트 자체를 통해 가장 잘 드러난다는 생각에서 이를 재구성해 보았습니다. 글의 흐름이나 지면 관계상 구체적인 출전은 밝히지 않았습니다.

'이상문학상'의 취지와 선정 방법

1. **취지와 목적** : 〈문학사상사〉가 제정한 '이상문학상(李箱文學賞)'은 요절한 천재 작가 이상(李箱)이 남긴 문학적 업적을 기리는 뜻으로, 매년 가장 탁월한 작품을 발표한 작가들을 표창함으로써, 한국 문학의 발전에 기여할 것을 목적으로 한다.
2. **심사 대상 작품** : 전년도 심사 대상작 이후에 발표된 작품들로부터 당해년도 자료 조사 마감일까지 발행된 문예지를 중심으로 해서 각종 정기 간행물에 발표된 작품성이 뛰어난 중·단편소설을 망라하여 심사한다. 중·단편소설을 시상 대상으로 하는 것은 문학의 중심이 장편소설에서 점차 중·단편소설로 이행하는 추세를 감안하고, 작품 구성과 표현에 있어서의 치밀성과 농축성으로, 짙고 강렬한 소설 미학의 향기와 감동을 자아내게 한다고 믿기 때문이다.
3. **상의 종류** : 본 상은 대상(大賞) 1명과 추천 우수작상 10명 이내로 하되, 특별한 경우에는 복수의 대상 수상자를 선정할 수 있다. 상금(원고료)은 대상 2,000만 원, 우수작상은 각 150만 원이 수여된다. 이미 대상을 받은 작가에게도 당해년도 발표 작품 가운데 1~2편을 선정하여, 기수상 작가(旣受賞作家) 우수작상(상금은 각 150만 원)을 수여한다.
4. **예심 방법** : 예심은 《문학사상》 편집진이 1년 동안 각 매체에 발표된 작품을 수집하여, 〈문학사상사〉 편집 위원과 경영진 및 편집진으로 구성된 이상문학상 운영위원회에서 대학 교수·문학 평론가·작가·각 문예지 편집장·일간지 문학 담당 기자 등 약 1백 명에게 추천을 의

뢰한다.

그 모든 자료를 일괄하여 편집 위원들의 지도를 받아, 본심에 회부할 작품을 선별한다.

이 단계에서 본지 정기 독자에 대한 설문 및 일반 독자를 대상으로 한 앙케이트 조사 결과를 추천 작품 선정에 참고한다. 심사 위원이 예심에 회부된 작품 이외에 본상의 예심 대상에 포함시키고자 하는 작품이 있을 경우에는, 이를 예심 작품에 추가한다.

이와 같은 독특한 예심 과정은 소수의 예심자가 짧은 시일 내에 수많은 작품 속에서 본심에 회부할 작품을 선정하는 폐단을 지양하고, 다수인이 장기간에 걸쳐 모든 작품을 망라함으로써 신중하고 세심한 예심 과정을 밟기 위한 것이다.

5. 본심 방법 : 예심을 통과한 작품은 권위 있는 평론가와 작가로 구성된 5인의 심사 위원에게 넘겨져, 수일 간 충분한 검토를 거친 후 본심 회의가 소집된다. 본심 회의는 대체로 토론을 통해 예심 작품 가운데 10편 내외의 작품을 선정한다. 이 작품 속에서 1편(예외적인 경우 2편)의 대상을 선정하고, 나머지 작품은 우수작상 수여 작품으로 결정한다. 대상 작품 선정에 있어 심사 위원의 의견이 일치하지 않을 경우에는 무기명 비밀 투표로써 다수결 원칙에 의하여 최종 결정을 한다.

그러므로 이상문학상의 대상과 우수작상은 모두 같은 수준의 작품이라고 볼 수 있으며, 전문 문학가나 독자의 주관적인 판단에 따라 그 평가는 달라질 수 있다. 때문에 한번 우수작상을 받은 작가는 대부분 자주 우수작상을 받게 되며, 3～4회 내지 5～6회 만에 대

상을 받게 되는 경우도 있다.

6. **저작권** : 대상 수상 작품(이하 '대상 작품'이라고 약칭)의 저작권은 〈문학사상사〉에 귀속된다. 단, 2차 저작권(번역 출판권, 영화화 · 연극화 등의 저작권)은 저자에게 있고, 《이상문학상 수상작품집》 발행 후 3년이 경과하기 전에는 동 대상 작품을 저자의 작품집에 수록할 수 없다. 단, 어떤 경우에도 《이상문학상 수상작품집》의 표제(대상 작품명)와 중복이나 혼동의 우려가 없도록 하기 위해서 대상 작품명을 저자 개인의 작품집의 서명(書名, 타이틀)으로 쓸 수 없다.

   우수작상 및 기수상 작가 우수작상은 관례에 따라 수록된 당해년도 작품집에 한하여 본사가 계속 저작권을 갖는다.

7. **이상문학상 작품집 발행** : 〈이상문학상 운영 규정〉에 따라 대상 작품과 추천 우수 작품, 기수상 작가 우수 작품을 모아, 염가 대량 보급을 목적으로 《이상문학상 수상작품집》을 발행한다.

   이 작품집은 이상문학상의 공정성과 권위를 독자에게 다시 묻기 위한 것이며, 수록된 작품과 그 작가들에 대한 표창과 홍보의 뜻도 담고 있다. 한편 이 작품집은 해마다 문단의 작품 경향과 흐름을 알 수 있는 앤솔러지적인 성격을 띠고 있다.

   우리 나라의 출판계는 하루 1백여 권 내외의 새책을 출간하고 있다. 이런 출판 홍수 사태를 이룬 그 많은 책 속에서, 그리고 1~2천 명을 헤아린다는 많은 작가 속에서, 독자가 뛰어난 문학 작품과 작가에 대한 선택과 판단을 내리기란 지극히 어려운 실정이다.

   그런 뜻에서 《이상문학상 수상작품집》은 그 영예로운 작가와 작품을 일회성이 아닌 영구적으로 널리 독자에게 알리고, 그 작가에 대

해 보다 탁월한 작품을 창조하기 위한 끊임없는 격려와 기대의 뜻을 담고 있다. 때문에 20여 년 전의 작품도, 계속해서 한결같이 널리 알려 독자의 관심권에서 벗어나지 않도록 하는 매우 독특한 작품집으로 정착되었다. 그러한 노력은 작품의 우수성과 더불어, 이 작품집이 매년 수십만의 독자들에게 애독서로 선택되고, 20여 년 전의 《이상문학상 수상작품집》도 계속 독자가 끊이지 않게 하고 있다. 그처럼 매년 한 권의 책으로 묶여 중·단편 창작 소설집이 장기간에 걸쳐 다량으로 발간되고 있는 것은 세계적으로도 매우 희귀한 예로 알려지고 있으며, 그것은 우리의 문학과 독자의 성장도와 성숙도를 가늠케 하는 한 단면이기도 하다.

8. 이상문학상운영위원회 : 〈문학사상사〉의 발행인을 위원장으로 하고 《문학사상》의 편집인과 편집 주간 및 문학사상사 이사회가 위촉한 3인의 위원으로 구성되며, 본 문학상의 제도와 운영에 관한 모든 업무를 관장한다.
9. 이상문학상선고위원회 : 이상문학상 운영위원회는 매년도마다 5~7인의 이상문학상 심사 위원을 위촉하여 이상문학상 선고위원회를 구성한다. 동 선고위원회는 연장자를 위원장으로 하여, 이상문학상의 대상과 우수작상 그리고 기수상 작가 우수작상을 수여할 작품을 심의 결정한다. 수상자를 결정함에 있어 의견의 일치를 보지 못한 경우는 투표로써 결정한다.

문학사상사

이상문학상운영위원회

이상문학상 수상작품집 22

초판 1쇄 발행—1998년 1월 25일
초판 68쇄 발행—1998년 8월 10일

지은이 — 은 희 경 외
펴낸이 — 임 대 현
펴낸곳 — (주)문학사상사
서울특별시 송파구 오금동 91번지(138-130)
등록 : 1973년 3월 21일 제 1-137호

편집부 — 3401-8543 · 3401-8544
영업부 — 3401-8541 · 3401-8542
팩시밀리 : 3401-8741 · 3401-8742
하이텔 ID : MH2000 / 천리안 ID : mu2000
인터넷 : 홈페이지 http://www.munsa.co.kr
전자우편 mu2000@ppp.kornet21.net
우편대체 계좌번호 : 010017-31-1088871
지로구좌 : 3006111

잘못 만들어진 책은 구입하신 서점이나
본사에서 바꾸어 드립니다.

값은 표지 뒷면에 표시되어 있습니다.

ISBN 89-7012-284-2 03810

문학사상의 좋은 책—인문 편

● 이상문학전집 1—시

〈오감도〉·〈거울〉·〈절벽〉 외 90편, 이상이 남긴 시의 전부 및 해설
이상의 모든 시 작품을 간결하게 요약하면서 제대로 이해하기 어려운 부분을 해설과 주석을 달아 정밀하고 명료하게 밝힌 이상 시와 그 해설의 결정판!
이승훈 엮음/값 6,000원

● 이상문학전집 2—소설

〈날개〉·〈종생기〉·〈십이월 십이일〉 외 13편, 이상이 남긴 소설의 전부 및 해설
천재 작가로서의 이상의 면모를 여지없이 발휘케 한 소설의 전부. 원본의 정교한 복원과 그의 작품 세계를 완벽한 주석과 해설로 재조명!
김윤식 엮음/값 8,000원

● 이상문학전집 3—수필

〈권태〉·〈혈서삼태〉·〈슬픈 이야기〉 외 65편, 이상이 남긴 수필 전 작품과 해설
시와 소설에서 다하지 못한 이상의 인간과 문학의 지평을 밝혀 주는 수필을 총망라하고, 주석과 해설로 한국 문학사상 수필 문학의 금자탑을 부각!
김윤식 엮음/값 7,000원

● 이상문학전집 4—연구 논문

난해한 이상 문학의 비밀을 푸는 열쇠, 그 대표적 논문 모음
한국 근대 문학의 정상에 우뚝 솟은 이상, 그의 문학이 난해한 만큼 무수한 연구 논문이 속출하는 가운데 가장 대표적인 14편을 엄선 수록하였다.
김윤식 편저/값 8,000원

● 윤동주 전집 1—하늘과 바람과 별과 시

윤동주의 시·산문과 주석·해석·평전·화보 및 자료
영원한 서정 시인이며 민족 시인, 윤동주. 그가 남긴 시와 산문의 전작품과 더 깊고 바른 이해와 감상을 위한 해설과 참고 자료 수록.
권영민 편저/값 5,800원

● 윤동주 전집 2—윤동주 연구

주요 연구 논문·해설·자료 편
윤동주에 관한 많은 평론·연구 논문·해설 가운데 가장 무게 있고 중요한 20편과 윤동주의 삶과 문학에 관련된 기타 관련 자료 등을 엄선 수록했다.
권영민 엮음/값 14,000원

● 한국 문학 50년

광복 50주년 기념 기획 출판—광복 이후 격동의 시대 50년에 걸친 우리 문학의 빛과 그늘, 그리고 그 성과를 권위 필진 김윤식 외 40명이 총정리·재조명하고 한국 문학 내일의 지표를 제시한다.
권영민 편저/값 25,000원

● 시 다시 읽기—한국 시의 기호론적 접근

20년 만에 출간되는 이어령 시 문학의 결정

시를 정밀하게 읽고 그 시적 언술의 심층 구조를 따져 가면 우리가 지금까지 잘 모르고 있던 여러 가지 풀이들이 가능해진다.

이어령 지음/값 8,500원

● 이상 연구

이상의 개인사와 사회사를 폭넓은 시각으로 접맥시킨 연구서.

한국 문학에서 '현해탄을 건너간 한 마리 나비' 이상의 참의미를 파헤친 이상문학 연구 반세기의 결정판.

김윤식 지음/값 9,000원

● 김환태 전집

일제 암흑기 말기에 순수 문학의 이론을 정립함으로써 우리 문학사에 커다란 발자취를 남긴 평론가 김환태의 주요 논문과 수필 등을 완벽한 자료 발굴과 고증을 통해 편집한 자료집.

문학사상사 편집부/값 6,000원

● 제3의 침팬지

보통 침팬지와 98.4%나 유전자가 같은 '제3의 침팬지'는 1.6%의 차이로 인간이 됐고, 이젠 멸망의 위기에 섰다. 이대로 가면 100년 안에 인류는 멸망하고 말 것이라는 저자의 충고는 과연 무엇을 의미하는가?

재레드 다이아몬드 지음 · 김정흠 옮김/값 9,000원

● 베스트 셀러 소설 이렇게 써라

10여 년 간 소설 작법의 바이블로 군림해 온 스테디 셀러!

한 작품당 평균 400만 부. 모두 23권의 소설을 써서 총 1억 부 이상의 판매 기록 신화를 낳은 작가 딘 쿤츠. 그가 밝힌 베스트 셀러 소설 쓰기 노하우의 전부!

딘 쿤츠 지음/박승훈 옮김/값 5,500원

● 현대 소설의 이해

소설의 이론과 창작의 실제를 풀이한 입문서

전국 15개 대학 현직 국문학과 교수 16인의 공동 참여로 편찬 · 집필, 종래의 고루 · 난삽한 이론서의 분위기에서 탈피 소설 문학을 새롭고 이해하기 쉽게 풀이한 해설서

이재인 · 한용환 · 우한용 편저/값 9,600원

● 김윤식의 현대문학사 탐구

쉽고 흥미롭게 재조명한 한국 현대문학 100년의 발자취

우리 현대문학이 싹터서 꽃피고 열매 맺는 과정을 주인과 손님의 대화를 통해 쉽게 정리한 서울대 김윤식 교수의 역저.

김윤식 지음/값 12,000원